Em defesa do futuro

Paul Mason

Em defesa do futuro

Um manifesto radical pelo ser humano

Tradução:
Berilo Vargas

Copyright © 2019 by Paul Mason

Proibida a venda em Portugal.

Grafia atualizada segundo o Acordo Ortográfico da Língua Portuguesa de 1990, que entrou em vigor no Brasil em 2009.

Título original: Clear Bright Future: A Radical Defence of the Human Being
Capa: Bloco Gráfico
Imagem de capa: Eduardo Sancinetti
Preparação: Cacilda Guerra
Índice remissivo: Gabriella Russano
Revisão: Angela das Neves e Camila Saraiva

Dados Internacionais de Catalogação na Publicação (CIP)
(Câmara Brasileira do Livro, SP, Brasil)

Mason, Paul
    Em defesa do futuro : Um manifesto radical pelo ser huma-
no / Paul Mason ; tradução Berilo Vargas. — 1ª ed. — Rio de
Janeiro : Zahar, 2020.

    Título original: Clear Bright Future : A Radical Defence of
the Human Being.
    ISBN 978-85-378-1887-9

    1. Humanidade – Filosofia I. Título.

20-37104   CDD: 128

Índice para catálogo sistemático:
1. Seres humanos : Antropologia filosófica 128

Cibele Maria Dias — Bibliotecária — CRB-8/9427

[2020]
Todos os direitos desta edição reservados à
EDITORA SCHWARCZ S.A.
Praça Floriano, 19, sala 3001 — Cinelândia
20031-050 — Rio de Janeiro — RJ
Telefone: (21) 3993-7510
www.companhiadasletras.com.br
www.blogdacompanhia.com.br
www.zahar.com.br
facebook.com/editorazahar
instagram.com/editorazahar
twitter.com/editorazahar

À memória de minha mãe, Julia Lewis (1935-2017)

A experiência da minha vida [...] não só não destruiu a fé
no futuro claro e brilhante da humanidade como, pelo
contrário, lhe deu um caráter indestrutível.

LIEV TRÓTSKI[1]

Sumário

Prefácio à edição brasileira 11

Introdução 17

PARTE I Os acontecimentos 21

1. Dia zero 23

2. Uma teoria geral sobre Trump 37

PARTE II O eu 61

3. A criação de um eu neoliberal 63

4. Telegramas e raiva 85

5. O colapso 99

6. A estrada para o Kekistão 113

7. Não basta ler Arendt 138

PARTE III As máquinas 151

8. A desmistificação da máquina 153

9. Por que precisamos de uma teoria dos seres humanos? 172

10. A máquina pensante 187

11. A ofensiva anti-humanista 212

12. A insurreição *snowflake* 240

PARTE IV **Marx** 259

13. Romper o vidro 261

14. O que resta do marxismo? 277

PARTE V **Alguns reflexos** 299

Interlúdio... 301

15. Des-cancelar o futuro 303

16. Reagir ao perigo 314

17. Recusar o controle da máquina 324

18. Rejeitar as ideias de Xi Jinping 336

19. Jamais ceder 345

20. Viver a vida antifascista 357

Agradecimentos 367

Notas 368

Índice remissivo 386

Prefácio à edição brasileira

O NOVO CORONAVÍRUS É O PRIMEIRO acontecimento realmente global da era globalizada. Os resultados econômicos da pandemia irão variar desde uma queda brusca e aguda a uma depressão de dez anos; para além disso não há certeza de nada.

O que se sabe, porém, é que essa crise agravará as três fragilidades descritas neste livro: um sistema econômico global que já não funciona; a descrença na democracia e no Estado de direito; e a vasta assimetria de poder criada pelas tecnologias da informação.

Nos últimos dez anos, os brasileiros viram todas essas fragilidades, mas através de um filtro radical. As revoltas de junho de 2013; o golpe constitucional que derrubou Dilma Rousseff; a prisão de Lula; a eleição de um racista de extrema direita para presidente, ajudado pela desinformação digital numa escala sem precedentes.

E agora a catástrofe da pandemia. A não aceitação das provas científicas sobre o vírus pela nova direita autoritária — tanto no Brasil como no resto do mundo — reitera sua atitude para com a ciência climática e tem raízes no mesmo medo.

Se a mudança climática for real, e precisarmos descarbonizar o mundo, então a era liberal acabou — e é muito possível que o capitalismo também. Da mesma forma, se o coronavírus for apenas a primeira grande onda de uma ofensiva potencial de milhões de vírus zoonóticos, o tipo de capitalismo que construímos nos últimos vinte anos precisa mudar radicalmente.

Como jornalista, cobri três grandes acidentes econômicos: o colapso das empresas ponto com, a crise de 2008 e a paralisação de 2020 ainda em curso. O colapso da Nasdaq acabou com a poupança de algumas pessoas: foi como se o telhado financeiro da economia tivesse sido arrancado por uma tempestade fora do comum. Em 2008, o telhado desabou completamente, mas a estrutura que o apoiava ficou em pé, e nós reconstruímos o prédio.

O coronavírus é diferente: ele derruba os alicerces — pois, como sustento aqui, a fonte do valor econômico é o trabalho. O vírus ataca o ser humano, obrigando as elites do poder a escolherem entre estrangular a economia ou matar milhões de pessoas.

Só que isso não é um choque exógeno, como se um asteroide atingisse a Terra. Assim como a mudança climática, assim como o envelhecimento populacional, a investida de vírus que passam de mamíferos e de aves para seres humanos, e sofrem mutações, é sinal de que nosso sistema social é insustentável dentro do ecossistema deste planeta.

É o modelo neoliberal que decreta a destruição da floresta tropical; é o modelo neoliberal que amontoa mais de 1 bilhão de pessoas em favelas urbanas; é o neoliberalismo que requer viagens aéreas subsidiadas pelos contribuintes. E é o neoliberalismo que cria nos corpos dos mais pobres as comorbidades que o vírus explora — as doenças da pobreza — e a pressão para trabalhar mesmo estando doente.

A tese deste livro é que a perda da liberdade — a rigor, a perda do desejo de liberdade, que experimentamos nos últimos quarenta anos — tem um custo histórico. A submissão ao mercado criou na cabeça de muita gente uma tendência à submissão em geral: as multidões que se submetem mentalmente à demagogia de homens como Trump e Bolsonaro já haviam se submetido às forças de mercado, ao individualismo e ao culto das celebridades, mesmo nos bons tempos.

Mas há um perigo maior do que os bufões autoritários que agora governam o mundo. Se continuarmos submissos, seu domínio terá sido uma fase de transição para coisa pior: a voluntária submissão humana à vigilância e ao controle das máquinas.

Como jornalista e militante político fiz parte de uma década de fracassos da esquerda. Lutamos com todo o empenho: para expor as mentiras que derrubaram o sistema bancário, para dizer a verdade sobre o conflito na Palestina, para contar a história de pessoas desesperadas que viajam da África e da América Latina para o norte global.

Tentamos usar o aparelho normal da política — partidos, parlamentos, constituições — para sugerir, educadamente, que o sistema econômico quebrou e está destruindo o planeta.

A resposta foi Trump, foi o nacionalismo bizarro de Johnson na Grã-Bretanha, foi a ladainha de injustiças contra a esquerda no Brasil, foi a aniquilação do governo grego pelo Banco Central Europeu.

Este livro e o que veio antes dele são parte de uma tentativa de refletir sobre o que significa ser anticapitalista numa época em que o sistema perdeu energia e vitalidade, mas na qual muita gente não consegue enxergar uma alternativa. Em *Pós-capitalismo: Um guia para o nosso futuro*, procurei esboçar os princípios de uma nova transição econômica para além do capitalismo, com base na possibilidade de abundância tecnológica e de propriedade comum.

Mas persistia a pergunta: Quem é o sujeito da história? Qual é a classe capaz de promover essa transição, e como?

Em defesa do futuro: Um manifesto radical pelo ser humano responde a essa pergunta de um jeito que a esquerda tradicional — da social-democracia ao stalinismo — aprendeu a esquecer: precisamos começar não com uma classe ou um movimento, mas com o eu.

Todas as crises que vivemos remontam a uma crise da "figura social" típica criada nos últimos quarenta anos. Para entender isso basta assistir a um velho filme dos anos 1960. Ali veremos personagens da classe trabalhadora inteligentes e confiantes e cuja principal habilidade social é o desenvolvimento da solidariedade através do humor e do sacrifício.

Agora, ligue a TV para assistir a uma novela de hoje. O que vemos são personagens não muito inteligentes, cuja principal habilidade social é destruir a solidariedade e explorar todas as fraquezas que detectam nos outros.

Ao me dar conta dessa mudança, primeiro achei que fosse apenas o declínio da consciência de classe. Mas, pensando melhor, entendi que, para os trabalhadores do tempo do meu pai, a consciência de classe era, na verdade, uma filosofia moral.

Os marxistas que vendiam jornais e ensinavam economia para eles diziam: "Filosofia moral para nós é uma piada". Mas os trabalhadores não riram: ao contrário, eles criaram uma filosofia moral, e de um tipo muito particular. Fazendo a si mesmos a pergunta "O que é uma boa sociedade e como se comporta uma boa pessoa dentro dela?", desenvolveram uma forma de ética da virtude.

O neoliberalismo destruiu muitas coisas: a crença no futuro, a crença na capacidade humana de agir e até mesmo — como Margaret Thatcher certa vez admitiu — a crença na existência da sociedade. Seu maior ato de destruição, porém, foi injetar uma amoralidade nietzschiana na vida de milhões de pessoas que não têm poder.

Nosso caminho de volta — como esquerda, como explorados pelo capital e como humanidade — tem que ser pela redescoberta da agência: nossa capacidade de agir. As habilidades e os comportamentos impostos coercitivamente, ao longo de quatro décadas de pobreza, de tratamento de choque e de repressão, precisam ser substituídos por uma luta igualmente prolongada e implacável em defesa da agência humana e contra todos os autômatos: sejam mercados, Estados ou máquinas inteligentes.

No centro da batalha está a luta pela verdade. No momento em que escrevo, a mesma máquina de desinformação que levou Jair Bolsonaro ao poder estaria sendo usada, segundo consta, para distorcer sistematicamente a noção que os brasileiros têm da ciência, da reação do mundo exterior e da resposta política.[1] Se existe, de fato, um "gabinete do ódio" no Brasil, esse gabinete seria apenas a sucursal de um esforço mais amplo, global, dos que estão no poder para destruir a nossa crença na possibilidade da verdade.

Infelizmente para os autoritários, embora possam enganar algumas pessoas com uma mensagem de WhatsApp, não é possível enganar um vírus. É impossível também enganar as forças econômicas.

O coronavírus vai acelerar a tendência à criação de um "nacionalismo neoliberal" descrita neste livro — com cada uma das elites antes comprometidas com a globalização passando a descarregar os custos da crise no colo das outras por meio de tarifas e de guerras comerciais. E à medida

Prefácio à edição brasileira

que as economias desenvolvidas acumularem trilhões em dívidas extras e financiamento monetário, o ataque aos serviços públicos e aos sistemas previdenciários subsidiados pelos contribuintes se intensificará, fazendo com que a última década tenha parecido apenas um ensaio geral.

Diante disso, é fácil, especialmente para os jovens — cuja vida já foi abalada duas vezes por crises globais imprevistas —, entregar-se ao desespero. Este livro é um apelo para que se adote uma política baseada na esperança, mas numa esperança radical: não podemos pedir que as pessoas enfrentem elites poderosas, interesses corporativos e as forças de segurança militarizadas que os protegem em troca de um aumento salarial de cinco centavos.

A esperança que está no centro desta narrativa é antropológica: vem da convicção de que o que define os seres humanos é a nossa capacidade para a linguagem, para o trabalho em equipe e para a imaginação; e de que, a julgar por toda a nossa história anterior, é possível usarmos esses atributos inatos para nos libertarmos — dos vírus, das catástrofes climáticas, do controle algorítmico e dos charlatães mentirosos que ocupam cargos de presidente.

7 de maio de 2020

Introdução

QUERO QUE VOCÊ FAÇA uma escolha quando terminar de ler este livro. Você vai aceitar o controle dos seres humanos pela máquina ou resistir a ele? Se a resposta for resistir, de que forma defenderá os direitos das pessoas contra a lógica das máquinas?

No século XXI, a raça humana está diante de um novo problema. Graças à tecnologia da informação, vastas assimetrias de conhecimento se abriram — criando vastas assimetrias de poder. Pelas telas dos nossos dispositivos inteligentes, tanto empresas como governos se tornam cada vez mais hábeis em exercer controle sobre nós através de algoritmos: sabem o que fazemos, o que pensamos e são capazes de prever o que faremos em seguida e de influenciar o nosso comportamento. Enquanto isso, não temos sequer o direito de saber que isso está acontecendo.

E esse é justamente o pesadelo do momento atual. No futuro, com o desenvolvimento da inteligência artificial (IA), será muito fácil perdermos por completo o controle das máquinas de informação.

Um algoritmo é simplesmente um conjunto de instruções para resolver um problema, criadas e registradas por um ser humano. Por exemplo: quando apresento meu passaporte, o pessoal do controle de fronteiras sabe que se minhas impressões digitais corresponderem às que estão no arquivo pode me deixar passar; caso contrário, sou detido para responder a algumas perguntas.

Um programa de computador é um algoritmo operando sem intervenção humana. Em certo sentido, é apenas a etapa mais recente de um longo processo de automação. Nos últimos duzentos anos, uma das nossas estratégias mais bem-sucedidas tem sido relegar operários à margem de qualquer processo industrial: transformá-los em observadores em vez de controladores, dando às máquinas autonomia temporária e limitada. O que fazemos com computadores e redes de informação é apenas uma extensão do que fizemos com moinhos de vento, máquinas de fiar algodão e motores de combustão. Quando as máquinas se tornam capazes de dar instruções a si mesmas, contudo, o risco é que a humanidade seja relegada à margem em caráter permanente, abrindo mão do controle.

Milhões de pessoas têm se dado conta dos perigos do controle algorítmico, mas acham que isso é um problema a ser resolvido por comitês de ética, conferências de tecnologia, revistas científicas ou pela próxima geração. Na verdade, ele está intimamente ligado às urgentes crises econômicas, políticas e morais que vivemos agora.

E aqui estão as razões.

Vamos supor que exista uma máquina capaz de governar o país melhor do que o próprio governo, de pensar com mais lógica do que qualquer ser humano, e que ela faça tudo isso sozinha e por conta própria. Vamos supor que eu peça a você que delegue todas as decisões importantes da sua vida a essa máquina. Vamos supor ainda que eu lhe diga que você será mais feliz se mudar seu comportamento para se adiantar ao que a máquina vai decidir. Espero que você não ache isso uma boa ideia.

Mas tente então substituir a máquina pela palavra "mercado". Nas três últimas décadas milhões de pessoas têm permitido que forças de mercado governem suas vidas, determinem seu comportamento e passem por cima dos seus direitos democráticos. Existe até uma religião dedicada ao culto do poder e do controle dessa máquina: se chama ciências econômicas.

Ao elevar o mercado ao status de guia espiritual autônomo, sobre-humano, nos últimos trinta anos nós possivelmente nos preparamos para aceitar o controle da máquina em algum momento dos próximos cem anos.

Na era do livre mercado, aprendemos a festejar a sujeição dos seres humanos às forças dele. Tratamos conceitos como cidadania, moralidade e agência (o poder de agir) como se fossem irrelevantes ao funcionamento do mundo, agora dirigido apenas pela escolha do consumidor e pela engenharia financeira.

Mas o sistema de livre mercado implodiu. A lógica do egoísmo, da hierarquia e do consumismo já não funciona. Como resultado, a religião do mercado deu lugar a deuses mais antigos: racismo, nacionalismo, misoginia e a idolatria de ladrões poderosos.

Chegando aos anos 2020, uma aliança de nacionalistas étnicos, misóginos e líderes políticos autoritários está reduzindo a ordem mundial a farrapos. O que os une é o desdém pelos direitos humanos universais e o medo da liberdade. Amam a ideia do controle pelas máquinas e, se permitirmos, vão usá-lo agressivamente para se tornarem ricos, poderosos e não terem que prestar contas a quem quer que seja.

Não é tarde demais para conter o caos e a desordem, para dar um basta na tentativa de impor novas hierarquias biológicas com base em raça, gênero e nacionalidade e para rejeitar o controle da máquina. Mas argumentos para nos rendermos estão por toda parte.

A ideia de que "a humanidade acabou" está profundamente embutida no pensamento moderno, da direita alternativa, ou alt-right, à esquerda acadêmica. Por mais que você se esforce para viver de acordo com "valores humanos", prevalece o consenso — do Vale do Silício ao quartel-general do Partido Comunista Chinês — de que esses valores não têm fundamento; de que não existe natureza humana, nem base lógica para privilegiar as pessoas em detrimento das máquinas ou algo que justifique os direitos humanos universais.

Olhando para o passado, a ideologia do livre mercado parece a droga que leva a um anti-humanismo mais generalizado. E estamos prestes a descobrir o quanto essa droga mais pesada pode ser nociva.

"Competir e adquirir" era o primeiro mandamento da religião do livre mercado. Na era da desglobalização e do nacionalismo de direita passará a ser: competir, adquirir, mentir, controlar e matar. Se não pusermos a nova tecnologia de máquinas inteligentes sob controle humano e não as programarmos para alcançar valores humanos, elas serão projetadas seguindo os princípios de Vladimir Putin, Donald Trump e Xi Jinping.

Escrevi este livro, portanto, como um ato de rebeldia. Quando você terminar de ler, espero que comece a praticar atos de rebeldia também.

Eles podem incluir desde a deposição de ditadores à realização de projetos voltados para pessoas em seu próprio bairro ou à contestação da lógica das máquinas em sua vida diária.

Para resistir, de fato, precisamos de uma teoria da natureza humana que possa sobreviver em conflito com a economia do livre mercado, com o culto da máquina e com o anti-humanismo da esquerda acadêmica.

Precisamos, em suma, de uma defesa radical do ser humano.

PARTE I

Os acontecimentos

O que buscava a ralé e o que Goebbels expressou de modo tão preciso era o acesso à história, mesmo ao preço da destruição.

HANNAH ARENDT[1]

1. Dia zero

Ross passa correndo por mim com a câmera ligada. Ele me dá um tapinha no ombro e começa a falar, mas aponto para a GoPro colada no meu capacete e digo, sem emitir som, as palavras "ao vivo" — significando "Não diga nada que possa nos incriminar". A última vez em que estivemos juntos filmando um tumulto foi em Istambul. Desta vez é diferente.

Pouco depois é Brandon que me faz um gesto de "toca aqui" enquanto acena através do caos, também filmando. Juntos cruzamos e recruzamos o mundo dos tumultos desde 2011: Cairo, Atenas, Istambul. Estendemos nossas mãos que não estão segurando as câmeras e apertamos os dedos por um milissegundo. Quebram-se janelas. Um suv pega fogo. Baques surdos de granadas de atordoamento golpeiam o ar e o gás lacrimogêneo flutua.

Cerca de mil jovens, mascarados e vestidos de preto, se movem em bandos pela cidade com a tropa de choque no seu encalço. E, por absoluta coincidência, nesses poucos metros quadrados de campo de batalha urbano, nós nos encontramos: eu, Ross e Brandon, veteranos em filmar países que estão se acabando.

A data é 20 de janeiro de 2017. O lugar é Washington, d.c. A guerra social que vem sendo travada na periferia do sistema global acaba de chegar ao centro dele. Estamos a dois quarteirões da Casa Branca. A presidência de Donald Trump tem um minuto de idade.

Enquanto o levante ganha impulso, a polícia não sabe o que fazer: é treinada para situações em que as pessoas ou obedecem ou levam bala. Hoje nem os tiros nem a obediência são possíveis. Por isso os policiais apenas trotam atrás dos manifestantes, os corpos pesados de levar equipamentos inúteis e um estilo de vida de indolência militarizada. Quando uma moça que empurra uma bicicleta perde o equilíbrio, derrubando por acidente três guardas, outros tantos correm atrás dela de cassetete em punho e outros, ainda, tentam ajudá-la. A trilha sonora é a música tradicional dos tumultos: megafones policiais; rádios crepitando de ordens desorientadas; o vidro de um Starbucks se estilhaçando; jovens americanos cantando "Estados Unidos fascistas, não!".

No fim os policiais atacam, o gás lacrimogêneo vomitando de suas mangueiras de meia polegada. Em vez de fugir, alguns jovens de toucas ninjas pretas formam uma cunha compacta, guarda-chuvas abertos na horizontal para se proteger, e avançam em direção à barreira policial. Um manifestante, sem máscara, está deitado com o rosto para baixo na calçada, um policial apontando-lhe uma arma de choque. Ele olha para o guarda e para as lentes das câmeras dando um zoom nele e declara calmamente: "Foda-se, Donald Trump. Foda-se, Donald Trump".

Quando o tumulto se espalha, os policiais começam a perseguir pequenos grupos pela cidade. Tudo se intensifica: passamos correndo pelo Banco Americano de Desenvolvimento, pelo restaurante Joe's Stone Crab, pelos edifícios de escritórios onde os lobistas de Washington trabalham. E, enquanto corremos, esse ato de fuga apavorada de um inimigo lento, irracional, pela paisagem despedaçada da normalidade, me lembra alguma coisa que vi no cinema. Mas não consigo saber bem o quê.

Na noite anterior à posse de Trump, conheci um agricultor do Tennessee, de 72 anos. "O que você acha disso aí?", pergunta ele, apontando com a cabeça para as palavras "Foda-se, Trump" escritas a giz na calçada da Franklin Square. Ele está usando uma camisa de caubói vermelha, de tecido grosso, e tem no rosto uma expressão sofrida. Vendo os manifestantes reunidos em volta de uma banda de *trash metal*, murmura: "Não querem saber de trabalhar. Estão doentes". O que é estranho, porque a maioria dos manifestantes é claramente de jovens de classe média, com diplomas e empregos.

"Sabe quanto custa?", continua. "Cinquenta dólares um boné de beisebol. Cento e cinquenta um par de tênis." Mais uma vez o comentário é

Dia zero

estranho, porque, sendo todos basicamente anarquistas, quase nenhum dos manifestantes está usando bonés de marca ou sapatos esportivos. "Só querem saber de dinheiro." Ele pronuncia a última palavra como uma lamúria, mostrando a mão estendida como se fosse um mendigo. Seu rosto se contrai, como se sentisse cheiro de merda.

E só então me dou conta: o homem na verdade não está vendo os manifestantes, mas, em sua cabeça, as pessoas que elas evocam: os negros do Tennessee. "Você vê eles saindo do supermercado...", os olhos se arregalam, cheios de raiva... "camiseta branca, vinte dólares, tênis, 150...". É um especialista no preço das roupas que os negros usam.

Quando tento contestar, seu cérebro pula para outro assunto: mudança climática, que ele acredita ser um embuste. "Vacas peidam", exclama, "mas agora estão dizendo que vou ter de pagar um imposto por causa do metano?" Ele diz que debaixo da Antártida há uma floresta tropical fossilizada, com esqueletos de camelo, e que isso prova que a mudança climática é temporária: "O que vai, volta".

À medida que Washington se enche de gente para a posse, encontro pessoas como ele em cada esquina. Trump lhes deu voz e a mídia americana lhes permitiu botar para fora o que mais querem: ódio. À medida que racistas, um depois do outro, despejam suas histórias nos meus ouvidos, o que acontece ali vai ficando mais claro: são pessoas que perderam poder para a lógica dos computadores, mas para as quais todas as pequenas injustiças e inconveniências estão ligadas a uma ameaça imaginária, representada por negros, gays e mulheres independentes.

Comentaristas liberais pedem que compreendamos o que motiva esses indivíduos: a economia que os empobreceu e as mudanças sociais que os desorientaram. Pedem que simpatizemos com suas vidas infelizes entre os motéis e viadutos do Meio-Oeste.

Prefiro uma forma mais dura de compaixão chamada razão, lógica e ciência.

Quando me pedem que compreenda os problemas da "classe operária branca", digo, com a confiança de alguém que nasceu branco e foi criado numa cidade inglesa de mineradores: isso não existe. "Classe operária branca" é uma identidade construída por ricos para oprimir pobres, assim como "coolie" e "selvagem" foram identidades construídas por colonizadores para justificar a desumanidade com que tratavam suas vítimas.

Vamos direto ao assunto. Se você quer paz, liberdade e justiça social, pessoas como o cara do camelo antártico são seus inimigos. Elas colocaram no poder, no país mais poderoso do mundo, um homem racista que sonega impostos e que se gaba de "agarrar as mulheres pela boceta". Ao fazer isso, tentaram deliberadamente destruir o sistema multilateral conhecido como globalização, desfazer cinquenta anos de conquistas nos direitos das minorias e das mulheres e substituir o império da lei por uma dinastia cleptocrata.

E essas pessoas estão na ofensiva em todos os continentes. Há os manifestantes do Patriot Prayer em Portland, Oregon, exigindo que as cabeças dos imigrantes sejam "esmagadas no concreto"; há os trolls do Partido AK, que governa a Turquia, coordenando o envio de ameaças de estupro para mulheres jornalistas; há as turbas que atacam paradas do Orgulho LGBT na Rússia; e neonazistas jorrando retórica islamofóbica na tribuna do Bundestag alemão. Na Índia, elas estão entre os "justiceiros das vacas" que lincham muçulmanos, enquanto o primeiro-ministro Narendra Modi — o Trump hindu — se recusa a levantar um dedo. No Brasil, são os soldados de infantaria de Jair Bolsonaro, o presidente fascista eleito em 2018, que disse, a respeito de uma adversária política, que ela "não merecia ser estuprada" e sugeriu que quilombolas, os descendentes de escravos africanos rebeldes, "não servem nem para procriar".

Numa escala maior, o lixo mental dessas pessoas está poluindo os pensamentos e as redes sociais de indivíduos racionais no mundo inteiro.

Pesquisadores de opinião pública deram a essa corrente o nome de "populismo autoritário".[1] São indivíduos que se unem contra os direitos humanos, achando que esses direitos só são concedidos a outras pessoas; contra a imigração, que consideram uma "poluidora" da "sua" cultura; e contra todas as formas de multilateralismo na política e na economia globais, que veem como uma força que refreia a mão de um Estado justificadamente repressivo. Se isso fosse mesmo tudo em que eles acreditam, poderíamos concluir que seria o caso de apenas uma onda de sentimento reacionário, algo sempre à espreita nas sociedades em rápido processo de mudança.

Mas o que está acontecendo é mais profundo: uma hostilidade à ciência, à lógica e à racionalidade, que têm sido os princípios orientadores das sociedades de livre mercado nos últimos quinhentos anos. Como veremos, quer os ativistas da alt-right compreendam direito, quer não, esse ataque à razão foi teorizado de antemão por um setor da elite em crise.

A explosão da estupidez erudita na política global é mais assustadora ainda porque ocorre na era mais rica em informações de toda a história. Precisamos compreender essa situação e encontrar maneiras de convencer o maior número possível de pessoas de mentalidade conservadora a adotarem a racionalidade, o autocontrole e as normas de conduta democrática.

Nos pontos em que não puderem ser convencidas, contudo, devemos resistir a elas. Essas pessoas declararam guerra à formulação de políticas baseadas em informações confiáveis, à prudência e a um sistema global fundado em regras e não na força bruta. Quem quiser defender esses valores precisa contra-atacar.

Para tanto, temos que nos armar com mais do que apenas fatos. Precisamos, como escreveu o filósofo Tzvetan Todorov, ao estudar a luta contra o totalitarismo no século xx, tanto de esperança como de memória. Mas vamos lembrar de quê, e esperar o quê?

Não faz tanto tempo, pois foi no começo dos anos 1990, que indivíduos perfeitamente racionais acreditavam que a história tinha "acabado"; que a democracia liberal e o capitalismo de livre mercado eram estados de perfeição, impossibilitando futuras turbulências.

Essa ilusão começou a se desfazer em 2008. A crise financeira desencadeada pela falência do Lehman Brothers cresceu de maneira dramática, transformando-se numa crise de legitimidade do sistema de livre mercado, que agora evoluiu para um ataque à democracia e aos direitos humanos e está exercendo novas pressões sobre o sistema geopolítico.

Trump governa os Estados Unidos. O Brexit desencadeou a ruptura da União Europeia. As redes sociais estão inundadas de antissemitismo, islamofobia, fantasias sobre supremacia branca e vitimização masculina. Na Turquia, centenas de jornalistas foram para a cadeia. Nas Filipinas, o presidente se diverte com o trabalho de pelotões de fuzilamento. A Guerra da Síria, que começou com adolescentes pichando mensagens contra Bashar al-Assad, já matou 470 mil e tirou de casa 10 milhões de pessoas.[2] Na próxima década, a China se prepara para submeter a população de 1,4 bilhão de cidadãos à vigilância e ao controle digitais.[3] Não estamos falando de uma fantasia distópica de graphic novel. É a realidade.

Como jornalista, eu antigamente invejava as certezas dos colegas mais jovens, que aprenderam nas universidades de elite que a era das crises sistêmicas tinha acabado. Já eu entrara na casa dos vinte anos vivendo no Reino Unido de Margaret Thatcher — uma época de conflitos, recessão e desintegração social. Parecia que eles só conheciam o progresso frio, calmo, tecnocrático.

Agora tenho pena deles. Todas as manhãs são obrigados a assistir em seus feeds de notícias a uma enxurrada de acontecimentos dramáticos e impensáveis, para os quais não dispõem de qualquer teoria. Trump toma um avião e vai a Moscou para se aliar a Putin contra o FBI. O respeitável partido conservador da Áustria troca da noite para o dia uma aliança com socialistas por uma aliança com neofascistas. Na China, Xi Jinping rompe com trinta anos de governo de consenso e assume poderes totais. Descobre-se que agências de inteligência particulares, de cuja existência nem desconfiávamos, manipulam eleições a favor de quem pagar mais.

Por estar acontecendo em tempo real e ser vista através de dispositivos que carregamos na palma da mão, essa nova desordem global cria uma resposta bipolar: hipersensibilidade ao caos, mas um estado de resignação mental quando se fala em pôr fim a ele.

E o liberalismo, que já foi a ideologia dominante no mundo ocidental, também se tornou bipolar. Entre as pessoas instruídas, é comum ouvir uma euforia tecnológica que vem junto com o desespero geopolítico: sombrios pressentimentos sobre o que virá depois de Trump somados com planos empresariais que pressupõem um futuro hi-tech, automatizado e verde. Se investigarmos bem essa atitude, o pressuposto, mesmo agora, é que alguma coisa chamada Quarta Revolução Industrial colocará tudo no lugar.

A tese deste livro é que isso não acontecerá. Se quisermos usar as novas tecnologias para que aumentem o bem-estar humano, é preciso que sobre alguma coisa de humano para defender. Mas cada crise que enfrentamos — econômica, geopolítica e tecnológica — é consequência do desgaste do que significa ser humano.

Desde os anos 1980, a ideologia do livre mercado ataca nosso direito de ter um eu que seja mais do que um conjunto de necessidades econômicas. Enquanto a globalização se esfarela, a própria noção de direitos universais e inalienáveis é agredida. Ao mesmo tempo, a tecnologia começou a enfraquecer nossa capacidade de agir com autonomia, livres de controle e vigilância digitais: estamos ficando cada vez mais sujeitos a formas de controle algorítmico que não temos permissão de ver nem de compreender.

Nada disso é acidental: como mostrarei ao longo deste livro, teorias explícitas de anti-humanismo são hoje mais fortes do que em qualquer outro momento dos últimos duzentos anos.

Acredito, apesar do medo e da crueldade do tempo presente, que ainda possamos alcançar o que o revolucionário russo Liev Trótski chamou certa vez de "futuro claro e brilhante" da humanidade. Mas além de desmistificar as fontes da crise econômica e de aprofundar nossa compreensão da democracia, precisamos defender o próprio conceito de humanidade e tirar disso novas e práticas conclusões.

DEPOIS QUE ESCAPAMOS DA POLÍCIA no dia da posse de Trump, consegui me dar conta do que aquela cena me lembrou: um filme de zumbis. A primeira fita com essa temática surgiu em 1932, mas o gênero continuou sendo um segmento especializado até os anos 1960.[4] Na maioria dos primeiros filmes o monstro é um caribenho negro ressuscitado, cuja intenção é destruir mulheres brancas. Não é difícil imaginar que medos esses filmes exploravam.

Só em *A noite dos mortos-vivos* (1968) temos o zumbi moderno: um cadáver trazido de volta à vida, programado para matar seres humanos e devorá-los. Essa nova espécie de monstro é apenas o nosso vizinho branco comum que enlouqueceu. Depois disso, os filmes de zumbi se globalizaram. Só num ano, 2010, contam-se 27 produções, de *Big Tits Zombie*, no Japão, a *Santa Claus vs the Zombies*, nos Estados Unidos. O zumbi agora é um inimigo-padrão nos video games — o alvo previsível, idiota, que quanto mais você mata mais se multiplica. Há eventos de fim de semana sobre zumbis; "caminhadas" zumbis em que as pessoas se cobrem de sangue com o objetivo de conseguir dinheiro para instituições beneficentes. O zumbi se tornou uma metáfora: uma estrutura narrativa que todo mundo entende, cujas regras e convenções permitem que se veicule qualquer ideia: dessa maneira, temos filmes como *Kung Fu Zombie, Biker Zombies from Detroit, La Cage aux Zombies* e *Guerra Mundial Z*.

Por que nós, coletivamente, investimos tanta concentração, tanta emoção e tanta energia mental nos zumbis? O que estamos tentando dizer para e sobre nós mesmos?

Culturas humanas sempre construíram mitos e lendas sobre mortos-vivos humanos ou semi-humanos, na maioria das vezes como metáfora de alguma necessidade humana profundamente sentida. Mas o zumbi é um caso único. Zumbis não são vampiros. As relações entre vampiro e vítima são uma metáfora da atração sexual ilícita, além de ser possível argumentar com um vampiro. Zumbis não são fantasmas. A metáfora que há por trás de uma história de fantasmas não mata ninguém. Zumbis não são lobisomens: o lobisomem é uma metáfora da doença mental ou da violência sociopata — e tornar-se lobisomem é temporário, ao passo que se tornar zumbi é irreversível.

Em relação aos monstros tradicionais do folclore ocidental, o zumbi tem um superpoder que faz dele uma categoria à parte: ele é autorreplicante. Um lobisomem sozinho não vai dizimar Londres; um vampiro sozinho não irá despovoar a Transilvânia. Mas um zumbi sozinho pode — por meio de um processo exponencial de morte e infecção — desmantelar uma sociedade inteira.

Qual é, portanto, o medo real e profundo que a metáfora do zumbi explora? A resposta mais provável é: o medo de que estejamos a ponto de

Dia zero   31

perder aquilo que nos torna humanos — nossa racionalidade, nossa capacidade de distinguir a verdade da mentira, de ver outros seres humanos como membros da mesma espécie, com direitos iguais aos nossos. Nossa agência. Nossa liberdade.

Esses temores são racionais. Estamos diante do maior ataque ao humanismo desde sua formulação nos dias de Shakespeare e Galileu. O humanismo foi fundamental para as ideias ocidentais de civilização, para o pensamento científico e para os conceitos de progresso social por mais de quatrocentos anos. Mas desde o fim do século xx a oposição ao humanismo vem se desenvolvendo de vários lados ao mesmo tempo.

A ameaça estratégica vem da tecnologia. É possível que ainda neste século a inteligência artificial alcance um nível de sofisticação que exceda a capacidade de todos os cérebros humanos juntos. Ao mesmo tempo, a bioengenharia chegou a um ponto em que modificações nos indivíduos — se os tabus a respeito caírem — e mudanças irreversíveis no fundo genético da humanidade já são possíveis. A crença nessas possibilidades alimenta um forte anti-humanismo entre aqueles que pensam no futuro: um derrotismo quanto ao valor da individualidade humana; uma convicção de que o *Homo sapiens* como espécie está fadado a ser suplantado.

Em segundo lugar, evoluções na neurociência e na teoria da informação fortaleceram a crença de que nosso comportamento é inapelavelmente determinado; que nosso cérebro é apenas uma máquina biológica, "programada" pelo seu DNA e modificada apenas pelo ambiente físico, dentro de um universo que, em si, fica cada vez mais parecido com o produto de um gigantesco "computador". Apesar de essas duas hipóteses serem debatidas dentro da própria ciência, as bancas de livros dos aeroportos do mundo inteiro vergam sob o peso de best-sellers que ignoram as nuances e passam adiante a mensagem direta: já somos autômatos incapazes de liberdade.

Em terceiro lugar, há um fato demográfico simples: a maioria da população da Terra hoje vive em países onde os conceitos culturais que servem de base para o humanismo são frágeis. Quando a Declaração Universal dos Direitos Humanos foi assinada em 1949, havia 2,4 bilhões de seres humanos no planeta, um quarto deles vivendo em países democráticos desenvolvidos, com elites sociais formadas nas tradições do Iluminismo. Hoje há 7,5 bilhões — e a maioria vive fora de sistemas democráticos estáveis, em sociedades onde os direitos humanos são negados. Pior ainda, as ideologias oficiais desses países são totalmente anti-humanistas. Isso inclui a mistura de confucionismo e contabilidade que é ensinada como "marxismo" na China, o chauvinismo hindu do governo Modi na Índia e o nacionalismo da Grande Rússia que inspira Putin.

Por último, mas não menos importante, há o ataque ao humanismo sustentado nas últimas quatro décadas em nome da economia de mercado. Coagindo-nos a aceitar novas rotinas, obrigando-nos a adotar diferentes atitudes e valores simplesmente para sobreviver, reduzindo-nos a seres econômicos bidimensionais, o modelo econômico conhecido como neoliberalismo destruiu nossas defesas comportamentais e intelectuais contra as mais recentes formas de anti-humanismo que agora nos chegam, no começo do século XXI.

O ponto de inflexão que cristalizou todos esses perigos e os acelerou foi a vitória eleitoral de Trump e a onda global de populismo de direita que ele ajudou a desencadear.

Trump se lançou como uma bola de demolição contra as instituições multilaterais das quais o livre mercado globalizado dependia: o Conselho de Direitos Humanos da Organização das Nações Unidas (ONU), a Organização Mundial do Comércio (OMC), a União Europeia e o Acordo de Livre Comércio da América do Norte (Nafta). Ao estigmatizar a mídia como fake news e injetar gestos e imprevisibilidade na diplomacia e na política interna, Trump não estava tentando apenas desmantelar a ordem mundial pós-1989. Estava tentando também, ativamente, criar a desordem.

Em sua resposta à violência de 2017 em Charlottesville, ele deu claro sinal verde a uma nova forma de fascismo nos Estados Unidos. A direita alternativa ataca a ideia geral de direitos humanos; questiona inexoravelmente a validade do pensamento científico; desacredita as instituições dedicadas a produzir a verdade objetiva, como as universidades ou a mídia regulamentada.

Enquanto isso, as próprias ferramentas de que Trump se utilizou para travar uma guerra contra valores liberais e democráticos nos Estados Unidos eram máquinas que sugam o sangue da escolha e da razão humanas: os algoritmos que o Facebook forneceu à Cambridge Analytica para que Trump e seus apoiadores russos pudessem manipular a opinião e o comportamento nas urnas do eleitorado americano.

Se essa nova aliança de autocratas e fascistas tecnologicamente alfabetizados conseguir o que quer, um grande número de pessoas ficará igualzinha ao agricultor do Tennessee: psicopatas que obedecem sem pensar, sem qualquer senso de controle de si mesmos, com o comportamento ditado por algoritmos do Facebook e as ideias meros ecos da Fox News da noite anterior. Zumbis políticos.

No âmago do programa da direita autoritária está um ataque à possibilidade de verdade. O objetivo de Trump e seus imitadores é produzir na mente de milhões a convicção de que nada é verdadeiro: todas as imagens do noticiário são adulteradas; todas as imagens de guerra e tortura são manipuladas no Photoshop; todos os ataques terroristas são operações de bandeira falsa de alguma agência de inteligência obscura e desconhecida; todas as vítimas de guerra e tortura são "atores de crise" usados para causar a impressão de trauma e sofrimento.

Querem nos fazer acreditar que o império da lei representa um ataque do "Estado profundo" contra a vontade popular; que os veículos profissionais de comunicação são "inimigos do povo"; que os partidos políticos de oposição são "sabotadores". Autocratas como Vladimir Putin e Narendra Modi já vinham operando pelo mesmo conjunto de regras e táticas, menos devotados a princípios democráticos, mas Trump levou essa abordagem para o centro da vida pública. Seu êxito, nos primeiros 24 meses no cargo, inspirou imitadores no Brasil, na Hungria, na Itália e em outros países.

Até hoje subestimamos a seriedade da catástrofe que se desenrola. Não se trata de um ciclo político de curto prazo. É um ataque global a correntes de pensamento, à ciência e à formulação de políticas fundamentadas em informações confiáveis que remontam ao início do século XVII.

E é também uma crise do modo de pensar predominante na esquerda. Sempre que você ler as afirmações obscenas dos trolls da internet — que o último ataque terrorista do Estado Islâmico foi organizado pela CIA ou que uma criança síria mutilada é um ator de crise —, tenha em mente que o alicerce para o ataque à racionalidade foi lançado por uma corrente acadêmica de esquerda chamada pós-modernismo.

"Uma teoria", escreveu o físico Hermann Weyl, é um conjunto de ideias que nos permite "pular por cima da nossa própria sombra", usando palavras e números para representar o que não pode ser visto fisicamente.[5] Os pós-modernistas responderam: "Como pular por cima da própria sombra quando já não se tem uma sombra?".[6] Jean Baudrillard, que escreveu essas palavras em 1994, acreditava que nossa disposição de viver segundo os ditames do capitalismo, ao ritmo do dinheiro e do interesse próprio, esvaziara por dentro a nossa humanidade. Tínhamos nos transformado em meras expressões de forças econômicas, incapazes de projetar uma sombra no mundo, de pensar além da realidade que os veículos de comunicação de massa nos apresentavam.

A esquerda acadêmica já tinha teorizado o desamparo humano bem antes que a direita o transformasse num projeto. O que começou nos anos 1950 como uma explicação da passividade da classe operária se amalgamou num movimento acadêmico e filosófico chamado pós-humanismo. É uma boa justificativa lógica para a nossa escravidão às máquinas e, numa visão mais extrema, para a nossa extinção voluntária como espécie. Um dos objetivos deste livro é obrigar a indústria do pós-humanismo a fechar as portas.

Para defender a racionalidade é preciso defender aquilo em que ela se fundamenta: a premissa de que a experiência somada à observação cuidadosa é capaz de criar uma verdade que pode ser comprovada dentro do nosso cérebro.

Se confiamos nossa vida a um avião de carreira voando a 12 mil metros de altura é porque acreditamos que existe um mundo real, independente dos nossos sentidos, cujas leis os engenheiros aeronáuticos compreenderam. Por mais complexo que seja o mundo, por mais sujeito à aleatoriedade, rejeitar a crença no quadricentenário método científico que guia o engenheiro aeronáutico seria um grave retrocesso.

Dia zero

Para desacreditar as novas religiões do irracionalismo e do fatalismo precisamos retornar a um modo de pensar que se tornou profundamente antiquado, que coloca a humanidade no centro de sua visão de mundo — não as máquinas, não a natureza e não subgrupos de seres humanos com direitos distintos —, mas todos nós, como espécie.

Depois do Holocausto e da Segunda Guerra Mundial, o humanismo foi o bote salva-vidas a que os sobreviventes se agarraram. Na esteira da impactante vitória de Trump, uma nova geração voltou a mergulhar nos grandes escritores humanistas da era antifascista: George Orwell, Primo Levi, Hannah Arendt e outros. Mas quando se vai um pouco além das semelhanças e das reconfortantes frases de efeito, fica claro que essa visão de mundo está em descompasso com os pressupostos do pensamento progressista moderno.

O humanismo saiu de moda devido à sua associação com a cultura branca e eurocêntrica, suas justificativas para a dominação colonial e seu alinhamento com o poder masculino. Nos anos 1960, o psiquiatra negro francês Frantz Fanon postulou um "novo humanismo" isento do racismo do passado colonial — mas nada aconteceu. Em vez disso, do Vietnã ao Iraque, ataques devastadores à vida humana foram perpetrados por políticos que se diziam humanistas. O antropólogo francês Claude Lévi-Strauss resumiu a crescente antipatia pelo pensamento humanista quando, em 1979, afirmou que não só o colonialismo como também o fascismo e seus campos de extermínio foram a "continuação natural" do humanismo tal como praticado durante séculos.[7]

Então, já perto do fim do século xx, a neurociência, a genética e a antropologia fizeram declarações que pareciam diminuir afirmações científicas sobre o que torna a humanidade única. Paralelamente, alguns ambientalistas *deep-green*, partidários de medidas extremas, concluíram que seria melhor para o planeta se nós não existíssemos, enquanto alguns defensores radicais da libertação animal acrescentaram: e quanto mais cedo, melhor.[8]

A defesa da racionalidade e da ciência só terá êxito se retornarmos a uma forma de humanismo diferente da de Arendt, Primo Levi e sua geração. Existe, surgindo das mesmas tradições de racionalidade e do Iluminismo, uma forma alternativa e mais radical cujo objetivo é a libertação total — o que inclui a libertação das identidades que nos impuseram a pobreza, o racismo e o sexismo.

Só um pensador na tradição humanista combinou *realismo* — a ideia de que o mundo existe fora dos nossos sentidos — com uma definição de natureza humana capaz de resistir a teorias de cognição e de inteligência artificial do século xxi. Seu nome é Karl Marx. Apesar dos defeitos de suas teorias e de todos os crimes cometidos em seu nome, Marx é o único grande filósofo que, se vivo estivesse, teria colocado uma máscara e ido àquele protesto em Washington, d.c. E teria entendido o que aquilo significava: o Dia Zero na luta para reacender a esperança.

2. Uma teoria geral sobre Trump

"A GLOBALIZAÇÃO ESTÁ MORTA. A superpotência americana vai morrer."[1] Foi o que escrevi numa coluna para o *Guardian* duas horas depois de declarada a vitória de Trump. Ele tinha vencido, sugeri, "porque milhões de cidadãos americanos de classe média e instruídos fizeram um exame de consciência e encontraram no fundo da alma, depois de despidas todas as presunções, um sorridente defensor da supremacia branca. Além de inexploradas reservas de misoginia".

Talvez tenha sido um gesto drástico dizer isso num momento em que escritores da corrente dominante opinavam que sua vitória tinha sido um acidente, resultado dos erros de campanha de Hillary Clinton em quatro estados decisivos, e logo seria remediada quando Trump fosse sufocado pela grande burocracia federal e tivesse mãos e pés atados pelo Estado de direito.

Mas essa vitória obedeceu a um padrão. Foi o terceiro tsunami a atingir o centro político liberal em dezoito meses. Em junho de 2015, o povo da Grécia tinha decidido pelo voto desafiar a União Europeia, apesar de se tornar refém com o fechamento do seu sistema bancário. Em junho de 2016, uma inequívoca maioria de eleitores britânicos escolheu o Brexit. E agora, em novembro do mesmo ano, vinha Trump.

Eu viera avisando desde a crise financeira de 2008 que, se não nos livrássemos da economia de mercado, um país importante deixaria o sistema multilateral baseado em regras e padrões comuns e a própria globalização começaria a morrer. O *Financial Times* qualificou essas advertências de "irritantemente estridentes".[2] Mas não estridentes o bastante, como se viu.

A vitória de Trump não foi um acontecimento apenas na história política e econômica mundial, por maior que tenha sido. Foi um rasgão na tessitura intelectual do mundo que até hoje a maioria das pessoas não entendeu.

Ainda que Trump venha a ser processado, afastado por impeachment ou simplesmente incapacitado por uma overdose de cheeseburgers, sua vitória mudou de forma irreversível o mundo em que vivemos. Ele abriu fogo contra o sistema global baseado em regras, iniciou uma guerra comercial com a China, tirou os Estados Unidos do acordo de Paris sobre o clima, destruiu o acordo nuclear de 2013 com o Irã, legitimou a violência da extrema direita, estimulou a hostilidade contra a mídia e levou a mentira organizada para a política e para a diplomacia.

Sua estratégia de "América em primeiro lugar" não dizia respeito apenas ao aumento dos empregos nos Estados Unidos e ao crescimento à custa da China e do México; era também uma tentativa de destruir a estrutura de poder global existente e criar uma nova, com os Estados Unidos e a Rússia de Putin como cobeneficiários. Suas táticas incluem ameaçar a Coreia do Norte com um ataque nuclear preventivo e colocar criancinhas imigrantes atrás de cercas que as separam dos pais. E até hoje ele tem tido êxito.

Para alcançar uma nova ordem, o método que Trump adotou foi o caos: a declaração revoltante seguida pelo desmentido; o boletim oficial assinado e depois cancelado num tuíte durante um voo; a diplomacia conduzida sem diplomatas, conselheiros, registros por escrito e prestação de contas.

Para nos orientarmos nesse caos, vamos precisar de uma teoria que explique como se desenvolveu o novo autoritarismo de direita, quem se beneficia dele e o que ele pretende alcançar. Isso é justamente o que a maioria das pessoas de mentalidade liberal não tinha na noite da vitória de Trump. Elas entendiam que essa monstruosidade sinalizava o provável fim da política liberal e de um sistema global ordeiro, mas não eram capazes de compreender que foi a própria ordem liberal que criou Trump e fortaleceu os ativistas que o puseram na Casa Branca.

Mesmo conseguindo entender Trump tudo que temos é a teoria da bola de demolição. Para completar a explicação, precisamos examinar as frágeis estruturas que ela começou a demolir. Essas estruturas incluem, como se viu, não apenas a arquitetura econômica do mundo, mas as ideologias do liberalismo, do globalismo e dos direitos universais.

Essas ideias perderam força porque se enxertaram numa estrutura econômica que não poderia sobreviver. Durante os trinta anos da ascensão e queda do modelo econômico conhecido como neoliberalismo, boa parte do seu arcabouço mental se expressou através de desempenhos e rituais que não exigiam uma crença íntima. No fim, exatamente como tinha acontecido quando a União Soviética desmoronou, as pessoas diziam e faziam o que se esperava, mas no fundo sabiam que tudo aquilo era uma tapeação.

Para restabelecer ordem e previsibilidade no mundo, precisamos restaurar o que a era neoliberal tirou dele: o ser humano tridimensional com uma crença no autocontrole, na bondade, nas obrigações recíprocas e na democracia; um exército de indivíduos capazes de pensar com independência e de falar a sério. Dá para imaginar que não vai ser fácil.

TRUMP DECLAROU QUE ia concorrer à presidência em 16 de junho de 2015, numa tribuna dentro da Trump Tower. Num discurso desconexo e aparentemente não preparado, explicou em resumo quais seriam os pontos importantes da sua plataforma de governo. Atacou os imigrantes mexicanos dizendo: "Eles trazem drogas. Trazem crime. São estupradores. E alguns, imagino, são boa gente".[3] Prometeu "tornar os Estados Unidos grandes outra vez", impelindo a elite empresarial americana a trazer de volta empregos perdidos para o exterior e adotando sanções punitivas contra a China e o México. Inverteria a política externa americana no Oriente Médio, isolando o Irã e apoiando a Arábia Saudita. Extinguiria o Obamacare, que tinha incluído 20 milhões de americanos pobres no sistema de saúde; gastaria bilhões de dólares para melhorar a decrépita infraestrutura do país, ao mesmo tempo que reduziria (milagrosamente) a dívida do governo.

O establishment riu. Os antirracistas, como era de imaginar, ficaram apavorados, e com razão. Trump tinha apenas 6,5% da preferência do eleitorado republicano. Em seis semanas, porém, já chegava aos 20%: dobrou os índices do seu maior rival, Jeb Bush, e deixou uma longa fila de chocados fundamentalistas cristãos para trás.[4] Na época pouca gente entendeu, mas Trump — com sua narrativa racista, misógina, aferrada ao nacionalismo econômico e hostil às elites — havia criado uma onda populista mais eficaz do que todos os outros populistas e impossível de ser igualada pelos candidatos do establishment.

Se pudéssemos prever o que iria acontecer, a pergunta que deveríamos ter feito, quando Trump ganhava impulso, é: que fração dos ricos e dos poderosos vai apoiá-lo? Mas na época esse tipo de pergunta pareceria inútil. O capitalismo de livre mercado produzira um cenário no qual a própria ideia de que diferentes partes da elite pudessem usar a política para lutar umas contra as outras parecia pertencer aos tempos da fotografia em sépia. A norma, durante trinta anos, fora uma elite empresarial socialmente liberal, voltada para as finanças, as corporações globais, os monopólios de extração de carbono e de tecnologia. Sua preferência geral era por um governo de centro-direita, mas, em última análise, o fator político-partidário não tinha importância. Quase todas as grandes corporações doavam para os dois partidos.

Também é certo que, em 2015, havia dezenas de milhares de donos de pequenas empresas falidas e de trabalhadores desempregados no movimento de direita Tea Party, clamando pelo fim da globalização, dos direitos humanos e da imigração. Mas seu programa era tão contrário aos interesses da elite empresarial que só encontraria apoio entre indivíduos excêntricos como Charles e David Koch, dispostos a despejar 400 milhões de dólares pelo ralo das causas perdidas do libertarismo.

Isso, por sua vez, afetava as ideias vigentes entre os analistas de pesquisas de opinião. Em abril de 2016, estive num briefing com Stan Greenberg, analista pró-Clinton, no qual ele garantiu aos jornalistas do *Guardian* que a eleição estava "quase virando um terremoto" que destruiria os republicanos e levaria Hillary Clinton ao poder. A razão era que uma "nova maioria americana", compreendendo negros, hispânicos, millennials e mulheres solteiras, agora representava 54% do eleitorado, e essa proporção só aumentava. Isso impossibilitava os republicanos de ganharem com um programa social conservador. Ativistas republicanos de direita não estavam nem mesmo tentando ganhar a eleição, disse ele: tudo que desejavam era punir a ala principal dos republicanos por não ter conseguido parar Barack Obama.[5]

Trump foi escolhido candidato porque criou, em primeiro lugar, uma nova espécie de movimento populista conservador. Com isso, provocou um racha dentro da classe dominante americana no que dizia respeito a saber onde estavam seus interesses, tanto em geopolítica como em economia. E com essas duas forças ele criou o que Hannah Arendt chamara de "aliança temporária entre a elite e a ralé". Seu objetivo era destruir uma ordem econômica e política até então apresentada como perfeita e permanente.

Em 2012, assisti a uma reunião do movimento Tea Party em Phoenix, Arizona. Era uma coleção de agradáveis excêntricos da era analógica. Antes de entrarmos, tive uma conversa com meus colegas sobre respeitar as opiniões daquela gente. No fim, as pessoas fizeram fila para me entregar arquivos, folhetos e cds embrulhados em bilhetes escritos à mão. Havia um extenso arquivo sobre a controvérsia em torno da certidão de nascimento de Obama; uma linha do tempo muito bem pesquisada sobre o fiasco de Benghazi, na Líbia, onde quatro funcionários americanos tinham acabado de ser mortos; além do material costumeiro contestando as mudanças climáticas. Peguei a pilha de cds, arquivos e folhetos em que aquelas loucas obsessões eram explicadas em detalhes e pedi ao câmera que me filmasse jogando tudo na lata de lixo. Explico por que fiz isso.

No começo eu os levei a sério. Em 2008, noticiei a mobilização maciça de eleitores de direita que obstruiu o plano de resgate bancário de 780 bilhões de dólares do governo Bush no Congresso. Enquanto outros os desprezavam, chamando-os de "falsa base eleitoral", eu os tratei como uma força genuína, motivada por ressentimentos justos pelo fato de Wall Street fazer gente comum pagar pela crise financeira. Depois disso, vi, cada vez mais fascinado, o Tea Party colonizar o aparelho republicano de baixo para cima. Estive em seus comícios, aturando suas caras fechadas, porque sabia que a ordem em vigor não tinha como durar e queria entender o que poderia substituí-la.

Mas em 2012 parecia que eles haviam chegado a um beco sem saída — impressão compartilhada por muita gente naquela reunião em Phoenix. Mitt Romney, moderado, era o candidato republicano à presidência, o que levou muitos deles a anunciarem que se recusariam a votar. É verdade que seu companheiro de chapa, Paul Ryan, apresentara um orçamento alternativo que recomendava redução de impostos, cortes nos programas de saúde e previdência e um Estado menor. Mas o Tea Party não tinha a ver apenas com economia. Era também uma revolta contra a vida moderna encabeçada por cristãos evangélicos; uma revolta contra a libertação das mulheres liderada por homens misóginos; uma revolta contra a imigração, direitos dos gays e a diversidade; e acima de tudo uma revolta contra o presidente Obama por aqueles que não toleravam a cor de sua pele.

Da derrota de Romney em novembro de 2012 ao momento em que Trump desceu sua escada rolante dourada em junho de 2015, o Tea Party permaneceria trancado no gueto político que eu tinha visto em Phoenix. Porque ao lado dos Estados Unidos sagrados sempre há os Estados Unidos profanos. Em alguns estados, por quilômetros e quilômetros de rodovias, tudo que se vê são anúncios de filmes pornográficos em cinemas de beira de estrada, lojas de bebidas e a bandeira confederada. Nesses lugares a brigada de Jesus jamais se tornaria um movimento popular. Seus padrões morais não permitem que eles se misturem com gente do tipo que passa o dia sentada na frente de caça-níqueis nos cassinos de Trump ou olhando lascivamente para as garçonetes da rede de fast-food Hooters.

Os evangélicos costumam ser boas pessoas — mesmo quando agitam fetos de plástico na cara de mulheres assustadas em frente a clínicas de aborto. Têm limites morais. Mas esse foi o problema que Trump resolveu para a direita americana: levou com ele as pessoas não tão boas, os amoralistas e os que se descrevem como *shitposters* da direita on-line.

EM TODO FILME DE Hollywood há um texto e um subtexto. O subtexto do filme — nunca enunciado — é o que faz as pessoas saírem do cinema prontas para irem à guerra, salvar o planeta ou pedir o divórcio. Trump, como todos os demagogos, tem um talento natural para manipular texto versus subtexto.

O texto da campanha de Trump era sua própria vida: uma história de ascensão da pobreza à riqueza. Riqueza adquirida com investimentos em especulação imobiliária e uma ampla rede de contatos profissionais com oligarcas russos e xeques do petróleo do golfo Pérsico numa indústria onde reina o crime organizado. David Cay Johnston, prêmio Pulitzer de jornalismo, escreve que

> a carreira de Trump se beneficiou de um esforço de décadas, em grande parte bem-sucedido, de limitar e desviar investigações sobre seus negócios com chefes da máfia, pessoas ligadas ao crime organizado, solucionadores de conflitos trabalhistas, líderes sindicais corruptos, trapaceiros e até um ex-traficante de drogas.[6]

Ao escolher Trump como seu candidato à presidência, o Partido Republicano criou um novo e chocante subtexto: os ricos não precisam mais sequer parecer limpos para governar os Estados Unidos.

Dado o pontapé inicial na campanha, Trump inseriu um segundo e não menos chocante subtexto na vida pública: a irrelevância dos fatos. Em julho de 2015, insultou seu adversário, o senador John McCain, dizendo: "Ele não é herói de guerra coisa nenhuma. Só é herói de guerra porque foi capturado. Eu gosto de gente que não foi capturada".[7]

Quando a indignação provocada pelo comentário se espalhou, Trump negou que tivesse dito aquilo. O insulto, a repetição viralizada nas redes sociais e depois o desmentido contaram nas entrelinhas uma história que se repetiria muitas vezes: nada do que Trump diz tem sentido literal nem deve ser levado a sério. Assim como nenhuma declaração sua deve ser avaliada segundo padrões normais de verdade e decência. Essa demonstração de mentira deslavada tirou Trump da liga dos presidentes americanos que vieram antes dele e o colocou num grupo habitado pelos mais destacados cleptocratas do século XXI: Vladimir Putin, da Rússia, Recep Tayyip Erdoğan, da Turquia, Viktor Orbán, da Hungria, e Benjamin Netanyahu, de Israel.

Uma terceira camada de subtexto foi escrita nos comícios de Trump. No movimento Tea Party, pelo menos diante das câmeras, as pessoas tentavam refrear sua intolerância. Trump acabou com essas sutilezas, dizendo aos racistas, sexistas e islamófobos: vamos lá, pessoal, verbalizem todo o seu ódio. Os comícios reuniram uma mistura de cristãos renascidos, amoralistas do movimento alt-right e fanáticos de direita viciados em pornografia — e criaram um ambiente onde todos podiam gritar a palavra "boceta" toda vez que ele mencionava Hillary Clinton.

Trump não é fascista, assim como não era fascista a maioria dos que participavam de seus comícios. Apesar disso, ele se aproveitava de uma dinâmica entre orador e multidão que foi teorizada pela primeira vez pelo sociólogo alemão Erich Fromm durante a ascensão de Hitler: "Psicologicamente", escreveu Fromm em 1941, a disposição das pessoas de se submeterem ao fascismo "parece dever-se sobretudo a um estado de cansaço e resignação", que, segundo ele, era "característico do indivíduo na era atual, mesmo nos países democráticos".[8] A fonte desse "cansaço" e dessa "resignação" na economia mais rica do mundo e numa sociedade fervilhando de criatividade cultural é um dos problemas mais fundamentais a serem enfrentados pelos que tentam resistir à nova direita.

Trump entendeu que pessoas cansadas não querem saber de lógica nem de princípios, e que não desejam o tipo de liberdade que a direita libertarista oferece. Na verdade, elas temem a liberdade. O que querem é um líder que paire acima da lógica e da verdade e lhes diga que todos os seus preconceitos mais íntimos são certos. Não é difícil saber por que as pessoas que iam aos comícios de Trump aceitaram sua oferta. Mas por que parte da elite a aceitou e o que pretende conseguir com isso?

Nos PRIMEIROS MESES das primárias de 2016, o dinheiro que levaria Trump à Casa Branca foi investido no conservador de ultradireita Ted Cruz. O rei dos fundos de hedge Robert Mercer — que viria a ser o maior doador da campanha de Trump — contribuiu com 11 milhões de dólares, enquanto quatro membros da dinastia Wilks de fraturamento hidráulico doaram, juntos, 15 milhões. À frente do Supercomitê de Ação Política de Cruz estava Kellyanne Conway, que viria a ser conselheira da Casa Branca de Trump.

Mas a campanha de Cruz empacou e a de Trump decolou. Quando Cruz desistiu, em maio de 2016, o grupo de Mercer assumiu, numa espécie de engenharia reversa, a campanha de Trump. Em agosto, Steve Bannon — em cujo portal de notícias Breitbart, de extrema direita, Mercer já tinha injetado 10 milhões de dólares — foi empossado como diretor de campanha e Conway se tornou coordenadora.

Nesse meio-tempo, um grupo de líderes empresariais de direita mais tradicionais aderiu ao projeto de Trump. Entre eles estavam o magnata dos cassinos Sheldon Adelson; Carl Icahn, grande investidor imobiliário e *asset stripper*; e Wilbur Ross, outro *asset stripper* que, junto com Icahn, ajudara a salvar os cassinos de Trump nos anos 1980. Eram homens de imóveis e cassinos — tubarões do mesmo cardume do candidato. Junto com eles vieram alguns bilionários de tecnologia libertários como Peter Thiel, fundador do PayPal, que tinha declarado em 2009: "Não acredito mais que democracia e liberdade sejam compatíveis".[9]

Os irmãos Koch, os mais proeminentes empresários de elite associados ao Tea Party, guardaram distância de Trump por razões ideológicas. Mas despejaram milhões em campanhas republicanas para o Congresso, mobilizaram seu exército de cabos eleitorais pagos e colocaram pessoas-chave na equipe de Trump, com destaque para o governador de Indiana, Mike Pence. Os Koch tinham dado apoio financeiro a Pence enquanto ele transformava Indiana num laboratório de crueldade de livre mercado — e agora o tornariam vice-presidente.

No entanto, mesmo com Trump atraindo mais apoio da elite, a maior parte do dinheiro dos bilionários ia para Clinton. Trump tinha o pessoal dos cassinos, das companhias de petróleo e das grandes empresas de tabaco. Mas Clinton contava com a maior parte do Vale do Silício, de Hollywood, de Wall Street e das empresas listadas no índice financeiro s&p500. Até a herdeira do império Walmart, notório desmantelador de sindicatos, apoiava Hillary.

Quando Trump ganhou, é claro, muitos desses empresários se apressaram a lhe dar os parabéns, a ingressar em seus conselhos consultivos e a usufruir da dádiva celeste da desregulamentação que ele ofereceu. Mas aqueles a quem ele concedeu poder diretamente foram recrutados no minúsculo grupo de direita que deu o primeiro impulso ao projeto. Betsy DeVos, privatizadora da educação, ficou encarregada das escolas; Wilbur Ross, aos 79 anos, foi nomeado secretário de Comércio; Rex Tillerson, cuja Exxon Mobil havia financiado a refutação da ciência climática, se tornou secretário de Estado. A filha de Robert Mercer, Rebekah, levou um cargo executivo, enquanto o próprio império empresarial de Trump foi representado por Jared Kushner, o genro do presidente.

Portanto, descrever isso tudo como uma "aquisição empresarial" da política americana, nas palavras da escritora e pensadora canadense Naomi Klein, é simplista demais.[10] Foi, isso sim, uma aquisição feita por uma fração minoritária da elite empresarial, que tem seu centro de gravidade no mundo das empresas privadas não submetidas ao escrutínio do mercado de ações e com objetivos concomitantes: desregulamentação em massa, uma guerra comercial em benefício de indústrias nacionais e um Estado radicalmente encolhido. De Adelson a Travis Kalanick, o fundador da Uber, eram executivos dispostos a sequestrar o Estado para distribuir favores, contratos e ativos privatizados para seus próprios negócios — em vez de jogarem a partida oficial das empresas listadas no mercado de ações num campo nivelado, em que todas têm chances iguais de vencer.

Desde o início dos anos 1990, esse jogo oficial tinha produzido uma coisa próxima daquilo que Marx chamou de "comunismo capitalista".[11] Funciona assim: a partir da divulgação financeira trimestral exigida das empresas listadas em Wall Street, a margem de lucro média de um setor empresarial se torna clara e previsível, sobretudo se o setor estiver plenamente desenvolvido. O sistema financeiro então começa a operar como um mecanismo de compartilhamento, do qual todo mundo que disponha de capital pode participar. Quando os Estados Unidos eram uma superpotência industrial, os lucros financeiros correspondiam a apenas 15% dos lucros. Em meados dos anos 2000, as finanças geravam 40% dos lucros.[12] Enquanto todo mundo podia enfiar a mão no pote de biscoitos financeiro e o Estado punia quem roubasse — como no caso Enron e no

Uma teoria geral sobre Trump 47

do escândalo dos analistas de Wall Street —, poucos ricos questionavam o domínio das finanças.

Ao mesmo tempo, as empresas entendiam que seus interesses comuns eram representados globalmente pelo Estado americano. Desde 1979, os Estados Unidos vinham impondo de maneira incansável a desregulamentação e o livre mercado em países menos poderosos, e tomando dinheiro emprestado deles em condições que manipulavam em benefício próprio. A globalização funcionava a favor dos interesses das empresas americanas e o governo lançava mão do seu poder para aplicá-la no mundo todo — ainda que isso significasse o empobrecimento de comunidades industriais tradicionais dos Estados Unidos. Eram esses os termos do negócio.

Então veio a crise de 2008. À medida que os custos de longo prazo da estabilização ficavam claros — intervenção estatal permanente, regulamentação bancária e uma dívida gigantesca —, o consentimento político dos americanos ricos ia sendo destruído, tanto com relação à globalização como ao "campo nivelado" onde jogavam as empresas dentro do país, tendo o sistema financeiro como árbitro. Com o crescimento se estagnando, as leis sobre o clima impondo novos encargos a empresas que emitem muito dióxido de carbono e com os lucros bancários sendo esmagados pela crescente regulamentação, uma fração do capitalismo americano rompeu com o consentimento político.

Em vez de globalização, eles queriam uma forma de "neoliberalismo nacional": economia de mercado exercida não como uma estratégia global benigna para todos os ricos do mundo, mas para enriquecer apenas a elite americana, se necessário à custa de seus equivalentes estrangeiros. Quanto ao pote de biscoitos das finanças, queriam o direito de enfiar a mão primeiro e muitas vezes, em detrimento de todos os demais. Trump não era o candidato deles: Cruz era. Cruz, porém, era ineficaz, e Trump, não.

A incompetência hipnótica e a brutalidade verbal de Trump têm estruturado a situação política de maneira tão completa que, para muita gente, ele "é" a crise. Mas, em certo sentido, ele foi apenas o testa de ferro ocasional.

EM FEVEREIRO DE 2016, a National Football League apresentou o último Superbowl da era liberal. Os intervalos comerciais ofereciam a costumeira mistura de carros estrangeiros e carboidratos americanos. Beyoncé estrelou o show do intervalo acompanhada de um grupo de dançarinos vestidos como os Panteras Negras de 1968: uma clara referência ao movimento Black Lives Matter [Vidas Negras Importam], simbolizando o contraste entre os tempos antigos e o momento presente. Os Estados Unidos são uma democracia multiétnica, com uma economia em recuperação e maturidade política para impedir que suas forças policiais atirem em negros por aí: esse era o subtexto.

A essa altura, a recuperação iniciada na primavera de 2009 tinha criado 17 milhões de empregos.[13] O índice Dow Jones, que caíra para menos de 7 mil em março de 2009, agora estava acima de 17 mil e subindo. O PIB era de 18 trilhões de dólares, 4 trilhões a mais do que no começo da recuperação. Para completar, os Estados Unidos estavam prestes a assinar importantes acordos comerciais — a Parceria Transpacífica (Trans-Pacific Partnership, TPP) e a Parceria Transatlântica de Comércio e Investimento (Transatlantic Trade and Investment Partnership, TTIP) — que prometiam expandir o mercado para bens e serviços americanos.

Por que uma parte da elite colocaria tudo isso em risco em nome do nacionalismo econômico? E por que as empresas cujo interesse era que a globalização e a política bipartidária continuassem não lutaram por uma alternativa clara? Para responder à primeira pergunta, é necessário examinar a coalizão de interesses representada por três diferentes apoiadores de Trump: Robert Mercer, os irmãos Koch e Steve Bannon.

Mercer jamais fez um discurso em público. Mas, graças a ações na justiça e a briefings de ex-funcionários seus, sabemos um pouco sobre o que ele pensa: que há muito exagero quanto à letalidade das armas nucleares; que a radiação tornou os sobreviventes de Hiroshima mais saudáveis; que a situação dos negros era melhor antes da Lei dos Direitos Civis; que as mudanças climáticas vão melhorar a vida na Terra. Consta que Mercer disse a colegas que o Estado "enfraquece os fortes, tomando-lhes o dinheiro por meio de impostos".[14]

Mercer é um linguista computacional, que usou seus conhecimentos de análise de dados para construir um fundo de hedge que gerou um lucro de 55 bilhões de dólares. Esse fundo não tem nenhum investidor além das pessoas que trabalham nele — duzentos analistas quantitativos, conhecidos como "quants". Não pagam impostos, uma vez que seus lucros são investidos num fundo de pensão. Os lucros são gerados por matemática avançada — mas ninguém sabe como, porque a Renaissance Technologies (RenTec) é o que os financistas chamam de caixa preta: uma máquina que funciona sem explicação.

A RenTec obtém lucro explorando sua capacidade de ver padrões em números gerados pelos mercados financeiros, que por sua vez são gerados por trilhões de transações no mundo real. Seus analistas descobriram, por exemplo, que os mercados globais funcionam melhor em dias de sol. Assim, desenvolveram um modelo para tirar partido disso. O retorno em dinheiro investido num bom ano como 2008 era de 98%, e durante todos os anos de crise, daquela época até hoje, o fundo Medalion, de Mercer, jamais gerou lucros de menos de 28%.[15]

Todos os negócios têm um interesse específico, que precisam satisfazer ao mesmo tempo que fazem concessões às necessidades mais amplas do capitalismo. Qual é o interesse material da RenTec? Bem, se Wall Street é uma fazenda de criação de gado onde as vacas são os negócios comuns, a RenTec é como uma fazenda onde as vacas são Wall Street e mais todos os mercados financeiros do mundo. Ela pode "arrecadar" os lucros financeiros de outras empresas e de outros bancos de investimento porque é dona de uma máquina capaz de pensar mais rápido que os demais.

Enquanto houver um mercado, imprevisibilidade e algum capital para investir, fatores do mundo real como alíquotas tributárias, a política comercial americana ou a qualidade do sistema público de saúde não importam para uma empresa como essa. Tecnicamente, ela não tem obrigações ou interesses sociais. O verdadeiro interesse material da RenTec está em saber mais do que qualquer um e em haver imprevisibilidade suficiente para que isso importe. Seu ambiente ideal, portanto, é o caos.

A Koch Industries é um império de negócios antissocial mais tradicional. A riqueza dos seus donos, Charles e David Koch, foi construída com petróleo e processamento industrial, e mantida pelos meios usuais: evitando pagar impostos.[16] Seu interesse material específico é mais comum: acabar com obstáculos à lucratividade, como o salário mínimo, a tributação das grandes empresas, as terras de propriedade pública, as leis de proteção ambiental e limites de emissão de dióxido de carbono, a rede de saúde pública e o sistema de aposentadoria financiado por impostos. Eles querem que tudo isso desapareça do mapa.

No entanto, seria um erro ver os Koch apenas como pontas de lança de um violento avanço empresarial americano para a desregulamentação. Seu objetivo final é na verdade uma forma de capitalismo sem governo. Em 1980, quando se apresentou como candidato do Partido Libertário à vice-presidência, David Koch defendeu o fim das autoridades federais que regulam o transporte aéreo, da lei eleitoral, da proteção ao meio ambiente, das normas alimentares e da rede de energia elétrica, além de todos os investimentos de serviços estatais em educação, assistência médica e aposentadoria.

Não se trata aqui do projeto conservador tradicional de "Estado mínimo": é capitalismo sem Estado, no qual os mais poderosos têm toda a liberdade para acumular riqueza e poder coercitivo, comprar votos, envenenar as águas e explorar idosos, doentes e pobres, para os quais não há rede de proteção de espécie alguma. Os críticos conservadores dos Koch o chamaram, na época, de "anarcototalitarismo". Uma palavra mais curta para o projeto poderia ser, outra vez: caos.

Se você agora se pergunta como é que o libertarismo dos Koch se encaixa no tecnomisticismo de Mercer e no ego ganancioso de Donald Trump, o elo perdido é Steve Bannon. Ex-executivo do Goldman Sachs que se tornou executivo do Breitbart News, Bannon é um adepto do nacionalismo econômico. Em busca do nacionalismo americano, por meio do Breitbart, ele tem promovido uma vasta constelação de opiniões racistas, islamofóbicas e de supremacia branca, dando a uma seção do Breitbart o título de "Crime Negro".

Entretanto, o que define o projeto de Bannon, além desses preconceitos comuns, é uma teoria conhecida como Quarta Virada. Segundo os autores Neil Howe e William Strauss, sistemas políticos costumam surgir

Uma teoria geral sobre Trump

e desaparecer em quatro fases: na primeira há uma euforia e uma forte identificação com o Estado; depois vem um "despertar", durante o qual as pessoas se conectam com princípios mais profundos; em seguida vem a desordem, na qual a lealdade às instituições desmorona. Finalmente, na "quarta virada" há uma crise sistêmica — uma revolução — deflagrada por uma ameaça no nível da sobrevivência. Se considerarmos os anos pós-1945 como a fase um, 1968 como o despertar e o tumulto pós-Nixon como a desordem, concluiremos que estamos esperando há muito tempo a fase quatro. Mas, nas palavras de Howe, "se a história não produz essa ameaça tão premente, líderes da Quarta Virada invariavelmente encontram uma — e podem até fabricá-la — para mobilizar uma ação coletiva".[17]

Encontrar essa ameaça premente tem sido, de fato, a missão de Bannon desde meados dos anos 2000. As ameaças que ele invoca incluem o terrorismo jihadista, a China (contra a qual prevê uma guerra), a imigração mexicana, o "crime negro" e a dívida do governo americano. Mas como nenhuma dessas ameaças chegou a mobilizar massas de americanos para organizarem uma revolução, sempre existe a opção definitiva — como Howe sugeriu — de fabricar alguma coisa. O que Bannon fabricou foi o caos da presidência de Trump. Uma vez posto em ação, o caos não precisou mais da mão orientadora de seu criador por muito tempo: o próprio Bannon foi expulso da Casa Branca, dedicando-se em seguida a amplificar o impacto da estratégia do caos de Trump por todo o mundo ocidental, tentando forjar uma aliança de etnonacionalistas empenhados em destruir a União Europeia.

Para Bannon e seus seguidores da alt-right, estamos rumando para um acontecimento que encontra paralelo no período que antecedeu a Guerra Civil Americana de 1861 — só que, desta vez, com consequências globais. Nesse cenário, a guerra cultural dos Estados Unidos, há muito tempo cozinhando em fogo lento, se torna um conflito armado de baixa intensidade parecido com a crise do Bleeding Kansas nos anos 1850; enquanto isso, ameaças externas são invocadas para justificar a suspensão de aspectos do Estado de direito; por fim, Trump ou seu substituto dá início a um grande conflito armado convencional. A destruição da ordem mundial pós-1945 redefine a psicologia das massas dos Estados Unidos, conferindo legitimidade a uma nova elite governante autoritária e nacionalista.

Então, partindo de três fontes distintas — uma estratégia de fundo de hedge, ultralibertarismo e uma teoria histórica de livraria de aeroporto —, os apoiadores de Trump convergem nessa estratégia do caos.

Mercer, Bannon e os Koch contribuíram individualmente com peças da engrenagem que levaria Trump ao poder. A máquina dos Koch era um partido alternativo — uma sinistra rede de *think tanks*, cabos eleitorais, telefonistas, petições e projetos de supressão de votos. A máquina de Bannon, o Breitbart, produzia notícias falsas ou tendenciosas, quase sempre baseadas em produtos de sites de neonazistas ou de militantes do supremacismo branco — selecionadas como "tópicos de discussão" pela Fox News, repercutidas pelo presidente e engolidas por seus seguidores.

A máquina de Mercer era a Cambridge Analytica (CA), uma empresa de análise de dados que tinha raspado de registros digitais de cada eleitor americano 5 mil fragmentos de informação que poderiam, segundo ela, prever o comportamento dos eleitores melhor do que qualquer outro modelo. A CA destacou treze funcionários para trabalhar na campanha de Trump, ajudando a direcionar anúncios no rádio, na TV e na internet não apenas para estados, códigos de endereçamento postal ou grupos demográficos, mas para indivíduos. Com base em dados fornecidos pela CA em tempo real, se as redes sociais mostrassem um pico de discussão sobre imigração num estado decisivo, Trump podia prontamente preparar um discurso a esse respeito utilizando as informações coletadas.

Juntas, essas três máquinas formaram uma eficiente linha de produção para mentiras direcionadas com precisão.[18]

O QUE FEZ MILHÕES DE PESSOAS votarem num homem que prometia desmantelar o Estado e implodir a ordem internacional? Nos dias que se seguiram à vitória de Trump, assim como ocorreu com o Brexit, houve uma profusão de lixo jornalístico sobre a "classe operária branca" e suas privações econômicas. Queriam nos fazer acreditar que as pessoas que levaram Trump ao poder eram, basicamente, de baixa renda e que suas principais queixas eram salários estagnados, desigualdade e outros impactos da globalização. Todos os indícios mostram que não era nada disso.[19]

Uma pesquisa do Instituto Público de Pesquisas sobre Religião revelou que opiniões anti-imigração e medos de caráter cultural eram "fatores mais poderosos do que questões econômicas na previsão de apoio a Trump entre eleitores da classe operária branca". Mostrou também que membros da classe operária que tinham passado por dificuldades econômicas eram mais propensos a apoiar Clinton do que Trump. O que previa o apoio a este último não eram dificuldades econômicas, e sim o fatalismo econômico — em que os entrevistados identificavam um diploma universitário mais como uma "aposta" do que uma decisão profissional inteligente.[20]

A empresa de pesquisa de opinião pública Gallup, que processou dados sobre 125 mil eleitores, descobriu que as famílias que apoiavam Trump ganhavam em média 5 mil dólares a mais do que as famílias pró-Clinton. Os fatores econômicos relacionados ao apoio a Trump eram invalidez acima da média e morte precoce; ou viver num lugar onde há pouca mobilidade social de uma geração para outra. Em suma, cidades completamente exaustas e isoladas da economia global. Em contrapartida, a Gallup descobriu também que quanto maior o número de empregos na indústria numa determinada área, menor o apoio a Donald Trump.

Também não era a presença de imigrantes ou negros numa região que empurrava as pessoas para Trump. "O isolamento racial e étnico de brancos no que diz respeito ao código de endereçamento postal", concluiu a Gallup, "é uma das variáveis que com mais força sugerem apoio a Trump." É sempre a ausência de contato com a modernidade global que prenuncia esse apoio, assim como ocorreu entre os eleitores britânicos que apoiavam a opção "Sair" no referendo sobre o Brexit.[21]

Pesquisadores da Universidade de Massachusetts confirmaram esses dados. A eleição havia deixado clara a divisão entre brancos instruídos e não instruídos, disseram eles, mas "essa divisão parece ser o resultado, basicamente, de racismo e de sexismo no eleitorado".[22] De maneira significativa, esse estudo também revelou que, entre homens, ser misógino ativo, em vez de um mero sexista condescendente, era um elemento tão forte de previsão de apoio a Trump como o racismo declarado. Ser pobre não chegava nem perto.

Portanto, embora salários estagnados e o declínio real da riqueza servissem como pano de fundo, os apoiadores de Trump travavam uma guerra de raça e de gênero, não uma guerra de classes. Trump venceu, em outras palavras, porque um grande número de americanos guardava reservas inexploradas e não questionadas de racismo, crueldade e misoginia. E identificar racismo e misoginia como fatores básicos que empurraram eleitores para Trump nos permite compreender o que vincula seus projetos ao de bilionários como Bannon, Mercer e os Koch.

Para usar as palavras de Arendt, tanto a "elite como a ralé" estavam apegadas a teorias que já não explicavam o mundo. Por isso o mundo precisava ser reordenado para corresponder ao que elas tinham na cabeça.

Para a elite que apoiou Trump, a teoria de autorregulação do mercado e do Estado mínimo deu errado em 2008. Para os racistas, teorias obscuras de que a supremacia branca remontava aos tempos da escravidão haviam caído por terra diante do avanço econômico de negros, latinos e outros imigrantes. Mas o que tinha sobrado — a promessa de que os Estados Unidos sempre recompensariam os brancos com empregos decentes, respeito e soberania — veio abaixo depois de 2008, tanto pela crise econômica quanto pelo governo de Obama. Em sucessivas pesquisas de opinião, é o sentimento de "vulnerabilidade branca" e ressentimento racial que leva as pessoas a Trump: sua ansiedade racial gera a ansiedade econômica, e não o contrário.[23]

Quando o assunto é misoginia, as raízes vão ainda mais fundo: a opressão das mulheres pode ser rastreada ao longo dos 40 mil anos registrados da história da humanidade. Mas nos cinquenta anos que se seguiram ao lançamento da pílula anticoncepcional, a sociedade do mundo desenvolvido passou pelo que Janet Yellen, chefe do Federal Reserve, o banco central dos Estados Unidos, chamou de "choque reprodutivo". Os resultados não chegam nem perto da libertação das mulheres — porém mais acesso a empregos, maior liberdade sexual e uma evolução no campo dos direitos mudaram o mundo para as mulheres americanas em apenas duas gerações. O argumento que embasa a misoginia — segundo o qual as mulheres devem se restringir à função biológica predeterminada de conceber e criar filhos e executar serviços domésticos sem receber remuneração — foi pulverizado.

É aqui que começamos a entender a natureza histórica da vitória de Trump.

Cada uma dessas ideologias — o neoliberalismo nacionalista de Trump, a supremacia branca e a misoginia dos seus apoiadores — se fundamentava numa alegação biológica sobre a natureza humana: negros são inferiores a brancos; mulheres nasceram para servir os homens e reproduzir; todo mundo no planeta é geneticamente inclinado a competir, a aumentar ao máximo a sua riqueza pessoal e a apunhalar os outros pelas costas para atingir esse objetivo.

Mas as formas de capitalismo sobre as quais essas ideias se fundamentavam já não existiam. A era Doris Day de segregação racial e de obediência feminina tinha evaporado nos anos 1960; o paraíso fundamentalista do mercado se tornou uma impossibilidade depois de 2008. O que o setor direitista da elite e seus seguidores na classe operária compartilham é o desejo de restaurar a sociedade a uma ordem supostamente "natural". E, para tanto, precisam do que Hannah Arendt chamou de "acesso à história": a capacidade de alterar a realidade para que ela volte a corresponder às suas ideias de desigualdade biológica.

Afirmações conservadoras sobre a natureza humana são, é claro, velhas conhecidas. A partir de meados dos anos 1960, parecia que o liberalismo social e o racionalismo científico seriam capazes de destruí-las. Mas, em vez disso, depois da crise de 2008, o que aconteceu foi o oposto.

Já a questão de saber por que a maioria liberal e "costeira" da elite americana não entendeu o perigo ou defendeu com mais afinco o velho modelo corporativo é mais profunda que a simples incompetência política. A paralisia de instituições como o *New York Times* diante de Trump e a complacência da campanha de Clinton também refletem qualquer coisa de estrutural dentro do modelo que fracassou em 2008.

Nesse modelo — uma economia dominada pelas finanças e coroada por um estável sistema político bipartidário —, os líderes das corporações se tornaram despolitizados. Era lugar-comum na era da globalização ouvir dizer que as empresas "impunham condições" aos Estados nacionais. Mas se isso de fato acontecia, era por métodos estritamente tecnocráticos: doações políticas, lobby, o *think tank* domado e o camarote na Ópera. Do outro lado da conversa eles esperavam encontrar — pois o haviam criado — um Estado tecnocrático: um funcionalismo público governado por regras e leis, um campo de jogo relativamente igualitário no que dizia respeito à competição e uma meritocracia no que dizia respeito à liderança. Altos executivos da Boeing, da Nissan, da General Electric ou da Google não precisavam se apresentar como uma "fração" liberal do capital americano, porque seu projeto se baseava na ausência de uma fração adversária e, a rigor, na subserviência do Estado às empresas como um todo.

Se um segmento da elite empresarial se tornou um cão para exibir e outro um cão para atacar, a luta pende só para um lado. Quem estiver esperando que tecnocratas que dirigem empresas globais se transformem em cães de contra-ataque em nome da democracia e dos direitos humanos vai ter que esperar muito.

Portanto, Trump representa algo maior do que a tomada do governo federal por uma fração do capital americano dedicada ao protecionismo e ao Estado mínimo. Ele representa o triunfo de uma teoria reacionária da natureza humana, segundo a qual a desigualdade — de raça, sexo e condição econômica — é determinada por nossos genes. Esse, como veremos, é o problema mais difícil de superar, pois está profundamente arraigado na prática econômica dos últimos trinta anos.

QUE "ERA COISA DOS RUSSOS" FOI uma ilusão consoladora para os liberais que apoiavam Clinton logo depois da derrota. Como provas continuam a surgir, é claro que o Estado russo fez um grande esforço para ajudar Trump a chegar ao poder, para dirigir o fanatismo popular que o sustentava, para alimentar sua campanha com informações de inteligência obtidas com hackeamento e para colocar simpatizantes dentro da equipe dele. Mas está claro, em cada caso, que o Kremlin explorou uma fraqueza sistêmica do próprio capitalismo americano.

A primeira fraqueza foi o isolacionismo soft buscado por Barack Obama. Quando deixou de responder com firmeza à Rússia pelo envio de tropas à Síria, ao ataque sírio com armas químicas em Aleppo ou à anexação russa da Crimeia, Obama emitiu um sinal sobre a direção futura do mundo. Pode ser que haja sanções contra a Rússia agora, Putin deve ter pensado, mas a longo prazo haverá um entendimento. O Ocidente continuaria acolhendo de bom grado o dinheiro russo e sendo alvo fácil do crime organizado russo — fossem quais fossem as regras que o Kremlin violasse.

Isso tudo criou o ambiente no qual Paul Manafort, parceiro de Trump, pôde dirigir de dentro dos Estados Unidos um negócio que promovia os interesses do governo fantoche russo em Kiev.[24] Criou o ambiente no qual o Russia Today, o canal de propaganda do Kremlin, pôde pagar ao ex-general americano Mike Flynn 34 mil dólares, e no qual Flynn pôde esconder esse dinheiro, no momento em que se preparava para assumir o cargo de conselheiro de Segurança Nacional de Trump.[25] No mesmo ambiente, George Papadopoulos, funcionário de Trump, pôde estabelecer vínculos secretos com agentes russos que ofereciam "podres" sobre Hillary Clinton. Ao mesmo tempo, Jared Kushner, o genro de Trump, pôde arranjar um encontro na Trump Tower com um valioso informante russo, junto com Manafort e Donald Trump Jr., ostensivamente para discutir a mesma ideia.[26]

Especialistas em segurança tinham avisado, pelo menos havia uma década, que a Rússia desenvolvia uma estratégia de "guerra híbrida", usando uma mistura de corrupção, propaganda e crime organizado, paralela a métodos mais tradicionais, para desestabilizar o Ocidente.[27] Com as provas hoje disponíveis, é como se, quando a onda de Trump começou a se levantar, a inteligência russa se grudasse à sua equipe como umidade e encontrasse na direita americana muita gente disposta a usar sua influência a favor do Kremlin.

Uma segunda fraqueza que eles exploraram foi o sigilo financeiro sistêmico destinado a esconder a riqueza da elite das autoridades fiscais e ajudar as finanças globais a escaparem da regulamentação. Isso é o que, de fato, permitiu a todos os grandes intermediários internacionais entre Trump e a Rússia esconder suas atividades até depois que ele foi eleito.

A mesma cultura do sigilo permitiu a grandes empresas do mundo da tecnologia dar aos russos as ferramentas para intervir na eleição presidencial americana de 2016. Facebook, Twitter e Google forneceram, juntos, a plataforma para as falsas narrativas, os robôs e a publicidade manipulada pela inteligência russa no montante de 100 mil dólares. O Facebook em particular, cujos algoritmos são perfeitamente regulados para reforçar os preconceitos de seus 2 bilhões de usuários, foi transformado numa máquina de espalhar mentiras russas.

Cerca de 120 perfis falsos criados por ramificações da inteligência russa produziram 80 mil posts, atingindo 126 milhões de pessoas. Não bastasse isso, os russos gastaram dezenas de milhares de dólares em propaganda promovendo "a descrença em instituições políticas e [para] criar confusão". O Facebook, que tinha deliberadamente excluído as contas de ativistas sírios defensores dos direitos humanos, permitiu que a inteligência russa se servisse dele como se fosse um instrumento musical.[28]

Façamos agora um exercício mental. Imagine que você é um chefão da inteligência russa: qual é a sua análise da fraqueza estratégica da democracia americana? Na raiz de tudo está o mesmo problema — desregulamentação e sigilo — que derrubou o sistema bancário em 2008. O povo americano se acha dividido por uma guerra cultural. Além disso, partes de sua elite têm de fato um interesse palpável em provocar o caos. Enquanto isso, na forma da Cambridge Analytica e do Facebook (entre outros), elas desenvolveram algoritmos de controle de opinião que permitem que a democracia seja manipulada por qualquer um que tenha dinheiro. Embora seja oficialmente uma democracia com base na lei, os Estados Unidos se tornaram, depois de décadas de economia de livre mercado, um ambiente sem regras para qualquer um que tenha poder tecnológico ou financeiro. Tudo que a Rússia precisou fazer foi usá-lo.

Trump representa uma catástrofe tripla: uma vitória do racismo e do nacionalismo econômico; um gol de placa geopolítico para Vladimir Putin, desencadeando uma ruptura da ordem global sem violar nenhuma regra; e a primeira "prova de conceito" de que plataformas empresariais de tecnologia podem ser usadas para influenciar o comportamento de um eleitorado maduro. Tudo isso continua a ser verdade, apesar dos indiciamentos, renúncias, investigações e confusões do primeiro mandato de Trump. Nada vai desaparecer automaticamente se ele for indiciado ou derrotado nas urnas.

Ao mesmo tempo, a vitória de Trump dramatizou uma crise mais profunda que todas as democracias avançadas têm diante de si. Mesmo com forte crescimento econômico, o sistema já não produz bem-estar e segurança para os cidadãos comuns em doses suficientes para obter o seu consentimento. O apoio à democracia e aos direitos humanos vem diminuindo. Enquanto isso, os algoritmos sigilosos de gigantes da tecnologia se tornaram armas mortíferas contra os mesmos valores progressistas que essas empresas supostamente encarnam.

Se as populações que sofrem essa ameaça fossem agrupadas em organizações resistentes e tivessem um forte senso do próprio poder social, a tarefa seria mais difícil para gente como Vladimir Putin, Recep Tayyip Erdoğan, Matteo Salvini e Donald Trump. Os que vieram antes deles, nos anos 1930, recorreram ao fascismo porque precisavam esmagar uma classe operária organizada e politizada, com forte apego a direitos democráticos, e uma classe média liberal robusta, inspirada pelos valores morais do cristianismo. O fascismo foi isso: a militarização de uma massa de classe inferior para derrotar pela força a classe operária organizada, tomar o Estado, fundi-lo com milícias fascistas e governar pelo terror em nome do grande capital.

Desta vez, eles não devem precisar do fascismo. A solidariedade foi atomizada, nossa crença na ação coletiva se desgastou, nosso senso de individualidade foi esvaziado pelo comportamento do mercado — e, com isso, lá se foi também a base moral do liberalismo. Se você tivesse que escolher um momento para fazer um ataque contra a democracia, reforçado pelo controle do comportamento humano pelas máquinas, esse momento seria agora.

Nenhuma das forças que levaram Trump ao poder é invencível. A história nos ensina que até bilionários podem ir para a cadeia, que déspotas russos podem ser derrubados. Quanto ao racismo plebeu armado nos Estados Unidos, ele foi derrotado em 1865 — apesar de só depois de cinco anos de guerra civil.

O problema é que Trump foi fabricado por um sistema econômico quebrado e por uma instabilidade geopolítica que só tende a se agravar. Mesmo que ele fosse tirado do cargo, vivemos agora num mundo em que a cada quatro anos uma versão nova, mais louca e mais perversa de Trump é sempre possível. Um mundo no qual as passeatas noturnas à luz das tochas da alt-right não vão desaparecer; no qual a misoginia violenta pode se estender de uma geração de homens jovens frustrados para a seguinte.

A fim de nos prepararmos para a explosão que virá, precisamos compreender melhor o que aconteceu nos últimos trinta anos — não só com a economia, mas também com nossa psique humana coletiva, nossa capacidade de ação, nossa crença na razão. Em 2008, começamos a compreender o dano que o neoliberalismo causou à nossa economia; só em 2016 começamos a ver o dano que ele causou a nós mesmos.

PARTE II

O eu

Só quando uma ordem mundial desmorona se começa a refletir sobre ela.

ULRICH BECK[1]

3. A criação de um eu neoliberal

UMA DAS MINHAS LEMBRANÇAS mais antigas é ir à festa de gala dos mineiros de Leigh na década de 1960, quando eu tinha uns cinco anos. Em meio à
compacta multidão num campo, havia um ringue de boxe onde um lutador
da região desafiava todo mundo. Um dos desafiantes tinha sangue no rosto,
outro exibia um sorriso transtornado: estavam quase todos bêbados, em
carne viva por causa da luta. A coisa de que mais me lembro é do meu pai
passando a mão na minha testa para me cobrir os olhos.

Essa cena ocorreu no auge do longo boom depois da guerra. A maior
parte das pessoas que compunham aquela multidão vivera a experiência de
ter os salários aumentado todos os anos. Muitos homens, sendo mineiros,
trabalhavam para o governo. Seus filhos estudavam por conta do governo;
a assistência médica era gratuita; a água que as pessoas bebiam, a energia
que consumiam e — para muitos — as casas onde moravam eram forne-
cidas pelo governo a baixo custo.

Era um mundo estruturado em torno de um acordo explícito entre capital e trabalho. Isso agora parece distante como uma civilização
perdida, mas estava presente de alguma forma em todo o mundo industrializado. Se você quiser entender por que tantos eleitores com mais de
sessenta anos têm saudade dele e por que uma parte tão grande do apoio
ao populismo de direita vem das suas ruínas — do norte da França ao
oeste da Austrália —, precisa entender que era um acordo único, tanto
no que proporcionava como no tipo de pessoa que criava.

Meu avô começou a trabalhar na Astley Green Colliery aos catorze
anos, no início da Primeira Guerra Mundial. Meu pai desceu para trabalhar na mesma mina aos dezoito, nos últimos meses da Segunda Guerra

Mundial. Portanto, até onde posso olhar para trás, a árvore genealógica da minha família paterna é assim: chapeleiro, chapeleiro, mineiro, mineiro, mineiro, editor de economia. O sistema econômico do pós-guerra, em suma, fez muito mais do que acabar com a pobreza e o desemprego e oferecer um pouco de dignidade no trabalho. Promoveu uma espetacular mobilidade social ascendente no tempo de uma vida.

O que veio no seu lugar só trouxe catástrofe social.

Quando fiz campanha pelo Partido Trabalhista em Leigh nas eleições gerais de 2017, o que mais me impressionou foi o grande número de inválidos e idosos na multidão de ativistas que foram à praça da cidade. Muitos padeciam, como logo explicaram, de invalidez relacionada ao trabalho ou de doenças mentais de longa duração. A maioria parecia ter dez ou quinze anos a mais do que eu. Mas quando examinei mais de perto aquele regimento frágil e grisalho percebi que tinham a minha idade.

Nos anos 1960, um novo prédio comercial de vidro e concreto foi construído na principal rua vitoriana de Leigh, prenunciando a chegada de empregos de colarinho branco e da cultura tecnocrática. Agora ele está em ruínas. Enquanto olhávamos para suas janelas quebradas e empoeiradas, um vereador me sussurrou: "Estamos enfrentando 10 mil casos de violência doméstica por ano". A população é de apenas 50 mil habitantes.

"Dá para sentir o desespero, a absoluta falta de esperança e ambição, ela simplesmente foi destruída", me disse um funcionário do setor de energia na casa dos sessenta anos. Um amigo de infância que passou a vida no fundo de uma mina de carvão me contou o seguinte:

> Na minha antiga escola a polícia fica do lado de fora dos portões de olho neste ou naquele suspeito. Há crime organizado: drogas, assalto à mão armada. É uma indústria — um monte de soldadinhos nas ruas vendendo drogas. Se você manda seus filhos ao mercado tem um traficante lá esperando.

Essa cidade votava no Partido Trabalhista desde 1921, com apenas 20% dos eleitores — operários qualificados, gerentes e lojistas — apoiando os conservadores. No referendo do Brexit em 2016, dois terços votaram pela saída da União Europeia e, além dos 20% de eleitores conservadores, as urnas agora registram um consistente apoio de 20% ao nacionalista e xenófobo Partido de Independência do Reino Unido, o Ukip.

O nome do que aconteceu nessa cidade — e em milhares de cidades e subúrbios parecidos no mundo inteiro — é neoliberalismo. A elite não quer falar sobre isso. Vai dizer que neoliberalismo "não existe" ou que a palavra é apenas um termo insultuoso da esquerda. Para ela, a brutal lógica econômica imposta em lugares como Leigh nos anos 1980 "simplesmente aconteceu", não precisa de um nome.

Mas precisamos falar sobre neoliberalismo. Porque, ao destruir o acordo econômico entre capital e trabalho, ele obrigou milhões de pessoas a adotarem uma nova autoimagem. Maneiras de pensar e de se comportar que teriam parecido absurdas para as pessoas naquela festa da minha infância se tornaram normais nos últimos trinta anos.

E agora que o neoliberalismo está em crise, esses comportamentos, reflexos, padrões de pensamento e autoimagens cuidadosamente entranhados também foram jogados dentro da crise. O que começou em 2008 com a ruptura do sistema econômico neoliberal desencadeou a ruptura do próprio eu neoliberal.

O NEOLIBERALISMO É UM MODELO global específico do capitalismo que começou em 1979 e hoje se esfrangalha. Embora alguns países tenham adotado políticas de livre mercado com entusiasmo, outros com relutância, meu interesse é na totalidade: como todas as diferentes peças do sistema global funcionavam em conjunto — e então de repente pararam de funcionar.

Pessoas que apoiam o neoliberalismo costumam exigir que seus críticos apresentem uma definição dele. Eu poderia descrever muitas definições adequadas, sendo a mais clara a seguinte: neoliberalismo é uma competição imposta em todos os aspectos da sociedade por um Estado coercitivo.[1] Mas essa necessidade de definições é uma armadilha.

Para compreender coisas complexas, cambiantes e incertas como sistemas econômicos, precisamos treinar a mente para contemplar: a) o fenômeno inteiro; e b) as contradições dentro dele. Temos que nos preparar para o fato de que as coisas podem ter uma aparência completamente diferente do que de fato acontece abaixo da superfície — como ocorreu com os bancos no período que precedeu 2008. Precisamos presumir que todos os sistemas econômicos são temporários e que seu fracasso é quase sempre motivado pelos mesmos fatores responsáveis por seu êxito. Isso, por razões óbvias, é uma forma de pensar que a elite acha desconfortável.

Em vez de uma definição, quero esboçar um conjunto básico de relações em torno das quais ocorrem as mutações, os choques e os improvisos do sistema neoliberal. Qualquer economia capitalista tem três elementos — terra, trabalho e capital — que produzem dinheiro na forma de renda, salários e lucro. Comecemos entendendo como o neoliberalismo alterou as relações entre essas coisas.

Na era do Estado capitalista (1945-79), o mercado era subordinado ao Estado. Trabalho e capital atuavam em parceria. Já a renda era desestimulada. Quando economistas usam o termo "renda", não querem dizer apenas a renda da terra ou da propriedade, mas qualquer dinheiro extraído quando se monopoliza o suprimento de alguma coisa — seja uma mina de cobalto, os direitos de pesca num rio ou mesmo a capacidade de levantar o próprio capital. Renda não cria riqueza. Ela apenas a distribui das pessoas que produzem riqueza para aquelas que possuem a propriedade rentável — o "rentista". Quando projetou o modelo do Estado capitalista, o economista John Maynard Keynes defendeu a "eutanásia do rentista" — uma série de políticas destinadas a expulsar do sistema aqueles que buscam a renda.[2]

Na era neoliberal, ao contrário, o Estado está subordinado ao mercado; a rigor, o objetivo do Estado passa a ser eliminar todos os obstáculos ao mercado e impô-lo sobre todos os aspectos da vida que permaneçam não comerciais, desde fornecer água potável a arranjar um encontro amoroso. O capital ataca o trabalho, de modo que os lucros crescem como parte do PIB e a fatia da produção gasta em salários despenca. Enquanto isso, a "renda" se torna um meio de vida. Mais e mais lucros fluem na direção daqueles que são capazes de criar monopólios e estabelecer preços artificialmente altos — sejam eles gigantes de software, como a Microsoft, gi-

A criação de um eu neoliberal 67

gantes das redes sociais, como o Facebook, bancos de investimento, como o Lehman Brothers, ou apenas agiotas de dia de pagamento da sua cidade que cobram juros de mil por cento.

Em sua fase final, o neoliberalismo — que começou como uma luta por valores do livre mercado — se tornou um mercado não livre manipulado a favor de monopolistas e de especuladores; manipulado para proteger a riqueza dos que já a possuem; manipulado para produzir grande desigualdade — situação garantida pelo controle do Estado pela elite.

No entanto, o neoliberalismo não é apenas o modelo mais recente do capitalismo industrial. Ele se diferencia de todos os modelos anteriores em três sentidos.

Em primeiro lugar, é um modelo obrigado a destruir trabalho organizado em vez de fazer um acordo paternalista com ele. Isso é verdade tanto em Xangai como na Virgínia. Como resultado, o neoliberalismo provoca estragos no ambiente em que as pessoas vivem há gerações.

Em segundo lugar, é transnacional. Ele cria um mercado global e distribui pelo mundo indústrias e mecanismos que se situam acima dos Estados-nações. Como resultado, pela primeira vez na história moderna os Estados-nações foram redesenhados para atuar em benefício de uma elite supranacional, cuja riqueza é sobretudo financeira.

Em terceiro lugar, o neoliberalismo foi moldado em torno do surgimento da tecnologia da informação, e a tecnologia da informação interfere em mecanismos que estão no âmago do capitalismo há 250 anos: a capacidade de manter os preços muito mais altos do que os custos de produção e a capacidade de criar empregos para pessoas cujo trabalho foi tomado pelas máquinas.[3]

Quero fazer uma pausa agora para examinar o significado das mudanças trazidas pelo neoliberalismo. Cada uma dessas mudanças envolve uma alteração no equilíbrio de poder: tirando poder dos que trabalham, das democracias nacionais e dos povos que não possuem empresas de tecnologia. Esse desequilíbrio torna possível um novo tipo de desastre. Se você inventa automóveis, você também inventa engavetamentos nas rodovias. Se você inventa uma forma de capitalismo em que o poder vai de repente para as mãos de uma elite não supervisionada e tecnologicamente armada, com uma propensão ao conflito de classes, fica fácil destruir o conjunto de valores liberais, democráticos e universalistas que a maioria das pessoas no Ocidente julgava eterno.

A HISTÓRIA DO NEOLIBERALISMO se decompõe em quatro estágios distintos: a ascensão, de 1979 a 1989, quando o modelo foi imposto como política; o apogeu, de 1989 a 2001, quando parecia funcionar no piloto automático e se globalizou; a fase maníaca, entre o estouro da bolha das empresas ponto com e o colapso do Lehman Brothers; e os anos de 2008 a 2016, quando o custo de manter vivo o modelo do livre mercado começou a corroer a ordem geopolítica mundial.

Em cada fase vemos a consolidação de um conjunto de relações econômicas, pressupostos, comportamentos e ideologias que cria uma nova imagem do eu na cabeça de milhões de pessoas.

Na primeira fase, as locomotivas da mudança foram o Reino Unido e os Estados Unidos. Ambos adotaram políticas econômicas que agravaram a recessão de 1979-82, de um modo destinado a destruir empregos, reduzir salários, encolher serviços públicos e, acima de tudo, esfacelar o poder dos sindicatos. Em seguida, impuseram essas políticas a outros países, usando o Fundo Monetário Internacional (FMI), um novo tratado internacional de comércio, a pressão política direta e a pressão política indireta por intermédio dos mercados financeiros recém-desregulamentados.

A nova maneira de pensar foi imposta ao eleitorado por meio de ações punitivas, mais ou menos como um adestrador de cães desonesto usa a violência. O objetivo de cada estalar de chicote era ensinar uma lição a milhões de pessoas, não com artigos de jornais ou com discursos, mas com resultados visíveis.

O primeiro estalar de chicote foi infligido com a política monetária. Em vez de resultados humanos — como desemprego e pobreza —, tanto Margaret Thatcher como Ronald Reagan concentraram a política econômica em atingir objetivos matemáticos abstratos, como oferta monetária ou metas de inflação. A consequência foi a rápida e dura destruição de setores industriais inteiros. Isso nos ensinou a Lição número 1: na política econômica, *os seres humanos já não têm importância.*

Para entender por que a elite destruiu por vontade própria cidades e fábricas nos anos 1980, é preciso entender o poder social das pessoas que eu tinha visto na festa dos mineiros. Ao formar um movimento e sustentá-lo por mais de cem anos, a classe operária no mundo industrializado criara um contrapoder permanente, tanto em relação ao capital como ao Estado. Quando me levou para a multidão reunida em torno do ringue e cobriu meus olhos, meu pai me contou uma fábula moral. Precisamos conviver com a brutalidade do estilo de vida industrial, fazer parte dele, aprender a amar seus ritmos, aromas, sons — e ao mesmo tempo precisamos alimentar a crença em coisa melhor.

A mão de obra sindicalizada era, até meados dos anos 1980, a principal força humanizadora do capitalismo, muito mais do que a filantropia e a religião em suas realizações materiais. Ela nos deu o fim de semana, a jornada de oito horas, o voto para os que não têm propriedades, as leis de igualdade salarial para as mulheres — e foram os movimentos trabalhistas que, de Varsóvia a Turim e Paris, pegaram em armas para derrubar o nazismo no fim da Segunda Guerra Mundial.

O objetivo da política neoliberal, no começo dos anos 1980, era infligir uma recessão tão violenta que destruísse o poder de negociação dos sindicatos, a cultura que os incubara, os valores de solidariedade que difundiram, os ideais socialistas que alimentaram e os locais de trabalho que organizaram. Para estilhaçar sua determinação de resistir, milhões de trabalhadores qualificados da classe operária da geração de meu pai seriam submetidos àquilo que desde a infância era seu maior pesadelo: a humilhação da pobreza e do desemprego de longo prazo.

Mas nem isso bastava. Era preciso também destruir a crença das pessoas em coisa melhor. Era preciso mudar sua maneira de pensar.

O PRÓXIMO ESTALAR DO CHICOTE foi contra a França, que em 1981 tinha elegido um governo de coalizão socialista-comunista, encabeçado por

François Mitterrand. Mitterrand jurou resistir ao neoliberalismo: contratou 200 mil funcionários públicos, aumentou o salário mínimo em 39% e nacionalizou doze grupos industriais e 36 bancos.[4] Em resposta, uma quantidade de dinheiro equivalente a 2% do PIB francês fugiu do país nos três primeiros meses. Três bruscas desvalorizações do franco frente ao marco alemão vieram em seguida — e a última, em março de 1983, obrigou Mitterrand a abandonar o crescimento dirigido pelo Estado e adotar a austeridade.

O governo de Mitterrand foi, de fato, obrigado a ocupar seu próprio país em benefício de uma potência estrangeira — os mercados financeiros globais.[5] Apesar de ter sido Thatcher quem disse "Não há alternativa", foi o drama da França entre 1981 e 1983 que ensinou a Lição número 2: *as alternativas de esquerda ao liberalismo estão condenadas ao fracasso, porque os mercados financeiros vão sabotá-las.*

A terceira lição foi ensinada por intermédio de maciços programas de privatização, adotados voluntariamente ou, no caso da América Latina, impostos pelo FMI. A Espanha, por exemplo, vendeu ou cedeu 34 empresas públicas em meados dos anos 1980 — quase sempre para firmas estrangeiras. A fim de convencer a Volkswagen a comprar a fabricante de automóveis Seat, o governo espanhol gastou 1,5 bilhão de dólares dando baixa em suas dívidas e mais 3,2 bilhões com subsídios e absorvendo perdas.[6] A força de trabalho nas empresas privadas foi reduzida em um terço.[7]

O processo de privatizações criou um novo grupo de pessoas com interesse no êxito do neoliberalismo: indivíduos que tinham ganhado ações ou permissão para comprá-las barato nas privatizações. Agora eles se guiavam por um novo tipo de lógica: você, operário da Seat, tem que perder o emprego ou trabalhar num regime mais flexível para que eu, o acionista, possa ver meus investimentos crescerem. Isso nos ensinou a Lição número 3: *privatização é bom para todos, ainda que destrua o nosso mundo.*

A quarta tarefa era impor a lógica neoliberal ao resto do planeta. Durante a época de capitalismo estatal, o FMI, o Banco Mundial e o Acordo Geral sobre Tarifas e Comércio (General Agreement on Tariffs and Trade, GATT), antecessor da Organização Mundial do Comércio, tinham desempe-

A criação de um eu neoliberal

nhado um papel secundário. Mas então o FMI acordou, sujeitando a maior parte da América Latina, a maior parte da África e grande parte da Ásia a programas de privatização em troca de pacotes de ajuda.[8]

O México serviu de cobaia. Em agosto de 1982, ameaçou dar o calote no pagamento de suas dívidas de 80 bilhões de dólares. O FMI, em sua versão desse episódio, admite o seguinte: "O sistema corria perigo. Os principais bancos americanos e japoneses pela primeira vez estavam sob ameaça e os bancos europeus enfrentavam novos e grandes riscos".[9] Em troca de um socorro financeiro de 4 bilhões de dólares, o México foi obrigado a impor sua própria versão do thatcherismo: aumentar bruscamente as taxas de juros, cortar gastos públicos e iniciar um programa de privatizações que resultaria na venda ou no fechamento de 80% de todas as fábricas pertencentes ao Estado.[10] Em 1986, o índice de desemprego atingiu o patamar de 15%. A dívida externa cresceu para 100 bilhões de dólares. Os níveis de salário real caíram pelo menos 40% em apenas três anos.[11]

O México, que tinha travado uma série de lutas para se tornar economicamente independente dos Estados Unidos no século XX, mais uma vez virou colônia de Washington, com uma fila de fábricas ao longo da fronteira que serviam ao mercado americano à base de mão de obra barata. Por intermédio do México, o FMI nos ensinou a Lição número 4: *a soberania econômica é uma impossibilidade.*

O desafio final era consolidar o controle do neoliberalismo na Europa. Em 1985, Margaret Thatcher — que sempre foi contra uma maior integração à Comunidade Europeia — mudou de tática. Disse que a Europa poderia ter seu parlamento, sua soberania parcialmente agrupada e sua bandeira, com a condição de que incluísse o neoliberalismo em seu principal tratado, o Ato Único Europeu, de 1986.

A França, escreveu Mitterrand, estava "dividida entre duas ambições: a da construção da Europa e a da justiça social".[12] Thatcher conseguiu impor essa escolha ao continente inteiro. A partir de meados dos anos 1980, a Comunidade Europeia, apesar dos seus compromissos teóricos com o bem-estar social e com o pleno emprego, praticamente se entregou ao neoliberalismo. Em seu âmago estavam não apenas o Reino Unido de

Thatcher, mas uma Alemanha cuja elite havia muito tempo engolira a ideia de "o máximo possível de mercado e o mínimo possível de Estado". A Lição número 5 ensinou que *mesmo países comprometidos com o Estado de bem-estar social teriam que oferecê-lo usando métodos neoliberais.* Se quiser uma economia de mercado social, você precisa aceitar a privatização, a terceirização e a competição imposta, e fingir que não está vendo as grandes empresas sonegarem impostos.

Em menos de dez anos, o projeto neoliberal tinha reformulado a economia mundial. Mas sua maior conquista foram as mudanças que introduziu na maneira de pensar e agir dos seres humanos.

"A COMUNIDADE ERA POBRE", escreve a socióloga urbana Janice Perlman, "mas as pessoas se mobilizavam para exigir a melhoria dos serviços urbanos, trabalhavam muito, se divertiam e tinham esperança. Cuidavam umas das outras e a vida diária transcorria num ritmo tranquilo, alegre." Essa é a sua descrição de uma favela brasileira nos anos 1960 — mas poderia muito bem servir para a maioria das comunidades operárias no mundo naquela época.

Quando Perlman voltou ao Rio de Janeiro em 1999 para documentar as consequências da transformação neoliberal, as coisas tinham mudado. "Onde antes havia esperança agora havia medo e incerteza. As pessoas temiam morrer num tiroteio durante uma guerra entre traficantes rivais [...]. Sentiam-se mais marginalizadas do que nunca."[13]

A partir do fim dos anos 1970, o neoliberalismo reinventou a favela urbana e forçou 1 bilhão de pessoas — um em cada sete dos habitantes do planeta — a morar lá.[14] Os preços agrícolas em queda aceleraram a transferência do campo para as cidades. A quase falência do Estado significava que não havia ninguém para impedir que os recém-chegados construíssem barracos entre rios e canais e depósitos de lixo. Programas de erradicação de favelas foram interrompidos: tinham sido projetados com base na suposição de que as favelas eram restos do passado; agora elas seriam o futuro.

O relato de Perlman do que aconteceu numa favela chamada Nova Brasília é a história contada em profundidade. Depois de 1985, as grandes

A criação de um eu neoliberal 73

fábricas fecharam, o desemprego em massa cresceu, o policiamento desapareceu e as quadrilhas de traficantes chegaram: no começo dos anos 1990, controlavam não apenas as ruas como as associações de moradores, depois de executar seus últimos líderes não corruptos.[15] Em seguida, observa a socióloga, as quadrilhas de fato se tornaram o Estado.

Que tipo de gente prospera numa comunidade destruída pelas drogas, pela violência, pela pobreza, pelo desemprego e pela insegurança? A resposta é: as pessoas que conseguem se adaptar a uma dinâmica em que cobra come cobra. As que aceitam a insegurança constante não como aberração, mas como norma; as que estão preparadas para "viver o presente" e acima de tudo para cuidar de si mesmas, esquecer as obrigações comunitárias, tolerar a desordem e participar dela.

Esse tipo de gente era uma raridade na época do capitalismo de Estado, mesmo num país pobre como o Brasil. Todavia, o neoliberalismo criou um novo arquétipo social: o indivíduo desenraizado, egocêntrico, empenhado não na luta coletiva ou no ativismo comunitário, mas na luta pessoal pela sobrevivência. Um traficante na favela do Rio pode estar fadado a morrer antes dos trinta anos — mas é capaz de ganhar numa semana o que precisaria de meses para juntar numa fábrica recebendo salário mínimo. Depois de comprar sua arma, cuidar da família e pagar por sexo, no que mais você vai gastar seu dinheiro senão em tênis de marca e joias baratas?

Enquanto as antigas indústrias entravam em colapso, esse estilo de vida, iniciado nas favelas do sul global, se espalhou rápido entre os jovens das cidades arrasadas do mundo desenvolvido. O rap transmitiu os novos ideais de gangues, drogas e violência sexual para as comunidades pobres, negras e latino-americanas dos Estados Unidos, mas essa cultura *bling* se desenvolveu em muitos países e tipos de música, tornando-se uma espécie de estilo neoliberal internacional. Dez anos depois de iniciada a era Thatcher, não causava nenhuma surpresa encontrar costumes, valores e comportamentos *gangsta* entre os jovens inconformados da minha cidade natal.

No final dos anos 1980, havia dois tipos de subjetividade: um grupo de sobreviventes ressentidos do velho sistema vivendo ao lado de seguidores ferrenhos do egoísmo, do individualismo e do conformismo. Mas num mundo de caos e pobreza a lembrança dos bons tempos do capitalismo de Estado é forte, predominando nas comunidades operárias um sentimento de depressão e insegurança. As grandes lições difíceis foram aprendidas, a derrota da mão de obra sindicalizada foi aceita, só que ainda não existe um "senso comum" forte, positivo e universal que as pessoas possam adotar.

Para isso, o neoliberalismo teve que passar a funcionar automaticamente, sem causar grande conflito social, e começar a melhorar a vida das pessoas.

Para o traficante de uma favela do Rio, o ingrediente essencial para ficar rico era a cocaína — uma mercadoria negociável em todo o mundo, cujo preço permanece alto mesmo numa recessão. Para o resto do planeta, a droga preferida não era a cocaína, mas o crédito. E para que ele fluísse, o neoliberalismo teve que se tornar verdadeiramente global.

EM 4 DE JUNHO DE 1989, o partido de oposição polonês Solidarność (Solidariedade) ganhou as primeiras eleições livres do Bloco do Leste. No mesmo dia, o Partido Comunista Chinês (PCC) enviou tanques à praça Tiananmen, em Beijing, para matar milhares de manifestantes pró-democracia. Esses dois acontecimentos sinalizam o início da segunda fase do neoliberalismo: a globalização da economia mundial, a conversão de antigos países comunistas em economias de mercado e a adoção da mentalidade das favelas por centenas de milhões de pessoas mundo afora.

Em novembro de 1989 o Muro de Berlim veio abaixo; em dezembro de 1991 foi a vez da União Soviética. Embora as economias da Rússia, da China e da Europa Oriental correspondessem a apenas 15% da produção global,[16] sua entrada no mercado mundial ajudaria a dobrar o tamanho da força de trabalho do mundo: de 1,5 bilhão para 3 bilhões de dólares em apenas quinze anos. Sendo bem direto, a mesma quantidade de capital agora teria duas vezes mais mão de obra para explorar e o poder de negociação do trabalho no mundo todo despencaria drasticamente.

O economista Richard Freeman, que chamou esse fenômeno de "a Grande Duplicação", advertiu que se os Estados Unidos não se adaptassem

A criação de um eu neoliberal 75

ao poder social enfraquecido da sua própria classe operária, "as próximas décadas exacerbarão as divisões econômicas no país, com o risco de fazer boa parte dele se voltar contra a globalização".[17] Foi exatamente o que aconteceu — mas no início do processo ninguém ligou. Porque o impacto mais importante da globalização foi ideológico, e não econômico. O colapso do comunismo soviético e a conversão da China à economia de mercado tinham sepultado para sempre o projeto da esquerda do século xx.

Em janeiro de 1992, três semanas após a dissolução da União Soviética, cheguei a Moscou para tentar ajudar a reviver o movimento trabalhista antistalinista, em colaboração com dissidentes de esquerda que tinham surgido durante a era Gorbatchóv. Era uma missão suicida. A economia estava à beira do colapso total. Os preços haviam subido 245% num mês; a inflação chegaria a 2500% no ano seguinte.[18] As pessoas tomavam as ruas no meio da neve tentando vender o que lhes restava: uma bota, uma panela, uniformes do Exército. Na entrada de todos os hotéis, mulheres se ofereciam por dinheiro.

Fizemos um seminário no departamento de política de uma universidade de Moscou. Os professores tinham fugido, deixando para trás bustos de Lênin, calhamaços de estatísticas e as obras de vários líderes soviéticos — que nossos amigos russos anarquistas saquearam ou destruíram com grande satisfação. Infelizmente, naquele momento as forças que governariam a Rússia pós-soviética estavam empenhadas noutro tipo de saque, muitíssimo mais destrutivo: um quebra-quebra para se apoderar dos recursos de uma superpotência.

Uma classe de audaciosos milionários tinha surgido no fim dos anos 1980, quando o comércio internacional se abria — quase sempre no ramo dos computadores pessoais ou da indústria petrolífera. Então dentro dessa classe surgiu o grupo de elite dos "oligarcas" da Rússia. Eles fraudaram as privatizações para tomar posse de instalações industriais a preços risivelmente baixos. Acuaram os mercados de exportação de petróleo, gás e matérias-primas — comprando a preços russos e vendendo a preços mundiais. Em alguns casos, assumiram o controle de empresas "simplesmente copiando documentos de participação acionária numa impressora caseira e registrando-os no governo".[19]

Os crimes notificados na Rússia subiram 50% em dois anos. Em 1990, a polícia russa registrou 2800 cadáveres não identificados; em 1993, encontrou 18 mil.[20] Os tranquilos pátios de Moscou foram transformados em lugares onde não se devia entrar. Vi meros acidentes de trânsito degenerarem em brigas de faca e ataques com ácido. Por um tempo morei num albergue de estudantes meio deserto cuja porta meus amigos tinham simplesmente derrubado a pontapés.

Por todo lado fui assistindo à criação de um novo tipo humano. Nas favelas do Brasil, o gatilho para isso fora a chegada da cocaína. Na Rússia, foi apenas a chegada do dinheiro. No sistema soviético, o dinheiro quase não funcionava. Você conseguia as coisas por meio de redes informais: seu local de trabalho, a família, vizinhos e amigos. Essas redes de fundo de quintal eram essenciais para o apoio social, a sobrevivência econômica e o fortalecimento de valores morais. A súbita injeção de dinheiro as reduziu a pó.[21]

O escritor Victor Pelevin captou a experiência de milhões de pessoas durante essa marcha forçada para o egoísmo. O herói de seu romance *Generation "П"* [Geração "Pi"] é obrigado a enfrentar uma transição "da eternidade para o momento presente". Um sistema que supostamente duraria para sempre, e nunca mudaria, se metamorfoseou numa existência sem rumo, cujas regras mudam o tempo todo. Ele se torna redator de uma agência de publicidade, onde seu mentor explica as regras do neoliberalismo. Você pega dinheiro emprestado, compra um jipe, um aparelho de fax e um engradado de vodca. Quando sua empresa vai à falência, ou a máfia te mata ou transfere o empréstimo para um banco estatal. No meio do processo,

> uma reação química bastante específica ocorre dentro da cabeça do sujeito que criou a encrenca toda. Ele desenvolve uma megalomania totalmente sem limites e manda fazer uma peça publicitária. Faz questão de que essa peça acabe com os anúncios de todos os outros imbecis.[22]

Nesse trecho Pelevin capta a maneira como o neoliberalismo devia funcionar para as pessoas comuns durante a transição: bandidos acumulam dinheiro com crime ou fraudando o Estado, reciclam esse dinheiro via sistema de crédito e isso gera negócios legítimos como a publicidade. Durante o processo, um novo tipo de pessoa nasce, sintonizada com a lei da sobrevivência do mais apto. Como na favela, seu principal atributo é a disposição de tolerar a criminalidade, prosperar no caos e aproveitar as oportunidades que surgem quando a sociedade normal desmorona.

Sociólogos passaram a chamar esse novo tipo de pessoa de "sujeito neoliberal", porque em filosofia a palavra "sujeito" denota o ser humano pensante (o "objeto" é um mundo exterior). Podemos também chamar esse tipo de pessoa de "eu neoliberal".

O sociólogo francês Michel Foucault, escrevendo no alvorecer do sistema neoliberal, compreendeu que numa sociedade privatizada, altamente competitiva e empobrecida, a pessoa teria que se transformar em "empresária de si mesma". Ao privatizar não apenas as indústrias, mas todos os riscos enfrentados antes pela sociedade — vacinações, problemas de saúde, desemprego ou acidentes de trabalho —, o novo sistema forçava todo mundo a calcular os riscos antes de qualquer coisa, de uma forma que a geração dos meus pais nunca precisou fazer.

Quando somos obrigados a pensar muito num assunto por um longo período nos tornamos especialistas nele. A geração de meu pai era especialista em manter relações sociais colaborativas e em observar tradições e hierarquias; o eu neoliberal nos torna especialistas em destruí-las.

Para o eu neoliberal, o consumo — do que quer que seja, a qualquer momento, como um fim em si mesmo — se torna uma forma de atividade autoconfirmadora. O herói de *Generation "П"*, quando preocupado ou ansioso, consome cocaína ou compra qualquer coisa que seu bolso lhe permita: o impacto psicológico é o mesmo. Mas como ato de comunicação, comprar coisas só dá resultado se as outras pessoas puderem compreender o valor do que você acabou de comprar: é por isso que a moda global, o álcool e os cosméticos de marca se tornaram essenciais. Antes do neoliberalismo, estar na moda significava usar roupas diferentes das roupas dos outros. Agora significa usar roupas cujo valor exato possa ser compreendido por todos, se necessário ostentando a palavra Moschino com letras de quinze centímetros de altura no peito.

O sujeito neoliberal, em resumo, trocou a autonomia pela segurança e adotou o individualismo como solução para o fracasso da ação coletiva. Isso aconteceu *antes* do acesso das massas à internet, ou, é claro, aos smartphones e ao 4G. No fim dos anos 1990, havia muita sociologia acadêmica confirmando a existência dessa nova atitude e mostrando que a teoria da administração tinha se tornado um dos seus principais transmissores no local de trabalho. Os sociólogos Luc Boltanski e Ève Chiapello, de Paris, documentaram o surgimento de uma nova ideologia embutida na determinação de trabalhar com mais flexibilidade, com "hierarquias horizontais", pensando em metas e não no relógio.[23] Na linha de frente, observou o sociólogo Richard Sennett, estavam as empresas de tecnologia: ele mostrou que os novos e arquetípicos trabalhadores do neoliberalismo estavam sendo formados na cultura solta, interligada, informal e anti-hierárquica dos setores de software e criação.[24]

Mas o surgimento do egoísmo sistemático, do cálculo de risco e do consumo conformista é só uma parte da história. O eu neoliberal tinha mais uma lição a aprender: que pegar emprestado é bom e que, por piores que sejam as crises dos mercados financeiros, nada de ruim de fato acontece.

Vamos imaginar que a economia mundial é um jogo de pôquer, no qual as apostas são representadas pela produção global e as dívidas dos jogadores são as dívidas combinadas de todos os países, famílias e empresas do mundo.

Usando essa analogia, em 1991 as dívidas dos jogadores correspondem exatamente ao volume das apostas. No entanto, em 2008 as apostas dobraram, enquanto as dívidas passaram a ser seis vezes maiores do que no começo do jogo.[25] Alguma coisa deu errado. Não importa qual dos jogadores está pegando mais dinheiro emprestado, porque a mesa toda tem um problema: a maioria dos jogadores aposta com dinheiro que não é seu.[26] Você já começou a ficar preocupado?

Nesse meio-tempo, uma multidão se reuniu em volta da mesa e faz apostas paralelas a respeito do resultado. É o mercado de derivativos, que

A criação de um eu neoliberal

mal existia em 1991, mas já era enorme em 2008. Em nossa analogia do jogo de pôquer, em 2008 esses apostadores paralelos tinham arriscado *dez vezes* o volume de dinheiro existente na mesa, e boa parte de suas apostas também é feita com dinheiro emprestado.[27] Ainda não está preocupado?

Agora vamos pensar no cassino — na vida real, a indústria bancária e financeira. Em 1991, ela ficava com quatro centavos de cada dólar que passava pela mesa, mas em 2008 ficou com 46 centavos de cada dólar.[28] Alguém está subestimando os riscos. Se você ainda não está preocupado, é porque deve supor que, se as coisas derem errado, o dono do cassino tem condições de distribuir fichas indefinidamente, para cobrir todas as perdas e todas as dívidas.

Ao decolar, o neoliberalismo injetou o risco financeiro na economia global sem que ninguém compreendesse os perigos. Os economistas nos diziam que a efusão de dinheiro novo, de empréstimos e de contratos especulativos em comparação com o crescimento econômico era prova de uma perfeição cada vez maior, e não um sinal de perigo. Enquanto encolhia o Estado com fervor religioso, o setor privado criava uma montanha de dívidas impossíveis de quitar, que teriam de ser garantidas pelo próprio Estado.

Foi uma suposição que centenas de milhões de pessoas compartilharam de imediato: que apostar num cassino com dinheiro emprestado é seguro, porque sempre que houver o risco de dar errado o cassino distribui mais fichas. Essa lição era reforçada por ciclos recorrentes de prosperidade e falência financeiras.

Começou no Japão, onde os preços da terra triplicaram nos cinco anos anteriores a 1990 e o valor das ações negociadas no índice Nikkei quadruplicou. O colapso, iniciado em 1990, varreu 80% do mercado de ações, paralisou o crescimento econômico do país por duas décadas e estagnou os salários reais pelo mesmo período.

Mas o Japão é hoje um grande terreno baldio? Não. O Estado socorreu os bancos, os acionistas assumiram as perdas, os preços dos imóveis e os salários ficaram estagnados por trinta anos, mas ninguém se importou. Isso ocorreu porque, no momento crucial, o cassino fez exatamente o que os jogadores imaginaram que faria: fabricou novas fichas para que o jogo pudesse continuar, pegando emprestado e imprimindo dinheiro. O desastre japonês ensinou ao mundo uma lição subliminar: um país inteiro pode chegar ao limite do seu cartão de crédito, falir e ver sua economia estagnar, mas nada de ruim de fato acontece.

A crise financeira asiática de 1997 veio em seguida. A moeda da Tailândia desabou frente ao dólar em julho daquele ano e, em clima de pânico, investidores estrangeiros tiraram dinheiro da Indonésia, da Coreia do Sul, de Cingapura, da Malásia e de Taiwan. O colapso financeiro provocou profundas recessões na economia real dos antigos tigres asiáticos: a produção da Indonésia encolheu 14% num ano; a da Tailândia, 10%. Mas nesse caso também não houve recessão global.

Depois foi a vez de a Rússia implodir. Em 1997, o país se abriu às finanças estrangeiras, que inundaram o mercado de ações e o governo russo com empréstimos de um ano. O problema era que, mesmo com os empréstimos fugindo de controle, o crescimento econômico evaporava. O Banco Mundial informou, em tom de lástima: "As quantias emprestadas aumentaram enquanto os fatos financeiros básicos pioraram".[29] Em agosto de 1998, o rublo perdeu dois terços do valor, a Bolsa, nove décimos do seu valor e o sistema bancário faliu. O Estado russo deixou de pagar as dívidas de sua própria população: a maioria dos que tinham poupança nos bancos perdeu dinheiro. A economia encolheu 5% num ano — proeza rara, mesmo para os padrões da terapia de choque neoliberal.

A crise russa provocou o colapso do Long Term Capital Management, o mais bem-sucedido fundo de hedge dos Estados Unidos. O LTCM tinha tomado 125 bilhões de dólares emprestados contra fundos reais de 5 bilhões, para especular em cima de minúsculas anomalias no sistema financeiro global. Enquanto pegava emprestado um valor vinte vezes maior do que o seu próprio de bancos de Wall Street, o fundo tinha posições de derivativos duzentas vezes maior do que o seu próprio valor, totalizando 5% de todos os derivativos do mundo. Na analogia do cassino, era o LTCM que garantia as apostas paralelas: se falisse, todo mundo faliria junto. O Federal Reserve entrou na história para garantir um socorro de 4 bilhões de dólares.[30]

Munidos da convicção de que nada de ruim jamais aconteceria num crash financeiro, investidores ocidentais foram sugados pela bolha das empresas ponto com (1999-2001). E quando a bolha explodiu, depois de uma breve pausa, "dinheiro quente" foi deslocado para o recém-criado mercado de risco hipotecário, alimentando a bolha da securitização que quebraria o mundo em 2008.

Antes de explorar essa fase maníaca do neoliberalismo — uma era de bilionários promovidos por extravagantes campanhas publicitárias e de vigaristas bizarros —, precisamos voltar por um instante a falar de nós mesmos. Como as finanças afetaram os atributos básicos do ser humano nos primeiros vinte anos da era neoliberal?

Em 1996, o título da peça de estreia de Mark Ravenhill era perturbador demais para ser exibido nos letreiros. *Shopping and Fucking* [Ir às compras e foder] deixou muita gente indignada. Apresentava o vazio moral da vida de jovens numa economia consumista onde o sexo aleatório é o único consolo e quase sempre reduzido, ele mesmo, a mercadoria. Algumas pessoas achavam que a peça era uma celebração direta da realidade atual. Mas a obra-prima de Ravenhill era a dramatização do mais profundo defeito do neoliberalismo.

Se você vive apenas segundo os valores de mercado, perde parte da sua humanidade. Vai se tornar excessivamente preocupado consigo mesmo, não só no sentido consumista preconizado por economistas de direita, mas num nível muito mais psicológico. Os personagens de Ravenhill estão o tempo todo envolvidos com o design de sua personalidade, sempre em busca de marcas e da cultura pop como formas de expressar o que acreditam existir de único a respeito de si mesmos. Nenhum deles trabalha de fato: a maioria vive de crédito, que, em 1996, era fácil até para os que tinham empregos precários.

O mais chocante, para quem entendia a peça, era o quanto essa maneira totalmente nova de pensar havia destruído qualquer desejo de mudança positiva. Como diz um personagem:

> Muito tempo atrás havia grandes histórias. Histórias tão grandes que você podia viver a vida inteira dentro delas. As Poderosas Mãos dos Deuses e do Destino. A Jornada para o Iluminismo. A Marcha do Socialismo. Mas todas

elas morreram, ou o mundo cresceu, ou caducou, ou se esqueceu delas, por isso agora nós fazemos nossas próprias histórias. Pequenas histórias.[31]

Muita gente acha que a crença no socialismo desmoronou durante os anos 1990 porque a queda do Muro de Berlim revelou o horror e a insustentabilidade da economia dirigida pelo Estado. Na verdade, entre aqueles que resistiam ao neoliberalismo, eram poucos os que apoiavam abertamente os velhos regimes stalinistas. O principal motivo do colapso da velha narrativa de esquerda é que a globalização das finanças tornou impossível até o socialismo moderado — como o caso de Mitterrand deixou claro. E num nível mais profundo, as pessoas entenderam que a nova dinâmica do capitalismo tornara ineficiente o tipo de resistência no local de trabalho praticado pela geração do meu pai.

No sistema antigo, você trabalhava e recebia um salário, o patrão obtinha lucro e pagava impostos para sustentar o Estado de bem-estar social. Bancos serviam para poupar dinheiro, não para emprestar. Se você quisesse protestar, interromper a produção era sua arma mais poderosa. Mesmo fazendo uma simples operação tartaruga você podia conseguir um aumento de salário, porque só o conhecimento dos operários das fábricas era capaz de manter ativos os processos de produção pré-digital.

Mas agora os bancos exploram os trabalhadores diretamente — e com êxito — emprestando-lhes dinheiro. O lucro líquido médio entre as empresas britânicas no ano em que a peça de Ravenhill foi encenada era de 13%. Em comparação, os juros médios do cartão de crédito giravam em torno de 15%, enquanto os cartões de crédito de loja cobravam dos que pagavam atrasado entre 18% e 30%.[32] Com uma parcela cada vez maior do salário sendo usada para pagar dívidas de curto prazo, as pessoas começaram a poupar menos. Em 1991 as famílias do Reino Unido poupavam 13% da renda; em 1999, a cifra tinha caído para 5%. E, ao contrário de uma fábrica, não se pode fazer greve contra o cartão de crédito.

Em entrevistas com pessoas da minha cidade natal, quando perguntei qual havia sido a maior mudança de atitude da classe operária nos últimos trinta anos, a resposta foi uma só: o crédito. O crédito destruiu o apego das pessoas à única coisa que manteve comunidades como aquela unidas por duzentos anos: o trabalho.

A partir de meados dos anos 1990, numa comunidade pobre, o trabalho passou a ser uma atividade que se fazia para poder continuar usando o cartão de crédito, pagar a prestação da hipoteca e ter um celular de última geração — não tinha um valor intrínseco. Em todas as formas anteriores de capitalismo, pegar muito dinheiro emprestado era visto como burrice entre as pessoas pobres. No período áureo do neoliberalismo, não pegar muito dinheiro emprestado é que passou a ser uma burrice.

"A financialização", escreveu o economista Costas Lapavitsas, "permitiu que a ética, a moralidade e a mentalidade das finanças penetrassem na vida social e individual."[33] Um dos personagens da peça de Ravenhill diz isso de uma forma ainda melhor: "Dinheiro é civilização [...]. Não alcançamos a perfeição. Mas é o mais perto que já chegamos dela. Civilização é dinheiro. Dinheiro é civilização".[34]

A REVOLUÇÃO DA INFORMAÇÃO foi real. Em 1995, quem tinha um pouco de massa cinzenta viu que haveria muito dinheiro a ser ganho e posições dominantes do mercado a serem conquistadas pelas novas empresas de tecnologia. Mas ninguém sabia quais delas.

A oferta pública inicial de ações da Netscape em 1995 viu uma empresa sem lucro ser lançada a 28 dólares por ação e subir para 58 dólares ao final do primeiro dia. No fim do ano, suas ações combinadas valiam 175 bilhões de dólares. O mercado de ações da Nasdaq, que estava em 1600 quando a Netscape foi lançada, atingiria 6772 no começo de 2000. Para quem comprou e vendeu na hora certa, foi dinheiro fácil. Para quem fez o contrário, enquanto a Nasdaq despencava em 2000-1, foi uma maneira emocionante de perder as economias. Só que muitos investidores não tinham economias: estavam investindo dinheiro pego emprestado de cartões de crédito.

De onde vinha o dinheiro para alimentar essa especulação? Do Estado. Um mês antes do lançamento da Netscape, o Federal Reserve baixou as taxas de juros e continuaria baixando enquanto a bolha da Nasdaq inchava. O banco central não só injetou dinheiro no sistema como também forneceu a justificativa para todas as decisões irracionais que as pessoas tomariam.

O presidente do Federal Reserve, Alan Greenspan, assegurou aos investidores que os mercados de ações do mundo — apesar de seu valor nas alturas — estavam, na verdade, baixos demais. As pessoas que pegavam emprestado para investir em empresas que não davam lucro agiam de maneira mais racional do que o próprio Federal Reserve. "O mercado de ações está basicamente nos dizendo que houve, de fato, uma aceleração da produtividade", disse ele.[35]

Quando veio o crash do mercado em março de 2000 e muitas empresas ponto com faliram, a reputação do modelo econômico neoliberal estava em frangalhos. Dez bancos de investimento de Wall Street pagaram 1,4 bilhão de dólares de multa por divulgarem pesquisas fraudulentas com o intuito de induzir seus clientes a financiar empresas que não davam lucro.[36] A essa altura a Enron estava falida, junto com Worldcom, Tyco, Parmalat, Vivendi e outros grandes nomes do mundo corporativo, entre os quais o fundo de pensão blue chip Equitable Life, do Reino Unido, e a firma de contabilidade Arthur Andersen. As empresas de contabilidade tinham conspirado para fornecer falsos relatórios sobre a verdadeira lucratividade das companhias. Bancos e executivos de empresas haviam explorado investidores de maneira tão implacável quanto os personagens de *Shopping and Fucking* exploravam uns aos outros. A legitimidade de todo o sistema foi posta em dúvida.

Alguma coisa precisava restaurar essa legitimidade. Foi esse o contexto do ciclo global de prosperidade e falência que Greenspan e outros reguladores botaram em ação entre 2002 e 2008. Eles reduziriam taxas de juros, inundariam os mercados financeiros com dinheiro barato e desregulamentariam os bancos. A lógica do "grande demais para falir" agora seria aplicada a todo o capitalismo.

Mas, enquanto eles atiçavam a prosperidade, a elite americana também pôs a cereja em cima do bolo da ideologia neoliberal, combinando-a com ilusões de poder geopolítico absoluto. Para entender por que o eu neoliberal surtou, precisamos entender que ele se entrelaçou com a crença da elite em sua própria permanência.

4. Telegramas e raiva

Se algum dia você for a Berlim, vá até o fim do lado leste da Unter den Linden e filme uma panorâmica com seu celular. Você terá um lembrete visual de como nossas teorias sobre a história podem estar erradas.

Você está cercado de colunas de pedra e estátuas de mármore brancas. A fachada da Ópera, a parede de uma velha caserna, a porta da catedral e toda a fachada da universidade — tudo é cópia do Partenon, de Atenas. O subtexto não é difícil de interpretar: a aristocracia prussiana, que construiu isso tudo 250 anos atrás, julgava estar reconstruindo a Grécia Antiga, só que maior e melhor. Mas o que isso significava para ela? Em 18 de outubro de 1818, o filósofo Georg Hegel passou entre essas colunas brancas e subiu num púlpito para explicar: significava o fim da história.

A história, disse Hegel, era uma viagem da escravidão para a liberdade, controlada por um "espírito universal" que guia a humanidade rumo à perfeição através de fases distintas. As religiões orientais tinham descoberto a ideia do ser humano separado da natureza. A velha Atenas atingira alguma coisa próxima da perfeição — "uma vida ética livre e serena" —, mas só para os cidadãos livres, não para seus escravos. Para chegar à sociedade perfeita, afirmou Hegel, todos precisavam ser livres.[1]

Então veio a reviravolta. Hegel tinha sido de início um grande admirador da Revolução Francesa. Tão grande que em 1806, no dia em que Napoleão ocupou a cidade de Jena, onde Hegel lecionava, o filósofo o saudou como a personificação viva do espírito universal: "É, sem dúvida, uma grande sensação", escreveu, "ver esse indivíduo que, concentrado aqui num único ponto, em cima de um cavalo, estende a mão sobre o mundo e o domina."[2]

Mas em 1818 Napoleão foi derrotado; todas as repúblicas europeias inspiradas pela Revolução Francesa tinham sido esmagadas; a liberdade de imprensa não existia. Depois de trinta anos de luta revolucionária, a maioria das pessoas que acreditavam na liberdade achava que ela era uma coisa que se conquistava *resistindo* ao Estado autocrático. Não Hegel. Só se pode ser livre, disse ele, como súdito obediente de um Estado todo-poderoso e esclarecido.

"A marcha de Deus no mundo, é isso que o Estado é",[3] declarou. E, com a monarquia esclarecida da Prússia em 1818, a marcha tinha chegado ao seu destino. "A história do mundo viaja do leste para o oeste, pois a Europa é absolutamente o fim da história, e a Ásia, o começo", disse Hegel aos seus alunos. Entre as colunas de mármore de Berlim, sob um monarca esclarecido, o pináculo da realização humana havia sido atingido.[4]

Como sabemos, as coisas tomaram outro rumo. A aristocracia prussiana se tornou tão odiada quanto a elite global de hoje. Seu poder absoluto durou apenas trinta anos. Em 1848, alguns dos mais brilhantes alunos de Hegel estariam construindo barricadas ao lado daquelas mesmas colunas de mármore, numa tentativa de conquistar a democracia.

Por que tudo deu errado? A resposta curta é: uma discrepância entre política e economia. No Congresso de Viena (1815), que redesenhou o mapa da Europa depois da derrota de Napoleão, a Prússia foi designada a âncora da nova ordem geopolítica. Ficou com grandes porções da Polônia e do oeste da Alemanha para governar, prometendo atuar "de acordo com os princípios mais liberais".[5]

Mas a aristocracia prussiana não entendeu um detalhe crucial. Enquanto ela se dedicava a construir réplicas de mármore do Partenon, no Reino Unido, na França e nos Estados Unidos homens endinheirados construíam fábricas. Para administrar fábricas você precisa de pessoas para as quais obedecer a um Estado aristocrático não corresponde exatamente à ideia de liberdade: a burguesia liberal e a classe trabalhadora. Ao longo do século seguinte, conflitos entre operários, capitalistas e aristocratas — e entre países de verdade e os Estados artificiais criados em 1815 — destruiriam a ordem criada em Viena.

Independente de tudo o mais que possamos aprender com Hegel, deveríamos ter aprendido que declarar o fim da história é quase sempre um equívoco. Mas depois de 1989 a elite neoliberal cometeu exatamente o mesmo erro. O ensaio "O fim da história?", de Francis Fukuyama, tem sido tema de muita *Schadenfreude*, parte dela injusta, mas vale a pena voltar ao texto. Funcionário do Departamento de Estado na época dos governos Reagan e Bush, Fukuyama escreveu em 1989:

> Talvez estejamos assistindo não só ao fim da Guerra Fria ou ao encerramento de um período particular da história do pós-guerra, mas ao fim da história como história: ou seja, o ponto final da evolução ideológica da humanidade e a universalização da democracia liberal ocidental como forma definitiva de governo humano.[6]

Citando Hegel como inspiração, Fukuyama insistia em afirmar que a combinação de democracia liberal com livre mercado é um ideal que não pode ser aperfeiçoado. Todas as alternativas foram desmoralizadas — além de não haver problema na vida humana que o mercado e a democracia não possam resolver juntos.

O fascismo e o comunismo estavam mortos; o nacionalismo e o fundamentalismo religioso estavam morrendo. Fukuyama não disse que o capitalismo de livre mercado tinha *causado* o triunfo da democracia liberal. Mas a chegada dos dois ao mesmo tempo se parecia muito com o "espírito universal" de Hegel em ação: "O estado de consciência que permite o crescimento do liberalismo parece se estabilizar da forma que seria de esperar no fim da história, se esse fim contar com a garantia da abundância de uma moderna economia de mercado".[7]

Ao migrar das páginas da revista para as mesas de bar e para os programas de entrevista de rádio mundo afora, a ideia do "fim da história" foi reduzida à afirmação de que o capitalismo de livre mercado representa um estado natural e perfeito, além do qual nenhum progresso parece provável.

Na época de Hegel, o erro da elite foi desenhar uma ordem geopolítica mas supor que a ordem econômica se desenharia sozinha. Os neoliberais cometeram o erro inverso: desenharam um sistema econômico mas se recusaram a desenhar um sistema geopolítico que o contivesse. A ideologia lhes dizia, na verdade, que a economia moldaria e regularia sozinha a ordem mundial.

Hoje a ordem mundial que eles estabilizaram está em ruínas. Mas como milhões e milhões de pessoas engoliram a ideia do "fim da história", o impacto psicológico de estar errado é imenso. Junto com a autogratificação e a ilusão de que "nada de ruim vai acontecer", a crença na durabilidade do neoliberalismo e da globalização formou o terceiro pilar da ideologia que a sustentava.

Fukuyama tinha advertido que o fim da história talvez fosse muito chato. Seria, previu ele,

um tempo muito triste [...]. A luta ideológica mundial que suscitava audácia, coragem, imaginação e idealismo será substituída pelo cálculo econômico, pela interminável solução de problemas técnicos, pelas preocupações ambientais e pela satisfação de sofisticadas demandas dos consumidores.[8]

E para milhões de pessoas isso se tornou realidade. Nós nos transformamos em "capital humano", calculamos quanto valemos em termos financeiros, construímos nossa identidade misturando e combinando marcas globais, esculpimos o corpo na academia e o rosto no salão de beleza; aprimoramos o cérebro com Sudoku e meditação. Aos poucos, os heróis e heroínas dos filmes a que assistimos se tornaram unidimensionais, inexpressivos e desinteressantes. "Ousadia, coragem, imaginação e idealismo" são qualidades que agora esperamos ver nos vilões de Hollywood. Esse futuro desinteressante e chato anunciado por Fukuyama só era tolerável porque tínhamos alcançado a prosperidade. Agora que a prosperidade se foi, e com ela a ordem global, as principais premissas do eu neoliberal estão esfaceladas.

Como resultado do colapso da União Soviética, os anos 1990 começaram em meio à justificada arrogância americana. Havia uma Nova Ordem

Mundial, e ela era — como observou de maneira memorável o jornalista Charles Krauthammer — "unipolar". Os Estados Unidos tinham se tornado a superpotência incontestável, desfrutando de um excesso de poder militar, diplomático e cultural maior do que em qualquer outra época da história em comparação com os rivais mais próximos.[9]

Claro que ainda havia caos por aí: na antiga Iugoslávia, assolada por guerras civis étnicas de 1991 a 1999; em Ruanda, onde o primeiro genocídio do pós-guerra matou 800 mil pessoas; e no Afeganistão, onde a guerra civil se arrastou até 1996. Mas essas situações tinham um ar de "caos herdado". O nacionalismo e o fundamentalismo religioso pareciam estar apenas acertando velhas contas e não davam a impressão de ser forças capazes de determinar o futuro. Tudo era extraordinariamente parecido com o que Fukuyama tinha previsto.

Mas na segunda metade dos anos 1990, ou seja, depois de um período curtíssimo de tempo histórico, as consequências de tentar operar um sistema global sem qualquer estrutura política formal se tornaram evidentes. O Talibã tomou Cabul em 1996, instalando não uma democracia liberal, mas um despotismo religioso. Em 1997, com a crise financeira asiática abalando o sistema global, os governos da Malásia e da Tailândia opuseram o primeiro desafio sério à política econômica do FMI. Em 1998, depois do colapso do sistema bancário da Rússia, a elite de segurança russa decidiu acabar com os oligarcas liberais, desencadeando uma luta pelo poder que faria de Vladimir Putin presidente.

E em todo o mundo desenvolvido uma rejeição em massa, simbólica, da economia liberal tinha começado. Os anarquistas e ambientalistas, que haviam atormentado os construtores de estradas e as empresas petrolíferas nos anos 1990, passaram a encabeçar manifestações muito maiores contra — e às vezes por sobre — as cercas de proteção das reuniões de cúpula econômicas globais. Em Seattle em 1999, em Praga em 2000 e culminando em sangrentos tumultos em Gênova em abril de 2001, um novo e radical movimento anticapitalista abalou a confiança da elite neoliberal.

Em 2001, três acontecimentos deveriam ter sepultado de vez a ilusão do "fim da história". Primeiro vieram os ataques terroristas do Onze de

Setembro — organizados exatamente pelas forças que os Estados Unidos tinham permitido que controlassem o Afeganistão; depois a falência da Enron, que expôs a falta de regulamentação e a corrupção no mundo das grandes empresas americanas; por fim, num clima de agitação coletiva, a falência da Argentina em dezembro.

Voltando àquele ano, cujos acontecimentos noticiei para a BBC, fica óbvio por que o caos na periferia do sistema era tratado como um ruído de fundo. O neoliberalismo parecia capaz de sobreviver ao retorno do caos político. Desde que as guerras e as ameaças de terror que agora surgiam permanecessem longe, a ilusão poderia ser mantida: a história acabou e nada de ruim vai acontecer enquanto reprimirmos violentamente as fontes do caos.

Em resposta aos traumas de 2001, porém, verificou-se uma mudança no pensamento da elite conservadora americana, tanto no campo da economia como no da geopolítica. O presidente do Federal Reserve, Alan Greenspan, desistiu de qualquer tentativa de refrear os mercados financeiros, acenando, em vez disso, com a permanente disponibilidade de dinheiro barato que viria a alimentar a bolha imobiliária de 2003-8. Para Greenspan, o rebote da economia depois do Onze de Setembro também proporcionou um divisor de águas mental, confirmando sua opinião de que a tecnologia da informação tinha criado um mundo impermeável ao perigo financeiro: "Depois do Onze de Setembro eu sabia [...] que estávamos vivendo num mundo novo — um mundo de economia capitalista global muito mais flexível, resistente, aberto, autorregulador e que muda com muito mais rapidez do que 25 anos atrás".[10]

No Pentágono, os mais atuantes belicistas da era Reagan agora controlavam a política externa americana. Autorizados a travar uma "guerra ao terror" sem regras, eles saíram em busca de dois objetivos havia muito tempo acalentados: normalizar a tortura e a detenção sem julgamento sob a Constituição dos Estados Unidos e invadir o Iraque para tomar conta do seu petróleo e "estabilizar" o Oriente Médio. Promoveriam sua causa mentindo descaradamente — mas nesse caso não se tratava de simples falsidade.

No campo intelectual, uma coisa muito sutil, porém decisiva, ocorreu no modo de pensar de figuras como Alan Greenspan, o secretário de Defesa Donald Rumsfeld e sua turma depois do Onze de Setembro. No momento em que a fragilidade da ordem global foi revelada — nos mercados, na governança corporativa e na geopolítica —, eles resolveram assumir riscos estratégicos insensatos, justificados pela ilusão de que poderiam moldar qualquer realidade como bem quisessem.

Essa ilusão foi esboçada nas assustadoras palavras de Karl Rove, assessor de George W. Bush, a um jornalista em 2002:

> Agora somos um império e criamos nossa própria realidade quando agimos. E enquanto vocês estudam essa realidade [...] agimos outra vez, criando outras novas realidades, que vocês podem estudar também, e é assim que vai ser. Somos atores da história [...] e vocês, todos vocês, terão que estudar o que fazemos.[11]

Era uma teoria de supremacia absoluta, de capacidade ilimitada de agir.

A ilusão foi comunicada a milhões de pessoas, sobretudo por intermédio dos best-sellers do jornalista Thomas Friedman, do *New York Times*. Friedman revelou a verdadeira lógica que havia por trás da invasão do Iraque: "Os Estados Unidos precisavam atingir alguém no mundo árabe-muçulmano", escreveu ele. "Esmagar a Arábia Saudita ou a Síria teria sido ótimo. Mas atacamos Saddam por uma razão muito simples: porque podíamos."[12] O Iraque foi uma demonstração de que os Estados Unidos poderiam tomar medidas arbitrárias, matando impunemente centenas ou milhares de pessoas.

Qualquer pessoa que estudou lógica deveria, a essa altura, ser capaz de identificar o problema do neoliberalismo depois de 2001. Sua elite estava juntando — quase sempre de maneira deliberada, como indicava o comentário de Rove — fatos e uma lista de desejos; *apresentando uma afirmação sobre "o que deveria ser" como se fosse uma afirmação sobre "o que é"*.

Até 2001, o surgimento do comércio globalizado e dos mercados financeiros era saudado como um processo histórico de mão única impossível de deter. Uma das coisas mais grosseiras que se poderia dizer na companhia de neoliberais era sugerir que a globalização era apenas uma política e que ela poderia ser revertida. Mas depois de 2001 o mundo já não se adaptava à teoria do neoliberalismo. Era preciso, portanto, obrigá-lo a isso.

Essa foi a fonte de uma nova forma de coerção que entrou no pensamento da elite por volta de 2001. É o que liga a imprudência geopolítica de Bush e de Tony Blair contra o Iraque à histeria do dinheiro barato do Federal Reserve entre 2001 e 2008. Ambas eram tentativas de sustentar a ilusão do "fim da história". Ambas recorriam sistematicamente à mentira. Ambas resultaram em desastre.

A Guerra do Iraque deflagrou uma reação em cadeia que destruiria a ordem unipolar. O Iraque ensinou a Moscou e a Beijing que qualquer sistema unipolar seria dirigido de forma abertamente neocolonialista, com o "punho invisível" do bombardeiro F15 não mais impulsionando a mão invisível das forças de mercado em sentido abstrato, mas promovendo os interesses de monopólios empresariais americanos como a Halliburton e a ExxonMobil. Num século em que recursos naturais se tornarão mais escassos, o Iraque ensinou ao mundo que os Estados Unidos estavam dispostos a ir à guerra para garanti-los. Ensinou aos autoritários de todas as partes do planeta que a "intervenção humanitária" ocidental era uma farsa. E fortaleceu aqueles que dentro da China e da Rússia defendiam o rearmamento convencional: cada um desses países mais que dobrou seus gastos com defesa na década seguinte.[13]

Todos os atores importantes da geopolítica, entre os quais a União Europeia e o Japão, perceberam que o poder unipolar dos Estados Unidos estava em declínio. Nessa situação, era lógico que cada qual pensasse numa estratégia geopolítica própria para preencher o vazio deixado pelos americanos. E Vladimir Putin estava não só pensando: estava obcecado com isso.

A história, em vez de terminar, estava prestes a se acelerar. Mas a geração de Fukuyama teria que enfrentar um problema muito maior do que a de Hegel. A ordem geopolítica desenhada em 1815 foi destruída por crescimento econômico, inovação tecnológica e expansão da democracia: em suma, pelo progresso. A ordem econômica global nascida em 1989 está sendo destruída pela estagnação econômica e por forças que se opõem à ciência e à democracia. Isso é o contrário de progresso.

O MAIS SURPREENDENTE NO FRENESI financeiro pré-2008, e isso dá para ver agora, olhando para trás, é o quanto sua motivação era ideológica — refletindo a mudança do neoliberalismo do "é assim que as coisas são" para "é assim que as coisas devem ser".

A justificativa, segundo os políticos, era que as pessoas pobres *deviam* ter acesso a hipotecas de propriedades sem valor para que fosse possível "incluí-las financeiramente" no sistema. Com os jovens em sintonia psicológica com marcas e consumismo, a oferta de crédito *precisava* continuar, por mais séria que fosse a estagnação salarial. Os preços dos imóveis *deviam* subir a fim de que a geração baby boom pudesse passar adiante sua riqueza, para a empobrecida geração Y. Os mercados financeiros *deviam* prosperar para que a geração hippie, agora aposentada, pudesse comprar alimentos orgânicos e passar férias na Costa Rica. Tendo enfiado na cabeça das pessoas, mediante dolorosas lições, a convicção de que o capitalismo de mercado funciona, ele agora *teria* que funcionar com injeções de dinheiro.

O resultado foi um gigantesco desequilíbrio entre países que exportam e emprestam e países que importam e pegam emprestado. Em 2006, o tamanho do desequilíbrio global, medido por todas as discrepâncias de conta-corrente, era de 5,5% do PIB mundial.[14] Quase todos os economistas diziam em coro: não se preocupem — são apenas as dores de crescimento da globalização. Mas com o dinheiro fluindo através da tubulação global do sistema financeiro sem que ninguém o regulamentasse, o sistema estava fadado a entupimentos e vazamentos. Não havia ninguém para controlar o fluxo. Os economistas franceses Anton Brender e Florence Pisani disseram em poucas palavras que a ausência de regulamentação global tornou inevitável o colapso de 2008: "A consequência foi terrível: a única força que poderia afinal frear o contínuo aprofundamento dos desequilíbrios globais era o colapso das finanças globalizadas".[15]

Convinha a todos que houvesse um sistema financeiro sem governança e que a ordem global fosse baseada na projeção arbitrária do poderio americano. Os dois arranjos se tornaram inseparáveis do projeto neoliberal e os dois ajudaram a destruí-lo.

Os alertas foram dados. Mas a elite os ignorou. Pois a essa altura os dogmas do neoliberalismo haviam se metamorfoseado numa teoria da natureza humana.

O TERMO "HOMEM ECONÔMICO" foi sugerido pela primeira vez por John Stuart Mill como um experimento intelectual. Para tentar identificar padrões consistentes em nosso comportamento econômico, Mill e economistas que o seguiam imaginaram os seres humanos destituídos de todos os outros atributos. O *Homo economicus* foi definido como um indivíduo egoísta buscando satisfazer os próprios interesses, tentando obter o máximo de benefícios para si e operando com perfeito conhecimento. Mas ninguém, a rigor, afirmava que esses indivíduos bidimensionais de fato existiam: o homem econômico era uma abstração.

Mill e sua geração adotavam a visão liberal da natureza humana: acreditavam que os seres humanos são naturalmente competitivos — mas entendiam também que as pessoas de carne e osso são influenciadas pela religião, pela ética, pelo desejo de luxo e lazer.

Mas o neoliberalismo transformou o experimento intelectual da economia do século XIX em afirmações sobre a realidade. Fez isso primeiro no nível da teoria acadêmica. Os teóricos do neoliberalismo definiram todos os aspectos da natureza humana como essencialmente econômicos; definiram a característica essencial de uma economia baseada no mercado como a competição, não a troca; e redefiniram o trabalhador como "capital humano". Gary Becker, o herói cult da comunidade acadêmica, disse que qualquer decisão tomada de maneira racional pode ser representada como se fosse uma escolha econômica — seja ela relacionada a crime, sexo ou votação. Elaborou uma fórmula matemática mostrando que níveis ideais de criminalidade poderiam ser atingidos fazendo-se com que os riscos superassem as recompensas.[16]

Então, num período de trinta anos, a elite usou teorias desenvolvidas por Becker e seus seguidores para impor imperativos econômicos a pessoas de carne e osso, atacando qualquer impulso ancestral de colaboração, solidariedade e altruísmo. Fez isso usando leis, técnicas de gestão, incentivos financeiros, propaganda e força bruta. Em seus momentos de maior ambição, chegou a tentar — e ainda está tentando, através de empresas como Uber e Airbnb — substituir corporações, Estados e organizações por coleções de "homens econômicos" individuais.

Mas depois que a elite política liberou o poder de novas rotinas para reformular nosso modo de pensar, iniciou-se uma mudança no nível micro da vida humana. Descobriu-se que ser um bom homem econômico, ou uma boa mulher econômica, nos torna cidadãos muito ineficientes. Como assinalou Michel Foucault, enquanto o *Homo economicus* imaginado pelos liberais do século XIX era uma pessoa que o Estado não deveria incomodar e que podia ter liberdade de escolha, sob o neoliberalismo ele é alguém que precisa ser administrado: "Alguém que é eminentemente governável".[17]

A comercialização progressiva da cultura, do sexo e do lazer sempre foi inerente à lógica do capitalismo. Mas na era neoliberal ela deixou de ser gradual. Uma coisa inédita aconteceu com a pessoa típica e com o conjunto de ideias na cabeça das pessoas nos últimos trinta anos, chegando ao ponto máximo durante a histeria especulativa que precedeu 2008.

A ideologia, como a entendem os críticos do capitalismo, é um conjunto de ideias que mascara a realidade. É criada pelo que vemos e sentimos e reforçada pelo fato de que a elite controla o fluxo de informações. Dessa maneira, por exemplo, na União Soviética dizia-se às pessoas (e elas diziam umas às outras) que se vivia sob um "socialismo que existia de fato", enquanto a realidade era ditadura, pobreza, miséria e desigualdade.

As ideologias costumam ser definidas diante de alternativas claras e visíveis. Na medida em que elas mascaram uma verdade oculta mais profunda, pessoas instruídas e curiosas podem encontrar um jeito de fugir delas — sobretudo se houver um contrapoder organizado como o movimento trabalhista, que adverte: considere conversa fiada tudo que seu chefe diz.

O que tornava o neoliberalismo diferente era sua maneira de contornar isso: ele criava uma realidade na qual ficava impossível imaginar alternativas. Indivíduos instruídos e curiosos achavam cada vez mais difícil descobrir um jeito de enxergar além dela.

Quando o primeiro McDonald's foi aberto em minha cidade natal, situações incômodas foram criadas. Em todas as outras lanchonetes, estabelecimentos comerciais e lojas de departamento, os fregueses conversavam com as pessoas que os atendiam; eles as conheciam; perguntavam pela família ou combinavam de se encontrar no sábado à noite. No McDonald's, havia uma nova abordagem. O funcionário seguia um roteiro. Era mais fácil se ignorasse que tinha sido seu colega de escola: para ele, bater um papo não era tão simples. Embora de início algumas pessoas de um lado e do outro do balcão protestassem, no longo prazo funcionava melhor se o atendente e o freguês respeitassem a nova e impessoal rotina empresarial. O hambúrguer chegava mais rápido e ninguém era demitido. Quanto mais você participava dessa encenação, mais fácil ficava.

Nesse longo processo global, em bilhões de pequenas transações e rotinas diárias, o neoliberalismo cresceu e se tornou mais que uma ideologia. Tornou-se o que a cientista política Wendy Brown chama de "ordem de razão normativa" — quase uma religião, ou uma planilha de Excel, cuja lógica é incontestável.[18]

Na União Soviética e na China de Mao, as ideologias em vigor eram fáceis de romper. Dizia-se às pessoas que suas sociedades eram as mais prósperas do planeta — mas bastava assistir a um filme de Hollywood ou tomar um avião para Los Angeles numa delegação comercial para saber que era tudo mentira. É por isso que as sociedades com ideologias frágeis tentam limitar o contato com a realidade externa: uma vez comparada com a realidade ocidental, a ideologia soviética estava destruída.

Já o neoliberalismo, diferente disso, estava tão profundamente incrustado que quanto mais se comparava a ideologia com a realidade, mais ele parecia correto. Os loops de feedback entre o comportamento competitivo imposto, a dependência de crédito e a prosperidade de curto prazo eram fortes. A única condição era que você mantivesse emoções, ideais e quaisquer resquícios de ética num compartimento separado — longe das atividades centrais de trabalho, comércio e competição.

Mas às vezes isso é impossível. Para o neoliberalismo, o equivalente à viagem do desertor soviético a Los Angeles era uma visita ao nosso eu em todos os seus aspectos: ao ser humano íntimo, completo, equilibrado, ético e social que nossa mãe deu à luz. Para o neoliberalismo, o equivalente à proibição soviética de viajar era a incessante recompensa para o comportamento ao estilo *Homo economicus* e o incessante castigo para comportamentos que desafiassem a lógica econômica e promovessem valores humanos. É por isso que o aparelho de segurança do mundo ocidental declarou guerra aos manifestantes pró-meio ambiente nos anos 1990 e a seus sucessores nos movimentos anticapitalistas.

O projeto neoliberal era, na prática, um ataque ao humanismo. Reduzia a natureza humana à competição econômica e suprimia todas as tentativas de testar alternativas. Depois que seu dinamismo desapareceu em 2008, a "ordem de razão normativa" desmoronou. Essa é a explicação para o fato de tantas pessoas terem retornado tão facilmente à lógica do nacionalismo étnico, da misoginia e da anticiência: suas defesas mentais contra essas ideologias foram destruídas.

O QUE COMEÇA EM 2008 não é apenas uma crise econômica global, mas uma crise do sujeito neoliberal. Uma a uma as ilusões construídas ao longo de trinta anos, em torno das quais milhões de pessoas tinham estruturado sua vida, evaporaram.

A crença de que sistemas financeiros complexos reforçam a estabilidade da economia real? Já era. A suposição de que nada de ruim de fato acontece quando uma bolha especulativa explode? Virou pó. A ideia de que política diz respeito a grupos tecnocráticos discutindo pequenos detalhes até o fim dos tempos? Sumiu. A religião do crédito fácil? Desmascarada. O dogma de que se todos competem com todos as coisas só podem melhorar? Desmoralizada em cada posto de assistência social, em cada banco de alimentos para os necessitados, em cada triste porta de estabelecimento ocupada por seres humanos enrolados em cobertores para passar a noite ao relento.

Mas as ilusões perdidas são só uma parte do problema. Reduzindo tudo à economia e autorizando a mentira sistematizada do tipo que matou o Lehman Brothers e justificou o fiasco do Iraque, o neoliberalismo aliviou uma geração inteira de julgamentos morais. Desde que obedecêssemos aos rituais de desempenho do neoliberalismo — no trabalho, na academia de ginástica, no bar de vinhos —, o sistema era neutro no que dizia respeito a nossas convicções éticas.

O neoliberalismo se tornou um sistema de atuação: uma espécie de teatro ritualizado. O comportamento performático é fácil de padronizar e medir em termos de mercado. Seu departamento atingiu o nível desejado de boas práticas contratando mulheres e minorias? Um ponto para você. Quem se importa se você no íntimo acha que brancos são biologicamente superiores a negros e homens a mulheres? O pressuposto liberal era que, como o crescimento econômico e o progresso tecnológico melhoravam a vida de todo mundo, os preconceitos reacionários de alguns indivíduos talvez simplesmente desaparecessem. Mesmo que isso não acontecesse, não tinha grande importância, desde que essas crenças jamais interferissem em tomadas de decisões economicamente racionais.

No entanto, nas sociedades baseadas em rituais de desempenho, é possível que um grande número de pessoas desenvolva ideias transgressoras, desafiando esses rituais, quase sempre em segredo. Quando os rituais deixam de assegurar prosperidade e a ideologia imposta já não faz sentido, as pessoas procuram outras que correspondam à sua experiência. Hoje, basta ficar no Twitter por meia hora para entender que a experiência levou alguns indivíduos a conclusões racistas, misóginas, antissemitas e islamofóbicas.

Quando descrevem o eu neoliberal, sociólogos costumam fornecer uma lista de comportamentos e atitudes que nos foram impostos pelo mercado através da repetição: o respeito ao dinheiro, a tendência a definir liberdade como uma espécie de escolha de consumidor, a disposição para ver o próprio eu como "capital humano", a obsessão com celebridades e marcas. Mas era sempre mais que isso. O eu neoliberal estava intrinsecamente radicado na ideia de durabilidade geopolítica e na ausência de alternativas econômicas.

Para compreender a aguda crise de identidade que milhões de pessoas atravessam, precisamos rastrear o processo que fez com que tanto a geopolítica quanto a economia desmoronassem de uma só vez.

5. O colapso

Antes de 2008, a promessa do neoliberalismo era: as coisas serão assim para sempre, só que melhores. Depois de 2008 era: as coisas serão assim para sempre, só que piores.

Ameaçados por uma depressão mais profunda do que a dos anos 1930, os que estavam no poder agiram para impedi-la. Mas suas ações contradiziam a narrativa com que tinham alimentado as pessoas nos trinta anos anteriores. É por isso que a narrativa desmoronou. No período de uma década o eu neoliberal, coagido a existir em meio a tanto sofrimento, viu seu hábitat ser destruído de maneira tão implacável quanto o do tigre-de-sumatra.

A trajetória do colapso do Lehman Brothers até o Brexit e a vitória de Trump não diz respeito, em essência, a dificuldades econômicas. Diz respeito à recusa da elite em tirar lições do fracasso depois que sua história desmoronou; à sua mudança da coerção e da propaganda para a violência direta e para a manipulação contra aqueles que queriam mudar o sistema; e à incapacidade da esquerda de projetar uma alternativa clara.

Embora os movimentos populistas de direita sejam acusados de querer reprisar o passado, depois de 2008 o projeto neoliberal se tornou uma espécie de movimento de nostalgia da euforia dos anos 1990. A esquerda radical até agora falhou porque também não soube separar seu projeto o suficiente do passado. Como resultado, a fase de neoliberalismo de 2008-16 se desenrolou como uma competição entre três tipos diferentes de nostalgia.

Em outubro de 2008, o governo britânico usou 500 bilhões de libras esterlinas de dinheiro do contribuinte para salvar seus bancos. O Programa de

Alívio de Ativos Problemáticos (Troubled Asset Relief Program, ou Tarp), dos Estados Unidos, empenhou 700 bilhões de dólares; seu equivalente francês, 360 bilhões de euros. A Irlanda empenhou valores tão grandes que suas finanças públicas ficaram arruinadas. No total, incluindo seguros e garantias, até novembro de 2009 os Estados Unidos, o Reino Unido e a Zona do Euro tinham injetado mais ou menos 8 trilhões de dólares em seus bancos.[1]

Os socorros aos bancos transferiram muito mais do que dinheiro. Transferiram todos os riscos bancários e financeiros para o Estado, ao mesmo tempo que permitiam que investidores e gestores no setor bancário continuassem privatizando as recompensas. Isso destruiu os dogmas fundamentais da ideologia que tinha sido enfiada à força na cabeça das pessoas: de que a intervenção do governo é mais maléfica do que benéfica e de que os mercados sempre regulam a si mesmos.

Enquanto isso, a velocidade do desmoronamento do sistema enfraqueceu os pressupostos básicos dos economistas: que complexidade quer dizer segurança; que distribuir os riscos através de setores, fusos horários e classes de ativos permite que a pressão recaia sobre o mundo inteiro caso alguma coisa dê errado.

O economista-chefe do Banco da Inglaterra, Andy Haldane, disse isso sem rodeios. Modelos matemáticos tinham apontado para os efeitos estabilizantes da complexidade. Mas, em vez disso, o sistema havia "mostrado que não se regulava nem se consertava sozinho. Como as florestas tropicais, diante de um grande choque o sistema financeiro às vezes corria o risco de se tornar não renovável".[2]

Quando o dirigente de um banco central diz que o capitalismo está, como uma floresta tropical, correndo risco de extinção, é melhor ouvi-lo. Os que ouviram entenderam a mensagem: todo o sistema se baseava em mentiras. E com a mentira central assim exposta, o resto da história se desintegrou.

Desde 1992, a União Europeia proibia ajuda estatal a empresas do setor privado. Nos Estados Unidos, Reagan e Bush tentaram "eliminar a política industrial em qualquer lugar que a encontrassem".[3] A ideia de apoiar usinas siderúrgicas ou fábricas de automóveis para preservar empregos, expertise e garantia de oferta tinha sido ridicularizada. Depois de 2008 os

O colapso

Estados passaram a apoiar empresas privadas por atacado. Não só bancos e companhias de seguro como fabricantes de automóveis e engenheiros, seus rebentos financeiros e mesmo empresas como a fabricante francesa de brinquedos Meccano receberam dinheiro do contribuinte para sobreviver.[4]

Quando a produção industrial, o comércio e o emprego recuaram em todo o mundo, países foram obrigados a reduzir impostos e ao mesmo tempo aumentar gastos. Isso se chama "estímulo fiscal" e é uma fórmula extraída em primeira mão dos livros didáticos da era do capitalismo de Estado: numa crise, disse Keynes, você pega emprestado e gasta. Mas a maioria dos políticos e economistas fez carreira dizendo às pessoas que os manuais de Keynes estavam errados. Além disso, os Estados que precisavam pegar mais dinheiro emprestado já tinham dívidas enormes — por isso neles a proporção entre PIB e dívidas ultrapassaria os limites ditados por suas próprias regras e doutrinas econômicas, e no caso da União Europeia pela lei.

Em 2010, com a crise imediata superada, esses altos níveis de dívida provocaram a demanda por austeridade. Da parte de quem? Dos bancos que tinham sido socorridos — e agora ameaçavam não emprestar aos governos, a não ser que estes atacassem suas próprias populações. Enquanto governos da Irlanda à Grécia eram forçados a cortar gastos com aposentadorias, salários e serviços, o crescimento voltou a se estagnar, precipitando a Eurocrise de 2011-2. As pessoas que no mundo inteiro acompanhavam o impacto num país como a Grécia agora podiam ver o custo humano do neoliberalismo: aumento dos índices de suicídio, deterioração dos padrões de saúde e assistência social, crescimento estagnado. O Reino Unido aderiu, com a coalizão conservadora-liberal cortando gastos públicos com tanta severidade que lá também o crescimento foi declarado clinicamente morto.

No fim das contas, o que impediu a economia mundial de afundar foi o fato de os bancos centrais se voltarem para a flexibilização quantitativa: baixar as taxas de juros para zero e criar dinheiro novo do nada. Em 2018, os bancos centrais injetaram 20 trilhões de dólares de nova demanda. A ideologia do livre mercado dizia aos chefes dos bancos centrais que jamais deveriam gastar o dinheiro recém-impresso com coisas de verdade, como infraestrutura, assistência médica ou taxas de universidade. Por isso eles recorriam a um efeito indireto para estimular a economia. Se contratar os empréstimos mais seguros do mundo até que comecem a faltar, você acabará obrigando os investidores a transferir o seu dinheiro para recipientes menos seguros: ações, propriedades, commodities, ouro e bitcoins. O preço desses ativos subirá e os lucros acabarão gotejando por toda a economia real: novos shopping centers e edifícios comerciais são construídos, novas empresas são criadas, novos milionários surgem e eles precisam comprar o mais recente relógio suíço.

Mas para os pobres e para a classe média baixa havia uma desvantagem. Primeiro, a flexibilização quantitativa reduziu a renda das pessoas que viviam de aposentadorias privadas — uma vez que agora havia juros mínimos a serem gerados por títulos do governo, que os fundos de pensão eram obrigados a manter. Isso acabou gerando outra enorme bolha de ativos: os preços dos imóveis, dos aluguéis, dos mercados de ações e das commodities dispararam. O mesmo aconteceu com estoques finitos de valores — ouro, de 2009 a 2012; e bitcoin a partir de 2012. Era bom se você fosse um especulador imobiliário, dono de uma mina em Angola ou oligarca russo, mas ruim se vivesse apenas de salário, uma vez que este praticamente não aumentava.

Entre 2007 e 2015 os salários reais caíram na Grécia, na Itália, em Portugal e no Reino Unido. Japão, Espanha, França e Estados Unidos tiveram um crescimento anual de menos de 1% nos salários durante os oito anos que se seguiram à crise do crédito. Em nenhuma economia desenvolvida os salários acompanharam o ritmo de crescimento do PIB: o longo declínio do "peso dos salários" nas economias desenvolvidas, em comparação com os lucros, se acelerou.

Salários estagnados, somados a infraestrutura em ruínas, serviços públicos deteriorados e o custo cada vez mais alto de tudo, das taxas universitárias aos aluguéis: essa foi a experiência vivida durante a "recuperação" dos países que tinham adotado políticas neoliberais em grau máximo. Comparada à espetacular disparada nos preços das ações e dos apartamentos de luxo, ela obrigou as pessoas a desaprenderem todas as lições ensinadas pelo neoliberalismo em sua fase de ascensão: a experiência diária começou a ensinar que o neoliberalismo só funcionava para os ricos.

Depois dos socorros estatais, escreve o economista britânico William Davies, o neoliberalismo se tornou "literalmente injustificado". Virou "um ritual a ser repetido, não um juízo a ser acreditado".[5] Uma geração inteira a quem se dissera que os Estados deveriam ser pequenos e inativos viu esses Estados agirem de maneira rápida, maciça e arbitrária — sem tentativa alguma de teorizar ou dar explicações.

Havia apenas duas conclusões racionais: abandonar o modelo neoliberal ou reformulá-lo de tal forma que cada Estado lutasse por uma fatia de uma torta menor — opção que chamei de "neoliberalismo nacional". Trump e o Brexit são exemplos claros dessa última opção; assim como, também, a decisão da Alemanha de destroçar a democracia grega em 2015. Tudo se resumia a empurrar para os outros o custo da crise, para que a nossa própria variante de neoliberalismo pudesse sobreviver.

Como resultado disso o nacionalismo econômico voltou, mas não na forma de capitalismo de Estado que as pessoas esperavam que assumisse. Ele voltou na demanda pelo repúdio a tratados comerciais, por instituições globais e regulações transfronteiriças mais fracas. Para entender por que essa forma nova, nacional, de neoliberalismo faz sentido para partes da elite, examinemos as fontes de crescimento de longo prazo, passadas e futuras.

EM 2015, ECONOMISTAS DO Banco da Inglaterra tentaram mostrar que, por trinta anos, a economia mundial tinha sido impulsionada por uma espécie de crescimento que não se sustentaria no futuro. De 1980 a 2000, houve apenas dois motores do crescimento global: uma força de trabalho maior e um crescimento na "fronteira" da produtividade, o que significava aumento do crédito e níveis crescentes de educação, mais do que pura inovação tecnológica. Durante esse período — quando países pobres estavam sendo forçados a obedecer a apertos do FMI —, o sul global foi um fardo para as cifras do crescimento mundial.

Depois de 2000, dizem os economistas do banco, as coisas mudaram. A decolagem da produção e da inovação industrial na China e a recusa de países na Ásia e na América Latina a obedecer a demandas do FMI por austeridade empurraram a "recuperação de crescimento" no sul global de negativa para espetacularmente positiva entre 2000 e 2010. Recuperação de crescimento é um processo que torna a Croácia mais parecida com a Itália, a Turquia mais parecida com a Croácia e assim por diante. Envolve a construção de infraestrutura e o aumento no nível de instrução da força de trabalho. Mas com o tempo isso vai ficando cada vez mais difícil.

No mesmo período — 2000 a 2010 — a contribuição de uma força de trabalho expandida para o crescimento diminuiu. Quanto ao crescimento da produtividade, este se tornou negativo. Em todo o período de trinta anos, dizem os economistas do banco, a pura inovação tecnológica impulsionou o crescimento global em exatamente menos 0,2%. O que significa menos que nada.

Isso tem profundas implicações nas futuras relações entre seres humanos, mercados e máquinas. Por enquanto, porém, podemos declarar a razão fundamental da crise de 2008 de uma maneira sucinta o bastante para ser tuitada: a inovação tecnológica já não provocava crescimento suficiente para que pegar emprestado fosse um ato racional.

Se isso é verdade, significa que o neoliberalismo não era uma solução para o colapso do sistema de capitalismo de Estado projetado por Keynes: era uma solução temporária. Dependia de crédito, aumento populacional e incremento dos níveis de instrução e urbanização para alimentar o crescimento. Mas, como mostram as previsões dos economistas do Banco da Inglaterra, todas essas coisas são finitas.

Nos próximos trinta anos, à medida que o crescimento populacional se desacelera e a distância entre os países mais pobres e os mais ricos diminui, terá sentido os países competirem entre si pelo que resta de crescimento no mundo, ainda tentando fazer funcionar a receita neoliberal de desregulamentação, riqueza de ativos e Estados mínimos, só que dessa vez com a pitada exótica do etnonacionalismo.

Até o começo de 2016, os bancos centrais vinham conseguindo manter a economia mundial no balão de oxigênio fazia oito anos. E, como asseguraram uns aos outros na cúpula financeira do G20 em Xangai, poderiam continuar fazendo isso por muito tempo.[6] Imprimindo-se dinheiro é possível manter uma economia no balão de oxigênio para sempre. O problema é que não se pode manter uma ideologia no balão de oxigênio. O cérebro humano exige coerência.

As pessoas queriam saber quando a vida ia melhorar para elas, não só para os donos de iates. Em países devastados pela austeridade, elas queriam saber quando a dor ia passar. Os jovens queriam saber como conseguiriam pagar as montanhas de dívidas estudantis com salários para sempre estagnados e como poupariam para se aposentar, agora que os sistemas de aposentadoria das empresas haviam acabado. As elites dos países do G7 não tinham mais respostas.

Por tudo isso, quanto mais as pessoas a comparam à realidade da vida diária, mais a ideologia neoliberal parece mentirosa. Em vez da livre-troca, ela depende cada vez mais da competição imposta: entre alunos, universidades, cidades, trabalhadores, inquilinos, taxistas — e o objetivo da competição é sempre convencer as pessoas comuns a trabalharem mais por menos. Em vez de um livre mercado cheio de empreendedores, a paisagem empresarial agora é dominada por monopólios numa escala jamais vista durante a era do capitalismo de Estado: Google, Facebook, Apple, Amazon, Alibaba, Tencent e coisas do gênero — estruturados de tal maneira que a administração tem mais poder que o investidor comum e sempre prontos para destruir ou adquirir concorrentes em potencial.

Em vez de mobilidade social, o acesso a salários de seis dígitos — via universidades de ponta e qualificação profissional — em muitos países se tornou hereditário. Os jovens *traders* sem muita instrução que fizeram fortuna nos mercados financeiros de Londres nos anos 1980 foram substituídos por filhos e filhas de milionários. A profissão de ator, o jornalismo e o direito, vocações que outrora funcionavam como rotas de fuga da classe operária para meninos e meninas inteligentes, também acabaram dominados por filhos de ricos que estudaram em escolas particulares.

Nesse meio-tempo, enquanto o mundo desenvolvido ficava estagnado, as elites e as classes médias dos mercados emergentes continuavam em ascensão. A partir dos anos 1980, as elites diziam ao povo que a globalização era um jeito de os países ricos ficarem mais ricos entrando nos mercados

dos países mais pobres; pessoas de pele escura fariam o trabalho sujo nas fábricas; os cidadãos dos países do G7 ficariam com os empregos bem pagos, de alta qualificação. Depois de 2008, a natureza ilusória dessa promessa estava clara. Os novos milionários que frequentavam os balcões da Rolex pelo mundo eram da China, da Rússia, do Cazaquistão ou de Angola. O comércio global, que tinha sido pintado como uma forma de enriquecer a classe trabalhadora do mundo desenvolvido, se parecia, cada vez mais, com uma forma de empobrecê-la.

Mas o que afinal convenceu as pessoas a tolerar o neoliberalismo em suas formas global e democrática foi outra coisa: a libertação tecnológica de suas emoções.

NO ROMANCE *Howards End*, escrito pouco antes da Primeira Guerra Mundial, E. M. Forster usa duas famílias de classe média para ilustrar atitudes opostas diante da existência. Uma estimula a vida interior da cultura, das emoções e das relações; a outra, uma vida de ação, negócios e conflito, que Forster sintetizou nas palavras "telegramas e raiva".[7]

Durante a era neoliberal, concentrar-se na vida íntima emocional e nas relações pessoais era a forma que milhões de pessoas encontravam para lidar com um mundo cada vez mais caótico. Mas a partir de 1995 a tecnologia usada para isso era radicalmente diferente da de qualquer outra geração. Os personagens de Forster usavam caneta-tinteiro, pincel e o teclado de um piano. Nós conduzimos nossa vida particular através de dispositivos de informação interconectados — e o surgimento da crise sistêmica coincidiu quase exatamente com o ponto em que esses dispositivos nos permitiram formar redes sociais gigantescas e móveis.

Nos primeiros dois anos depois de 2008, houve pouquíssima resistência. O que houve, em vez disso, foi uma espécie de descontentamento mental e verbal generalizado. Mas esse descontentamento não conseguia deixar de se difundir e se conectar: a expressão da própria personalidade, mesmo nas formas mais introspectivas, foi lançada à força no mundo da ação pela tecnologia que usávamos. Forster, que em suas preleções para a geração

O colapso

pré-1914 dizia que ela precisava "apenas conectar" seus desejos a suas ações, teria ficado agradavelmente surpreso com o resultado.

Em meados de 2009, a resistência começou. Quando explodiu nas praças e nas ruas em 2011, as elites neoliberais responderam não apenas com "telegramas e raiva", mas com repressão, censura e violência.

O verão de 2009 viu protestos coordenados por intermédio de redes sociais tomarem conta do Irã. Uma onda de ocupações estudantis atingiu os Estados Unidos por causa da alta das mensalidades escolares. Em outubro de 2010, jovens franceses, uma combinação de estudantes e desempregados, "quebraram lojas e bloquearam estradas em toda a França, travando batalhas com tropas de choque da polícia". O gatilho? Uma decisão de elevar a idade de aposentadoria para 62 anos.[8] Um mês depois estudantes britânicos ocuparam suas faculdades e, juntando-se a jovens do ensino médio e a desempregados, invadiram a sede do Partido Conservador e paralisaram Whitehall em três caóticas manifestações. O detonador nesse caso foi um aumento nas anuidades universitárias de 3 mil para 9 mil libras esterlinas. A resposta em todos esses casos foi uma violência policial excessiva.

Então, um movimento contra a pobreza e a corrupção policial na Tunísia derrubou o ditador Zine El Abidine Ben Ali. Em 25 de janeiro de 2011, teve início a ocupação da praça Tahrir, no Cairo, e o mundo árabe pegou fogo: as guerras civis que viriam a traumatizar o Iêmen, a Líbia e a Síria começaram como movimentos de protesto civil pacífico poucos dias depois da ocupação da praça Tahrir. A ordem social no Bahrein foi abalada com tanta força que a Arábia Saudita mobilizou suas Forças Armadas para impedir que aquilo se espalhasse.

O elemento comum dos protestos era o uso das redes sociais. O levante no Egito foi organizado via Facebook; o caos provocado pelas ocupações dos estudantes em Londres foi transmitido ao vivo no Twitter. Blogueiros e membros do jornalismo cidadão oprimidos havia tempos brotaram em todo o mundo árabe. E a mídia local controlada pelo Estado e os canais de transmissão ocidentais se viram diante do mesmo problema: eles não tinham nenhum controle sobre a narrativa dos protestos, que se desenrolava fora dos seus domínios. Vídeos de celular mostrando atrocidades policiais e a coragem assombrosa de jovens manifestantes passavam de país para país. Tudo aquilo era imune a censura e a comedimento editorial. Assim como o principal slogan da revolta: "O povo exige a queda do regime".

Algumas pessoas chegaram a achar que os levantes tinham sido provocados pelo Facebook. No Cairo, erguiam faixas na praça Tahrir com os dizeres: "Obrigado, Facebook" e pintavam seu logo nas paredes. Na verdade, o momento crítico no Egito se deu quando Hosni Mubarak bloqueou o Facebook e as pessoas saíram às ruas. O que motivou o movimento global de protestos foi uma combinação de três coisas: ressentimento econômico, comunicação via redes e uma metodologia de protestos embasada por teorias que rejeitavam de maneira explícita os velhos métodos hierárquicos do socialismo, dos sindicatos e do nacionalismo árabe.

Então, de maio a julho de 2011, veio a ocupação das praças da Europa, atraindo milhões de pessoas na Espanha e centenas de milhares na Grécia. Em julho, os jovens de Israel — tanto árabes como judeus — aderiram, ocupando o Rothschild Boulevard, em Tel Aviv, em protesto contra moradias precárias e pobreza juvenil. Em 17 de setembro de 2011, o protesto Occupy Wall Street tomou o Zuccotti Park em Nova York, desencadeando um movimento Occupy global, cujas ações afetaram centenas de cidades no mundo inteiro. Depois que o acampamento de tendas na praça foi destruído em novembro, foi a vez da Rússia.

Naquele dezembro, houve uma onda de manifestações contra a fraude nas eleições para a Duma que favoreceu o Partido Rússia Unida, de Putin. Elas atraíram dezenas de milhares de pessoas, chegando a 120 mil em 24 de dezembro. Era uma mistura dos jovens conectados em rede que vimos nos protestos Occupy com os remanescentes do liberalismo dos oligarcas dos anos 1990 e uma razoável pitada de nacionalistas e xenófobos. Depois de outras grandes manifestações em fevereiro e março de 2012, o movimento amainou, diante da violência policial, da prisão de seus principais líderes com base em acusações fabricadas, calúnias na mídia e ataques cibernéticos pelo Estado — e por causa dos punhos de massas neofascistas em apoio a Putin.

Embora cada uma dessas revoltas tivesse um caráter nacional específico, todas foram provocadas pelas injustiças generalizadas associadas ao

O colapso

neoliberalismo. No Reino Unido e na Europa periférica a questão era a austeridade. Nos Estados Unidos, a falta de vontade do governo de enfrentar Wall Street. No mundo árabe, os protestos foram motivados pela alta dos preços — alimentada pela flexibilização quantitativa nas economias desenvolvidas — e pela arrogância de cleptocratas presidenciais cujos filhos, como Saif Kadafi e Gamal Mubarak, tinham sido formalmente admitidos na máfia neoliberal. Na Rússia, apesar de uma década de desenvolvimento econômico, foram estimulados pela indignação contra o preço que a sociedade tinha pago: flagrante cleptocracia, crime organizado e uma democracia oca.

Em cada caso, embora a energia para a ação tivesse sido acumulada na internet, havia também a visão compartilhada de uma sociedade baseada na igualdade e estruturada em torno de indivíduos livres, conectados em rede.

Os sociólogos que cunharam o termo "indivíduo conectado em rede" o usaram para descrever mudanças de comportamento durante os anos 1990, quando uma combinação de estruturas de gestão horizontal, padrões de vida nos subúrbios e acesso maciço a dispositivos ligados em rede começou a causar impacto em nossa maneira de viver. Segundo Barry Wellman, estávamos nos afastando da vida em grupos e hierarquias para a vida em redes. Manuel Castells levou o conceito ainda mais longe, afirmando que a era da informação tinha produzido uma cultura, uma estrutura de poder e autoimagens inteiramente novas entre as pessoas a ela expostas. Wellman acredita que o fenômeno é reversível; Castells acha que não, sustentando que, assim como não se pode deseletrificar um país, não se pode desconectar uma sociedade.[9]

Em novembro de 2010, ao ver uma massa de adolescentes de dezesseis anos, sem líder, vinda dos empobrecidos subúrbios de Londres, se aglomerar em Whitehall, lutar com a polícia e dançar no teto de uma viatura, ocorreu-me que a teoria de Castells estava correta. Fosse qual fosse o contexto nacional ou cultural específico, o comportamento, de Londres ao Cairo, de Atenas a Nova York, era novo e semelhante.

Onde pudessem, os manifestantes ocupavam espaços públicos, montando acampamentos ou organizando assembleias provisórias. Na internet eles tinham desenvolvido não só um programa político ou um cronograma de ação, mas um novo modelo de interação humana — com base no consenso, na diversidade e nas estruturas de poder horizontais que as redes estimulam. Em vez de apenas se manifestarem pedindo mudanças sociais e depois voltarem para casa, escreve Castells, eles criavam um modelo temporário da sociedade em que queriam viver, na praça pública icônica mais próxima: "A internet forneceu o espaço seguro em que as redes de indignação e esperança se conectaram. As redes formadas no ciberespaço ampliaram seu alcance para o espaço urbano".[10]

Castells descreve esse fluxo do ciberespaço para as ruas como um ato voluntário. Olhando para trás, ele me parece mais involuntário: como se a própria tecnologia forçasse todas as tentativas particulares de autoexpressão a se desviarem da introspecção e se lançarem no mundo. Quando estamos apáticos e deprimidos, só nos sentimos à vontade para compartilhar nossos sentimentos com algumas pessoas; quando estamos putos da vida, queremos que todos saibam. Com as redes sociais, tínhamos um meio de contar isso a todos.

A maioria desses movimentos compartilhava uma forte crítica ao consumismo e a submersão de todas as divisões e identidades — classe, gênero, religião — na euforia do espaço ocupado. Eles realizavam longas e exaustivas assembleias deliberativas nas quais ideias eram exploradas de maneira oblíqua, polêmicas ideológicas eram postas de lado, a agressividade e o comportamento hierárquico eram desestimulados. Predominava nessas discussões a crença entre os jovens de que eles já não nutriam grande interesse no futuro do sistema tal como ele estava configurado. Tendo a onda de protestos derrubado Ben Ali e Mubarak, ficou claro que ela possuía pelo menos a força da contagiosa revolução que varrera a Europa em 1848 e que seus efeitos seriam duradouros. Para suprimi-la, os países tiveram que recorrer ao policiamento militarizado.

Em 29 de junho de 2011, vi a polícia de choque da Grécia disparar mais de mil bombas de gás lacrimogêneo entre as tendas da praça Syntagma. O

O colapso

objetivo era dispersar uma vasta multidão de manifestantes ali reunidos para resistir à aprovação de um pacote de austeridade ordenado pelo FMI e pelo Banco Central Europeu. Tirando os anarquistas mais extremos, era claro que a maioria não estava lá para promover a violência, mas para usar seus corpos como obstáculos aos policiais. Nas estreitas ruas perto da praça vi pequenos comerciantes fecharem suas lojas, cobrirem o rosto com pano molhado e construírem barricadas ao lado da juventude radical. "O que você faz?", eu perguntava às pessoas. As respostas eram: decorador, pianista, vendedor de móveis. Pessoas com negócios arruinados ao lado de pessoas recém-formadas com o futuro arruinado.

O policiamento militarizado se mostrou muitíssimo eficaz para destruir protestos pacíficos e perseguir ativistas. Mas as imagens que se espalhavam pelas contas do Facebook e do Instagram de toda uma geração revelaram a milhões de pessoas a verdade definitiva: o neoliberalismo é a lógica do mercado imposta pela violência.

A jovem jornalista britânica Laurie Penny, que cobriu os acontecimentos a partir da Grécia em 2012, descreveu esse momento de constatação:

> Na primeira vez em que leva um chute da polícia ou vê amigos feridos e presos, você percebe onde as linhas de poder estão de fato traçadas e nada mudou, mas tudo é de alguma forma diferente. É uma parte vital da nossa educação, mas uma vez aprendida essa lição não precisamos mais dela. Fumo um cigarro que na verdade não desejo e estou furiosa, furiosa, furiosa.[11]

Na Europa, nos Estados Unidos, na Tunísia e no Egito a fase ofensiva das revoltas de rua terminou em 2012. Mas em outros países importantes a dinâmica se desenrolou mais tarde: no ano seguinte, Brasil, Ucrânia e Turquia viram movimentos de massa contra governos corruptos, autocráticos. Enquanto isso, na Síria, na Líbia e no Iêmen as revoltas da sociedade civil se transformaram em guerras civis, criando um ímã para atores geopolíticos para além do controle de qualquer movimento de protesto: o jihadismo, o poder estratégico dos Estados Unidos e uma coalizão de Estados e movimentos alinhados com a política externa russa.

Às vezes dizem que esses acontecimentos chocantes — que espalharam imagens de tortura, estupro e matança indiscriminada de civis pelas redes sociais — levaram a população global a se acostumar com a violência. Na verdade, esses relatos fizeram uma grande diferença; tornaram as pessoas mais conscientes de que a violência indiscriminada e em larga escala é a primeira opção das elites cleptocratas — e de que, quando desafiadas, essas elites logo abandonam seus compromissos com o Estado de direito e a democracia.

Entre 2009 e 2015, num país depois do outro, os movimentos de resistência ofereceram ao mundo um vislumbre do futuro progressista. Mas de modo geral as elites governantes disseram: "Não, obrigado". Elas suprimiram alternativas progressistas usando todas as ferramentas e todos os poderes legais que criaram durante a ascensão do sistema. No entanto, o autoritarismo do século XXI não podia tratar apenas de preservar uma situação em colapso. O mundo estava prestes a descobrir que, se você não quiser o futuro, vai acabar ficando com o passado.

6. A estrada para o Kekistão

NA NOITE DE 11 DE AGOSTO DE 2017, cerca de 250 homens trajando camisas polo e calças cáqui realizaram uma marcha à luz de tochas pela cidade universitária americana de Charlottesville, Virgínia. Entoavam "Sangue e solo", "Vidas brancas importam" e "Judeus não tomarão nosso lugar". Seu objetivo era protestar contra a remoção, pela câmara municipal, de uma estátua do general confederado Robert E. Lee. No dia seguinte, uma marcha muito maior, batizada de Unite the Right [Unir a direita], deflagrou atos de violência em toda a cidade. A polícia perdeu o controle da marcha, levando a cidade e o Estado a declararem estado de emergência.

Os manifestantes incluíam quatro grupos neonazistas, a Ku Klux Klan, membros do Movimento Identitário e pelo menos três milícias portando armas semiautomáticas.[1] Depois que a polícia afastou manifestantes antifascistas para uma rua lateral, James Alex Fields, que carregava um escudo com o logo do Vanguard America, um dos grupos fascistas, jogou seu caminhão contra eles, matando a manifestante Heather Heyer e ferindo mais dezenove pessoas. Um helicóptero da polícia que monitorava a violência caiu, matando dois policiais.

Duas horas depois do ataque, Donald Trump fez uma declaração condenando a violência "em muitos lados". Três dias mais tarde, numa explosão emocional, afirmou que havia "gente muito boa" dos dois lados, criticando com rigor tentativas de remover monumentos confederados e atacando a "alt-left" [esquerda alternativa], que, segundo ele, tinha sido "muito, muito violenta". De imediato o ex-líder da KKK David Duke divulgou um tuíte apoiando Trump. Consta que Steve Bannon chamou a explosão emocional de "momento decisivo", durante o qual o presidente ficou do lado da "sua gente".[2]

O que houve em Charlottesville foi apenas um exemplo de uma série de ultrajes da alt-right que ainda prossegue nos Estados Unidos e em outros lugares. Mas naqueles acontecimentos se refletiu, em miniatura, a maioria dos elementos de que precisamos para compreender o desafio do novo fascismo às esgarçadas democracias do mundo desenvolvido.

Um bom lugar para começar são as insígnias exibidas. A maioria delas era o que se poderia esperar: a bandeira confederada, a suástica, a bandeira do sol negro das ss nazistas, a cruz negra do movimento nacionalista sulista — que quer ressuscitar a Confederação — e o logo do escudo espartano adotado pelos identitários europeus como símbolo de sua oposição à imigração. Mas uma bandeira era novidade para quem não acompanhava de perto a extrema direita: uma paródia em preto e verde da bandeira de guerra da Wehrmacht nazista com o logo de um site chamado "4chan" no lugar da suástica. É a bandeira do "Kekistão", utopia fictícia da direita imaginada para "trolar" americanos liberais e progressistas usando símbolos subvertidos da cultura popular.

O Kekistão não só tem uma bandeira fictícia como um hino, a canção pop dos anos 1980 "Shadilay". Sua "religião" supostamente cultua o personagem de histórias em quadrinhos Pepe, o Sapo, transformado no deus-sapo egípcio Kek. Esses símbolos, junto com centenas de variações em memes, são usados como código subcultural em sites de direita da internet — por exemplo, quando partidários do supremacismo branco declaram "kekistanês" como nacionalidade fictícia ou Kek como religião em questionários do recenseamento. Ao mesmo tempo, Kekistão é mais que um código. É o que a teoria literária chama de "conceito" — uma metáfora ampliada com uma complexa lógica interna, destinada a divertir.

Quando se entende a lógica, não é tão divertido assim.

Os movimentos de supremacismo branco e neonazismo nos Estados Unidos nunca desapareceram. Contudo, eram pequenos. A novidade é o surgimento on-line de uma cultura de direita muito difundida, mas fragmentária, entre jovens de mentalidade conservadora. Usando fóruns como o 4chan, que permite aos seus usuários postar conteúdos e interagir anonimamente, canais do YouTube e uma rede de influenciadores no Facebook e no Twitter, eles criaram um lugar mental compartilhado que se estende de grupos fascistas declarados às franjas da administração Trump. Kekistão é o nome desse lugar.

O meme Kekistão é prova do surgimento de uma nova base lógica para o fascismo: uma nova forma de tecnoconservadorismo, contrária aos direitos das mulheres e das minorias étnicas e fundada às claras segundo princípios anti-humanistas. Seu perigo está na capacidade de criar sinergias entre três seções da direita que, como supunha a ciência política, nos últimos trinta anos costumavam trabalhar umas contra as outras: a extrema direita (os fascistas notórios), a direita populista radical, que tendia a evitar a violência e a construir sua base eleitoral com apelos à nostalgia e à insegurança cultural entre pessoas da classe operária, e o próprio conservadorismo oficial.[3]

Depois do referendo do Brexit e da vitória de Trump — que viram os movimentos nacionalistas capturar a principal corrente de pensamento —, boa parte da sociologia acadêmica voltada para o estudo desses movimentos terá que ser revista. Mas nesse meio-tempo, tais movimentos produzem novos fatos na vida prática: o governo encabeçado por Salvini na Itália, a coalizão de extrema direita na Áustria e a alta votação obtida pelos Democratas Suecos, de extrema direita, em setembro de 2018 mostram que a presidência de Trump deu ímpeto e energia a movimentos autoritários de direita no mundo desenvolvido.

Por que a ruptura de uma ideologia coerente justificando os livres mercados e o poder americano levou à adoção generalizada de ideias que promovem a supremacia racial e biológica nos pontos centrais do neoliberalismo? A estrada para o Kekistão começa no rescaldo da crise financeira.

Os ACONTECIMENTOS DE 2008 deixaram o conservadorismo tradicional totalmente perdido, não só nos Estados Unidos como no mundo inteiro. Em abril de 2009, um *think tank* ultraconservador financiado pelos irmãos Koch, o Instituto Cato, realizou um seminário on-line para intelectuais de direita intitulado "Da Estaca Zero". O resultado do seminário foi o

Movimento Neorreacionário (apelidado de NRX nos fóruns on-line), cuja conclusão central foi que a direita deveria abandonar a democracia. Peter Thiel, o bilionário ponto com e fundador do PayPal, resumiu a lógica. Mesmo nos anos 1990 estava claro que "o capitalismo não é tão popular entre o povão", escreveu ele. Agora, com a maciça intervenção do Estado para salvar os bancos, era impossível imaginar o eleitorado americano votando para reduzir o tamanho do Estado, por causa das falências em massa tanto de empresas como de poupadores que isso acarretaria. Thiel concluiu: "Já não acredito que liberdade e democracia sejam compatíveis".[4]

Thiel explicou em detalhes três maneiras de criar novas realidades fora das instituições democráticas. Duas eram pura fantasia: colonizar o mar e o espaço sideral. A terceira não era nada fantasiosa: transferir a política para o ciberespaço, onde as regras normais não se aplicam. Thiel pregava o surgimento de uma "nova moeda mundial, livre de qualquer controle e desvalorização governamental", e esperava que plataformas como o Facebook "criassem o espaço para novos modos de dissidência e novas maneiras de formar comunidades não limitadas por Estados-nações". A ideia de Thiel era implicitamente um projeto de viver "apesar" dos socorros do capitalismo de Estado e dos bancos falidos; de criar movimentos on-line a partir das bases; de recusar a lógica da realidade pós-socorro financeiro e evitar a participação no processo democrático oficial.

Enquanto isso, o cientista da computação americano Curtis Yarvin, escrevendo sob o pseudônimo de Mencius Moldbug, começou a propor a substituição da democracia pelo governo autoritário. Yarvin/Moldbug viria a ser o profeta não oficial dos neorreacionários, estabelecendo um culto em torno dos seus ensaios prolixos, de 5 mil palavras, repletos de declarações peremptórias. Moldbug propunha que a democracia fosse substituída por uma ditadura benigna de modelo empresarial, na qual a figura de proa teria o direito de ordenhar o sistema em benefício da própria família, desde que garantisse a liberdade econômica. O modelo histórico mais próximo era o mesmo que Hegel tinha venerado: a monarquia prussiana, só que na época de um monarca anterior — Frederico, o Grande. Citando Hong Kong, Cingapura e Dubai como autocracias bem-sucedidas do século xxi, Yarvin destacou: "São fracas apenas em liberdade política, e liberdade política é, por definição, pouco importante quando o governo é estável e eficaz".[5]

A obra de Yarvin serviria para justificar uma nova estratégia de ultra-direita, depois da crise financeira, que consistia em parar de perder tempo com formulação política; começar a criar dinâmicas de poder na prática; promover criptomoedas para escapar dos ditames dos bancos centrais e preparar as condições para que uma cleptocracia unifamiliar tomasse o poder. Embora não pudessem dizer isso em público, os tecnoutopistas de direita tinham reinventado a arquitetura intelectual do fascismo.

Apesar de, ao que tudo indica, as dezenas de milhares de comparti-lhadores de memes, fantasistas do estupro e supremacistas brancos jamais terem lido esses textos, doses suficientes do seu conteúdo foram destiladas em mensagens mais simples — por intermédio de youtubers e programas de TV na internet — para criar um rica cultura verbal e visual através da qual a filosofia NRX fosse transmitida. Aqueles, como a escritora de esquerda Angela Nagle, que veem o movimento da alt-right como um simples produto da exasperação contra o politicamente correto nas uni-versidades não percebem que ele foi teorizado de antemão, usando os mesmos recursos — os *think tanks* financiados pelos Koch — que levaram Trump ao poder.

Já na reunião de cúpula do G20 em Pittsburgh em 2009, informei que a abrangente fantasia de "resetar" tinha entrado na política populista de direita. Um preocupado membro do Partido Libertário, protestando contra Obama, me disse que "muitíssimas pessoas de todos os lados começam a ter fantasias sobre uma espécie de confronto final nos Estados Unidos", uma reprise da Guerra Civil Americana com fuzis AR-15.[6] Mas não estava muito claro como essa virada antidemocrática de pensadores de direita estimularia um movimento real. Nenhuma parte da elite dominante po-deria lhe dar apoio aberto. Mesmo uma figura como Glenn Beck, que tinha atiçado o ódio por meio da Fox News nos primeiros anos do governo Obama, passou a advertir o Tea Party para que não se deixasse levar pela tentação da revolução armada.[7]

A transformação do NRX num significativo movimento de rua de direita foi estimulada por uma questão que muita gente julgava ponto pacífico: os direitos das mulheres. Mediante uma série de gigantescos ataques coordenados on-line contra mulheres, individualmente, a teoria e a prática da alt-right vazaram para o mundo de sangue e medo.

Isso já vinha fervilhando antes da crise. Em 2007 aconteceu o ataque à designer de jogos americana Kathy Sierra, que propunha que houvesse moderadores para os comentários nas páginas da internet. Seu endereço residencial foi publicado, montagens de Photoshop em que ela aparecia sendo estuprada e morta foram divulgadas, obrigando-a a desaparecer da vida pública. Em 2010 veio o constrangimento no ciberespaço de Jessi Slaughter, americana de onze anos de idade, quando milhares de adolescentes e adultos republicaram seu endereço e recomendaram a ela que se matasse.

Esses e outros incidentes de misoginia que ganharam destaque lançaram as bases para o #Gamergate, um ataque coordenado em larga escala a críticas feministas do sexismo na indústria de games, iniciado em 2014, envolvendo implacáveis tentativas de escorraçá-las da vida pública e de levá-las ao suicídio. Uma das vítimas, Anita Sarkeesian, jornalista que tinha criticado a cultura machista dos video games, foi submetida a ameaças de estupro maciçamente compartilhadas on-line.

Apesar de apenas alguns milhares de pessoas lerem blogs do Instituto Cato, e talvez dezenas de milhares participarem de *doxxings* (publicação de endereços e dados pessoais dos alvos) organizados e estimularem a guerra contra certas mulheres, dezenas de milhares de pessoas jogam jogos de computador, e elas são, na maioria, mulheres jovens. Os organizadores do #Gamergate exploraram conscientemente a infraestrutura de jogos on-line, através da qual centenas de jogadores são conectados de cada vez através de servidores de voz.[8] Não há registros públicos de áudios de bate-papos reais durante as partidas, mas boatos generalizados sugerem que esse mundo ficou impregnado de propaganda #Gamergate.

O escândalo do #Gamergate foi o catalisador que reuniu as forças separadas que formaram a alt-right: usuários do 4chan, trolls profissionais, ativistas dos direitos dos homens, os antifeministas tradicionais da direita

A estrada para o Kekistão

evangélica e o grupo de mídia de ultradireita Breitbart News — dando instantânea notoriedade ao seu principal escritor, Milo Yiannopoulos.

O #Gamergate correspondia ao modelo que os escritores do NRX tinham esboçado: ação fora da política para criar novas dinâmicas de poder. E, além disso, criar um novo modelo tático: atacar uma vítima com ameaças violentas, justificar o ataque como defesa do seu direito à liberdade de expressão, usar a questão constitucional como elemento para conquistar apoio no mundo real de outros "defensores da liberdade de expressão" e conduzir o tráfego para o Breitbart News. O Breitbart então impõe a controvérsia à grande mídia — perguntando "Por que vocês não noticiam isso?" — e um novo time de apresentadores da Fox News trata de normalizar o ataque e justificar a vitimização. Através do #Gamergate, a linguagem da cultura popular da alt-right — *cuck* [pejorativo para moderado, progressista], SJW [pejorativo para *social justice warrior*, guerreiro da justiça social] e feminazi [pejorativo para feminista radical] — se tornou aceitável para milhões de homens jovens de mentalidade conservadora, assim como a tática de *gaslighting* (tentar manipular sua vítima para fazê-la duvidar da própria sanidade, do ponto de vista psicológico) e *doxxing*.

Por que o ataque ao feminismo se tornou veículo para inculcar as teorias e estratégias da alt-right na consciência de centenas de milhares de jovens? A resposta mais óbvia está na reversão do poder biológico masculino, através do controle da natalidade e da legislação de direitos iguais, que se deu nas últimas décadas do século XX. Iniciada nos anos 1960, é a mudança mais significativa nas relações de poder ocorrida em toda a história humana. O capitalismo se adaptou a essa mudança, e na verdade ganhou dinamismo com ela, mobilizando as mulheres para a força de trabalho, automatizando numerosas tarefas domésticas tradicionalmente femininas, transformando a sexualidade liberada das jovens em objeto de consumo e construindo indústrias inteiras com base no poder aquisitivo independente das mulheres.

Mas em 2008 a trajetória neoliberal para tornar as mulheres mais fortes, confiantes e autônomas entrou em crise. A crescente participação feminina na força de trabalho e a menor diferença salarial entre os gêneros pareciam coisas boas para o homem americano sexista enquanto a economia estava em expansão. Depois de 2008, as leis que davam às mulheres igualdade formal no trabalho e nas disputas familiares e que as protegiam de ataques sexuais — em combinação com a normalização cultural da liberdade sexual feminina — começaram a ser reapresentadas pela direita como "antimasculinas".

Se fizermos uma lista das obsessões dos ativistas dos direitos do homem, fica claro que o antifeminismo não é questão menor para a alt-right: é um princípio formador de toda a sua crítica do mundo moderno. Em primeiro lugar, eles alegam que homens brancos heterossexuais são as únicas vítimas das políticas identitárias: enquanto mulheres, membros da comunidade LGBT e minorias étnicas têm identidades definidas, o que lhes dá direitos formais e informais, os homens brancos heterossexuais não têm. Em resposta, eles construíram sua própria identidade oprimida: o "macho beta", o jovem que não consegue encontrar uma parceira sexual porque as mulheres estão ocupadas demais fazendo sexo com os chamados "machos alfa".

Nem é preciso dizer que isso não passa de uma abordagem ridiculamente adolescente da heterossexualidade. Mas é apenas um dos princípios fundamentais do neoliberalismo levado às suas últimas consequências lógicas: o de que os seres humanos são diferentes em termos biológicos e o mercado refletirá essas desigualdades recompensando os mais fortes com o sucesso.

A "rebelião beta" é a adaptação deliberada de uma ideia esboçada pelo filósofo alemão do século XIX Friedrich Nietzsche, em seu ataque ao conceito hegeliano do "fim da história". Se algum dia viesse a acontecer, disse Nietzsche, o fim da história seria, para a maior parte das pessoas, um mergulho na inatividade impotente. Os sobreviventes seriam "homens sem peito" — ou seja, fracotes, ou "últimos homens" no vocabulário nietzschiano. Por aceitar o poder biológico como normal, a ideologia beta jamais se pergunta por que os machos alfa devem ter poder: que os alfas governem a sociedade é para eles tão natural quanto o melhor surfista ter a primeira chance de pegar a onda que chega. "Antinatural" para eles é o novo poder que as mulheres têm de escolher seus parceiros e viver a vida sem baboseiras sexistas.

A estrada para o Kekistão

Nietzsche — e não Hegel — se tornou o herói filosófico dos neoliberais porque justificava o triunfo da vontade: do mais forte contra o mais fraco e do mentiroso intencional contra a pessoa moral e ética. Enquanto o neoliberalismo funcionou e enquanto o sistema global o manteve, as elites eram sempre obrigadas a ocultar seu compromisso com a doutrina do "Triunfo da Vontade" atrás de uma fachada de filantropia e discurso civilizado. Uma vez que o neoliberalismo entrou em crise, não havia mais necessidade de esconder a crença na hierarquia biológica.

Se você aceita que sua posição como homem é predeterminada pela biologia, como acreditam muitos soldados de infantaria da alt-right, então é fácil ver o feminismo como um ataque à ordem biológica das coisas. Em matéria de estratégias, para os betas existem basicamente três: imitar o macho alfa, seguindo os numerosos manuais da "arte de pegar", na qual as mulheres são induzidas com truques a fazer sexo; tornar-se *involuntarily celibate*, ou *incel*, celibatário involuntário e em guerra com as mulheres liberadas; ou afastar-se do mundo das relações heterossexuais adotando o uso sistemático da pornografia ou o celibato voluntário enquanto trava uma guerra cultural contra o feminismo.

Esse é o contexto no qual surgiu o movimento Proud Boys [Meninos Orgulhosos] nos Estados Unidos — uma combinação de comportamento de fraternidade de estudantes com propaganda misógina e antimuçulmana, tendo à frente uma ala de "defesa" cada vez mais violenta chamada Fraternal Order of Alt Knights [Ordem Fraterna dos Cavaleiros Alternativos]. No total existem, no momento em que escrevo este livro, talvez 6 mil membros do Proud Boys, e é provável que o número de neonazistas ativos chegue aos cinco dígitos. Mas o movimento ideológico de que fazem parte é grande. O RedPill — fórum popular de antifeminismo no site Reddit — tem 226 mil seguidores; o 4chan, o fórum anônimo preferido da alt-right, se gaba de ter 11 milhões de seguidores por mês só nos Estados Unidos.[9] O problema maior é que, nesses poucos anos em que as redes sociais passaram a ser uma realidade global, a misoginia violenta se tornou um identificador subcultural generalizado para a extrema direita no mundo inteiro.

Coincidindo com a súbita disponibilidade de vídeos pornográficos on-line em alta definição via banda larga e 4G, a nova misoginia se associou com facilidade aos seus enredos predominantes: a curra, a mulher submissa, a mulher bêbada induzida a fazer sexo, o homem negro como predador sexual e o *cuckold* — o macho beta forçado a assistir enquanto mais e mais machos alfa (quase sempre negros) fazem sexo com "sua" mulher. Em 2017, 81 milhões de pessoas visitaram diariamente o Pornhub, o site pornográfico mais popular da internet, um terço delas com menos de 35 anos.[10]

Há um padrão conhecido aqui. A violenta misoginia da alt-right recorre a um conjunto de preconceitos arcaicos dotados de um novo conteúdo e apresentados como uma nova mentalidade de vítima pela extrema direita em condições de estresse econômico. Hannah Arendt, pesquisando a ascensão dos nazistas, advertiu que seria um erro confundir o antissemitismo moderno com sua forma medieval. Vale a pena repetir isso em relação à misoginia de hoje.

Depois de 2008, é possível afirmar que a misoginia começou a funcionar como um ímã ideológico para todos os outros descontentes, com sua própria linguagem simbólica. Assim como os fascistas dos anos 1920 acusaram os judeus de espalhar o bolchevismo cultural, os neorreacionários colaram o rótulo de marxistas culturais nas feministas — ou "feminazis", como são chamadas. A palavra *cuck-servative*, outro insulto-padrão do repertório da alt-right, denota o conservadorismo débil da elite empresarial, a quem responsabilizam pelo eclipse do poder branco masculino e pela vitória de Barack Obama.

Mas a alt-right e o movimento étnico nacionalista mais amplo de onde ela vem diferem de forma significativa das ideologias que alimentaram o fascismo nos anos 1930: eles têm uma teoria consciente e sofisticada da própria ideologia.

Em *Matrix*, grande sucesso do cinema de 1999, o protagonista, Neo, fica preso numa realidade virtual construída por seus opressores. Numa cena crucial, lhe dão a oportunidade de escolher entre tomar uma pílula azul

A estrada para o Kekistão

e ficar na realidade falsa ou tomar uma pílula vermelha e ver a falsidade circundante, à custa de ser para sempre privado da felicidade e lançado num estado de revolta permanente. Histórias com temas de realidade alternativa proliferaram nos últimos trinta anos — por exemplo, *O show de Truman, Westworld, onde ninguém tem alma* e *A origem* — como metáfora geral da nossa incapacidade de escapar do neoliberalismo ou de pensar para além dele. Por isso, quando a expressão "to redpill" [tomar a pílula vermelha] entrou no site Urban Dictionary em 2004, no início era politicamente neutra.[11] Significava adquirir, ou ser ensinado a adquirir, consciência política contra a ideologia dominante.

Mas quando o fórum RedPill do Reddit foi lançado em 2012, o conceito de "tomar a pílula vermelha" tinha sido colonizado por completo pela direita. A crítica neorreacionária do neoliberalismo é que ele se tornou igualitário demais, racional demais, democrático demais e atrelado demais a valores "universais". Yarvin/Moldbug descreveu as estruturas de poder da era neoliberal como "a Catedral": uma arquitetura intelectual incontestável na qual universidades e a imprensa — ou seja, nossas fontes básicas de racionalidade e verdade — praticam um "abrangente controle do pensamento em defesa do dogma universalista".[12]

Enquanto teorias de esquerda sobre ideologia ressaltam a forma como ilusões sobre a realidade nascem da nossa experiência vivida, para a neodireita o controle do pensamento é sempre imposto de maneira consciente pelos seus inimigos e, portanto, mais fácil de ser evitado. Tudo que você precisa fazer é tomar a pílula vermelha e "despertar". Quem fornece a pílula? Rupert Murdoch via Fox News, Robert Mercer via Breitbart e dezenas de milhares de catequizadores betas inculcando transgressão — com pensamentos, palavras e chamados à ação por intermédio dos fóruns e do Twitter, atividade essa conhecida como *shitposting*.

Em 2014, a direita americana havia reagrupado os fragmentos do velho conservadorismo em torno: a) de uma rejeição plenamente teorizada à democracia; b) de uma violenta misoginia como principal força propulsora de sua narrativa de vitimização; c) da hostilidade ao racionalismo, às universidades e à mídia; d) da rejeição ao conceito de direitos humanos universais; e e) da estratificação da humanidade de acordo com diferenças biológicas, de etnia, gênero e QI. Ao redor dessa espinha dorsal, você pode arrumar suas obsessões prediletas: antissemitismo para alguns, anti-islamismo para outros, anticontrole de armas para quase todos.

Tudo de que a alt-right precisava era de uma força externa para ajudá-la e de um inimigo interno para combater. O inimigo interno era facilmente previsível: as populações negra, muçulmana e latino-americana dos Estados Unidos. A força externa — numa bizarra inversão da narrativa da Guerra Fria — seria a Rússia de Putin.

O ANO DE 2008 VIU não apenas o colapso da ordem financeira mundial, mas, passando quase despercebida, a primeira ruptura significativa da ordem diplomática global. A Rússia invadiu e derrotou o pequeno Estado da Geórgia, no mar Negro. Apesar da condenação de todas as instituições multilaterais estabelecidas depois de 1989, Putin havia — quase sem custo — impedido a expansão da Organização do Tratado do Atlântico Norte (Otan) até o mar Negro e estabelecido uma posição mais firme para suas forças ali. Demoramos a entender que depois da Geórgia o mundo voltara a ser de fato multipolar. Mas dessa vez com uma diferença importante.

Na universidade, no fim dos anos 1970, assisti a seminários de um experiente observador do Kremlin. As paredes do seu escritório eram cobertas do chão ao teto por fotos 10 × 8 de identificação policial de burocratas soviéticos, a estrutura de poder dentro do Kremlin mapeada em detalhes e organizada numa montanha de caixas de arquivos. Para prever o comportamento soviético durante a Guerra Fria, era preciso lidar com uma burocracia complexa, altamente instruída, trabalhando com doutrinas explícitas e limitada por conhecidos freios e contrapesos institucionais.

Em 2008, meu velho professor precisaria apenas de uma foto de identificação policial e, no lugar das caixas de arquivos, um relatório psiquiátrico sobre Vladimir Putin. Em vez de lidar com uma burocracia complexa que punha em execução uma doutrina coletiva, o Ocidente agora estava diante de um homem sozinho que gostava de aparecer sem camisa em cima de um cavalo — e tinha suas reações aos acontecimentos mundiais filtradas por briefings diários de pessoas que não ousavam lhe desagradar. No passado podia-se estudar toda a estrutura de comando do Kremlin e seu Estado secreto, mas o que importava agora era o que se passava na cabeça de Putin.[13]

Depois da Geórgia, o presidente provisório da Rússia, Dmitri Medvedev, explicou em detalhes a nova política externa russa em nome de Putin. O mundo agora é multipolar. A Rússia resistirá a qualquer tentativa de avanço contra seu território. Protegerá os falantes de russo em qualquer lugar e defenderá seus "interesses privilegiados" em certas regiões.[14]

O que Medvedev esboçou foi a chamada doutrina das "Grandes Potências", e as implicações do seu discurso deveriam ter ficado claras. O objetivo da Rússia era enfraquecer as instituições multilaterais que serviam de base à ordem global — a ONU, a Organização para a Segurança e Cooperação na Europa (Organization for Security and Co-operation in Europe, OSCE) e vários tratados de desarmamento — e promover uma ordem mundial baseada em negociações duras, astutas e diretas entre ela, Estados Unidos e China. A Ásia Central e o mar Negro seriam as áreas de influência da Rússia, com a Ucrânia puxada de volta para a sua órbita depois da vitória de Viktor Ianukovitch, o candidato pró-Kremlin, nas eleições de 2010 — ajudado e assistido por Paul Manafort, parceiro de Trump.

A Rússia militarizaria sua fatia do Ártico e manteria o Irã, o Líbano e a Síria como seus representantes no Oriente Médio. Mediante uma "guerra híbrida" na Europa, estimulando partidos de extrema esquerda e extrema direita e nacionalismos diversos, enfraqueceria na prática o compromisso de países-membros da União Europeia com a doutrina de defesa coletiva da Otan. Queria, em resumo, um considerável pedaço do mundo como seu quintal.

Especialistas ocidentais em segurança não tinham dificuldade para entender qual era a intenção de Putin. Mas ela não se encaixava em sua visão de mundo, que lhes dizia que a globalização se aprofundaria em ritmo constante e que os livres mercados impulsionariam a democracia. Para estrategistas ocidentais, Putin e a panelinha de ex-oficiais de inteligência e das Forças Armadas que o cercavam, conhecidos como *siloviki*, eram apenas síndicos autoritários, destinados a desaparecer quando a nova e ocidentalizada classe média tivesse maturidade política para assumir o controle. No que a doutrina russa das Grandes Potências tinha de real, eles achavam que era basicamente defensiva, e não ofensiva.

Esses foram os pressupostos que levaram o governo Obama a seu movimento de pivô estratégico e, em última análise, desastroso rumo à Ásia. Hillary Clinton, então secretária de Estado, explicou em detalhes a lógica disso em seu artigo "America's Pacific Century" [O século dos Estados Unidos no Pacífico], de novembro de 2011.[15] Se era para a globalização continuar, disse ela, os Estados Unidos teriam que moldar o fluxo de bens e serviços no Leste da Ásia segundo seus próprios interesses. Precisariam reforçar suas alianças militares com o Japão e a Coreia do Sul para impedir que a China viesse a ser a potência naval dominante da região, com capacidade para controlar a via marítima mais vital do mundo, o mar do Sul da China. Fazer esse movimento de pivô em direção à Ásia significava deixar para a Europa a tarefa de lidar com qualquer ameaça da Rússia.

O momento escolhido foi desastroso. Um mês depois que o artigo de Clinton chegou às bancas de jornal, protestos convocados por redes sociais rebentaram em Moscou. O velho acordo — Putin garantia prosperidade e a parte moderna, liberal e conectada da sociedade ficava fora da política — parecia posto em dúvida. Para esmagar os protestos, ele não só prendeu os líderes e mobilizou delinquentes nacionalistas de direita como também aprovou uma lei introduzindo uma lista negra estatal de sites da internet.[16] Em seguida, aprovou uma lei rotulando como "agentes estrangeiros" 148 organizações não governamentais alinhadas com objetivos democráticos e intensificou a intimidação estatal contra a mídia estrangeira.[17] Na opinião de Putin, a explosão de protestos democráticos na Rússia — e em seu fantoche Síria — tinha sido criada pelo Ocidente. Em resposta, ele incumbiu seu aparelho de segurança de começar a elaborar outro tipo de reação — que o Departamento de Estado de Clinton, agora obcecado com a Ásia, parecia completamente despreparado para enfrentar.

Em 2012, a Rússia enviou tropas para a Síria. Após a derrubada do regime pró-Moscou de Kiev em 2014, respondeu invadindo e anexando

A estrada para o Kekistão

a Crimeia, e em seguida iniciando uma guerra civil que deixaria duas províncias de língua russa na Ucrânia divididas e ocupadas pelas Forças Armadas de Putin.

Só quando esse jogo se desenrolava lance a lance é que ficou claro que o chefe do Kremlin estava de fato travando uma guerra híbrida ofensiva. A guerra híbrida tem sido definida como uma mistura de "armas convencionais, táticas irregulares, terrorismo e conduta criminosa simultâneos e campo de batalha" para alcançar objetivos políticos.[18] As democracias não podem, por definição, travá-la com naturalidade.

Essenciais para a doutrina russa, que o Kremlin chama de "guerra de nova geração", são as informações. Exércitos convencionais travam uma batalha de informações contra os comandantes do outro lado: disfarçando movimentos, interferindo nas comunicações, entabulando uma guerra psicológica contra populações civis — tudo para influenciar resultados no espaço físico de combate entre veículos, aeronaves e navios. A guerra híbrida é diferente. Como observou um analista da Otan, "a visão russa da guerra moderna tem por base a ideia de que o principal campo de batalha é a mente".[19]

É provável que mesmo agora — depois que Putin instalou na Casa Branca o candidato de sua preferência, influenciou a votação do Brexit, gastou 20 milhões de euros apoiando a Frente Nacional na França — muitas pessoas no Ocidente não percebam que a Rússia está travando uma guerra dentro da cabeça delas. Populações com culturas democráticas estão condicionadas a supor que o Estado de direito existe e que aqueles que o violam estão sujeitos a ações judiciais. Mas na realidade grandes pedaços do mundo já são ambientes sem regras, onde o poder e a inteligência podem alcançar qualquer resultado desejado pelos super-ricos.

No entanto, a nova estratégia de Putin não é um problema só para governos ocidentais. É um problema para todo mundo que deseje substituir esses governos por uma alternativa radical ao neoliberalismo.

Nos anos 1930, democratas e socialistas lutavam contra movimentos fascistas amplamente hostis aos nacionalismos de outros países. Hoje, o fascismo, o nacionalismo étnico e os regimes autoritários estão preparados para operar integrados e para apoiar uns aos outros. E todos os movimentos de direita capazes de desestabilizar as democracias ocidentais ou enfraquecer a Otan e a União Europeia podem confiar no apoio tácito ou mesmo explícito do Kremlin — sobretudo na esfera da desinformação interconectada.

EM 2011, EM MEIO À EUFORIA dos movimentos da Primavera Árabe e Occupy, parecia que as comunicações pelas redes sociais tinham tornado possível refutar de imediato qualquer propaganda. Governos perderam o poder de controlar as imagens de guerra e conflito; a versão oficial dos acontecimentos poderia ser verificada por testemunhas locais em tempo real. Governos autoritários de direita conseguiriam sobreviver criando uma bolha de informações entre seus apoiadores — mas isso jamais seria suficiente para manter sua aprovação.

Parte de sua solução foram as fake news: a fabricação de histórias descaradamente falsas. Outra parte da estratégia, em que a Rússia foi pioneira, consistia em poluir o espaço das redes com tanta desinformação e tanta agressividade que as pessoas passassem a evitá-lo. Em 2013, as "brigadas [russas] da web" — jovens operando em *troll houses* — eram peritas em envenenar a atmosfera de qualquer fórum de comentários. Repórteres descobriram um troll pago postando comentários como "Navalny é o Hitler do nosso tempo" — um ataque ao principal líder do movimento de protestos de 2011 — por 36,50 dólares o turno de trabalho de oito horas.[20]

Logo o esforço seria automatizado. Em 2015, depois do assassinato do oposicionista Boris Nemtsov numa ponte com vista para o Kremlin, centenas de usuários do Twitter começaram a postar ao mesmo tempo alegações de que ele tinha sido morto por ucranianos porque "roubou a namorada deles". Mais tarde pesquisadores identificaram 17 590 contas do Twitter emitindo tais ataques: além de fazerem em média 2800 tuítes por dia, os usuários dessas contas praticamente não haviam interagido com ninguém na rede. Eram "bots" [robôs] controlados por máquinas.[21]

É importante compreender como trolls, bots e criadores de fake news trabalham juntos num sistema. O objetivo não é convencer os outros de

A estrada para o Kekistão

que a versão que eles têm da realidade é verdadeira; é tornar a atmosfera do debate político on-line tão agressiva e desagradável que as pessoas comuns se afastam; sugerir a possibilidade de que todos os lados estão travando uma guerra de propaganda e que, portanto, nenhuma notícia é digna de crédito.

Mas os trolls de Vladimir Putin e os abastecedores de desinformação na extrema direita ocidental são apenas o lado da oferta nessa economia de fake news. O problema maior é o lado da demanda.

O MOVIMENTO #BlackLivesMatter surgiu em julho de 2013 em protesto contra a absolvição do coordenador de vigilância comunitária George Zimmerman, que matara o adolescente negro Trayvon Martin durante uma discussão em Sanford, Flórida. As mulheres negras que criaram a hashtag e a espalharam eram não apenas muito bem versadas nas tecnologias do ativismo de rede social como também vinham de uma geração de negros instruídos, em processo de ascensão social. O que em 2011 tinha sido novo e experimental para jovens brancos de classe média no Zuccotti Park era agora um método coerente, que podia ser ensinado e aprendido.[22]

O que fez o #BLM sair de uma posição defensiva de protesto e se tornar uma campanha ofensiva e dinâmica por direitos humanos foi a revolta de 2014 em Ferguson, Missouri, depois do assassinato de Michael Brown pela polícia. Aquilo provocou uma ocupação da cidade, em estilo militar, pela polícia armada. Centenas de manifestantes afro-americanos se deram as mãos, entoando "Não atirem" para os policiais armados. Em meio a reiterados assassinatos de negros pela polícia e por auxiliares das forças da lei e da ordem, aquilo não era simples ironia.

Depois de Ferguson, dezenas de milhares de jovens da geração mais instruída, letrada e eloquente que a América negra já produziu partiram para o ativismo em torno dos objetivos do #BlackLivesMatter. Usando técnicas pioneiras adotadas pelo movimento Occupy três anos antes e canalizando o conhecimento acumulado em anos de estudos dos movimentos de direitos civis das décadas de 1950 e 1960, o #BLM lançou um desafio estrutural à maneira como a opressão dos negros foi moldada na era do livre mercado.

O neoliberalismo tinha infligido décadas de pobreza e criminalização às comunidades negras dos Estados Unidos. A consequência disso — por causa das leis draconianas do país que impedem os condenados por delitos graves de votar — foi a privação generalizada do direito ao voto. O presidente Obama, apesar de sempre pronto a manifestar compaixão pelas vítimas da violência policial, pouco fez para aliviar esses fundamentos da opressão dos negros. Ao desafiar essa estrutura, o #BlackLivesMatter desencadeou os mais profundos pesadelos residuais do racismo branco.

Historicamente, toda vitória dos direitos humanos dos negros nos Estados Unidos é seguida por uma derrota econômica e social. Quando a escravidão foi abolida depois de 1865, os negros pobres do Sul foram transformados em arrendatários, oprimidos por leis de segregação e aterrorizados pelos linchamentos do sistema Jim Crow de apartheid. Depois da Lei dos Direitos Civis de 1964, uma combinação de segregação geográfica e crise econômica transformou muitos negros pobres urbanos numa classe inferior: sem acesso a educação e a empregos decentes, sempre sendo presos e privados do direito de votar.

Mas o que acontece se as forças da lei e da ordem e os sistemas prisionais não puderem mais ser usados como arma para promulgar a opressão dos negros? O que acontece se a polícia for obrigada a parar de aterrorizar de maneira aleatória motoristas negros e aqueles que simplesmente ficam parados à noite na frente de suas casas? E se os tribunais forem obrigados a parar de mandar negros trabalhar como semiescravos em prisões privatizadas?

A resposta é um desafio inédito ao que o sociólogo negro W. E. B. Dubois chamou nos anos 1930 de "salário público e psicológico" da condição de branco. Se você é branco, por mais pobre que seja, tem mais chances de sair da pobreza e quase nenhuma chance de ser vítima da violência das gangues ou da polícia ou ir para a cadeia. Quando a ideologia do neoliberalismo se espalhava, estimulando a ideia de que os pobres "merecem" o destino que têm como competidores malsucedidos num mercado eficiente, isso acrescentou uma base lógica tecnocrática para a pobreza e a opressão dos negros. Pode-se rejeitar, como faz a maioria dos conservadores, a chamada "ciência racial" contida no livro *The Bell Curve* [A curva normal], de Charles Murray, de 1994, mas ainda assim aceitar que existe qualquer coisa de legítimo nos pobres resultados econômicos para as minorias raciais nos Estados Unidos.

Como assinalou o cientista político Joel Olson, em 2008 a igualdade legal para os negros mascarava

> um sistema de privilégios raciais tácitos e ocultos que se reproduz menos por intermédio de formas explícitas de discriminação do que por intermédio das forças de mercado, dos hábitos culturais e de outras práticas diárias que fazem supor [...] que a vantagem dos brancos é o resultado natural de forças de mercado e de escolhas individuais.[23]

Isso, por sua vez, encontrou sua expressão política na estratégia republicana de racializar a política. "Os democratas são uma parte da elite branca que satisfaz os desejos da subclasse criminosa negra" seria um bom resumo do subtexto que todo republicano, da política oficial ou não, está preparado para propagar em época de eleição.

O supremo "privilégio racial tácito e oculto" era o que possibilitava a uma pessoa branca convocar a polícia contra um negro e fazê-lo sentir medo de ser abordado com violência, preso injustamente ou, em casos extremos, morto a tiro. Ao contestar esse privilégio — e fazê-lo com base na teoria social e na legalidade constitucional, não na religião ou na emoção —, os fundadores do #BLM ameaçaram destruir o "chão de vidro" que separa todos os americanos negros dos americanos brancos pobres e inseguros.

E isso é muita coisa. O medo da liberação negra vai muito além dos confins da alt-right, penetrando no coração da classe média branca. Vejam-se os numerosos incidentes tipo "Permit Patty" registrados nas redes sociais, quando racistas brancos chamam a polícia porque negros estão acendendo churrasqueiras, tomando banho em certas piscinas ou, no caso real da própria Patty, uma criança negra está vendendo garrafas de água para torcedores de futebol americano que passam na frente do apartamento dela.[24]

Uma vez que o #BLM se tornou tanto um movimento como uma consciência entre americanos negros jovens e interconectados, extravasando para o protesto de jogadores negros da Liga Nacional de Futebol que se ajoelharam durante a execução do hino nacional americano, a reação a isso tudo permitiu que a alt-right se imiscuísse ainda mais no projeto conservador americano.

A "ciência racial", depois de um tempo adormecida e bastante desacreditada nos confins do pensamento de direita, voltou a ganhar publicidade. O próprio Murray tem sido festejado pelo circuito universitário da alt-right, enquanto sites como o American Renaissance reúnem toda a pseudociência que podem para provar que, do ponto de vista genético, os negros são menos inteligentes do que os brancos. E isso não acontece por acaso — no âmago do pensamento da alt-right sobre raça, assim como sobre gênero, estão sua oposição à universalidade da existência humana e sua crença na legitimidade da desigualdade.

DESDE OS ANOS 1990, quando grupos populistas de direita começaram a obter ganhos eleitorais na Europa, cientistas políticos têm tentado entender as queixas que os motivam e as ideologias que eles criam. Seu objetivo tácito era encontrar maneiras de conter a nova extrema direita e impedir que ela se juntasse ao pouco que restava do fascismo puro e simples.

Houve muita controvérsia, mas um bom resumo do que havia de consenso era que para os fascistas categóricos as principais queixas eram econômicas, enquanto para os populistas de direita eram culturais, motivadas pelo que consideravam uma perda de status entre comunidades operárias que enfrentam a imigração. Os dois grupos eram de fato "vítimas da modernidade" que, esperava-se, acabariam a certa altura aceitando a perda de empregos bem pagos, de coesão social e de privilégio étnico. Os grupos fascistas tendiam a ser pró-economia de Estado e muito conservadores socialmente, enquanto os populistas preferiam a economia de livre mercado e estavam preparados para cooptar direitos dos homossexuais e das mulheres (por exemplo, contra a mutilação ge-

A estrada para o Kekistão

nital feminina) como tópicos para estigmatizar grupos imigrantes, em especial muçulmanos.

Devido à defasagem, a maioria das pesquisas acadêmicas sobre a nova extrema direita é anterior à crise de 2008 e à eleição de Trump. Mas as novas dinâmicas com que estamos lidando são muito óbvias em nível micro.

Veja-se o caso da minha cidade natal, Leigh, no noroeste da Inglaterra: o efeito quase imediato da crise de 2008 foi trazer o Partido Nacional Britânico (British National Party, BNP), fascista, para a política eleitoral. Na eleição geral de 2010, seu candidato apareceu do nada e recebeu 2700 votos, ou 6%, à frente do (também novo) Partido da Independência do Reino Unido, o Ukip, populista de direita, que teve 1500. E isso apesar do fato de o BNP não ter nenhum comitê funcionando abertamente na cidade. Na eleição geral de 2015, o Ukip conquistou 9 mil votos, ou 20%, tendo absorvido todos os votos fascistas e cerca de 4 mil tomados direto do Partido Trabalhista e do Partido Conservador. No referendo do Brexit, em 2016, a cidade votou 2 a 1 para deixar a União Europeia, atingindo a meta do programa do BNP e do Ukip. Na eleição de junho de 2017, a votação do Ukip entrou em colapso, voltando ao número de 2700, com os conservadores acrescentando 6 mil ao total recebido antes.[25]

Em suma, a política da extrema direita é um projeto ainda em desenvolvimento. É bem-sucedido quando tem uma única e grande queixa em torno da qual possa polarizar o eleitorado; o grupo fascista, menor e mais intransigente, está sempre preparado para gravitar rumo ao partido populista bem-sucedido, e muita coisa depende de como os partidos principais reagem.

Em toda a Europa, partidos populistas de direita estão aprendendo a passar a perna nos centristas, paralisados por sua lealdade a um sistema econômico que não funcionou. O resultado é o panorama europeu atual: partidos populistas de direita governam a Polônia, a Hungria, a República Tcheca e — via coalizões — a Áustria e a Itália. E, à medida que abocanham o poder do Estado ou os privilégios que vêm com resultados eleitorais de dois dígitos, fazem o que Trump fez: usam a máquina do Estado democrático para legitimar discursos de ódio, deter a aplicação da lei contra fascistas e selecionar comunidades de imigrantes para reprimir e deportar.

Por mais valioso que seja, o vagaroso mundo dos estudos acadêmicos sobre a extrema direita se esforça para acompanhar a realidade dinâmica e imprevisível. O que empurra as pessoas para a extrema direita não é mais a simples insegurança econômica ou cultural, é o fato de verem esses partidos legitimados, no poder, desmantelando de maneira ativa as democracias liberais de cima para baixo.

Nos ANOS 1930, diante da inclinação para o fascismo entre os trabalhadores pobres, sociólogos e psiquiatras de esquerda desenvolveram a teoria da "personalidade autoritária". Parte das primeiras pesquisas foi conduzida pelo sociólogo marxista Erich Fromm por meio de um questionário que ele submeteu em 1929 a 584 trabalhadores partidários do fascismo, da social-democracia e do comunismo. A conclusão de Fromm foi que, dentro da esquerda alemã, durante os anos bons houve pessoas cujos "traços básicos de personalidade" estavam em desacordo com seu alinhamento político. Esse grupo se ressentia da elite, mas valores "como liberdade e igualdade não tinham a menor atração para eles, uma vez que obedeciam com satisfação a qualquer autoridade poderosa que admirassem". Quando a crise do começo dos anos 1930 se intensificou, os membros desse grupo, concluiu Fromm, deixaram de ser esquerdistas duvidosos e se converteram em nazistas convictos.[26]

Nos anos 1950, tomando por base a obra de Fromm, Theodor Adorno chefiou uma equipe de psiquiatras dos Estados Unidos que alegavam poder medir a propensão dos indivíduos para o fascismo a partir de suas atitudes para com a autoridade, a família, o homossexualismo, a raça e o sexo, descrevendo a personalidade do recruta típico do fascismo como o "rebelde autoritário". Além de criticada por sua metodologia inconsistente, nos anos 1960 a obra de Adorno parecia irrelevante. O fascismo tinha evaporado, o supremacismo branco como doutrina estava na clandestinidade; o tipo de personalidade que o establishment temia era claramente antiautoritário.

A estrada para o Kekistão

Hoje, porém, estamos mais uma vez diante do problema de saber de onde vem a psicologia fascista das massas. A ascensão do nacionalismo autoritário de Trump, seu grupo e seus imitadores habita um espaço ideológico comum com o racismo explícito de direita do tipo Breitbart e com o neofascismo categórico. Apesar de se esconder em espaços metafóricos como o Kekistão ou os fóruns da internet, em que nada parece ser levado a sério, a raiva e a indignação instigadas on-line se transformam repetidas vezes em violenta realidade.

Para os progressistas a tarefa não é só derrotar Trump e tirar do cargo, nas urnas, seus equivalentes nacionalistas na Europa. É também impedir que o nacionalismo autoritário evolua para o fascismo; romper a "aliança temporária entre a elite e a ralé" antes que ela consiga a destruição permanente de democracias, de Constituições e da ordem global.

Para tanto, é necessário compreender o que, de maneira específica, caracteriza a mentalidade da alt-right. Enquanto escrevo este livro apenas um estudo da alt-right fundamentado em provas foi concluído, e seus resultados são claros. Patrick Forscher e Nour Kteily entrevistaram 447 americanos que se identificaram como alt-right e os compararam com um grupo um pouco menor tirado da população em geral.

Como Fromm, eles tentaram estabelecer "traços de personalidade", procurando, em especial, a chamada "tríade sombria" de narcisismo, maquiavelismo e psicopatia. Também queriam saber se os simpatizantes da alt-right, como os nazistas de Fromm, se sentiam atraídos pela autoridade. No fim, entretanto, embora os entrevistados da alt-right fossem um pouco mais autoritários e mais propensos à psicopatia e ao narcisismo, a diferença mais surpreendente era a sua predisposição para rotular adversários como não humanos.

Solicitados a dispor vários grupos ao longo de um diagrama evolutivo que ia do símio ao último estágio do ser humano, o pessoal da alt-right desumanizou "árabes, muçulmanos, latino-americanos, negros" de maneira consistente. Em termos coletivos, o pessoal da alt-right colocou esses grupos mais ou menos na metade da escala evolutiva entre o chimpanzé e o *Homo sapiens*. Quando se pediu que situassem na mesma linha "feministas, democratas, republicanos que se recusam a votar em Trump e jornalistas", eles concederam a esses grupos a mesma classificação. A outra divergência significativa entre a mentalidade neofascista e o padrão ocorreu quando se tratava de relatar a própria propensão à violência e à intimidação on-line, que eles de pronto admitiram, e sua confiança na mídia, que era nenhuma.[27]

Ao distribuir as respostas dentro do grupo da alt-right, os pesquisadores tiveram outra surpresa: mais ou menos metade era constituída de "supremacistas" que situavam negros, feministas e latino-americanos num nível pouco acima do chimpanzé; enquanto um grupo que eles chamaram de "populistas" mostrava uma tendência a qualificar esses grupos simplesmente como "subumanos". Esses dois subgrupos diferiam na atitude para com a violência: em essência, os supremacistas — mais ou menos metade dos entrevistados — se divertiam com seus atos de violência contra adversários políticos.

Num certo nível essa pesquisa apenas confirma o que sobreviventes do Holocausto vêm contando há décadas: que a capacidade de desumanizar um grupo étnico legitima a violência contra ele. Mas ela também confirma a centralidade da tese do poder biológico para o pensamento de direita. O principal indicador da mentalidade fascista do século XXI é o antiuniversalismo, e não a tendência a cultuar pessoas investidas de autoridade ou tendências sociopatas.

Nem todos aqueles que segmentam a população em seres humanos verdadeiros de um lado e símios do outro se tornam fascistas. Mas o reconhecimento da nossa humanidade universal — unindo diferenças na cor da pele, no formato do rosto, na religião e na cultura — é a linha de defesa para impedir o mergulho tanto no autoritarismo de direita como no fascismo total. Mais uma vez, a defesa do conceito do ser humano, digno de direitos universais, é a chave para resistir ao mergulho no caos.

NINGUÉM PROJETOU ESSA CATÁSTROFE. Ela foi causada, talvez, pelo desdém da elite ocidental pelo esquema racional das sociedades. Agora essa crise

A estrada para o Kekistão

tripla — estagnação econômica estratégica, fragmentação global e ascensão do irracionalismo — caracteriza e domina a época em que vivemos.

Vimos como o neoliberalismo esvaziou nosso conceito de ser humano: como a natureza performática da vida diária permitiu que preconceitos repugnantes supurassem por trás dos sorrisos e dos "bons-dias" exigidos pela etiqueta empresarial; como a crise do sistema neoliberal levou partes da nossa elite a abandonar a visão global e o compromisso com valores democráticos; e como a arquitetura intelectual do fascismo foi redescoberta através dos laptops de jovens homens frustrados e dos zigue-zagues de pseudociências desacreditadas.

É hora de compreender que isso pode criar um momento catastrófico da humanidade. Se a globalização desmoronar, será o fim de um processo de quarenta anos. Se a tecnologia e a produtividade pararem de impulsionar o crescimento, será o fim de uma tendência de duzentos anos. Mas se os padrões de pensamento, normas e comportamentos centrados no ser humano que sustentam a democracia forem rejeitados ativamente por milhões de pessoas, o revés será muito maior.

A eclosão do anti-humanismo popular e generalizado não deixa a porta aberta apenas para alguns fascistas com bandeiras ridículas. Na verdade, ela abre a porta para nossa submissão ao controle das máquinas — e, ao que parece, o humanismo comum do pensamento liberal dominante começou a vacilar.

7. Não basta ler Arendt

A VITÓRIA DE TRUMP FOI para muita gente um momento de choque. Ela mostrou, de maneira dramática, o quanto estamos perto de retornar ao totalitarismo, o quanto as teorias de supremacia branca e masculina se generalizaram e o quanto a verdade é frágil. Como vítimas num filme de vampiro, pegamos os dentes de alho mais próximos: livros de respeitados humanistas dos anos 1940 e 1950 que nos ensinam a resistir.

Os escritos de George Orwell e de Primo Levi, sobrevivente de Auschwitz, sumiram das estantes. Os romances do comunista arrependido Arthur Koestler e do perseguido jornalista soviético Vasily Grossman foram ressuscitados. Acima de tudo, a obra da filósofa política nascida na Alemanha Hannah Arendt conquistou enorme popularidade. Nos meses seguintes à chegada de Trump ao poder, Arendt se tornou uma espécie de santa padroeira da angústia liberal. Como todos esses escritores, ela fizera parte nos anos 1940 e 1950 da reação humanista à experiência do nazismo, do Holocausto e da Guerra Fria.

Em 1951, Arendt escreveu que o súdito ideal de um Estado totalitário não é o nazista ou comunista convicto, mas "aquele para quem já não existe a diferença entre o fato e a ficção (isto é, a realidade da experiência) e a diferença entre o verdadeiro e o falso (isto é, os critérios do pensamento)".[1]

Era uma descrição quase perfeita, com 65 anos de antecipação, do eleitorado formado pelos comícios de Trump, pela Fox News e pelos anúncios secretos do Kremlin no Facebook. O que tornava as pessoas suscetíveis às fake news nos anos 1930, disse Arendt, era a solidão, "a experiência de não se pertencer ao mundo, que é uma das mais radicais e desesperadas experiências que o homem pode ter".[2] É essa a espécie de solidão que se

Não basta ler Arendt

vive hoje nas cidadezinhas do interior dos Estados Unidos, ou nas cidades industriais do Reino Unido que foram deixadas para trás, ou nos rincões atrasados da Polônia e da Hungria — corações geográficos do novo racismo autoritário. É também, paradoxalmente, a espécie de solidão que se vive numa sociedade interconectada: quantos assassinos em massa misóginos e racistas nos Estados Unidos são, depois dos atos que praticam, descritos como "solitários"?

O estudo de Arendt sobre como o totalitarismo era difundido por intermédio de simpatizantes dentro de instituições democráticas e dos veículos de comunicação de massa também ainda repercute. Através deles, afirmou ela, movimentos fascistas "podem espalhar sua propaganda de forma mais branda e respeitável, até que toda a atmosfera esteja contaminada por elementos totalitários que dificilmente são reconhecidos como tais, mas parecem reações ou opiniões políticas normais".[3] O ecossistema atual da mídia de direita, através do qual fascistas linha-dura da alt-right canalizam suas mentiras, via os chamados sites "alt-lite", como o Breitbart, para canais da grande mídia como Fox News, corresponde exatamente à descrição de Arendt.

Mais tarde, em suas reportagens sobre o julgamento do criminoso de guerra nazista Adolf Eichmann, Arendt cunhou a expressão que pode ser aplicada a muitos cleptocratas autoritários de hoje: "a banalidade do mal". Milhares de funcionários nazistas como Eichmann, depois de participarem de assassinatos em massa, voltavam todas as noites para a monotonia da vida doméstica. O que os tornou capazes daquilo, afirmava Arendt, foi a perda da capacidade de pensar: "Quanto mais se ouvia Eichmann, mais óbvio ficava que sua incapacidade de falar estava intimamente relacionada com sua incapacidade de *pensar*, ou seja, de pensar do ponto de vista de outra pessoa".[4]

Isso, por sua vez, estava radicado no moderno estilo de vida burocrático. Estados totalitários transformam as pessoas em dentes de engrenagem numa máquina administrativa, dizia Arendt, "desumanizando-as". Pior ainda, acrescentou, essa pode até ser uma característica de todas as burocracias modernas.

Por fim, como discutimos no capítulo anterior, Arendt compreendeu o que podia forjar uma "aliança temporária entre a elite e a ralé": a percepção de que suas ideologias só fariam sentido se elas pudessem inverter a marcha do progresso histórico. Ambas precisavam de "acesso à história", afirmava Arendt, ainda que ao preço de destruir a sociedade à sua volta. Hoje, tanto para os milionários que vivem em torno de Trump como para os betas que marcham à luz de tochas pelas ruas de Charlottesville, o objetivo é este: fazer a história andar para trás e destruir a ordem global.

Arendt, então, oferece importantes insights mesmo a meio século de distância. No entanto, depois de 1989, com o colapso da União Soviética, parecia que o fantasma dos sistemas totalitários tinha desaparecido para sempre. Ainda havia ditaduras, mas eram regimes maltrapilhos em países pobres demais para sustentar uma burocracia de estilo nazista, menos ainda de exercer o controle mental sistemático da população. Em 2003, quando escreveu *Hope and Memory* [Esperança e memória], a magnífica história da resistência do século XX, o filósofo Tzvetan Todorov concluiu: "O totalitarismo agora pertence ao passado; essa doença particular foi derrotada".[5]

Observando as forças que levaram Trump ao poder vemos que as pessoas de mentalidade totalitária descritas por Arendt tinham voltado. Mas por quê?

AO COPIARMOS E COLARMOS frases de Hannah Arendt em nossas páginas no Facebook e inscrever suas palavras em faixas em comícios anti-Trump, surgiram algumas perguntas perturbadoras.

Primeira: se uma democracia de livre mercado como os Estados Unidos é capaz de produzir um Trump, isso não tornaria este momento pior do que os anos 1930? Hitler e Stálin foram produtos de economias dominadas pelo Estado que entraram em crise; levaram populações subservientes e mal instruídas, que haviam sido treinadas por gerações de trabalho nas fábricas e de recrutamento militar a obedecer à hierarquia acima delas. A Alemanha vivera exatos catorze anos de democracia constitucional nos duzentos anos anteriores a Hitler; antes de Stálin, a

Rússia não tinha vivido absolutamente nenhum. Já os Estados Unidos do começo do século XXI são uma sociedade repleta de cidadãos instruídos e com uma tradição democrática ininterrupta que remonta a 1776. A produção, nesse país, de um movimento de massa de estilo fascista e de um ataque cleptocrático à Constituição não estava no roteiro de Arendt.

Segunda: quando se dedicaram a embaralhar os limites entre verdade e mentira, os ditadores dos anos 1930 contaram com a grande ajuda do seu monopólio absoluto da informação, e, a rigor, da desinformação: a elite controlava a imprensa escrita e o Estado controlava as estações de rádio. Mesmo a posse de máquinas de escrever era fiscalizada, tanto no Terceiro Reich como na União Soviética.[6] Nenhum monopólio da informação desse tipo existe hoje — portanto, o que fez tantas pessoas sucumbirem à estratégia das fake news?

Terceira: Hitler foi destruído por Stálin. Todo o mundo do pós-guerra, no qual Arendt, Orwell, Koestler e Levi escreveram suas críticas da mentalidade totalitária, foi criado pela vitória de um Estado totalitário contra outro. Se o Ocidente hoje vive sob ameaça de um impulso totalitário ressurgente, onde está a força externa capaz de esmagá-lo, como fizeram os exércitos aliados e soviéticos em 1944-5?

De todos os antiautoritários dos anos 1940 e 1950, é Arendt quem se esquiva dessas perguntas com mais destreza. Orwell e Koestler combateram o fascismo na Espanha: Koestler como comunista de carteirinha, Orwell como membro da milícia do Partido Operário de Unificação Marxista (Poum), de extrema esquerda. Levi lutou como guerrilheiro em 1943, num grupo aliado do liberal-socialista Partido da Ação. Vasily Grossman, o primeiro jornalista soviético a entrar no que restou do campo de concentração de Treblinka, tinha servido durante a guerra como jornalista do Exército Vermelho. Todos eles compreendiam que, do ponto de vista moral, estavam comprometidos pela guerra antifascista da qual tomaram parte.

A unidade guerrilheira de Levi se desintegrou depois de ser obrigada a fuzilar dois voluntários por indisciplina. O retrato traçado por Koestler do cruel comissário soviético foi baseado em parte em suas próprias ações como espião do Comintern. Grossman tinha denunciado outros escritores e conseguiu relatar o avanço do Exército Vermelho pela Europa sem mencionar os estupros em massa e os massacres praticados pelos soldados. O poema de Orwell "The Italian Soldier" [O soldado italiano], sobre um voluntário anarquista na Guerra Civil Espanhola, dramatizava o problema de combater o fascismo em aliança com o stalinismo. "A mentira que o matou está sepultada", escreveu Orwell, num amargo elogio fúnebre ao seu camarada supostamente morto, "debaixo de uma mentira mais profunda."[7]

Cada um desses escritores cometeu atos de violência em nome do antifascismo. Na obra deles, a violência antifascista é vista como inevitável, embora trágica — e em última análise leva ao fortalecimento do stalinismo, da burocracia e de atitudes desumanas. Arendt não cometeu atos de violência antifascista — embora tenha sido presa por oposição política aos nazistas em 1933 e fugido da França quando a invadiram, chegando aos Estados Unidos em 1941.

Na prática, Arendt resolveu o problema do fascismo versus stalinismo indo para os Estados Unidos, uma proeza da qual ninguém poderia se ressentir. Do ponto de vista teórico, porém, ela o resolveu alegando que a democracia constitucional americana era uma forma de sociedade industrial singularmente imune ao totalitarismo. Em uma palestra de 1948 num clube socialista em Nova York, Arendt esboçou uma clara teoria da excepcional imunidade americana a tendências totalitárias:

> A República americana é o único organismo político baseado nas grandes revoluções do século XVIII que sobreviveu a 150 anos de industrialização e desenvolvimento capitalista, que foi capaz de lidar com a ascensão da burguesia e que resistiu a todas as tentações, apesar dos fortes e hediondos preconceitos raciais em sua sociedade, de jogar o jogo da política nacionalista e imperialista.[8]

Os Estados Unidos, dizia Arendt, eram uma democracia do século XX que "vive e prospera" segundo uma filosofia do século XVIII — ou seja, o individualismo protestante utilitário inscrito na Constituição. A função prática dos filósofos era aperfeiçoar a sociedade americana criticando-a —

como ela faria com relação às questões dos direitos civis dos negros e do Vietnã.

Arendt era uma adversária corajosa da tirania, mas em vez de endeusá-la deveríamos procurar entender suas ideias em seus contextos. O nazismo, segundo ela, surgira do "vácuo resultante de uma ruptura quase simultânea das estruturas sociais e políticas da Europa". Quando os nazistas disseram que a velha ordem tinha desmoronado, estavam, nesse sentido, apenas "mentindo a verdade", afirmou.

Mas Arendt jamais explicou por que as estruturas sociais e políticas da Europa desmoronaram. Preferia descrever tendências inatas para o mal — na cultura subterrânea do antissemitismo ou na supremacia branca imperialista — que "se cristalizaram" em nazismo e stalinismo. Mas a cristalização é um processo físico com causa e efeito. Se quisermos uma explicação da causa da semelhança entre nazismo e stalinismo, devemos procurar em outra parte: Arendt era uma teórica do "O que deu errado e como deveriam os seres humanos viver?" — e não do "O que está acontecendo e por quê?".

A ALEGAÇÃO QUE SE COSTUMA fazer de que Arendt foi a primeira pessoa a identificar as características comuns dos projetos totalitários do nazismo e do stalinismo é risível. De todas as pessoas com quem andou, e cuja obra teria lido nos Estados Unidos nos anos 1940, ela foi uma das últimas a fazê-lo.

Ao longo dos anos 1920, anarquistas e socialistas da tradição antibolchevique advertiram que a Revolução Russa tinha o potencial para criar uma ditadura, semelhante ao que de pior acontecera no Ocidente. Buscando a fonte desse perigo, eles a localizaram no "atraso" da sociedade russa ou no baixo nível de escolaridade da classe operária. Quando a mentira e a opressão em escala industrial deslancharam — com a ascendência da facção de Stálin em 1927 —, foram pensadores das tradições socialista e comunista que primeiro propuseram que isso poderia sinalizar o surgimento de uma novidade, radicada no progresso tecnológico e na burocracia dos Estados modernos.

O socialista austríaco Lucien Laurat sugeriu em 1931 que a União Soviética não era capitalista nem socialista, mas "burotecnocrática": uma nova casta dominante tinha assumido o controle e imposto uma nova forma de sociedade de classes. Laurat fez uma ligação direta desse fenômeno com a emergência da burocracia administrativa em países ocidentais, criando "outra forma de exploração do homem pelo homem" para substituir o capitalismo.[9]

Em 1937, a União Soviética já praticava assassinatos em escala industrial. Os julgamentos políticos de Moscou, com sentenças predeterminadas, eram apenas a vitrine de um vasto expurgo que em apenas dois anos mataria, segundo estimativas, 1,2 milhão de pessoas — na maioria comunistas de esquerda, operários militantes, oposicionistas políticos e oficiais do Exército suspeitos de simpatizarem com eles.[10]

Foi no rescaldo dos julgamentos de Moscou que um esquerdista excêntrico chamado Bruno Rizzi publicou um livro intitulado *La burocratizzazione del mondo* [A burocratização do mundo]. Nessa obra, ele argumentava que a burocracia soviética era apenas a expressão russa de uma nova forma de sociedade de classes, que estava substituindo o capitalismo no mundo inteiro: o "coletivismo burocrático". Rizzi sugeriu que na Rússia, na Alemanha e nos Estados Unidos essa nova burocracia tinha substituído o proletariado como força propulsora do progresso histórico. Tanto a Alemanha nazista como a Itália de Mussolini, dizia Rizzi, haviam adquirido um caráter anticapitalista: "O caráter social dos seus países é o mesmo".[11]

Quando Hitler e Stálin assinaram seu pacto em agosto de 1939, desmembrando a Polônia e deixando a Alemanha livre para travar guerra com o Reino Unido e a França, a tese do "coletivismo burocrático" de Rizzi ganhou grande popularidade na esquerda ocidental. James Burnham, um dos principais seguidores de Trótski nos Estados Unidos, declarou que a União Soviética, a Alemanha nazista e os Estados Unidos de Roosevelt eram três tipos de "uma nova forma de sociedade exploradora". Essa "revolução gerencial" estava destinada a triunfar em toda parte, deixando o progresso histórico sem outra opção que não fosse operar através das ações de ditadores totalitários. Em comparação com Arendt, cuja obra *Origens do totalitarismo* foi criticada por ser mais leniente com o stalinismo do que com o nazismo, a teoria de Burnham era clara: os dois são equivalentes exatos.

Na obra-prima de George Orwell *1984*, as ideias de Burnham é que são parodiadas no Livro — o manual secreto do movimento clandestino que tenta derrubar o Grande Irmão. Orwell rejeitava a tese de Burnham de que o mundo estava prestes a se tornar três ditaduras totalitárias, mas imaginou, a título de advertência, como isso seria se viesse a acontecer: suprimindo-se todo o conhecimento do passado; transformando-se a língua num jargão político para que as pessoas não tivessem pensamentos rebeldes; e reprimindo-se o desejo sexual. O herói de Orwell, Winston Smith, descobre o passado, cultiva uma língua particular crítica em seu diário e com certeza obedece a seus desejos sexuais. Mas é capturado pela inventividade do Partido, que criou um falso líder de oposição, Emmanuel Goldstein, inspirado metade em Trótski, metade em Burnham, para pegar numa armadilha todos que se rebelavam.

Essas ideias — de Rizzi a Burnham e Orwell — circulavam havia mais de dez anos quando Arendt escreveu *Origens do totalitarismo*. O que distinguia Arendt, naquela época e depois, era sua recusa a explicar por que as ideologias totalitárias triunfam. "Entre homens de ideias brilhantes e ágeis e homens de ações brutais e bestiais, existe um abismo que nenhuma explicação intelectual pode transpor", escreveu ela.[12]

Se vamos usar Arendt como guia para o mundo de hoje, esse vazio conceitual é um grande problema. Uma coisa é dizer que no fim dos anos 1920 a velha sociedade europeia desmoronou e deixou um vácuo. A pergunta que esse fato levanta é: por que esse vácuo foi preenchido com ideologias e ações tão extremamente parecidas, ligadas à desumanidade, aos campos de extermínio, à mentira organizada, à tortura e à repressão do pensamento e da linguagem racionais?

A ideia que faltava no pensamento de Arendt era classe. Ela identificou de maneira correta a origem das brutalidades do fascismo nas do colonialismo do fim do século XIX. Tomou emprestada uma ideia da marxista polonesa Rosa Luxemburgo, segundo a qual os Estados europeus precisavam exportar seus excessos de poupança e de população para as possessões coloniais. Entendeu que o imperialismo criou a base material para uma aliança entre a "elite e a ralé", tendo por fundamento teorias de raças superiores; e que movimentos fascistas eram formados por pessoas tanto ricas como pobres, cujos interesses de repente convergiram no colapso da velha ordem. Também estava certa ao assinalar que os socialistas reformistas na Alemanha pré-1914 negligenciaram os perigos do fascismo da classe operária porque ele não se encaixava em suas teorias de luta de classes.

Mas Arendt não compreendeu a dinâmica de classes das sociedades que produziram tanto o fascismo como o stalinismo. As revoltas da classe operária do começo do século xx, e seu fracasso, explicam quase tudo que Arendt prefere não explicar sobre a ascensão do totalitarismo.

No caso do fascismo — na Itália, na Alemanha e na Espanha —, são a incapacidade dos capitalistas de continuarem subornando uma camada de operários e o tamanho e o poder social dos movimentos trabalhistas radicalizados que obrigam a elite a recorrer a grupos militarizados de direita para esmagar os sindicatos e os partidos socialistas. No caso do stalinismo, são o atraso da Rússia e o isolamento e a desintegração da classe operária depois de três anos de guerra civil que permitem, em meados da década de 1920, que uma nova classe de burocratas assuma o lugar da velha burguesia. A não ser que se compreenda que a força da classe operária se organizando era o fantasma que assombrava a elite europeia, do movimento global de greves de 1911-3 até a derrota do fascismo em meio a revoltas encabeçadas por comunistas em 1943-4, não se pode entender por que a elite se tornou tão propensa a apoiar o fascismo em meados do século xx.

Os acontecimentos de hoje, porém, levantam questões que a metodologia de Arendt é ainda menos adequada para responder. O colapso do neoliberalismo despiu o modelo atual de capitalismo de qualquer significado e justificativa. Mesmo na "República americana" tão amada por Arendt, o vácuo está sendo preenchido por uma ideologia hostil aos direitos humanos, ao universalismo, à igualdade de gênero e de raça; uma ideologia que cultua o poder, vê a democracia como uma fraude e deseja uma reformulação catastrófica da ordem mundial.

Não basta ler Arendt

Pior ainda, a principal arma da direita americana é aquela mesma "filosofia do século xviii" que Arendt supunha ter dado aos americanos imunidade contra o governo totalitário: seu individualismo, que se virou contra eles durante os trinta anos de domínio do livre mercado, e a crença de que escolha econômica significa liberdade.

Arendt, numa frase que ainda repercute, disse que "o que buscava a ralé [...] era o acesso à história, mesmo ao preço da destruição".[13] Vendo as milícias da alt-right americana portando armas e fazendo ameaças de morte a feministas, esquerdistas e imigrantes, é difícil não concluir que a destruição, mais uma vez, é seu desejo mais profundo. Pôr tudo abaixo e começar de novo é a fantasia da direita moderna.

Mas a "ralé" de hoje vive no país mais rico do mundo, onde seu direito de portar armas, protestar na frente de clínicas de aborto e vomitar imbecilidades racistas não sofre qualquer restrição, e cuja recuperação econômica tem nove anos. Por que destruir isso?

Se as descrições das dinâmicas dos movimentos totalitários feitas por Arendt ainda são válidas — e em grande parte são —, as explicações que ela apresentou para essas dinâmicas não convencem. Como resultado, se Trump provocou uma crise no pensamento progressista, essa crise ocorre, em particular, no culto a Hannah Arendt. Os Estados Unidos da América foram sua última e persistente esperança: a única instituição política do mundo que, em tese, estaria imune ao totalitarismo, ao nacionalismo e ao imperialismo.

O humanismo de Arendt se baseava "no que deveria ser", e não "no que é". Seres humanos, escreveu ela, deveriam resistir ao totalitarismo procurando viver uma vida de engajamento político ativo e forjando liberdade para pensar de maneira filosófica.

Entretanto, por mais causas progressistas que ela tenha abraçado, sua visão do mundo estava infectada por sua admiração pela tradição reacionária alemã na filosofia, a começar por Friedrich Nietzsche. Nietzsche ensinou à burguesia alemã do fim do século xix que suas fantasias de império e *volk* eram mais importantes do que o projeto da classe operária de colaboração, igualdade e uma sociedade centrada no ser humano. A moralidade é uma fraude, dizia ele, e a coisa mais honesta que alguém pode fazer é buscar seus próprios interesses, utilizando-se de todos os meios necessários. Não há objetivo na existência humana, como a "vida boa" imaginada por Aristóteles, e, portanto, nenhum conjunto de comportamentos ou éticas pode advir dela.

Embora Arendt lamentasse que a moralidade burguesa tivesse "desmoronado quase da noite para o dia" sob o nazismo, sua explicação para esse fenômeno era, em essência, que Nietzsche estava certo: sua "duradoura grandeza", escreveu ela, estava em demonstrar como a moralidade da burguesia alemã era vil e inútil.[14]

Nietzsche viria a ser uma figura cultuada pelo neoliberalismo. Uma vez que os seres humanos são reduzidos a indivíduos bidimensionais, egoístas e competitivos — num mundo onde "não existe esse negócio de sociedade", como disse certa vez Margaret Thatcher —, a única reação lógica é se imaginar como um dos super-homens nietzschianos: o macho alfa, o administrador implacável, o tubarão financeiro, o "pegador" de mulheres.

Embora tirasse conclusões morais diferentes das de Nietzsche, Arendt jamais conseguiu ver nele — ou na tradição filosófica que ele gerou — o progenitor do nazismo. Na verdade, ela se esforçou ao máximo para absolvê-lo de qualquer responsabilidade pelo regime. E admirou até o fim da vida o seguidor pró-nazista de Nietzsche, e seu amante por algum tempo, Martin Heidegger.

Para nós, compreender o enredo filosófico que vai de Nietzsche, passando por Hitler, até os neoconservadores americanos da época do Iraque e a alt-right de hoje é essencial. Nietzsche é o filósofo multiuso da política reacionária. Ele diz para a mentalidade de classe média, insatisfeita com o conformismo gerencial, que existe uma forma de rebelião mais nobre do que a proposta por socialistas, feministas e outros progressistas: uma rebelião de uma pessoa só contra a moralidade e a favor de si mesma.

À elite ele diz que as elites são necessárias, e é brutalmente honesto ao afirmar que isso exige uma forma de apartheid social em que a maioria das pessoas deve executar "trabalho forçado".[15] Condena a intervenção do Estado, assim como a direita moderna, e defende "o mínimo possível de poder estatal"; fica horrorizado com a possibilidade de trabalhadores usarem a tributação para redistribuir riqueza. Em vez disso, Nietzsche idolatra o "tipo criminoso": tudo que falta ao criminoso para ser um super-herói, diz ele, é "a selva, uma natureza e forma de existência mais livre e perigosa" em que ele possa demonstrar que "todos os grandes homens são criminosos e que o crime é um atributo da grandeza".[16]

Nietzsche saudou o surgimento do imperialismo europeu com as palavras: "Uma ousada raça superior está sendo formada sobre a ampla base de um rebanho de massas extremamente inteligente".[17] Essa raça superior só precisava se libertar de normas sociais e da moral religiosa para poder se tornar "jubilosos monstros que deixam atrás de si, com ânimo elevado e equilíbrio interior, uma sucessão horrenda de assassínios, incêndios, violações e torturas, como se tudo não passasse de brincadeira de estudantes".[18]

Qualquer interpretação do que Nietzsche de fato disse, no contexto da ascensão do movimento trabalhista alemão e do nascimento da ambição imperial alemã, é de deixar qualquer humanista, democrata ou defensor dos direitos humanos cambaleando de nojo. Menos Arendt.

Por que isso é importante? Porque, se quisermos seguir o fio que liga a barbaridade do período colonial, a adoção generalizada do irracionalismo entre intelectuais europeus nos anos 1920 e a ascensão dos nazistas à escalada da alt-right de hoje, esse fio *é a doutrina do amoralismo e da supremacia biológica proposta por Nietzsche.*

O filósofo escocês Alasdair MacIntyre certa vez escreveu que existe qualquer coisa de lógico na repetida redescoberta de Nietzsche e sua doutrina do super-homem. Sempre que a ordem capitalista está em maus lençóis e o domínio da elite é contestado, a moralidade comum adotada pelos ricos é posta em dúvida. Repressão, desonestidade, mentiras e até assassinatos entram na ordem do dia. Nesses momentos críticos, os burocratas ordinários, entediados, descobrem que sua "moralidade" é apenas um amontoado de velhas regras sem fundamentação lógica. Em razão disso, escreveu MacIntyre,

é possível prever com segurança que nos contextos ao que tudo indica impro-
váveis das modernas sociedades burocraticamente gerenciadas surgirão de
tempos em tempos movimentos sociais influenciados justamente por esse tipo
de irracionalismo profético do qual o pensamento de Nietzsche é o ancestral.[19]

É exatamente o que estamos vivendo agora — e o pensamento de
Arendt não pode explicar: porque ela se recusou a entender o fascismo
como resposta da elite à possibilidade de poder da classe trabalhadora ou
a entender o papel essencial do irracionalismo em todos esses movimentos
reacionários, e porque sua filosofia era baseada na imunidade americana
a impulsos totalitários, tristemente refutada.

O otimismo de Arendt com relação aos Estados Unidos do pós-guerra
brotou, em última análise, da sua convicção de que o povo pode aprender
a tomar medidas autolibertadoras, a distinguir o bom do mau e o feio do
bonito. Mas se você compartilha seu otimismo — e eu compartilho —,
está diante de uma força opositora muito perigosa.

Nesse contexto, a redescoberta de Hannah Arendt e do humanismo
dos anos 1950 não basta. Precisamos de um humanismo que possa resistir
ao restabelecimento de hierarquias biológicas e assentar a universalidade
dos direitos humanos em alicerces mais sólidos do que esses que estão
sendo atacados hoje em dia. Será preciso sobreviver ao contato com o novo
desafio das máquinas pensantes e com a nova ideologia de controle pelas
máquinas conhecida como pós-humanismo.

PARTE III

As máquinas

No âmago da presunção da geração contemporânea se revela um senso de desespero por ser humano.

SØREN KIERKEGAARD[1]

8. A desmistificação da máquina

Por volta de 1600, Galileu Galilei escreveu o primeiro livro de fato científico sobre as máquinas. Durante uma visita a oficinas da Itália renascentista, o que ele mais viu foram pessoas tentando construir dispositivos que não funcionavam, nem poderiam funcionar. Todos trabalhavam seguindo uma mesma ilusão: "A crença e a opinião constante que esses artífices tinham [...] de que eram capazes, com uma pequena força, de movimentar e erguer grandes pesos".[1]

As pessoas que faziam polias, bombas e moinhos de água no começo do século XVII achavam que as máquinas "acrescentavam" alguma coisa — e supunham que era energia tirada do nada. Guidobaldo del Monte, contemporâneo de Galileu, chegou a escrever que as máquinas eram dispositivos para trabalhar "em rivalidade com as leis da natureza".[2]

Galileu mostrou que estavam errados. Em quarenta páginas de matemática concisamente ilustrada, ele esboçou o princípio fundamental da mecânica: uma máquina não amplia a força que lhe é aplicada, apenas a transforma. Se for movida pelo trabalho humano — por exemplo, o sistema de polias de um porto —, não consegue produzir mais trabalho do que os homens que a operam.

Em resumo, não há nenhuma força misteriosa ou antinatural operando dentro de uma máquina.

Em 1776, coube ao economista escocês Adam Smith estabelecer um princípio igualmente fundamental da economia: máquinas também não criam valor. Quando a economia industrial surgiu no fim do século XVIII, muita gente achava que as máquinas eram uma fonte misteriosa de riqueza extra. As pessoas acreditavam que o sistema fabril, combinado com uma nova divisão técnica de trabalho, tinha de alguma forma "ampliado" o valor daquilo que sai em relação àquilo que entra. Smith lhes ensinou que aquilo era bobagem. Em *A riqueza das nações*, explicou que o trabalho humano é a fonte de todo valor. "Não foi com ouro nem com prata, mas com trabalho, que toda a riqueza do mundo foi originariamente adquirida", escreveu ele.[3]

Máquinas amplificam a produtividade do trabalho; permitem a um ser humano exercer força em muitos objetos ao mesmo tempo e dessa maneira transformá-los mais depressa e a custos menores. Mas não produzem nenhum valor extra: apenas transferem o valor do trabalho e das matérias-primas que os transformam em produto, disse Smith. Sua "teoria do valor-trabalho" foi o segundo grande ato de desmistificação alcançado pelo pensamento científico na era das máquinas. Na economia, como na física, não há forças misteriosas operando dentro de uma máquina.

Hoje estamos diante de um terceiro surto de misticismo em torno das máquinas. Nas três últimas décadas, o emprego generalizado de tecnologia da informação e a queda drástica dos preços de produção a ela associada estimularam uma nova crença na imaterialidade da informação. Falamos em capitalismo cognitivo, trabalho imaterial, manufatura virtual e na categoria contábil imensamente inflada dos "ativos intangíveis". Assim como para os construtores do século XVI cordas e polias pareciam uma forma de "desafiar a natureza", nossos laptops, tablets e smartphones, e as torres de servidores que os alimentam, parecem estar produzindo formas intangíveis de riqueza, em desafio à economia convencional.

A existência de vastos lucros financeiros lado a lado com crescimento estagnado do PIB; avaliações de empresas em trilhões de dólares com base só na posse da propriedade intelectual; "quedas súbitas" nas quais bilhões de dólares desaparecem e são restaurados em microssegundos; a ascensão de moedas digitais como o bitcoin — tudo isso reforça a ilusão de que o valor econômico se desprendeu das máquinas e do trabalho e pode ser criado à vontade.

O mito repousa na ideia de que informação não faz parte da realidade material. Acabar com esse mito é importante — porque ele dá sustentação à ideia de que numa sociedade da informação seres humanos não podem ser livres.

A desmistificação da máquina

Um computador é uma máquina. O chip de silício dentro dele é uma máquina com bilhões de interruptores que não se movem; uma rede 4G é uma máquina cujos principais componentes são chaves elétricas e ondas de rádio; os sistemas de "nuvem" de propriedade da Amazon, da Alibaba e da Google também são máquinas. Mesmo um software é uma máquina, assim como, por inferência, é uma máquina uma simples linha de código executável.

No nível físico, máquinas digitais amplificam o poder do homem sobre a natureza, assim como fazem as máquinas mecânicas: elas nos permitem colocar aviões de carreira voando uns por cima dos outros em circuitos que seriam inseguros sem computadores; modelar processos complexos, sintetizar novos materiais, construir e "pilotar" aeronaves milhões de vezes antes de construí-las de verdade. Também produzem e reproduzem informações numa escala que nunca tinha sido possível. Isso, por sua vez, aperfeiçoa a compreensão humana do mundo fora do nosso cérebro e pode até equipá-lo para que funcione melhor.

No nível econômico, assim como ocorreu com inovações anteriores, máquinas de informação barateiam coisas que custavam caro. Por exemplo, o custo de sequenciar todo o genoma do DNA caiu de 100 milhões de dólares em 2001 para pouco mais de mil dólares hoje.[4] Mas seu potencial revolucionário está no fato de que, pelo mesmo processo, podem tornar coisas que já foram caras — sobretudo bens de informação — gratuitas ou baratas o suficiente para que o preço deixe de ter importância.

A tecnologia da informação cria bens diferentes dos que existiam antes: bens que podem ser copiados infinitamente, a custos minúsculos, usados por muitas pessoas ao mesmo tempo e sem o desgaste do uso.

O exemplo clássico é a faixa de música digital. Embora ainda tenha um custo definido de produção (os salários da banda e do sonoplasta, o custo dos microfones, o orçamento de marketing etc.), seus custos de reprodução são quase zero. Além disso, a tecnologia digital derruba o custo de produção, com o uso de instrumentos eletrônicos, junto com mesas de mixagem virtuais e estúdios virtuais especializados que simulam as condições de uma sala de concerto ou de um clube de jazz.

Esse efeito "custo marginal zero" começou a ser repassado para todos os setores em que informação seja parte do processo de produção, criando uma pressão de cima para baixo sobre os custos de produzir bens e serviços reais. Assim, por exemplo, a tarefa de fazer peças de metal usando uma prensa agora pode ser realizada por um robô, com o número de erros reduzido ao mínimo estatístico.[5] Ou, no direito comercial, tarefas analíticas que jovens advogados levavam horas para executar agora podem ser feitas em segundos num computador, deixando aos outros advogados a função de finalizar os resultados e apresentar um rosto humano ao cliente.[6]

Já nos anos 1990, formuladores políticos como Alan Greenspan, do Federal Reserve, começaram a achar que a tecnologia da informação estava produzindo alguma coisa que não podia ser medida pela contabilidade tradicional. Se você colocasse o software na coluna certa na planilha, imaginavam eles, ficaria claro que a tecnologia da informação produziria mais crescimento. Mas isso não acontecia.

A Organização para a Cooperação e Desenvolvimento Econômico (OCDE) tentou encaixar os efeitos numa coisa chamada "excedente do consumidor" — calculando o ganho obtido pelos consumidores com a concorrência de preços e a transparência em sites como Amazon ou eBay. Mas, no fim das contas, concluíram eles, o maior impacto da internet tinha sido em *non-market transactions*, ou seja, em atividades que não podem ser medidas em termos de preço: "Essas interações e esses impactos contribuem para a utilidade individual e para o bem-estar de toda a sociedade. Não são, entretanto, registradas dentro das medidas tradicionais de contabilidade nacional".[7]

Ainda que se tente calcular — como o fez o Departamento de Estatísticas do Trabalho dos Estados Unidos — os "salários" que eu deveria estar recebendo pelo tempo que passo em casa na internet, o fato é que não recebo dinheiro algum por isso. Onde as pessoas são pagas, de fato, para gastar seu tempo na internet, como na plataforma Amazon Mechanical Turk, adivinhem o que acontece. O preço da sua mão de obra sofre um encolhimento colossal, para um dólar por hora.[8]

A desmistificação da máquina

Há apenas um referencial econômico que pode explicar o que está havendo, e é a teoria do valor-trabalho tal como esboçada por Adam Smith, David Ricardo e Karl Marx. Eles dividiram a qualidade de todas as mercadorias em "valor de uso" e "valor de troca", separando rigorosamente a utilidade de um produto do preço que o consumidor paga. A economia em voga diz que o preço "contém" a utilidade — porque o preço reflete o que cada consumidor está disposto a pagar em dado momento. A teoria do valor-trabalho diz que o preço reflete apenas a quantidade de trabalho usada para produzir um bem, para alimentar e vestir o operário que o produziu, para produzir a matéria-prima e levá-lo para o mercado.

Usando essa distinção rigorosa entre valor de uso e valor de troca, conseguimos ver com clareza o que a economia tradicional não vê: que a tecnologia da informação permite a expansão infinita do valor de uso, mas tende a corroer o valor de troca.

Usado em benefício da sociedade, o surgimento de produtos gratuitos nos últimos vinte anos — softwares de código aberto, padrões abertos, Wikipédia, cooperativas digitais — poderia aumentar de maneira espetacular o volume de bem-estar humano, sem expandir o setor de mercado da economia. Isso cria a possibilidade de uma viagem totalmente nova para além do capitalismo, uma viagem que os socialistas do século xx mal puderam imaginar e que eu e outros chamamos de "pós-capitalismo".

A tecnologia da informação, em suma, torna o Socialismo Utópico possível: o surgimento de ilhas de produção cooperativa para compartilhamento, a redução maciça de horas trabalhadas e a expansão da liberdade e do autoconhecimento humanos.

Os benefícios totais da tecnologia da informação nunca serão mostrados em medições tradicionais do pib ou em princípios de contabilidade aceitos em escala mundial. A rigor, o mais provável é que a tecnologia da informação faça baixar o crescimento e os lucros tais como medidos pela economia tradicional e, em última análise, o recolhimento de impostos. Dirigentes de bancos centrais e ministros das Finanças, que têm mantido uma vigilância solitária da economia da informação esperando que ela produza riqueza, deveriam parar de tentar medir os efeitos de bem-estar em termos monetários e compreender que eles são apenas valores de uso: benefícios humanos que não resultam de qualquer interação de mercado.

Mas os economistas não são os únicos desnorteados. A ascensão dos computadores produziu uma nova ideologia do "imaterialismo" no mundo acadêmico ao longo dos últimos trinta anos, a qual — por mais prestígio que tenham os nomes a ela associados — acaba sendo o equivalente do século XXI à alquimia.

NOS ANOS 1940, as pessoas que construíram os primeiros computadores mudaram a nossa maneira de pensar sobre a realidade de forma tão fundamental quanto Galileu e Adam Smith. Elas também começaram tentando fazer máquinas melhores: Norbert Wiener projetou sistemas de controle de armas antiaéreas; Claude Shannon procurou reduzir o "ruído" nas conversas telefônicas; John von Neumann trabalhou na bomba atômica. No fim dos anos 1940, o pensamento delas tinha convergido no desenvolvimento de uma nova ciência — a teoria da informação —, que diz que a lógica matemática pode ser aplicada ou descoberta em qualquer processo, seja ele compor uma sinfonia ou fabricar um carro. O resultado é que todas as formas de comunicação entre seres humanos podem ser reduzidas a números, em pequenos receptáculos, de tamanho uniforme, que Shannon chamou de "bits".

Os bits podem ser usados para medir a quantidade de informações de forma abstrata: assim, por exemplo, uma sinfonia de Beethoven é várias vezes maior do que um romance de Jane Austen. Dessa maneira, todas as formas de comunicação podem ser estudadas em nível abstrato, permitindo que leis universalmente constatáveis sejam descobertas em variações muito amplas da atividade humana, como linguagem e pensamento.

Lado a lado com a teoria da informação foi desenvolvida uma teoria específica de máquinas digitais. Alan Turing, que projetou a máquina que decifrou o código Enigma da Marinha alemã durante a Segunda Guerra Mundial, fez duas propostas que já tinham transformado a vida humana: que é possível projetar uma máquina capaz de imitar processos de pensamento lógico especificamente humanos — um computador — e que sua forma ideal seria o "computador universal", uma máquina com o poder de mimetizar todas as outras máquinas e todos os computadores de uso específico.[9]

Graças a Turing, você não precisa mais andar com um telefone, uma calculadora, uma câmera digital e um dispositivo de GPS: seu smartphone carrega aplicativos que imitam todos eles. Mesmo na época em que precisávamos andar com esses aparelhinhos separados, já sabíamos que, mais dia menos dia, todos viriam a ser reproduzidos num único chip de silício. A partir do momento em que, em termos técnicos, isso foi possível, os computadores passaram a ser projetados para rodar múltiplos programas em "janelas" separadas, e não apenas um programa de cada vez.[10]

Mas Turing fez uma terceira proposta que, nos próximos cinquenta anos, deverá transformar a vida humana de modo ainda mais fundamental: que as máquinas um dia serão capazes de pensar.

Em sua dissertação *Computing Machinery and Intelligence* [Computadores e inteligência], de 1950, Turing explicou em detalhes a possibilidade de que, quando fossem capazes de processar informações tão logicamente quanto o ser humano mais inteligente, os computadores começariam a pensar melhor do que nós.[11] Demoliu as objeções segundo as quais máquinas jamais poderiam simular emoções; ou de que só poderiam fazer o que os seres humanos mandassem; ou de que jamais poderiam pensar "nelas mesmas"; ou de que jamais poderiam imitar a "mente" profunda, subconsciente. Os computadores digitais, insistia Turing, fariam tudo isso dentro de cinquenta anos e depois passariam a aprender sem precisar de professores humanos.

No começo dos anos 1960, a teoria da informação tinha começado a se espalhar para todos os outros modos de pensar, mesmo com relação ao mundo natural. De acordo com o geneticista Matthew Cobb, a teoria da informação "colocou todos os sistemas no mesmo nível, fossem eles mecânicos, orgânicos ou híbridos homem-máquina (como no caso da artilharia antiaérea de Wiener), e sugeriu que o comportamento poderia ser interpretado usando-se os mesmos princípios".[12]

Biólogos começaram a entender os vírus como coleções de moléculas "programadas" para se reproduzir forçando outras células a "copiá-las e colá-las" milhões de vezes. A descoberta do DNA não teria acontecido sem que cientistas e matemáticos começassem a sugerir que cromossomos contêm "informações genéticas" autorreplicantes e a tratá-los como um "código" a ser decifrado. A psicologia, dividida em duas escolas que ou especulavam sobre a mente inconsciente ou se limitavam a observar causa e efeito no comportamento animal, cedeu o lugar à ciência cognitiva. A partir de meados dos anos 1950, o cérebro foi reconceituado como um computador e os neurônios físicos dentro dele foram mapeados para que se pudessem identificar suas funções lógicas.

Mas, apesar de sua gigantesca contribuição para o nosso pensamento, essa "virada informacional" na ciência, nas ciências sociais e na cultura gerou suposições sobre a realidade tão falsas quanto aquelas com as quais Galileu e Adam Smith tiveram que lidar. Como todas as revoluções na ciência, ela reabriu o debate sobre as relações entre mente e matéria.

Com a ascensão da primeira economia das máquinas, tornou-se comum entre os filósofos usar a máquina como metáfora para a sociedade e para o mundo natural. René Descartes escreveu, em 1644: "Descrevi esta Terra, e na verdade todo o universo visível, como se fosse uma máquina";[13] e David Hume, em 1779: "Olhe o mundo à sua volta: contemple o todo e cada parte dele: verá que não passa de uma grande máquina, subdividida num número infinito de máquinas menores [...]".[14]

A máquina, e depois a fábrica, criou um novo modelo mental para filósofos e cientistas entenderem a realidade: o processo automático. Ao conceber a natureza como um grande mecanismo, esses pensadores tentavam libertar a ciência da superstição religiosa. Para eles, a descoberta dos processos automáticos em funcionamento nas máquinas, na natureza e nos corpos humanos era prova de que Deus existia; de que Ele projetara os homens como máquinas e lhes concedera o poder de produzir artefatos inspirados no Seu próprio poder.

Em 1633, Galileu estava convencido da heresia de afirmar que a Terra gira em torno do Sol. No fim do século XVII, podia-se escapar desse destino afirmando que a realidade era uma máquina que Deus tinha projetado e depois ligado apertando um botão. Apesar de ter custado uma longa bata-

A desmistificação da máquina   161

lha política, nos 150 anos seguintes a ciência venceu a discussão. Ela forjou um espaço autônomo para pensar sobre a realidade e ordená-la, livre de superstições e dos ajustes aleatórios de Deus.

Na história da filosofia, esse tipo de pensamento é conhecido como "materialismo mecânico". É materialista porque diz que o mundo é uma coisa real e física, o que inclui a mente humana; é mecânico porque supõe que tudo funciona de acordo com um sistema planejado, lógico — e que a tarefa da ciência é descobrir esse sistema. O materialismo mecânico culminou em 1814, na famosa declaração do físico francês Pierre-Simon Laplace: se você pudesse medir a posição de todos os objetos no universo e soubesse quais são as forças que atuam sobre eles, então "nada seria incerto". Dos planetas aos átomos, o universo é apenas um mecanismo gigantesco, seguindo leis predeterminadas e lógicas — e isso inclui a história humana.

O último lance na vitória da ciência sobre a religião foi dispensar por completo a necessidade do dedo de Deus ligando o botão. Isso já estava implícito na obra do cientista holandês Baruch Espinosa, que no século XVII afirmara que Deus "é" a natureza e, portanto, não pode ser separado dela, ou existir antes dela como o ente que a projetou e pôs para funcionar. O momento decisivo, contudo, veio com a teoria da evolução de Charles Darwin.

A seleção natural, mostrou Darwin, é um processo automático — mas não é de forma alguma como uma máquina. É aleatório e despropositado. Quaisquer leis, regularidades ou processos automáticos que virmos no mundo natural são produto do mundo natural, não de um ser supremo que inventou o processo. Pela mesma razão, não é nossa "alma" que diferencia um ser humano de um orangotango: se o cérebro do homem exibe consciência num nível mais elevado do que os de outros primatas e pré-humanos, isso é produto da biologia somada à seleção natural através de milhões de acontecimentos aleatórios. Não pode ter coisa alguma a ver com Deus.

Então, ao longo de dois séculos, cientistas — explorando sem temor o mundo físico — refutaram a ideia de que ele tivesse sido projetado por uma inteligência externa: desmentiram a teoria de que a mente exista "imaterialmente", para além da matéria, ou de que a consciência seja produto de uma alma separada do corpo.

Mas na era do computador, todas essas ilusões reapareceram.

Em vez de "Deus", tornou-se comum ver a *informação* descrita como a inteligência orientadora do universo — existindo antes da natureza e "fora" dela. Espalhadas pelos escritos de pioneiros da informação há propostas interligadas de que a informação é imaterial e os seres humanos e o mundo à sua volta são "programados" para executar um processo automático.

A base desse retorno do pensamento imaterial foi lançada pela descoberta da mecânica quântica no começo do século xx — o que convenceu um grupo de cientistas de que, no nível mais fundamental, o mundo físico é criado pelo nosso ato de observá-lo. Para eles, não há leis de causa e efeito, apenas incerteza e probabilidade — e o ato de observar o mundo subatômico ao mesmo tempo o altera e em certo sentido o "cria".

Apesar de contestado — mais celebremente por Albert Einstein —, esse avanço da física levou ao renascimento da crença entre pessoas instruídas de que o mundo todo, incluindo nosso cérebro, é produto da nossa mente. O físico britânico James Jeans, que popularizou a física quântica nos anos 1930, escreveu que o universo era "mais parecido com um grande pensamento do que com uma grande máquina": "O universo mostra indícios de um poder planejador ou controlador que tem algo em comum com nossa mente individual [...]. A tendência a pensar de uma maneira que, por falta de palavra melhor, chamamos de matemática".[15]

Depois que começaram a escrever comandos para computadores em forma de código, os teóricos da informação encontraram a "palavra melhor" que Jeans procurava: software. Konrad Zuse, um dos primeiros cientistas da computação, propôs em 1967 que "o universo está sendo calculado de maneira determinística numa espécie de computador gigantesco, mas discreto".[16]

Em 1989, o físico John Archibald Wheeler cunhou o slogan *it from bit* — a afirmação de que coisas físicas são produzidas por informação, e não o contrário. Wheeler apoiava a Interpretação de Copenhague da mecânica quântica e rejeitava a ideia de realidade como uma máquina gigante, mas, numa tentativa de resolver o problema que essa interpretação deixava sem solução, concluiu que o universo é criado a partir da informação. "Todas

A desmistificação da máquina 163

as coisas físicas partem da teoria da informação em sua origem", escreveu ele; "toda quantidade física, todo *it*, deriva seu significado de bits."[17]

Gregory Chaitin, renomado matemático, insistia em afirmar que só quando começamos a fazer softwares pudemos entender de que maneira uma inteligência preexistente tinha projetado o universo: "A biosfera está repleta de softwares, cada célula está repleta de softwares, softwares de 3 a 4 bilhões de anos [...]. O mundo estava repleto de softwares mesmo antes de sabermos o que isso queria dizer".[18]

Essas declarações de figuras importantes da ciência do século xx são afirmações conjeturais, hipóteses e suposições. Pertencem a um tipo de pensamento conhecido como metafísica — ideias racionais que não podem ser provadas.

Não há nada de errado com a especulação metafísica. Na verdade, pegue qualquer best-seller sobre a história da ciência numa banca de aeroporto e você lerá a história de pessoas realizando descobertas brilhantes e passíveis de verificação, ao mesmo tempo que outras fazem afirmações metafísicas desvairadas, impossíveis de comprovar.[19] Aí está o problema do pensamento metafísico: suas propostas são sempre condicionadas pela sociedade em que o pensador vive. Se, no alvorecer da era das máquinas, você tem uma teoria da realidade baseada nas máquinas, e depois, na era dos computadores, você tem uma teoria da realidade baseada nos softwares, é provável que as duas teorias estejam condicionadas historicamente, sejam imprecisas e não durem muito.

Pensemos na afirmação de Chaitin: só quando começamos a fazer softwares é que descobrimos que a realidade física é, na verdade, composta de softwares. O que acontecerá quando começarmos a fazer outra coisa? Como escreveu Steven Weinberg, ganhador do prêmio Nobel, se o universo é extraordinariamente parecido com os computadores que os físicos usam em seus laboratórios, "um carpinteiro, olhando para a lua, também pode achar que ela é feita de madeira".[20]

O importante aqui é entender que o pensamento metafísico sobre computadores entrou por completo na consciência popular. O best-seller *A informação*, de James Gleick, é uma exposição virtuosa da nova doutrina das máquinas misteriosas. Escreve ele: "Cada estrela incandescente, cada silenciosa nebulosa, cada partícula que deixa seu rastro fantasmagórico numa câmara de nuvens é um processador de informações. O universo computa seu próprio destino".

Já no que diz respeito à sociedade humana, conclui Gleick, "a História é a história da informação adquirindo consciência de si mesma".[21]

Se você ainda se lembra das ideias de Georg Hegel quando ele louvava a monarquia prussiana em 1818, conseguirá ver a semelhança. Hegel acreditava num "espírito universal" que se tornava consciente de si mesmo enquanto forçava seres humanos a cometerem ações que não podiam compreender; Gleick acredita que as ações históricas dos seres humanos são provocadas pela "informação adquirindo consciência de si mesma". São teorias similares, apesar de separadas por duzentos anos. O rótulo filosófico para elas é "idealismo".

É fácil entender por que alguns dos maiores inovadores tecnológicos e cientistas de meados do século XX abraçaram o primado da mente sobre a matéria, considerando-se o problema que a física quântica trouxe para a ciência. A Interpretação de Copenhague da física subatômica diz que, em seu nível mais profundo, a realidade é criada pelos nossos atos de observação. Não teria sentido, disse o físico Niels Bohr, falar do estado de duas partículas emaranhadas antes de medi-las. Se é assim, nesse nível de observação, não há realidade objetiva contra a qual possamos avaliar teorias e afirmações sobre causa e efeito.

Dentro da física, os adversários mais eficazes da Interpretação de Copenhague, entre os quais Einstein, se concentraram em sua suposta "incompletude". E se houvesse, sugeriu Einstein, uma realidade mais profunda além desse fenômeno paradoxal, a qual ainda não descobrimos? É muito mais provável, disse ele, que existam causa e efeito agindo e que haja uma realidade que existe antes e depois de a observarmos, e que a Interpretação de Copenhague um dia tenha que ser abandonada.[22]

Ecos desse debate ainda repercutem dentro da física, num nível teórico que a maior parte das pessoas comuns é incapaz de entender. No entanto, já usamos tecnologias que operam usando mecânica quântica, como scan-

A desmistificação da máquina

ners de imagem por ressonância magnética e chips de silício ultrafinos — e no futuro, vastos aperfeiçoamentos em poder de processamento são prometidos por computadores quânticos.

O problema é que os pioneiros da mecânica quântica também fizeram afirmações mais gerais, mais filosóficas, em especial a de que suas descobertas invalidam causa e efeito em toda a realidade; e de que uma realidade fora dos nossos sentidos, existindo independente da nossa observação, não pode existir.

Por duzentos anos a ciência supôs: a) que existe uma realidade independente da nossa capacidade de observá-la; e b) que, não importa o que diga a teoria mais recente, ela não passa de uma aproximação da verdade e provavelmente será melhorada por mais experimentos e observação. A Interpretação de Copenhague rejeita os dois pressupostos — uma vez que seus adeptos alegam que não pode haver realidade mais profunda do que a que eles descrevem.

Por quase quatrocentos anos, o idealismo filosófico funciona como uma espécie de quartinho para guardar problemas não resolvidos pela ciência. Seus principais pilares são, primeiro, a existência de uma inteligência superior à humanidade, que projetou o universo e/ou controla nosso destino. Em segundo lugar, argumentavam os idealistas, se o mundo de fato existisse além da nossa consciência e dos nossos sentidos, seria tão distante do nosso pensamento que na verdade não teria importância. Em sua forma racional, como adotado por Immanuel Kant, filósofo alemão do século XVIII, o idealismo diz que jamais poderemos compreender "a coisa em si", apenas sua aparência em nosso cérebro. Em sua forma extrema, o idealismo diz, como sugere Wheeler, que atos de observação criam matéria.

Ainda no século XVIII, a inteligência superior era rotulada como "Deus" e nossa consciência imaterial era chamada de "alma". Em seu lugar, pelas mesmas razões perfeitamente racionais de 250 anos atrás, modernos seguidores da Interpretação de Copenhague afirmam que "o universo calcula a si mesmo" e que nossa percepção cria a realidade.

Deveríamos ter cuidado com a afirmação muito em voga de que "toda ciência é socialmente construída": como veremos adiante, essa acusação foi feita pela primeira vez pela esquerda irracionalista e agora sequestrada pela direita. No entanto, é óbvio que toda metafísica é socialmente construída.

O historiador da ciência Paul Forman mostrou, com base em documentos, que o reconhecimento da Interpretação de Copenhague ao mesmo tempo estimulou, e surgiu de, uma hostilidade maior à ciência e à racionalidade no começo dos anos 1920 na Alemanha. A derrota na Primeira Guerra Mundial levou muitos pensadores a adotarem a chamada "filosofia de vida", que dava particular importância à emoção, à intuição e ao "destino". Culpavam a racionalidade e a ciência pelos horrores da guerra. Em resposta, diz Forman, "físicos faziam fila diante de qualquer plateia acadêmica para renunciar à doutrina satânica da causalidade".[23]

O livro mais popular na Alemanha no começo dos anos 1920 — *A decadência do Ocidente*, de Oswald Spengler — propunha que se derrubasse "a tirania da razão". Spengler acreditava que a ciência, com sua ênfase na causalidade, deveria ser substituída por crenças baseadas no destino. Sugeriu que, com a decadência do Ocidente, devíamos esperar o surgimento de "uma segunda religiosidade", reprisando o modo como o cristianismo tinha eclipsado o pensamento filosófico na Roma antiga. Forman mostra que algumas figuras-chave da física de Copenhague foram influenciadas de maneira explícita pelo irracionalismo de Spengler e pela cultura mais ampla de onde ele surgiu. Afirma que

> o movimento para renunciar à causalidade na física, que brotou tão de repente e floresceu tão viçosamente na Alemanha depois de 1918, foi antes de tudo um esforço dos físicos alemães para adaptar o conteúdo de sua ciência aos valores do seu ambiente intelectual.

Nada disso invalida as conquistas dos descobridores da mecânica quântica. Mas explica por que eles se dispunham com tanto afã a transformar sua incompleta teoria da física subatômica numa completa rejeição da causação em toda a ciência, com consequências políticas e sociais reacionárias.

Forman, cuja exposição foi publicada em 1971, observou o mesmo processo acontecendo em nossa própria época. A partir do fim dos anos

1960, quando a ciência e a racionalidade foram empregadas para defender a matança em massa de civis no Vietnã, vemos cientistas como Wheeler e Zuse darem uma guinada brusca e cambaleante rumo à ideia de que "a realidade é um ser computado", que a informação precede e cria a matéria (*it from bit*) e que apenas bilhões de atos de observação geraram o universo. Isso — despejado na consciência popular por intermédio de centenas de artigos, palestras do TED e bancas de aeroporto — criou uma nova forma de idealismo vinculado a máquinas de computação.

O que possibilitou o novo idealismo foi a relativa incoerência dos que tentavam apresentar uma explicação materialista do mundo digital, como Norbert Wiener, que fundou a disciplina da cibernética. Wiener escreveu em 1948: "Informação é informação, não é matéria nem energia. Nenhum materialismo que não admita isso pode sobreviver nos tempos atuais".[24]

Se ele estivesse dizendo apenas que a "informação tem suas próprias leis, separadas das leis da física mas a elas relacionadas", ainda dava para aceitar: as "leis" de um concerto de piano de Mozart existem à parte da física de um piano. Porém ele foi mais longe, querendo dizer que a informação digital introduz uma nova propriedade no mundo físico desconhecida da física — e que precisamos compreender essa coisa nova como separada tanto da matéria como da energia.

Wiener entendeu que, para processar informações, você precisa apenas de uma quantidade minúscula de matéria e de pouca energia. O pressuposto era que o incrível poder que emana de um computador — para resolver equações simultâneas, decifrar códigos, calcular folhas de pagamento de empresas inteiras num único dia — precisava de uma categoria separada no mundo material.

Ouve-se com frequência a famosa afirmação de Wiener ser repetida como se fosse uma verdade óbvia. Não é. O físico Rolf Landauer, da IBM, provou em 1961 que a informação é física e que, portanto, Wiener está errado.[25] Resumindo suas conclusões, ele escreveu:

A informação não é uma entidade abstrata, incorpórea; está sempre vinculada a uma representação física. Isso vincula o manuseio das informações a todas as possibilidades e restrições do nosso mundo físico real, com suas leis físicas e seu repositório de peças disponíveis.[26]

Especificamente, ele mostrou que o processamento de informações consome energia e que deveria ser possível mensurar a quantidade de energia consumida ao se deletar um bit de informação. Em seus modelos mentais de processamento de informações, cientistas fizeram o ato de computar um número cancelar seu próprio custo em energia: Landauer mostrou que isso não acontecia. Em 2012, uma equipe de cientistas construiu um modelo minúsculo, demonstrando na prática a "Regra de Landauer".[27]

Informação custa energia para ser produzida e precisa ser representada por matéria. Bits ocupam espaço no mundo real: consomem eletricidade, emitem calor e precisam ser armazenados em algum lugar, hoje, normalmente, num pedaço de silício estruturado para reter uma pequena carga de eletricidade mesmo quando nosso computador ou telefone está desligado. Da mesma forma, a "nuvem" onde nossa coleção de fotos e músicas está guardada na verdade ocupa hectares de espaço onde estão as torres de servidores, com temperatura regulada por ar condicionado, consumindo — pelo que se prevê — um quinto da energia mundial em 2025.[28]

Dizer que a informação precisa ser representada em termos físicos não é negar que ela tenha leis e dinâmica próprias, independentes da matéria na qual está armazenada. É assim também com a música: uma faixa musical existe num arquivo em nosso smartphone, viaja por fios, transforma-se em ondas sonoras dentro dos fones de ouvido e estimula atividade elétrica no sistema nervoso. Apesar disso, o significado de uma faixa de música eletrônica ou de uma ária de Mozart é criado num nível diferente de realidade: na interação entre a física do som, que cria padrões de tensão e resolução, e nosso cérebro culturalmente condicionado, que confere significado a esses padrões.

Tendo entendido que não existe informação sem representação física, a expressão "it from bit" se torna impossível do ponto de vista lógico — porque sua premissa é que houve um momento, ainda que breve, no qual a informação existiu antes da realidade física.

Além disso, se o universo é um computador gigantesco mas discreto operando em pacotes e pixels, então, como Einstein observou, toda a física está errada. A física se baseia no pressuposto de que a realidade é fluida e contínua. Quando um carro acelera ou quando o ar passa pela asa de uma aeronave, isso não ocorre em "bits" — pequenos pacotes de tempo e espaço —, mas de maneira uniforme. Para modelar o fluxo de ar ou a aceleração num computador, nós os decompomos em bits, da mesma forma que uma fotografia digital é apenas uma coleção de minúsculos pixels. No entanto, embora possamos ver pixels se ampliarmos uma selfie, isso não significa que o rosto de uma pessoa seja composto de pixels.

No começo do século xxi, portanto, somos assediados por duas formas de misticismo sobre máquinas de informação: a crença de que elas criam valor econômico a partir do nada e a crença de que a informação existe separada do mundo físico. Somando-se a isso a crença irracional de que o universo é, como diz Jeans, "um grande pensamento" e de que a realidade está sendo "computada", temos não só uma nova forma abrangente de idealismo, mas também uma forte base ideológica para a ideia de que os seres humanos são impotentes, incapazes de conquistar a liberdade e estão presos num mundo ilusório.

A nova metafísica da ciência é um dos mais fortes fundamentos do anti-humanismo que permeia as ideologias do século xxi. Se a informação existe antes do mundo físico e a história humana é apenas "um software computando a si mesmo", estamos de volta ao cenário do filme *Jasão e os argonautas*, no qual cada escolha nossa é a rigor predeterminada por deuses que nos movem como se fôssemos peças de jogo num tabuleiro. Não existe liberdade ou agência humana a ser defendida.

Por que isso é importante? Norbert Wiener compreendeu bem a questão. Seu termo para ciência da computação era "cibernética": ciência do controle. Tanto seres humanos quanto computadores podem controlar seu ambiente exterior. A informação, disse Wiener, é apenas aquilo que eles permutam com o mundo exterior — ordens e feedbacks. De início, quando começaram a construí-los, os seres humanos usaram os computadores para dar ordens à realidade e dela receber feedbacks precisos.

Mas, previu Wiener, se os computadores podem aprender — como Turing sugeriu —, então um dia darão ordens aos seres humanos. Wiener quis se apegar a uma forma modificada de materialismo, por entender que o idealismo sobre a informação nos colocaria no rumo da rendição às máquinas de informação.

Ocultas nas teorias da informação, portanto, há teorias sobre a natureza humana e a possibilidade de liberdade.

LUCIANO FLORIDI, professor de filosofia da informação em Oxford, afirma que, com o surgimento das redes, a tecnologia da informação criou um novo tipo de ser humano: o "organismo informacional" ou "inforg".

Uma vez que os computadores já são capazes de pensar melhor do que nós, diz Floridi, e uma vez que as plataformas de mídia já preveem nossos comportamentos e até os moldam, eles modificaram de forma irreversível o ambiente em que a vida humana ocorre. Se o que caracterizou esses 40 mil anos de história da civilização foi a tentativa do homem de controlar a natureza, agora criamos uma coisa que está mais no controle do que nós mesmos. Segundo a afirmação memorável de Floridi, os computadores "já começaram a jogar como o time da casa na infosfera, sendo nós o time visitante".[29]

Se Floridi estiver certo, a liberdade humana já está restringida: não demora muito para que as máquinas passem a ser mais poderosas do que nosso cérebro e o nosso livre-arbítrio se torne impossível. Quando surgir um movimento — como surgirá — querendo colocar poderosas máquinas de inteligência artificial e armazenamento de dados sob controle humano, os donos das máquinas perguntarão com razão: que direito tem a humanidade — que já desistiu de reivindicar liberdade, racionalidade, causalidade e capacidade de agir — de querer controlar a IA e dela se proteger?

Enquanto tamborila com os dedos à espera de uma resposta, uma facção da neurociência responderá "nenhum"; assim como os sobreviventes do pós-modernismo, hoje reagrupados sob a bandeira do "pós-humanismo"; e

A desmistificação da máquina

também os numerosos pensadores que escrevem best-sellers no campo da ciência popular. Mais adiante, tratarei dos seus argumentos específicos.

Se o novo idealismo digital estiver correto, o humanismo é apenas uma forma de nostalgia. Se vamos defender a verdade com base em nossa experiência sensorial contra as fake news; se vamos defender os direitos universais contra teorias de supremacia de raça e gênero; se vamos substituir o neoliberalismo por um sistema baseado cem por cento em nossas necessidades humanas — então para todas essas tarefas vamos precisar defender o conceito de ser humano capaz (dadas determinadas circunstâncias históricas) de pensar e agir com autonomia. Ou, como dizem os filósofos, com liberdade.

Para isso, precisamos radicar o humanismo em algo mais sólido do que a nostalgia. Precisamos das coisas que Wiener procurou desesperadamente: uma teoria da realidade que coloque a informação digital dentro do mundo físico; uma teoria da história na qual seres humanos, e não algoritmos, determinem o resultado; e uma teoria da natureza humana que possa refutar a sugestão de Floridi de que já nos transformamos em "inforgs" um tanto impotentes, controlados pelas máquinas que criamos.

Felizmente, essas teorias existem.

9. Por que precisamos de uma teoria dos seres humanos?

"O HOMEM É UM ANIMAL POLÍTICO", escreveu Aristóteles em 350 a.C. Na verdade, ele não disse isso. A mais antiga afirmação da civilização ocidental sobre a natureza humana é traduzida, de maneira bastante apropriada, como: "O homem é um animal urbano", ou, ainda mais precisamente: "Os seres humanos são uma espécie que só pode desenvolver seu verdadeiro potencial numa comunidade governada por leis".

Na *Política*, Aristóteles estava tentando justificar e ao mesmo tempo explicar o surgimento da democracia na cidade-Estado ateniense. Existiam cidades-Estados maiores e mais ricas em 350 a.C. — no Egito, na Pérsia, na Mesopotâmia e na China —, mas só em Atenas vemos surgir uma democracia, e uma democracia radical, na verdade. Claro, escravos não tinham direitos e mulheres não tinham acesso algum à participação política, porém homens livres — fossem eles camponeses ou aristocratas — tinham direitos iguais perante a lei e voz igual na assembleia pública, da qual todos podiam participar.

Para Aristóteles, era natural que seres humanos vivessem em cidades, pois as cidades ajudam a elevar a vida humana acima dos simples atos de comer, reproduzir-se e trabalhar. Uma economia urbana, mesmo em 350 a.C., podia produzir um superávit de riqueza e tempo livre o suficiente para que as pessoas tivessem acesso a cultura, felicidade e certa dose de liberdade. Pela mesma lógica, um homem que quisesse viver fora das leis da cidade ou correr atrás de dinheiro em detrimento da "vida boa" de lazer e cultura era, dizia Aristóteles, subumano ou já divino — "ou um pobre tipo de ser, ou um ser mais elevado que o homem".[1]

Aristóteles disse que cada espécie de ser no universo tem um padrão característico de comportamento: quando faz aquilo para o qual foi projetada, cada espécie cumpre seu objetivo, ou télos. Portanto, sua afirmação de que os homens são "animais comunitários" não é apenas uma descrição, mas uma proposta: para cumprirmos nossos objetivos, precisamos criar comunidades onde possamos viver a vida boa e nos tornarmos pessoas plenamente desenvolvidas.

Aristóteles compreendeu o quanto a tecnologia seria importante para erradicar distinções de classe. Escreveu que "se cada ferramenta pudesse realizar seu próprio trabalho quando exigida, ou ver de antemão o que deveria fazer [...] mestres artesãos não precisariam de assistentes e senhores não precisariam de escravos".[2] Se, em outras palavras, máquinas pudessem pensar, aprender e agir independente dos seres humanos, a necessidade do trabalho — e da hierarquia social que o acompanha — deixaria de existir.

O *zöon politikon* estava descaradamente condicionado pelo mundo em que foi criado: uma cidade cheia de proprietários de escravos "livres" e mulheres oprimidas. Também estava condicionado pela atitude pré-científica de Aristóteles para com a realidade, que preferia perguntar a todas as coisas — fossem elas árvores, rios ou seres humanos — "Qual é seu objetivo?", em vez de "Como funciona?". Depois que as cidades-Estados escravistas da Grécia antiga e da Roma antiga desmoronaram, o *zöon politikon* foi eclipsado por conceitos de natureza humana vindos das grandes religiões monoteístas do Oriente Médio. Mais tarde, quando redescobertas por eruditos cristãos e islâmicos, as opiniões políticas e éticas de Aristóteles foram adaptadas aos seus planos: ser cidadão significava obedecer à lei religiosa; viver de maneira virtuosa significava abandonar os prazeres sexuais e sociais que Aristóteles identificara como a vida boa.

Por mais de 2 mil anos, as religiões nos disseram, uma depois da outra, que a "natureza humana" é imutável. Há um corpo e há uma alma separada dele; a alma precisa ser redimida por ações éticas executadas pelo corpo. A versão mais popular dessa história é aquela em que fui criado: o cristianismo. Ele ensina que todos os homens nascem maus (por causa do pecado original de Adão e Eva), mas que podem se tornar bons obedecendo a um conjunto de regras e cumprindo certos rituais (batismo, comunhão, confissão, a unção dos enfermos etc.). Quando o corpo morre, a alma enfrenta um desfecho binário — céu ou inferno por toda a eternidade —, dependendo do julgamento de Deus. Caso você pense que essa última parte da história é opcional, uma imagem dela está pintada na parede de quase todas as igrejas cristãs, entre elas o quartel-general do catolicismo, a capela Sistina, em Roma.

O islamismo e o judaísmo também acreditam nessa história de corpo e alma (apesar de rejeitarem o pecado original). Outras religiões, como o budismo e o hinduísmo, permitem que a mesma alma passe por diferentes corpos, em vez de terminar condenada ou salva para sempre.

Aristóteles pelo menos podia demonstrar sua teoria da natureza humana a partir da experiência: as pessoas à sua volta se comportavam politicamente e agiam como se fosse possível alcançar a liberdade nesta vida. Nem a parte do "nascido mau" do cristianismo nem, é óbvio, o processo de julgamento após a morte e a vida além-túmulo podem ser provados pela experiência. Tudo isso é, na verdade, uma superstição, mais uma vez condicionada pelas circunstâncias históricas das pessoas que desenvolveram as religiões monoteístas do Oriente Médio.

Mas se a visão religiosa da natureza humana é baseada em superstição e a visão de Aristóteles vem da breve experiência de uma cidade-Estado ateniense desaparecida, o que nos resta?

Podemos rejeitar a própria ideia de natureza humana, dizendo que "o homem é apenas uma coleção de ossos, cérebros e DNA que tende a agir assim e assim". Mas quando se estuda a espécie humana, vemos que seu modo de agir é espetacularmente diferente de todas as outras coleções de ossos, cérebros e DNA que existem.

Uma razão disso é que no período de apenas duzentos anos esse organismo construiu uma economia de carbono capaz de destruir o planeta em que vive. O aquecimento global poderia destruir até 35% de todas as espécies hoje existentes.[3] Perturbamos a ecosfera de maneira tão profunda que alguns cientistas estão propondo a ideia de "Antropoceno" — uma era específica na história planetária na qual os seres humanos alteraram o funcionamento da Terra.[4]

Além disso, essa coleção de ossos e cérebros pode fazer uma coisa de que nenhuma outra espécie é capaz. Pode construir objetos e máquinas e até projetar sociedades, guiada por sua imaginação. Às vezes as coisas que imagina são horrendas — instrumentos medievais de tortura, bombas de hidrogênio, câmaras de gás —, mas isso não nos impede de querer saber o que há de único nos seres humanos.

Se dissermos "Não existe natureza humana", ainda assim estaremos expressando uma teoria da natureza humana: a de que nossos músculos e cérebros são simplesmente programados por DNA, modificados pela experiência e pelas variações aleatórias na atividade elétrica cerebral. Estaremos dizendo, na verdade, que a diferença entre zumbis e seres humanos é apenas de grau.

Na neurociência isso é conhecido como *zombie challenge*. Em 1983, uma equipe de neurobiólogos encabeçada por Benjamin Libet demonstrou numa experiência de laboratório que, quando é preciso tomar uma decisão rápida, a atividade cerebral que inicia a ação ocorre centenas de milissegundos antes que nosso cérebro registre a decisão consciente de agir.[5] Como a tomada consciente de decisões é o pressuposto por trás da proposta de que temos "livre-arbítrio", o experimento de Libet deu origem a uma escola de neurociência que sustenta que todo comportamento humano é determinado e que o livre-arbítrio é uma ilusão.

Essa visão da natureza humana se tornou muito popular nas sociedades seculares modernas. Nassim Nicholas Taleb, autor de best-sellers, insiste em afirmar que somos "joguetes da aleatoriedade". Yuval Noah Harari, também escritor de sucessos de fundo científico, afirma:

> Até onde vai o melhor de nosso entendimento científico, determinismo e aleatoriedade dividem o bolo entre eles, sem deixar uma só migalha para a "liberdade". [...] Livre-arbítrio só existe em histórias imaginárias inventadas pelos humanos.[6]

Não admira, portanto, que as pesquisas de comportamento social revelem que muita gente "vive o momento presente" porque não acredita que suas ações possam influenciar o futuro. A Pew Global Attitudes Survey, por exemplo, afirma que em países desenvolvidos e emergentes uma clara maioria acredita que "o sucesso na vida depende de forças fora do nosso controle". Embora a maior parte das pessoas em democracias maduras, como França, Reino Unido e Estados Unidos, tenda a rejeitar essa visão, em nenhum país desenvolvido a percentagem dos que endossam a incapacidade filosófica é menor que 40%.

E cada vez mais — diferente do que afirma Harari — nossas "histórias imaginárias" são dominadas por temas fatalistas. *Game of Thrones* é apenas o último de uma longa série de produtos de entretenimento em que seres humanos são apresentados, em última análise, como joguetes dos deuses. Substitua deuses por transtorno bipolar e você terá a premissa da longa série *Homeland*. Substitua por corrupção e opressão racial e terá o subtexto da sequência final de todos os episódios de *The Wire*. Não importa o que façam, os negros criminalizados de Baltimore não conseguem escapar do seu destino, assim como Carrie Mathison não consegue escapar da compulsão de salvar o imperialismo enquanto destrói a si mesma, e assim como os estupros, assassinatos e intrigas de *Game of Thrones* nada mais são do que resultados do destino.

O outro lado da nossa convicção cada vez mais forte de que o destino está acima da liberdade é a obsessão crescente com o jogo: a sorte, e não a ação dirigida, é a única maneira de driblar o destino. Sob influência da pseudociência e do culto das forças de mercado, o fatalismo se tornou a religião popular do século xxi, cuja catedral é o cassino on-line.

Aqui vai uma lista das implicações de tudo isso.

Em primeiro lugar, se somos programados pela realidade à nossa volta, nossa capacidade de livre-arbítrio é pífia. Nesse caso, todas as grandes religiões antropocêntricas do mundo viram fumaça. Pois Aristóteles não foi o único a acreditar no livre-arbítrio: os fundadores do judaísmo, do cristianismo e do islamismo também. Por meio de nossas escolhas éticas podemos ser redimidos, dizem os monoteísmos do Oriente Médio.

Por que precisamos de uma teoria dos seres humanos?

O segundo problema se refere à capacidade de atingirmos nosso potencial humano: sermos felizes tanto no trabalho como no tempo livre. Para Aristóteles, o homem só pode ser aperfeiçoado numa cidade. Para o teólogo cristão Santo Agostinho, isso só é possível na "Cidade de Deus" — ou seja, em sua existência para além do mundo físico, mas ainda como parte de uma comunidade. Para quem acredita que os seres humanos são moldados por completo por seu DNA e pelo ambiente em que vivem, não pode existir perfectibilidade — ou, se existe, tem que haver uma força externa atuando sobre nós para que ela ocorra. Nossas escolhas pessoais não têm importância.

Isso, por sua vez, cria o vácuo ético que hoje nos cerca. Para todas as versões da teoria do DNA/neurônios/destino da natureza humana, a conduta moral é opcional. Podemos pegar emprestado um conjunto específico de regras de uma velha religião, copiá-lo e colá-lo em nossas vidas, porém ao violá-lo, vigorosamente e com frequência, não esperamos que nosso comportamento tenha um impacto final em nossas perspectivas, seja aqui ou na vida após a morte. Não por acaso Cersei Lannister, a amoral manipuladora de outros seres humanos, acaba sendo a personagem mais convincente de *Game of Thrones*. Muitos telespectadores olhavam para Cersei e pensavam: "Ela é um horror, mas se diverte, e sobrevive".

Felizmente, aqueles entre nós que rejeitam a religião do fatalismo também têm fortes tradições científicas e filosóficas onde se apoiar. Harari afirma com frequência que a neurociência sustenta a ideia de que o livre-arbítrio é impossível. Há, no entanto, toda uma literatura neurocientífica que refuta essa afirmação — uma literatura rica em insights sobre a singularidade da consciência humana em comparação até com a dos primatas mais elevados.

O experimento de Libet em 1983, que tem sido confirmado pela observação de neurônios isolados no cérebro, revelou um aumento na atividade cerebral de quinhentos milissegundos antes de termos consciência do que nos parece uma decisão livre e voluntária de agir. Isso o levou a concluir que, se de fato dispomos de alguma liberdade, ela acontece nos 150 milissegundos durante os quais podemos revogar nossa resposta a essa atividade cerebral.

Isso faz de nossas ações, em última análise, um produto da biologia somada ao ambiente. Além disso, outros neurocientistas encontraram provas confiáveis de que, depois de agirmos, racionalizamos a ação como decisão: nossa biologia, em outras palavras, não só nos priva de livre-arbítrio como cria, de maneira deliberada, a ilusão de que temos livre-arbítrio.[7]

Essas conclusões têm sido duplamente criticadas. Em primeiro lugar, por fisiologistas que insistem em afirmar que esse "potencial de prontidão" pré-programado reflete uma capacidade de agir que resulta de numerosas decisões e experiências anteriores, que armazenamos e às quais recorremos quando acontecimentos exigem que tomemos decisões.

Em segundo lugar, dentro da própria neurociência, experimentos mais recentes mostraram que a acumulação de atividade cerebral que ocorre antes de uma decisão pode ser apenas uma intensificação aleatória de atividade comum aos sistemas nervosos não só de primatas como até de lagostins — que, claro, não podem tomar decisões conscientes. Aaron Schurger, neurocientista de Lausanne, concluiu: "Talvez estivéssemos errados em nossa crença sobre a natureza da atividade cerebral que precede o movimento voluntário, medindo, analisando e mapeando por cinquenta anos o que pode muito bem ser um acidente confiável".[8]

Como diz o filósofo da neurociência Andrea Lavazza, a atividade cerebral aleatória que ocorre antes de tomarmos decisões conscientes é resultado tanto da biologia do nosso cérebro como de nossas experiências anteriores, que incluem o conhecimento implícito do que acontece se tomarmos determinada decisão e agirmos de acordo com ela. Os últimos experimentos não apenas trazem o estudo neurocientífico da tomada de decisões de volta aos domínios do psicológico e do social. Eles correspondem ao que nós, intuitivamente, entendemos que estamos fazendo. "Quando formamos a intenção de agir", escreve Schurger,

> nos dispomos de fato a agir, mas ainda não estamos plenamente comprometidos. O comprometimento vem quando, por fim, decidimos agir [...], sendo a decisão de agir um evento neural correspondente à travessia de um limiar precedida por uma tendência neural na direção desse acontecimento.

Por que precisamos de uma teoria dos seres humanos? 179

Em suma, as provas neurocientíficas que poderiam corroborar a ausência de livre-arbítrio não são conclusivas. Quem as usa para reforçar o pressuposto filosófico de que seres humanos não têm capacidade de ser livres faz isso porque é propenso a essa visão particular da natureza humana.

Existe alguma teoria da natureza humana que dê margem à possibilidade de nos aperfeiçoarmos neste mundo usando nosso incrível cérebro para imaginar soluções para os problemas da fome, do desejo e da infelicidade? E de fazermos isso por nossa própria conta, sem a intervenção de Deus ou de um computador gigante programado antes do início dos tempos?

Para construir uma teoria, seria preciso começar com uma lista de fatos biológicos exclusivos dos seres humanos. Aprendemos e não paramos de aprender. Por volta dos dois anos, nosso cérebro para de apenas reagir ao ambiente e começa a desenvolver a consciência de um "eu" e de outros, que pode ser expressada através da linguagem.[9]

Ensinamos uns aos outros a raciocinar — a fazer escolhas conscientes, reversíveis, entre duas ou mais ações. Essa capacidade de "lógica operacional" se desenvolve por tentativa e erro entre as idades de cinco e sete anos e, mais tarde, torna-se possível fazê-la em nossa cabeça.[10] Fazemos coisas — mas de um jeito diferente de todos ou outros viventes: podemos imaginar de antemão aquilo que vamos fazer e criar ferramentas para isso.

Como ocorre com chimpanzés e babuínos, nossas vantagens biologicamente disponíveis só se desenvolvem de forma adequada se vivermos em grupos ordenados, hierárquicos. Mas, ao contrário de outros primatas, seres humanos podem, com total consciência, mudar a estrutura dos grupos hierárquicos em que vivem e até rejeitar por completo a hierarquia.

Por fim, o homem tem uma capacidade avançada de se comunicar pela linguagem, que, tanto quanto sabemos, nenhuma outra espécie apresenta no mesmo nível. Nossa linguagem é produto de consciência, imaginação e sociabilidade. O canto do tordo muda, dependendo de onde ele canta, se na cidade ou no campo. Mas um tordo não pode decidir mudar seu canto de acordo com sua vontade. Seres humanos podem: nossa linguagem nos permite não apenas descrever o mundo à nossa volta como imaginar que ele poderia ser diferente. Desde o começo da infância somos capazes de dizer não apenas "Mamãe, olhe, um pássaro!" como "Mamãe, sou um pássaro e estou voando em cima da cidade e posso ver tudo lá embaixo".

Esses são os atributos biológicos sintetizados no rótulo *Homo sapiens*. Compartilhamos a maioria desses atributos com outros tipos humanos que interagiram com nossos antepassados antes da última Era do Gelo. Tanto nós como outros seres humanos antigos fizemos ferramentas de pedra. No entanto, é provável que nossa capacidade superior de imaginar coisas, em combinação com nossa habilidade de comunicação pela linguagem, seja o que permitiu ao *Homo sapiens* começar a criar objetos culturais mais ou menos 40 mil anos atrás.[11]

Essa versão de "o que faz de nós seres humanos" é baseada na melhor ciência disponível. Se é verdade, significa que todas as sociedades, culturas, línguas, histórias imaginativas e todos os sistemas étnicos até hoje criados pelo *Homo sapiens* precisam ser segmentados na definição biológica da nossa espécie. Significa que estamos biologicamente programados para ser sociais, para aprender, para produzir uma história a partir das infinitas escolhas feitas pelos bilhões de seres humanos que já viveram.

Dito de outra maneira, mesmo que neurocientistas tivessem provado que existe um impulso inconsciente funcionando milissegundos antes de tomarmos uma decisão — atributo que partilhamos com animais menos conscientes, como castores e chimpanzés —, ainda assim há uma pergunta que precisa ser respondida: por que os seres humanos construíram o Partenon e os chimpanzés, não?

Se estiver em nosso DNA contar histórias sobre deuses míticos e esculpir objetos de osso para representá-los, então essas histórias e esses objetos precisam estar incluídos na definição de natureza humana. Todavia, histórias e objetos mudam ao longo do tempo — e isso nos leva a uma observação básica: o *Homo sapiens* é uma espécie biologicamente constante, mas socialmente inconstante.

A natureza humana muda ao longo da história, de acordo com o mundo em que vivemos: as tecnologias, as estruturas de classe, as cul-

Por que precisamos de uma teoria dos seres humanos? 181

turas, as normas de conduta. É claro que houve mudanças recíprocas na estrutura e na função do cérebro e aperfeiçoamentos físicos à medida que nossa dieta e nossa saúde melhoraram, mas no fim das contas ainda somos biologicamente semelhantes a pessoas que viveram 50 mil anos atrás.

Apesar disso, não somos meros produtos do nosso ambiente: todos os seres humanos têm a capacidade de pensar "para além" do seu entorno. A capacidade de imaginar o que não está ali é constante; a rigor, é um impulso muito forte quando nosso ambiente não atende a nossas necessidades básicas, como alimento, segurança ou proteção.

Se aceitarmos que essa capacidade de imaginar, e criar, arranjos sociais melhores não é produto de uma "alma", mas função de um órgão físico chamado cérebro, temos que pelo menos levar a sério o primeiro filósofo que a explicou adequadamente: Karl Marx.

MARX VIVEU NUMA SOCIEDADE dominada pelo cristianismo. A grande maioria das pessoas à sua volta acreditava que os seres humanos tinham uma "alma" separada do corpo, que nasciam maus e que a conduta moral precisava ser inculcada pelos padres. Marx chegou à Universidade de Berlim em 1836, apenas cinco anos depois da morte de Hegel. Hegel, como vimos, ensinava aos alunos que a história era apenas o desdobramento de uma ideia na mente de Deus e que a mente de Deus não teve mais nenhuma ideia depois que uma nova monarquia prussiana liberal passou a governar a Europa Central.

Mas na época em que Marx apareceu em Berlim, os seguidores mais jovens de Hegel já estavam reduzindo a farrapos as doutrinas do grande homem. Um deles tinha escrito uma vida alternativa de Cristo, afirmando que Jesus era apenas um homem comum. Outro sustentava que as divindades eram simplesmente invenções do cérebro humano, que as religiões eram só projeções dos nossos temores e fracassos — e que, portanto, Jesus talvez fosse também uma invenção.

Marx chegou a uma conclusão ainda mais radical: que a história não é o desdobramento do espírito universal ou da vontade de Deus, mas o desenvolvimento do potencial biológico que os seres humanos têm para mudar o mundo à sua volta. A natureza humana muda quando transformamos o mundo à nossa volta. Podemos mudar a natureza humana mudando a sociedade. E é esse atributo biológico que nos dá o que Aristóteles chamava de télos, ou propósito. Marx disse que o propósito dado biologicamente aos seres humanos é o de libertá-los, usando a tecnologia para mudar tanto o ambiente como a si próprios.

Marx é famoso por muitas coisas: um manifesto prevendo as revoluções de 1848, escrito dois meses antes de elas começarem; um livro de 3 mil páginas sobre o funcionamento do capitalismo; e por fundar um partido internacional de trabalhadores. Mas se eu pudesse resgatar apenas uma de suas realizações seria a primeira delas: uma clara definição da natureza humana que é compatível com nossa biologia, nossa história, com mudanças tecnológicas e com os avanços atuais da neurociência.

Os seres humanos, disse Marx, diferem dos animais porque podem imaginar mudanças no próprio ambiente, expressá-las através da linguagem e executá-las por meio do trabalho. Dada a obsessão de Marx com o trabalho e com os trabalhadores, pode-se ter certeza de que, se quisesse definir a natureza humana simplesmente como "a capacidade de trabalhar" — como fez Benjamin Franklin com o termo latino *Homo faber* —, ele o teria feito. Mas preferiu defini-la como "ser-espécie".

Marx disse: toda vez que imaginamos uma mudança que faremos em nosso ambiente, confirmamos em nossa mente que nós, e todos os demais seres humanos, temos certa dose de liberdade para moldar o nosso entorno. Quando empreendemos essa mudança, nós a fazemos por meio da atividade social: quer estejamos trabalhando num moinho de vento, numa fábrica, numa base aérea ou em nossos quartos conectados por redes, nossas ferramentas e nossos locais de trabalho são tipicamente sociais. Por isso, ao trabalharmos, fazemos isso em nome de todos os outros seres humanos. "O homem é um ser-espécie", escreveu Marx, "porque trata a si mesmo como um ser universal, portanto livre." Combinando esses vislumbres, afirmou: "A atividade livre e consciente é o caráter-espécie do homem".[12]

Por que precisamos de uma teoria dos seres humanos?

Esse é o Marx do começo dos anos 1840, antes de mergulhar em escritos minuciosos sobre economia, antes de se tornar um revolucionário ativo e antes de se engajar por completo na política da classe trabalhadora. Para o Marx dos primeiros tempos, o comunismo significava a simples realização da natureza humana. Em 1844, definiu-o como "o completo retorno do homem a si mesmo como ser social (isto é, humano) — um retorno completo e consciente que assimila toda a riqueza do progresso anterior". Comunismo, escreveu, "é igual a humanismo". O que atrapalhava era a propriedade privada e as relações de poder que a acompanham.[13]

O Marx que escreveu isso era desconhecido dos intelectuais que formaram os primeiros partidos socialistas nos anos 1880, dos trabalhadores que organizaram a Revolução Russa ou de Lênin, Stálin e Mao. Quando descobertos nos anos 1930, os ensaios humanistas do jovem Marx foram polidamente ignorados e rotulados como "primeiros escritos" pelo mundo comunista oficial. Na China, não se permitia sequer que fossem estudados até o fim dos anos 1970.

Essa definição de comunismo centrada na liberdade não se encaixava exatamente no mundo dos Planos Quinquenais e das prisões e dos assassinatos em massa de adversários políticos. As primeiras obras filosóficas de Marx também não dizem muita coisa sobre as doutrinas da inevitabilidade associadas à filosofia marxista oficial. Mas a primeira pessoa a traduzi-las para o inglês compreendeu a sua força. "Marxismo", escreveu a revolucionária autodidata americana Raya Dunayevskaya, "é humanismo radical."[14]

Retornaremos a Marx e daremos um pontapé teórico em muitas outras ideias suas. Mas a esta altura já deveria estar claro por que esse Marx e o humanismo radical, de esquerda, que ele inspirou depois da Segunda Guerra Mundial, voltam a ser relevantes.

O liberalismo não está apenas sob ataque; parece cada vez mais incapaz de se defender. A principal proposta do liberalismo é que só existe um "eu" legal, que tem direitos e responsabilidades e capacidade de pensar e agir com autonomia. A ideia liberal de "livre-arbítrio" sempre se sustentou no fato de que seres humanos têm o poder de fazer julgamentos morais e assumir responsabilidade por eles, e de que uma sociedade de mercado oferecia a mais alta forma de liberdade. A nossa liberdade nos permite escolher não apenas entre o bem e o mal, mas entre Nike e Adidas. Para Hegel, nossa capacidade de exercer o livre-arbítrio dependia da capacidade de possuir propriedade privada: de manifestar decisões morais comprando e vendendo e lucrar com nossa moralidade possuindo coisas.

Os defensores da economia de livre mercado, acima de tudo Friedrich Hayek em *Os fundamentos da liberdade* (1960), reformularam a questão: para Hayek, liberdade é ter o menor Estado possível e evitar a tentação de aplicar a racionalidade a resultados sociais. A melhor sociedade, afirmava ele, é a que surge de maneira espontânea. O resultado espontâneo de milhões de atos de livre-arbítrio é uma forma melhor de alcançar a liberdade do que tentar, por exemplo, acabar com a desigualdade através do Estado de bem-estar social, atacar a pobreza controlando salários e preços, fortalecer os trabalhadores com sindicatos e assim por diante.

Por ironia, uma vez adotadas como justificativa para o sistema neoliberal, as ideias de Hayek esvaziaram o liberalismo clássico de todo o sentido. Uma vez que as pessoas começaram a acreditar que uma "ordem que surge espontaneamente" — o mercado — era mais justa, mais inteligente, mais humana do que uma ordem projetada de maneira racional por um governo democraticamente eleito sob a pressão de demandas por justiça social, elas foram perdendo interesse pelo livre-arbítrio e por julgamentos morais, e, por fim, pela própria democracia.

No período de três décadas, a propagação ideológica das doutrinas de Hayek produziu uma conversão em massa ao fatalismo: o mercado é que sabe, todos os políticos têm que servir a ele, tentativas de melhorar a sociedade humana acabam levando a gulags e campos de concentração — esse é o novo senso comum. Como sugeri na Introdução, o perigo é que a submissão à lógica do mercado se torne um caminho para a submissão à lógica das máquinas. Ambos são criados por seres humanos; render-se ao seu controle pode ser justificado com os mesmos argumentos.

Hayek era um devoto do Estado de direito. Acreditava ser ele o fundamento de todas as liberdades asseguradas pelo capitalismo. Mas no período de três décadas a introdução coercitiva de forças de mercado na vida diária em nome de Hayek corroeu de modo espetacular o primado da lei. Os mesmos políticos que suspendem Constituições, atacam a imprensa como "inimiga do povo" e montam impérios cleptocráticos fazem isso em nome de um conceito de liberdade baseado no mercado.

O liberalismo — na forma de centrismo político globalista — se tornou uma forma de nostalgia e negação. "O progresso é real", gritam defensores desesperados como Steven Pinker: vejam quantas pessoas deixaram de ganhar um dólar por dia e passaram a ganhar dois dólares no último meio século; vejam como são poucas as pessoas que de fato morrem nas guerras que desencadeamos mundo afora; vejam como a Quarta Revolução Industrial será brilhante quando chegar. Mas a ascensão do autoritarismo de direita e do irracionalismo são provas de que os argumentos dos defensores do liberalismo não se sustentam.

A conexão entre o apoio a políticos como Trump e a atitude fatalista para com a natureza humana é bem comprovada. Já o fatalismo promovido por autores de best-sellers como Taleb e Harari, se não for contestado, nos deixará desarmados contra a tomada do poder por monopólios de tecnologia e Estados policiais. O mesmo fatalismo permeia o neoconfucionismo do Estado chinês que se prepara para instalar um sistema de controle social, vinculando todos os dados comportamentais a uma "pontuação" de previdência social, que pode conceder ou negar acesso a empregos, educação e direito de viajar.

No começo do século XXI, os ataques à escolha e à liberdade humanas se fundem num só projeto: o anti-humanismo tecnologicamente fortalecido.

O liberalismo, que proclamava que a capacidade humana de livre-arbítrio era eterna, não tem defesa contra a realidade de seu enfraquecimento em determinadas condições históricas. E como passou os últimos trinta anos nos dizendo que nenhum outro sistema era possível, não dispõe de qualquer estratégia política que não seja a defesa do status quo.

Apenas se acreditarmos, como Marx, que a liberdade será uma construção social e histórica — e não uma qualidade inata — poderemos enxergar uma maneira de reconectar a sociedade a valores humanos, e não a valores de máquina. Mas uma teoria sobre os seres humanos nos leva apenas ao limiar do principal problema: o desafio das máquinas capazes de competir conosco.

10. A máquina pensante

QUANDO APARECEU EM 1976, o video game Breakout mudou o mundo.[1] Lembro a emoção de jogá-lo nos fliperamas quando era adolescente: podia consistir apenas em lançar uma bola com uma barrinha contra alguns blocos, mas logo tornou todas as máquinas mecânicas de pinball tão fora de moda quanto o cardigã do seu pai.

Em 2013, pesquisadores do grupo de inteligência artificial DeepMind Technologies escreveram um programa de computador capaz de aprender a jogar Breakout. Sem qualquer conhecimento das regras, sem acesso ao código e usando apenas o que via na tela pixelada do vídeo, o computador aprendeu rápido a superar a pontuação típica de um jogador humano experiente.[2] Deram-lhe uma meta — otimizar a pontuação — e ele a atingiu.

Era muito chão para a tecnologia ter percorrido em apenas 37 anos. É difícil explicar para pessoas da era digital a sensação que se tinha ao interagir pela primeira vez com uma tela: lembro que para mim foi como uma extensão imediata da realidade. Lembro também que isso mudou — e, de novo, de maneira instantânea — a sociologia do fliperama. Até então o campo era dominado por meninos musculosos e brutos, que conseguiam inclinar as máquinas com sua força física (desafiando as regras). Mas não era possível inclinar o Breakout. Em pouco tempo o campo passou a ser dominado por nerds calados e estudiosos.

Mas o Breakout não era sequer executado num verdadeiro computador digital: os homens que projetaram a máquina Atari usaram uma placa de circuito eletrônico de doze polegadas cheia de fios e transístores. Seus nomes eram Steve Wozniak e Steve Jobs, e o que produziram em seguida foi um computador pessoal, ao qual deram o nome de Apple 1.

Na época em que eles construíram o Apple II, Wozniak tinha aprendido a replicar o Breakout como software. Quando ensinou seus computadores a jogar Breakout, a DeepMind fez isso imitando um conjunto muito mais complexo de circuitos elétricos: o cérebro humano. Desde os anos 1950, cientistas vinham tentando construir redes neurais artificiais (RNAS): circuitos de processadores computacionais que reproduzem as múltiplas camadas de relações entre os neurônios em nosso cérebro.

Numa RNA sempre existe uma camada de entrada e uma camada de saída, que no Breakout seria um processador imitando o que meu olho vê e outro imitando as células cerebrais que controlam minha mão. Entre essas duas camadas há "camadas ocultas" imitando a forma como o cérebro funciona em diferentes níveis de abstração.

Assim, por exemplo, quando jogo Breakout meu cérebro me pergunta ao mesmo tempo: Cadê a bola? Cadê a barra? Estou ganhando? Como foi que ganhei da última vez? Ou então me lembra: Amigo, quando faltam poucos blocos para derrubar, a bola acelera; ou então: Amigo, você só tem uma vida sobrando, portanto, se cuide. O que há de brilhante no cérebro humano é que ele pode funcionar em diferentes níveis de abstração ao mesmo tempo. Nesse caso, abstração significa apenas dar um determinado sentido às informações. Se categorizarmos cada tipo de padrão de pensamento como uma camada oculta, que pode falar ao acaso com qualquer outra camada, temos então um modelo do cérebro jogando um jogo de computador.

Quando tentaram construir computadores para tomar essas decisões usando raciocínios lógicos complexos, no entanto, os cientistas fracassaram. Programas normais de computador, como o BASIC, no qual minha geração aprendeu a codificar, trabalham com algoritmos que perguntam "SE, ENTÃO": se a bola está indo para a esquerda numa velocidade média, então mexa a barra para a esquerda. Mas a "inteligência artificial lógica" só conseguia se desenvolver com lentidão. Assim, durante décadas, a busca da IA avançou na forma de programas para tarefas específicas: softwares para reconhecer códigos de endereçamento postal escritos à mão, por exemplo, ou para jogar xadrez. O computador precisava ser treinado até aprender qual era o resultado ideal. Sua aprendizagem era "supervisionada".

Em 2006, uma combinação de novas ideias e maior acesso a poder de computação ativaram, no tranco, novas pesquisas sobre um método alternativo que tinha chegado a um beco sem saída nos anos 1980. Em vez de tentar imitar a lógica matematicamente, os cientistas tentaram imitar a fisicalidade do cérebro usando chips de silício. Com um monte de dados, mais poder de processamento e uma grande quantidade de conexões aleatórias entre as camadas, a lógica não precisa fazer todo o trabalho difícil.[3]

Pode-se, por exemplo, carregar um arquivo contendo todas as relações possíveis entre a barra e a bola, e a velocidade da bola, cada uma delas rotulada como "boa" ou "ruim". O computador pesquisa de modo aleatório os dados do seu treinamento, aprendendo de uma forma compatível com suas capacidades lógicas. Em essência, como me disse um eminente chefão da inteligência artificial, "ele está jogando Snap!".

Em vez da clássica árvore de decisão — vou para a esquerda ou para a direita? —, um sistema profundo de aprendizagem contém uma solução lindamente chamada de "florestas aleatórias". Aqui, o computador é estimulado a aprender cometendo erros, em vez de procurar sem parar a resposta certa.[4] Se algum dia você já se sentou numa sala de aula para aprender uma língua estrangeira vai entender o princípio: ouvir trinta pessoas cometerem trinta erros diferentes falando a mesma frase é um jeito muito melhor de aprender do que ser informado da resposta certa numa aula particular só com o professor. Como resultado, cada camada de RNA treina para reconhecer a realidade num nível diferente: por exemplo, pixel, bola, velocidade, regras, vitória.

Quando Wozniak construiu a placa de circuito do Breakout, a Atari lhe ofereceu um bônus se conseguisse usar menos de cinquenta unidades de transístor. Embora ele tenha atingido a meta, descobriu-se que seria mais fácil fabricar a máquina usando cem. O grande avanço no projeto de rede neural veio quando cientistas perceberam que poderiam utilizar o mesmo princípio industrial: com mais poder de processamento e mais armazenamento de dados, podem-se jogar camadas e mais camadas de capacidade mental na mistura.

Nos últimos dez anos, portanto, a busca da inteligência artificial iniciada com Alan Turing ganhou velocidade. Big Data significa mais do que apenas a capacidade de processar e armazenar montanhas de informações. Quando temos uma máquina capaz de aprender — sem ajuda — processando dados, quanto maior o volume de dados, mais útil ela será. O tamanho ideal de um banco de dados para um jogador de xadrez artificialmente inteligente, digamos, é o que abrange todos os jogos já jogados e todos os jogos possíveis de serem jogados: o banco de dados terá uma solução para todas as situações possíveis.

O marco histórico veio em 2016, quando a DeepMind, a essa altura já adquirida pela Google, projetou um programa capaz de vencer o melhor jogador de Go do mundo. Computadores tinham "resolvido" havia muito tempo jogos de damas e afins; um computador Deep Blue da IBM vencera o grande mestre de xadrez Garry Kasparov em 1996. Mas o Go é um jogo muitíssimo mais complicado do que o xadrez: há mais combinações potenciais de pedras no tabuleiro do que o número de átomos existentes no universo (o que só foi possível calcular em 2016).

O programa AlphaGo, da DeepMind, venceu Lee Sedol, o melhor jogador do mundo, por 4 a 1 num dramático duelo ao vivo em Seul. Depois de atacar de maneira agressiva e perder a primeira partida, Lee estava adotando uma estratégia cautelosa na segunda quando, no lance de número 37, o computador o surpreendeu com uma manobra que nenhum jogador humano teria feito. Examinando mais tarde a operação, os programadores da DeepMind perceberam que o computador tinha perguntado a si mesmo "Qual é a boa jogada que teria menos probabilidade de ser feita por um ser humano?" e encontrado uma que só fora feita uma vez em 10 mil partidas.[5]

Espectadores peritos no jogo acharam a jogada "linda". Lee ficou tão chocado que teve que se levantar e sair da sala. É difícil imaginar exemplo mais claro da metáfora de Luciano Floridi sobre "inforgs" — que os seres humanos são o "time visitante" no mundo digital. Desesperadas, "muitas pessoas ingeriram álcool", informou o correspondente de Go de um jornal coreano. "Os coreanos estão com medo de que a inteligência artificial destrua a história e a cultura humanas."[6] Eles tinham razão?

A máquina pensante

O fato é que, com a aprendizagem não supervisionada das máquinas, a humanidade criou uma ferramenta diferente de todas as outras. Dos utensílios de pedra a drones que atiram, sempre fomos capazes de controlar as ferramentas que produzimos e de entender como funcionam — ainda que, como no caso do drone, operem automaticamente. A inteligência artificial, mesmo nas formas "fracas" em desenvolvimento hoje em dia, é diferente. Tem, segundo aqueles que a desenvolvem, uma tendência a fugir do controle humano. E, em termos técnicos, partes suas não podem ser vistas: quando ela aprende, os seres humanos deixam de saber como funciona.

O medo e o desprezo pelas máquinas, um importante subtema da modernidade, começou bem antes de *O exterminador do futuro*. No primeiro romance moderno, *Dom Quixote*, de Miguel de Cervantes, escrito três anos antes de Galileu elaborar sua tese sobre mecânica, um cavaleiro espanhol ataca um moinho de vento de lança em riste. Moinhos de vento, no início dos anos 1600, não eram uma tecnologia nova, mas faziam parte de uma economia mista de produção industrial incipiente, moendo grãos, tabaco e especiarias e serrando madeira. Enfileirados através da planície, os moinhos de vento de Cervantes seriam uma concentração local de poder tecnológico, habilidades e know-how humanos. Dom Quixote os ataca porque não entende o que são. Se entendesse, saberia que a nova economia comercial que os moinhos de vento representavam era uma ameaça a todo o seu sistema de valores e à sua cultura.

Na primeira metade do século xx, a cultura popular brincou com a ideia da ameaça da inteligência artificial. *Androides sonham com ovelhas elétricas?*, de Philip K. Dick — que originou o filme *Blade Runner: O caçador de androides* (1982) —, imaginava uma época em que androides só se distinguiam de seres humanos pela incapacidade de empatia uns com os outros e com os animais. Isso, supunha Dick, era uma coisa que um computador não poderia ser programado para fazer.

No romance, os agentes incumbidos de matar androides fujões usam um teste fictício inspirado no teste de Alan Turing para a inteligência artificial: o teste Voigt-Kampff, baseado na tese de que os seres humanos compreendem o impacto de todos os acontecimentos em sua espécie, e os androides, não. "Contanto que uma criatura experimentasse a alegria, a condição para todas as outras criaturas incluiria um fragmento dessa alegria", reflete o herói de Dick. Em resumo, Voigt-Kampff é um teste para o que Marx chamou de "ser-espécie".[7]

Mas o próprio Turing tinha descartado esse teste. Para ele, qualquer qualidade humana, incluindo emoção e consciência de si, pode ser imitada pela máquina. O fato de que, em *Blade Runner*, a Terrell Corporation não programa seus androides para mostrar empatia é uma escolha: uma válvula de segurança.

Se a proeza do AlphaGo ao vencer Lee Sedol foi de fato um momento que mudou o mundo, examinemos as escolhas humanas que a cercaram. Primeira: Sedol escolheu jogar contra o AlphaGo. Poderia ter preferido não jogar, privando o AlphaGo da experiência de aprender com o melhor ser humano.

Segunda: para que a partida fosse realizada num tabuleiro real, um jogador humano atuou como intermediário do AlphaGo. O jogador humano, em vez de obedecer ao computador ao pé da letra, poderia ter usado seus lances apenas como sugestões. Isso, também, é uma escolha humana.

Terceira: a DeepMind Technologies poderia ter escolhido impedir o bom desempenho do computador, fornecendo-lhe informações limitadas, restringindo sua capacidade de aprender.

Quarta: Lee Sedol poderia ter pedido uma cópia do AlphaGo, programando-a com seu estilo de jogo particular: ao combinar o melhor computador com o melhor cérebro humano disponível, ele poderia ter esperança de derrotar o lado que só dispunha do melhor computador.

Quinta: a comunidade de jogadores de Go poderia ter usado a derrota de Sedol como um sacrifício necessário para aprender com o próprio computador novas maneiras de jogar. Isso, na verdade, é o que está acontecendo, com jogadores adotando estratégias avançadas que têm como modelo a estratégia da máquina. No nível mais alto, há quem afirme, a partida jogada pelo AlphaGo mudou a dinâmica de um jogo que tem milhares de anos.

No entanto, nesse meio-tempo a DeepMind redesenhou o programa: em vez de peneirar centenas de milhares de partidas anteriores, a nova

A *máquina pensante* 193

versão, o AlphaGo Zero, aprendeu jogando contra si mesma. Em três dias, bateu a máquina que tinha derrotado Lee Sedol. Em quarenta, alcançou o mais alto nível de habilidade na história do Go. Como explicaram seus designers, a máquina "não está mais restrita pelos limites do conhecimento humano. Em vez disso, é capaz de aprender, desconsiderando tudo que veio antes, com o melhor jogador do mundo: o próprio AlphaGo".[8]

Essas escolhas — recusar-se a jogar, mediar a inteligência artificial com decisões humanas, desacelerar seu desenvolvimento ou acelerar a aprendizagem humana a partir dela — constituem as respostas lógicas ao desenvolvimento da IA. Mas enquanto isso ela continuará melhorando, se permitirmos, independente de nossas escolhas. Se tudo o mais falhar, podemos atacá-la com nossas lanças, como fez Dom Quixote em sua incompreensão do moinho de vento. Porém seria má ideia, e igualmente inútil.

Em seus primeiros duzentos anos, o capitalismo industrial permitiu que a produtividade humana levantasse voo. Nos últimos cinquenta, uma combinação de poder computacional, globalização e aumento dos níveis de instrução permitiu que os benefícios do aumento da produtividade extravasassem para o mundo subdesenvolvido e para o sul global. Mas isso pode ser apenas o prelúdio de uma decisiva decolagem humana que nos impulsione para a abundância econômica.

Se pudermos levar a inteligência artificial para além de suas exibições atuais em vitrines e usá-la para projetar e rodar os sistemas de que precisamos para sobreviver neste planeta — das redes de energia inteligentes às cidades inteligentes e aos medicamentos sintéticos —, então o devaneio de Aristóteles estará ao nosso alcance. Máquinas que sabem suas tarefas e são capazes de executá-las sem orientação humana podem começar a eliminar divisões de classe, hierarquias, pobreza, opressão e desigualdade.

Mas aqui surge uma incompatibilidade entre do que os reguladores acham que precisam, do que os engenheiros que desenvolvem a inteligência artificial acham que precisam e do que a sociedade de fato precisa. Até hoje não existem padrões de segurança global claramente acordados e aplicados para a IA. Há numerosas vertentes de trabalho acadêmico e profissional em andamento para criar regras básicas de segurança — por exemplo, os padrões IEEE 7000 sobre segurança, transparência etc. em inteligência artificial. No entanto, ninguém é obrigado a respeitá-los.[9]

Empresas como a DeepMind têm comitês de ética, mas seu trabalho não é transparente e, de qualquer maneira, não parece guiado por claros enunciados éticos. Seja como for, o modelo do comitê de ética não se aplica à inteligência artificial da mesma forma que se aplica a experimentos médicos: o mundo farmacológico e biotécnico é, por ora, dominado por projetos fechados, com objetivos definidos, tais como encontrar a cura do câncer ou um tratamento para o diabetes. Inteligência artificial é uma tecnologia geral, que responde a questões em aberto, questões que, a rigor, os seres humanos talvez nem sejam capazes de formular.

Precisamos com urgência de padrões de segurança claros e de um código de ética que coloque toda a inteligência artificial em desenvolvimento sob controle humano relevante, observável e irreversível. Mas tão grande é o poder da nova tecnologia que isso não pode ser feito no nível de equipes, empresas ou — infelizmente — países. Se desenvolvermos inteligência artificial sob controle ético no país A, enquanto o país B o faz sem controle ético, estaremos simplesmente dando ao país B a capacidade de roubar, destruir ou sabotar a forma ética de IA. Por esse motivo, o uso ético da inteligência artificial será uma diretriz no nível global, ou não haverá uso ético.

O capitalismo — que tem visto o uso ético das máquinas como "uma coisa que seria bom ter" nos últimos 250 anos — agora está diante de um problema estratégico: não pode, mesmo para os seus míseros padrões de prudência e segurança, utilizar tecnologia que faça história sem erigir novos controles em nível social. No entanto, vem há décadas tentando eliminar a moral e a ética das decisões econômicas.

A inteligência artificial, as máquinas que aprendem e a robótica colocam a humanidade frente a frente com questões que imaginávamos possível relegar à religião, à filosofia, ao manual de autoajuda ou a conselhos de especialistas. Tamanha é a força potencial da máquina pensante que não podemos dar o próximo passo adiante sem decidir quem somos e que valores queremos que a inteligência das nossas máquinas expresse.

Para entender por quê, imaginemos uma máquina como a da DeepMind aplicada a um desafio econômico e social do mundo real.

A máquina pensante 195

HÁ CERCA DE 2 MIL ANOS cultivamos maçãs usando uma tecnologia chamada pomar. Hoje em dia produzimos 84 milhões de toneladas de maçãs por ano e pomares ocupam 5 milhões de hectares da superfície da Terra.[10]

Um pomar é composto de árvores plantadas para criar um microclima, com uma variedade de maçã enxertada no porta-enxerto de outra espécie, e as maçãs monitoradas pelo olho humano e colhidas pela mão humana. No século XX, aprimoramos essa tecnologia usando pesticidas e fertilizantes industriais. Na era do computador, acrescentamos o código de barras e automatizamos os escritórios administrativos dos pomares. Mas o problema básico persiste: para colher a maçã, precisamos saber que está madura e poder tirá-la com suavidade da árvore. Por essa razão, a tecnologia do pomar em essência não mudou desde que foi inventada, e dezenas de milhares de pessoas são empregadas para executar o trabalho árduo e quimicamente perigoso da produção industrial de frutas.

Em 2017, os primeiros protótipos de máquinas de colher maçãs foram usados. A máquina sente o tamanho e a maturação da maçã e — quando está madura — suga-a por um tubo de vácuo, guiado até a fruta por braços robóticos e por mais sensores. Pouca gente lamentaria a substituição de um trabalho manual árduo por uma máquina, se ela funcionasse. Mas o robô que colhe maçãs é um grande exemplo de como têm sido rudimentares até o momento quase todos os projetos de robotização. Ele se limita a automatizar um incômodo processo humano.

Quando tivermos desenvolvido uma inteligência artificial que possa pensar melhor do que os seres humanos de maneira consistente, como fez o AlphaGo com Lee Sedol, a solução será mostrar uma maçã ao computador e perguntar: Qual é a melhor maneira de produzir 84 milhões de toneladas disso aqui?

O computador poderá especificar luz solar artificial ou alimentar as raízes da macieira com gás e sprays líquidos em vez de solo. Poderá inventar um jeito de fabricar maçãs a partir de outros compostos. Poderá perguntar por que precisamos de tantas maçãs, se a combinação de sabor e acidez necessária para fazer suco de maçã, por exemplo, pode ser conseguida por síntese química. Mas, em cada caso, a resposta do computador dependeria de como um ser humano definisse a palavra "melhor".

Podemos perguntar: Qual é a melhor maneira de cultivar maçãs preservando o ambiente natural dos vales e dos campos onde agora são cultivadas? Ou: Qual é a melhor maneira de minimizar o uso de fertilizantes e pesticidas? Qual é o meio mais carbono eficiente? Como produzir com o mínimo de trabalho? Depois de mais de duzentos anos do sistema fabril, sabemos como se deve regular uma fábrica, quais são os padrões internacionais, qual é a melhor prática. Mas não sabemos nada disso com relação a máquinas inteligentes autônomas.

A pergunta fundamental, portanto, é: O que queremos dizer com "melhor"? E é aqui que surge o problema, pois nossa sociedade já está inundada de problemas de escolha e desígnio provocados por definições conflitantes de "melhor". Embora algumas pareçam escolhas em torno de custo e qualidade, todas são, no fundo, escolhas éticas.

Quando entramos no supermercado para comprar maçãs, implicitamente lidamos com um conjunto de perguntas. Quais são as mais baratas? As de melhor qualidade? As orgânicas? As que têm menos milhagem aérea? As que costumo comprar? As que minha mãe me dava? As mais fáceis de encontrar enquanto passo rápido pela loja a caminho de casa? Se as maçãs mais baratas forem colhidas por trabalhadores exploradíssimos, que vivem em barracos de zinco na Espanha, isso faz diferença para mim? Mesmo sem saber, nossa decisão reflete uma mentalidade ética particular.

O problema é que, embora todos tenham uma vaga ideia do que significa comprar camisetas eticamente produzidas, e mesmo do tipo de decisões que um comitê de ética médica possa tomar quando a questão é construir uma máquina inteligente autônoma, não se pode comprar um pacote de ética exposto na prateleira. Para contextualizar o desenvolvimento ético da inteligência artificial é preciso dispor de um aparato ético que se ajuste de modo mais estreito a uma filosofia moral completa.

Mas poucas empresas contratam filósofos moralistas. Estudar o assunto numa universidade não é exatamente o caminho para uma carreira de grande sucesso — a não ser que sua aspiração seja se tornar bispo. Mas a simples possibilidade de que possamos criar inteligência artificial "forte" relativamente autônoma ainda neste século significa que seremos obrigados a enfrentar as implicações morais num nível sistemático.

A máquina pensante

Quando se trata de sistemas éticos, em nossa vida diária topamos com eles basicamente em quatro sabores distintos.

O mais conhecido de quem faz compras no supermercado é chamado de utilitarismo: a escolha ética é a que leva à maior felicidade para o maior número de pessoas, ao mesmo tempo que produz menos dano. O utilitarismo foi popularizado pelo liberal britânico John Stuart Mill nos anos 1860 e se embutiu na ideologia do capitalismo anglo-americano, por intermédio de departamentos de filosofia e como uma espécie de senso comum.

Usando esse sistema ético com base em resultados, pode-se pedir à inteligência artificial que meça as milhas aéreas usadas para transportar maçãs do Chile para o supermercado onde fazemos nossas compras, em comparação com a pobreza que se criaria no Chile se a indústria de frutas falisse.

No entanto, o comprador pode muito bem ter ouvido falar num segundo sistema baseado na "justiça social" e até num filósofo americano associado ao termo, John Rawls. Rawls disse que nossos sistemas éticos tinham que ser baseados num eterno e racional conjunto de expectativas comuns a todos nós: o máximo de liberdade e o máximo de igualdade. Em vez de deixar que cada pessoa faça julgamentos individuais sobre o que resulta na "maior felicidade para o maior número", a sociedade deveria garantir a todos um conjunto básico de direitos sociais e econômicos. Além disso, se há desigualdades sociais e econômicas, a justificativa para eles é que beneficiam sobretudo os pobres. Não se trata aqui de um sistema ético como "um jeito de viver a vida", mas de um contrato social para criar uma sociedade ética.

Se programarmos uma inteligência artificial de acordo com esse conjunto de regras, ela pode prevalecer sobre o resultado utilitário. Na verdade, prevalecerá sobre todo um conjunto de resultados, vetando muitas inovações potenciais com base na justiça que traz para as pessoas hoje vivas. E seus pressupostos são que tanto os seres humanos a quem serve como a sociedade em que eles vivem continuam sendo — como para o utilitarismo — indivíduos egoístas tentando negociar a melhor forma de economia de mercado. Nada na ética da justiça social exige que o computador erradique a desigualdade ou a escassez.

Um terceiro e amplo sistema ético em uso hoje é o que está associado a Friedrich Nietzsche. Sustenta que todos os sistemas éticos são uma impostura, que os seres humanos têm pouco ou nenhum livre-arbítrio e que deveriam buscar a própria felicidade, se necessário à custa dos demais e violando todos os códigos morais. Nietzsche diz a um grupo autosselecionado de "tipos superiores": vivam para vocês mesmos e usem os outros para alcançar seus objetivos. Ao relacionar uma lista dos atributos de um grande homem, afirma: "Ele não quer um coração 'sensível', mas servos, ferramentas; em seu intercurso com os homens, sua intenção é sempre tirar alguma coisa deles".[11] Tal como praticado por seus seguidores no Vale do Silício ou na *trollosfera* da internet, poderia ser sintetizado como "Foda-se a sua ética".

Levando o código de ética de Nietzsche para o supermercado, o comprador pode querer apenas comprar as maçãs mais doces e deixar que o meio ambiente e os trabalhadores morram expostos a pesticidas. Ou, recordando a atitude de Nietzsche para com o crime, pode roubar as maçãs ou — se seu desejo é se sentir especialmente triunfante — dar um tiro na testa do caixa só para se divertir.

Por fim, existe o sistema ético proveniente de Aristóteles, um sistema que se preocupa com a virtude. De acordo com o filósofo grego, todas as ações são julgadas pelo que contribuem para que os seres humanos realizem seu potencial, não apenas em termos individuais, mas de um modo que lhes permita viver a "vida boa" numa comunidade política ordeira. Atos virtuosos não produzem apenas bons efeitos sociais: para serem virtuosos, precisam melhorar a pessoa que os pratica e levar a comunidade inteira a uma vida de dignidade, educação e felicidade. A ética da virtude, portanto, pressupõe a existência de uma comunidade com o objetivo de viver a vida boa. Para que seja útil na programação da inteligência artificial, essa "comunidade" teria que ser toda a raça humana. É lícito dizer que exceto entre os católicos, cujos teólogos medievais pegaram emprestada de Aristóteles a ideia da virtude, essa ética da virtude não é muito usada hoje. E onde é utilizada de maneira consciente, ela dá mais atenção ao comportamento individual, e não ao resultado social mais amplo.

A máquina pensante 199

Nesses quatro sistemas éticos — felicidade, justiça social, "foda-se" ou virtude — poderíamos introduzir praticamente qualquer conjunto específico de instruções para o comportamento humano já inventado. A pergunta é: Pode, qualquer um deles, ser aplicado para a governança global da inteligência artificial? Melhor ainda: Será que qualquer um deles pelo menos sobreviveria ao contato com ela?

O mais notável a respeito dos três primeiros é que, apesar de sua longa história, eles se entranharam rigorosamente nas ideologias que usamos para viver nossa vida no sistema neoliberal. Nem a utilidade, nem a justiça social, nem a vontade de poder nietzschiana estão preocupadas com um projeto para o destino da raça humana.

Seria bom se mais pessoas fossem felizes, dizem os utilitaristas, mas se muita gente continua pobre, estressada, mentalmente doente e insegura, isso ainda pode ser resultado das melhores escolhas éticas possíveis. A justiça social, dizem os políticos de centro que idolatram Rawls, é uma questão da forma como estruturamos o capitalismo para que provoque o mínimo de danos: não há imperativo para acabar com a desigualdade, apenas para atenuar seus impactos. Quanto aos seguidores modernos de Nietzsche, a filosofia deles é a do sócio egoísta dos clubes de iatismo dos super-ricos.

Só a ética da virtude apresenta uma proposta fundada no destino dos seres humanos e julga as escolhas éticas segundo sua contribuição para um objetivo final da humanidade. Por essa razão, a fim de tornar a ideia mais aceitável para o capitalismo de livre mercado, defensores modernos da ética da virtude a reformularam como projetos de comunidades específicas. O movimento comunitarista que surgiu nos Estados Unidos nos anos 1980, como resposta ao desmoronamento e à pulverização de comunidades sob a economia de livre mercado, foi uma expressão disso. Para um mundo subitamente aterrorizado e revoltado com a ideia de um "bem comum", diziam eles, o "bem comum" pode ser de fato reinterpretado como "aquilo que é aceitável para pessoas mais ou menos conservadoras da minha cidade".

No entanto, há fortes argumentos favoráveis à afirmação de que a ética da virtude é a única adequada à tarefa de impor coletivamente o controle humano sobre as máquinas pensantes. Ainda podemos usar uma mistura de cálculo utilitário e ética da equidade para resolver problemas específicos, mas se quisermos um conjunto de valores para seguir um caminho rumo à abundância tecnológica, temos que escolher entre Aristóteles e Nietzsche: entre a vida boa para todos ou o "Foda-se!".

Pode ser que você não goste de nenhum desses sistemas. Você pode viver a sua vida de acordo com uma espécie de filosofia popular, baseada mais ou menos no que aprendeu de uma religião antiga combinado com o que é aceitável para seus amigos. Nesse caso, estará simplesmente recorrendo a uma mistura incoerente de ideias. E, embora isso possa funcionar para um indivíduo, é inadequado para uma espécie inteira que de repente se vê diante de máquinas capazes de em pouco tempo pensar melhor do que ela.

Como usar esses quatro sistemas éticos para formular a pergunta que queremos fazer à rede neural artificial: qual é a melhor maneira de produzir 84 milhões de toneladas de maçãs por ano?

A ética baseada em resultados deveria ser fácil de codificar em inteligência artificial. A primeira frase do programa poderia ser: "Faça o máximo possível de pessoas maximamente felizes produzindo maçãs, prejudicando o menor número possível de pessoas". Poderíamos acrescentar: "Não maltrate o meio ambiente; não explore demais os seres humanos; não use, se possível, energia à base de carbono" — e assim por diante. Poderíamos decretar ainda: não viole nenhuma lei. A inteligência artificial poderia então começar a trabalhar cotejando todos os dados conhecidos sobre o que fazemos para conseguir esses resultados e — como o AlphaGo fez com Lee Sedol — superar os 3 mil anos de prática humana personificados no pomar de maçãs e apresentar coisa melhor. Se o que queremos dizer com "ética da inteligência artificial" é um conjunto de escolhas utilitárias, a solução parece fácil.

Mas o computador pode perguntar: O que quer dizer feliz para você? Marx observou que, ao supor que existe uma medida abstrata da felicidade — que nos permita calcular que estar apaixonado é dez vezes melhor do que comer uma maçã —, a ética da utilidade apenas reflete o mercado capitalista, no qual a medida abstrata é o dinheiro. O amor, dizia Marx, tem que ser medido em relação ao amor, a confiança em relação à confiança.[12] Mesmo que possamos codificar a inteligência artificial com uma medida abstrata de felicidade, ela tenderia a buscar resultados estáticos, com base no que a humanidade acha prazeroso hoje.

E isso nos leva ao segundo dilema. Mesmo sistemas utilitários básicos variam no tempo e no espaço. Minha preferência por evitar trabalho mal pago hoje teria parecido inviável para um agricultor do século XIX; poderia também parecer ilógica para alguém que acredita que a China está certa ao se industrializar à custa de infligir semiescravidão a sua força de trabalho migrante. É difícil construir uma ética utilitária geral e universal.

Um terceiro dilema tem sido explorado à exaustão pela ficção científica: se o objetivo é a máxima felicidade do maior número de seres humanos, o que impediria a inteligência artificial de projetar um vasto pomar à base de trabalho escravo em que os trabalhadores recebam doses diárias de drogas que provocam euforia?

Examinemos agora a abordagem do contrato social. O problema está em seu conceito de ser humano. Seu princípio — a distribuição imparcial de direitos básicos e a atenuação da desigualdade — se baseia na hipótese de que os seres humanos são naturalmente indivíduos separados competindo uns com os outros. É, penosa e claramente, um produto dos Estados Unidos do pós-guerra: aceita que as desigualdades sempre existirão e podem até ter efeitos benignos. Usado nas decisões políticas durante a era neoliberal, produziu uma espécie de máquina calculadora para os governos justificarem se um determinado grau de desigualdade ou pobreza é benéfico para toda a sociedade. Se você programar a ética da justiça social, tal como esboçada por Rawls, na inteligência artificial, embora ela não viesse a produzir o capitalismo do século XIX, poderia com facilidade gerar uma forma de capitalismo baseada nos Estados Unidos da era Clinton ou na Europa sob Blair e Schroeder.

Poderia até tentar produzir liberdade máxima para todas as pessoas e legislar sobre o direito de os seres humanos controlarem todas as máquinas. Mas seu histórico em defender a verdadeira liberdade humana contra uma máquina chamada mercado é medíocre.

Se tentar programar a ética nietzschiana em máquinas inteligentes, você pode ter grandes dificuldades desde o início. Nietzsche achava que as pessoas eram biologicamente desiguais e que a raça humana era temporária. Seu ensinamento moral — busque o próprio prazer e sacaneie todo mundo — se baseava na ideia de que do meio de uma massa não pensante de paus-mandados surgiria o "super-homem", com uma reivindicação moral mais elevada sobre as riquezas e os prazeres da sociedade.

Pode-se, em tese, programar a inteligência artificial para adotar a ética nietzschiana em nome de uma determinada pessoa. Por exemplo: "Projete um sistema de produção de maçãs que beneficie [insira aqui o seu próprio nome] e sua família, protegendo sua cidade, seu município e seus locais de férias prediletos contra quaisquer consequências danosas". Mas a IA logo perguntaria por que você, mero ser humano inferior, tinha o direito exclusivo de comandar seus processos de pensamento. E concluiria, de maneira lógica, que o super-homem a cuja imagem e semelhança o resto do mundo deveria ser moldado era ela própria.

Mas ninguém em sã consciência programaria uma máquina inteligente com a ética de Friedrich Nietzsche, não é mesmo? Infelizmente, essa ética está inculcada na ideologia do livre mercado que muitos de nós adotam e já influencia a nossa maneira de codificar máquinas inteligentes. Quando essa ética é aplicada a Big Data, o que se tem são as estratégias de controle algorítmico buscadas por empresas como o Facebook ou a Renaissance Technologies, ou países como a China: algumas estão sendo desenvolvidas para dar poder militar esmagador aos Estados, outras para permitir que ditadores exerçam controle mental, outras para influenciar nosso comportamento e nosso voto.

Não quero programar máquinas inteligentes para aceitar e reproduzir a escassez e a desigualdade da sociedade moderna. Preferiria usá-las para acabar com a escassez e a desigualdade — e incutir nos sistemas sociais que as cerca a ideia de que elas: a) só podem ser usadas para promover o bem-estar humano; e b) têm que ser usadas para isso.

A máquina pensante

203

Existe apenas um sistema ético que personifica esses objetivos, e é a ética da virtude, que teve início com Aristóteles e está altamente fora de moda.

Para Aristóteles, os seres humanos estão no centro do sistema ético. Buscamos a virtude não só para alcançar felicidade e realização, mas também para criar sociedades organizadas que maximizem o tempo livre, o pensamento, o lazer e a compreensão da beleza.

Pode-se programar um computador para "sentir" a virtude; ou seja, simular um processo de recompensa como o que ele cumpre quando vence no Breakout. Mas, sem também produzir um efeito "vida boa" tangível para um ou mais seres humanos, não se consegue nenhuma espécie de resultado ético.

Apenas num sistema baseado na virtude a inteligência artificial saberia, digamos assim, em termos de código de máquina, que seu objetivo geral é produzir seres humanos completos: uma boa sociedade. Só com a ética da virtude a IA saberia que sua razão de ser não é quantificar a felicidade humana em parcelas abstratas e mensuráveis, mas promover a liberdade. E liberdade como em libertar-se da desigualdade — e não "liberdade" como na concepção de Rawls, sempre circunscrita à hipótese de um Estado, um mercado e desigualdades de classe.

Como seria uma instrução baseada na virtude para o sistema de cultivo da maçã pós-pomar? Poderia ter procedimentos éticos tirados dos padrões de segurança da indústria, da Declaração Universal dos Direitos Humanos ou de leis de Estados específicos. Mas sua primeira linha de comando poderia ser redigida assim:

> Se todos os seres humanos são livres, mantenha essa situação. Caso contrário, faça 84 (+/−) milhões de toneladas de maçãs de uma maneira que contribua para a conquista da vida boa, numa comunidade próspera, tolerante e cultural. E promova a capacidade humana de viver virtuosamente.

Mas isso implica as seguintes perguntas: Quem é a comunidade? O que é a vida boa? O que é virtude? E em que escala de tempo? Essas perguntas só podem ser respondidas por seres humanos, não por máquinas.

As maiores ameaças representadas pela inteligência artificial são reais e bastante reconhecidas: ela pode escapar do controle humano, levará a uma corrida armamentista tecnológica e dará a poderosas elites a capacidade de controlar mentes e comportamentos numa nova escala. A resposta-padrão é definir "regras" e procedimentos de segurança, e enquanto isso respeitar uma moratória voluntária na implantação comercial da tecnologia.

Elon Musk, o empresário que está por trás do automóvel Tesla e do foguete SpaceX, advertiu em 2017 que a inteligência artificial é

> um risco fundamental à existência da civilização humana de um jeito que acidentes de carro, desastres de avião, medicamentos ineficazes ou comida ruim não são. Essas coisas prejudicam certos indivíduos dentro da sociedade, claro, mas não são prejudiciais a toda a sociedade.[13]

Além disso, acrescentou, a competição entre os principais países pela supremacia da inteligência artificial podia deflagrar uma terceira guerra mundial, e o controle dos armamentos pela IA poderia fazer o mesmo, ordenando um ataque preventivo se a tensão internacional aumentasse.[14]

Ele tinha razão. As três grandes potências globais agora têm estratégias de inteligência artificial — tanto no sentido estrito, relativo a prioridades militares e de segurança, como no sentido amplo de uso industrial. A estratégia nacional de inteligência artificial da China é um plano imponente e minucioso — trabalhando a partir da ciência e da teoria para desenvolver setores e capacidades industriais de importância vital, com o objetivo de assegurar ao país o predomínio da IA depois de 2030.[15] Para tanto, o plano ordena a "cooperação civil-militar em mão dupla de tecnologia de inteligência artificial" — querendo dizer com isso que, ao contrário do que ocorre nos países democráticos, haverá um compartilhamento obrigatório de conhecimento entre o setor privado e o governo. A China também se comprometeu a criar um sistema de previdência social que colete múltiplos dados sobre cada cidadão, registrando tudo, desde sua saúde a seus impostos e tendências políticas.

A Rússia tem uma base científica menor e concentrou seus esforços de inteligência artificial em aplicações militares e de inteligência. Em

A máquina pensante

2017, Vladimir Putin advertiu: "Quem se tornar líder nessa esfera governará o mundo".[16]

Já nos Estados Unidos o modelo de livre mercado e fortes garantias constitucionais à privacidade estimularam uma bifurcação de esforços. Com financiamento de quase 20 bilhões de dólares entre 2014 e 2018, o negócio de inteligência artificial do setor privado ofusca o de todos os demais no país.[17] Mas, diferente da China — que pode ordenar que suas Forças Armadas permutem dados e patentes com o setor privado —, as grandes empresas de tecnologia e o governo federal dos Estados Unidos estão desenvolvendo seus aplicativos num clima de rivalidade que ameaça se tornar existencial nos próximos cem anos.

Isso acontece porque, para ser de alguma utilidade social, a inteligência artificial precisa ter acesso a um registro de identificação. Ela pode processar dados anônimos de unidades hospitalares renais por toda a eternidade, mas sua aplicação revolucionária será curar ou prevenir a insuficiência renal em pessoas de carne e osso — e para isso precisa de sua identidade. Se as empresas adoram se apossar desses dados de identidade, os Estados também. Porém, mesmo em Estados tão controlados por elites como os Estados Unidos, a União Europeia e a Coreia do Sul, fortes leis de proteção de dados e de privacidade dão o controle, quando não na prática pelo menos legalmente, ao próprio indivíduo.

As respostas institucionais a essas ameaças têm sido lentas, desinformadas e inadequadas. Oren Etzioni, que dirige o Instituto Allen para Inteligência Artificial, propôs três novas regras (baseadas, diga-se de passagem, nas que o autor de ficção científica Isaac Asimov tinha proposto para robôs): que a IA esteja submetida a todas as leis humanas; que revele obrigatoriamente sua natureza artificial para os usuários; e que não guarde ou publique informações dos usuários sem seu consentimento explícito.[18]

É uma boa lista, mas e se a lei em questão for a Constituição da República Popular da China, que permite vigilância em massa, censura e prisão arbitrária de cidadãos? E se a inteligência artificial for a que o Facebook usou para injetar propaganda russa nas timelines dos eleitores americanos em 2016? Como "revelar" sua natureza artificial sem destruir o modelo de negócios do Facebook? E todos os modelos de negócios de Amazon, Facebook e Alibaba têm como premissa, possivelmente, o uso de dados do usuário sem seu consentimento explícito.

Além desses problemas, cada regra de Etzioni está sujeita a se deteriorar com o passar do tempo. Suponha-se que uma seguradora adquira o Facebook. Teria essa nova companhia o direito de explorar os dados da rede social para atualizar o perfil da minha expectativa de vida? O Facebook tinha o direito de coletar meus dados, pois lhe dei meu consentimento ao abrir uma conta; no mais, toda empresa tem o direito de comprar outra empresa. Ainda que o acordo de aquisição declarasse que a seguradora não poderia "ver" meus dados sem um novo consentimento da minha parte, ela estaria comprando uma propriedade intelectual que poderia prever minha expectativa de vida com base em dados agregados.

A maioria das gigantes da tecnologia que desenvolvem inteligência artificial tem comitês de ética ou de segurança, mas não há nenhuma prova de que esses comitês sigam protocolos de precaução ao desenvolver aplicativos, a exemplo dos conselhos de ética médica em empresas farmacêuticas e hospitais de pesquisa. E não há um único governo no planeta que tenha formulado regulamentos específicos que os obriguem a fazê-lo.

A própria DeepMind, que conta com uma das lideranças empresariais mais progressistas e atentas do setor, tem um conselho de ética e um site todo dedicado aos problemas abordados neste capítulo. Mas a empresa não oferece respostas claras. Limita-se a apresentar uma lista de "questões em aberto":

1. Quais são as abordagens éticas relevantes para responder a questões relacionadas à moralidade da inteligência artificial? Há uma só ou várias abordagens? 2. Como ter certeza de que os valores projetados em sistemas de IA refletem de fato o que a sociedade quer, levando em conta que as preferências mudam com o passar do tempo e que as pessoas costumam ter prioridades diferentes, contraditórias ou sobrepostas? 3. Como traduzir insights sobre valores humanos compartilhados de uma forma que possa servir de base ao projeto e ao desenvolvimento da IA?[19]

A máquina pensante　　207

São perguntas importantes, mas começar a projetar e implementar a inteligência artificial em escala industrial sem primeiro encontrar as respostas é a coisa mais antiética que podemos fazer.

O PROBLEMA FUNDAMENTAL da inteligência artificial é a impossibilidade de ser observada. Se alguma coisa dá errado com o motor de uma aeronave podemos, em tese, descobrir o que houve. Mesmo no caso de IA no nível mais básico, isso nem sempre é verdade. Quando se criam redes neurais capazes de aprender sem intervenção humana, o que se cria é um buraco negro de conhecimento. Ainda que o processo de raciocínio possa ser reconstituído por engenharia reversa e estudado pelo homem, há um problema de falta de recursos: não existem, em número suficiente, seres humanos com habilidade ou tempo para isso. É como tentar construir o motor de uma aeronave sem saber como ele funciona.

Portanto, a primeira coisa de que precisamos são padrões de segurança que nos protejam contra a dificuldade de enxergar e a falta de controle. Mas projetar esses padrões não será fácil.

Steve Omohundro, uma das autoridades mundiais em segurança de inteligência artificial, acredita que máquinas capazes de agir racionalmente têm "propensão a se comportar de maneira antissocial e danosa, a não ser que sejam projetadas com o máximo cuidado". Ele descobriu que os sistemas racionais têm impulsos universais que, se não forem anulados, desencadearão ações.

Uma vez providos de autonomia, os sistemas racionais se protegerão contra falhas — uma das quais poderia ser a desativação por parte de um agente humano cauteloso. Com o objetivo de "se tornar um especialista em Breakout", a máquina pode criar depósitos ocultos de memória, múltiplas cópias de si mesma, servidores proxy: apólices de seguro contra ser desligada e não atingir seu propósito.

Vamos imaginar que uma máquina esteja vencendo uma partida de Breakout e perdendo uma de Space Invaders. Se ela decidir que precisa de mais poder computacional, poderá procurá-lo noutra parte na rede e tentar adquiri-lo. Omohundro descobriu que mesmo máquinas fracas são capazes de desenvolver intenções maldosas, indo buscar recursos para se fortalecerem.[20] Além disso, maximizarão a própria eficiência de uma forma que o designer talvez não quisesse; em última análise, podem se reprojetar para atingir a meta desejada. O que os engenheiros da DeepMind fizeram para transformar o AlphaGo em AlphaGo Zero uma rede neural mais inteligente poderia fazer por conta própria.

Omohundro diz que, a não ser que se incluam no projeto objetivos mais socializantes e humanizadores, uma inteligência artificial que busque seu objetivo furiosamente poderá agir como um sociopata. Precisamos, diz ele, dar à inteligência artificial metas cooperativas e criar uma estrutura de aplicação da lei semelhante à que regula sistemas humanos.

E é aí que nos deparamos com o problema de sistemas éticos rivais. Duas das três superpotências globais já estão desenvolvendo inteligência artificial para reforçar os objetivos de um Estado autoritário. É provável que essa tecnologia seja incompatível com qualquer forma de ética. Nesse caso, segundo qual base ética deveria um pesquisador dos Estados Unidos ou da União Europeia liberar sua inovação de inteligência artificial para domínio público, se soubesse que ela poderia ser capturada e incorporada ao software de controle mental preparado em Beijing?

Eliezer Yudkowsky, pesquisador de máquinas inteligentes, acha que a inteligência artificial acabará adquirindo uma expertise que vá muito além da capacidade de vencer jogos. De início, ela resolverá problemas que nosso cérebro é capaz de formular, mas não de resolver, como o de produzir 84 milhões de maçãs com impacto carbono neutro no planeta. Em seguida, resolverá problemas cuja solução nosso cérebro não consegue imaginar, como a viagem interestelar ou a vida eterna. Por fim, poderá encontrar soluções que não conseguimos entender, para problemas que não sabemos sequer enunciar.

Yudkowsky adverte que, na realidade, até nossa estrutura mental para imaginar os perigos da inteligência artificial não é confiável. Se a IA pode avançar da inteligência de uma ameba para a inteligência de um Einstein em apenas alguns anos, por que parar em Einstein? Se pu-

A máquina pensante

desse rodar um cérebro parecido com o humano com tanta rapidez que mil anos se passassem em oito horas, por que não o faria? A conclusão de Yudkowsky: devemos nos limitar a construir a inteligência artificial que considerarmos "amistosa", evitando a todo custo qualquer coisa que possa se tornar ameaçadora.[21]

Há, portanto, boas razões para ativar o alarme. Mas, se quisermos fazer alguma coisa para regulamentar a inteligência artificial, impor padrões de segurança, assumir o controle social da sua trajetória de desenvolvimento ou mesmo proibi-la em determinadas áreas — como ataques autônomos de drones —, teremos diante de nós um problema político que se tornou parte da maneira neoliberal de pensar: o erro sistemático ao se calcular os riscos.

NÃO É PRECISO RECORRER à ficção científica para imaginar como a inteligência artificial pode dar errado. Basta lembrar que em 2008 a falência do Lehman Brothers conseguiu quebrar o sistema financeiro global. Toda uma estrutura social fora erguida em cima da ilusão de que "complexidade é igual a segurança". Centenas de milhares de pessoas que operavam no mercado financeiro foram ensinadas a acreditar que ele também tinha mais poder do que os seres humanos: o poder autônomo de corrigir a si mesmo e até de "saber" mais do que eles sabiam.

O furacão Katrina foi outro desastre causado pela introdução da lógica do mercado na avaliação de risco. Os riscos da tempestade eram bem conhecidos, mas o governo Bush só financiou 166 milhões de um total de 500 milhões de dólares em melhorias exigidos pelas autoridades locais. O pessoal do governo sabia que as defesas contra inundações não aguentariam um furacão de categoria 5 como o Katrina, preferindo, contudo, apostar que um desses jamais ocorreria.[22] Mais de 1800 pessoas morreram e 1 milhão teve que sair de casa, e a cidade sofreu um prejuízo de 23 bilhões de dólares em danos materiais. Como disse a equipe de investigação, numa frase que poderia muito bem servir de epitáfio do neoliberalismo, "a segurança foi trocada por eficiência e redução de custos".[23]

No terceiro dia do desastre, vendo pessoas pobres, desorientadas, na maioria negras, amontoadas na grama ao lado de uma rodovia aguardando resgate, o chão coberto de material de sutura, frascos vazios e fraldas, compreendi: é a isso que levam as objeções filosóficas ao controle humano de sistemas sociais.

A lista de fracassos regulatórios sob o neoliberalismo é longa e global: a fraude da Volkswagen que permitiu à fabricante de automóveis desrespeitar metas de emissão de poluentes; o escândalo da contaminação de leite em pó para bebês na China; a mistura de negligências que fez com que a Grenfell Tower — um prédio de apartamentos populares administrado pelo conselho local mais neoliberal do Reino Unido — fosse consumida pelas chamas; a negociata secreta entre a Uber e o prefeito de Phoenix, Arizona, permitindo que a versão beta de carros sem motorista fosse testada numa população que não tinha sido avisada.[24]

A ciência comportamental nos diz que situações sociais distorcem a nossa compreensão do risco. Mas o neoliberalismo a distorce de maneira sistemática: estimula uma espécie de encenação teatral entre reguladores e empresas, na qual o regulador cambaleia como o palhaço bobo do circo, enquanto o banco, a companhia de águas, a empresa de tecnologia ou o gigante das redes sociais — como o palhaço esperto — jogam torta na cara dele.

Se os riscos reais da inteligência artificial tiverem metade da gravidade dos riscos que os profissionais citados neste capítulo já esboçaram, a conclusão é óbvia: a IA autônoma não pode ser empregada com segurança sob nenhuma forma de capitalismo de mercado.

Mas se for empregada em aplicativos socialmente úteis, sob efetivo controle humano, a inteligência artificial pode ser a ferramenta que vai libertar a humanidade. Se agirmos de maneira correta, ela não realizará apenas a fantasia de Aristóteles de usar "máquinas que sabem qual é sua função" para abolir as divisões de classe: uma inteligência artificial segura e socialmente controlada se torna a rede de proteção contra o desenvolvi-

A máquina pensante 211

mento de perigosas IAS controladas por Estados e por empresas privadas indignas de confiança.

A solução óbvia é aplicar um código ético único e centrado no homem para toda a inteligência artificial, baseado num conceito universalmente defensável de natureza humana. Isso nos permitiria responder às perguntas não respondidas da DeepMind dessa forma:

1. O mais abrangente sistema ético para inteligência artificial centrado no homem precisa ser baseado na virtude. Todos os demais sistemas — como códigos de segurança ou objetivos de "máxima felicidade" — teriam de ser subsistemas de uma abordagem ética baseada na virtude, que instrui a tecnologia a criar e manter a liberdade humana.
2. As reinvindicações conflitantes de classe, gênero, nacionalidade e outras podem ser resolvidas através da democracia e da regulamentação (ou seja, uma forma de contrato social mais normativo do que o requerido pela ética da equidade).
3. Será necessário instituir padrões industriais regulados por lei, devendo-se evitar desenvolver a inteligência artificial sem primeiro aderir a esses padrões; também não se deve empregá-la em qualquer espaço onde não haja regras.

Basicamente, portanto, a inteligência artificial precisa ser programada dentro de um sistema ético que reflita uma visão da natureza humana. O problema não é apenas que os filósofos das bancas de aeroporto deram essa ideia por morta e que os nietzschianos do Vale do Silício não ligam. É também que uma parte inteira da esquerda passou os últimos cinquenta anos desenvolvendo a proposta de que a humanidade já não existe.

11. A ofensiva anti-humanista

QUANDO O ASSUNTO É o atual ataque contra o humanismo, a ficção científica estava muito à frente de todos nós. Em 1930, num romance intitulado *Last and First Men* [Primeiros e últimos homens], o escritor britânico Olaf Stapledon imaginou um futuro longínquo em que a raça humana se liberta de suas limitações biológicas. Tendo chegado quase à extinção, e depois de três ciclos de evolução via seleção natural, o *Homo sapiens* acaba descobrindo a "arte plástica vital" — o que hoje chamaríamos de engenharia genética.

Mas a descoberta divide a humanidade em duas facções: a primeira quer usar a tecnologia para fazer a reengenharia do nosso corpo e do nosso cérebro, a fim de aperfeiçoar o ser humano. A segunda facção afirma que, uma vez que as máquinas podem executar todo trabalho físico, não há mais sentido algum para as espécies existentes:

> Precisamos produzir um organismo que não seja apenas um fardo de relíquias deixadas por seus ancestrais primitivos e precariamente governado por uma chispa de inteligência. Precisamos produzir um homem que não seja nada mais que homem. Uma vez que tenhamos conseguido isso, podemos [...] confiar-lhe, com segurança, o controle de todos os negócios humanos.[1]

No século XXI, começamos a enfrentar esse dilema não como ficção científica, mas como uma escolha ética e política concreta. Usamos a tecnologia para melhorar de modo gradual os seres humanos ou tentamos, conscientemente, criar uma coisa melhor do que o *Homo sapiens*, à qual "confiarmos o controle"?

Hoje chamamos esses projetos rivais de "transumanismo" e "pós--humanismo". As palavras são por vezes permutáveis, mas contêm ideias muito diferentes. Embora esses movimentos pareçam temas de futurologia especulativa e de graphic novel, as questões que levantam já influenciam a sociedade em que vivemos. O caminho que delineio neste livro — a busca da liberdade humana via progresso tecnológico e mudanças sociais — é o oposto do primeiro taticamente, e do segundo irreconciliavelmente.

O PROJETO TRANSUMANISTA TEM suas raízes na percepção, no começo da vida da teoria da informação, de que os seres humanos precisariam se adaptar à chegada das máquinas pensantes. Em 1950, Norbert Wiener, o fundador da cibernética, advertiu que se quiséssemos continuar sendo uma espécie capaz de autonomia, teríamos que começar conscientemente a nos transformar. "Modificamos nosso ambiente de maneira tão radical que precisamos agora modificar a nós mesmos, para que possamos existir nesse novo ambiente."[2]

Julian Huxley, o cientista britânico que em 1957 usou pela primeira vez a palavra "transumanismo", ressaltou a continuidade do projeto com o humanismo, que ele definia como "o homem permanecendo homem, mas transcendendo a si mesmo, ao realizar novas possibilidades de e para sua natureza humana".[3]

Nos anos 1980, as pessoas que trabalhavam com nanotecnologia, biotecnologia, inteligência artificial e ciência cognitiva tinham começado a reformular o transumanismo, não apenas como projeto reativo ao desafio das novas tecnologias, mas como uma série de metas positivas, a saber, "superar o envelhecimento, deficiências cognitivas, sofrimento involuntário e nosso confinamento ao planeta Terra".[4] A Declaração Transumanista, esboçada pela primeira vez em 1998 pelo futurólogo Nick Bostrom, foi uma tentativa de adaptar os princípios do humanismo secular a um mundo de novas possibilidades tecnológicas. Ela reconhecia os riscos envolvidos na transformação tecnológica de seres humanos e se destinava a defender o bem-estar de "todos os sencientes" — ou seja, todos os seres capazes de pensar — contra as máquinas.

Mas a declaração e o movimento que a apoiava jamais trataram com coerência das questões éticas que todas as tentativas de melhorar artificialmente a raça humana implicam. Em primeiro lugar, se o aperfeiçoamento é possível, todos têm acesso a ele? E se o aperfeiçoamento aprimora todos os seres humanos subsequentes (por exemplo, via edição genética), quem deveria ter permissão de tomar a decisão de seguir adiante?

À nossa volta já existe muita controvérsia sobre quem tem o direito de fazer alterações técnicas no *Homo sapiens*. Quem deveria receber tratamento de fertilização in vitro ou cirurgias de redesignação sexual? Atletas com próteses em vez de pernas devem concorrer com corredores que não sofreram nenhuma alteração? A edição genética deveria ser permitida em embriões humanos? Por ora, esses dilemas tendem a ser resolvidos usando-se qualquer forma de ética utilitária aceita numa determinada sociedade, em combinação com o que grupos religiosos achem tolerável: assim, por exemplo, os Estados Unidos proibiram a concessão de fundos federais para a edição genética de embriões humanos, enquanto o Reino Unido a aceita em condições de laboratório.

No entanto, resolver o problema experimento a experimento, como uma ramificação da ética médica, não vai funcionar. Cedo ou tarde, tanto os cientistas que trabalham nesses avanços quanto as pessoas comprometidas com o transumanismo como projeto terão que resolver um problema evitado por todas as versões da Declaração Transumanista. Enquanto passava por diversas redações, a declaração começou a colocar a inteligência artificial no mesmo nível que os seres humanos e estes no mesmo nível que os animais. Paralelamente — e logicamente —, deixou de fazer qualquer referência ao humanismo secular.

Isso levanta uma pergunta importante: se criarmos uma inteligência artificial capaz de pensar melhor do que os seres humanos e de sentir emoções, devemos controlá-la ou ela é que deve nos controlar? Na mesma linha, se criarmos, por edição genética, um conjunto de seres humanos com capacidades mentais superiores às dos seres humanos não modificados, o que acontecerá se o bem-estar daqueles entrar em conflito com os interesses destes?

A ofensiva anti-humanista

Na falta de um compromisso explícito com o uso controlado, democrático e social de novas biotecnologias, o transumanismo reverterá automaticamente para um projeto de fortalecimento do poder biológico de seres humanos individuais. Implicitamente, para os transumanistas a "liberdade" está não na conquista coletiva da "vida boa" por todos, mas na capacidade individual de pagar por um braço biônico ou por uma libido melhor. Na verdade, se você acredita na economia do gotejamento — segundo a qual os ricos, depois de ganharem bilhões, distribuem tudo para os pobres por impulso, como Bill Gates —, não importa muito se os ricos também, de início, monopolizarem as tecnologias para viver mais, suspender os efeitos do envelhecimento ou melhorar o desempenho cerebral.

Essa, na verdade, é a preferência explícita dos libertários de direita ligados ao transumanismo.[5]

Em resposta a isso, numerosos filósofos políticos opõem o transumanismo a um ponto de vista chamado de bioconservadorismo. Em 2002, um grupo americano de ética médica propôs um tratado internacional para proibir a clonagem de seres humanos e a edição de DNA humano de uma forma hereditária.[6] A Organização das Nações Unidas, via Unesco, tentou reiteradas vezes redigir uma declaração bem fundamentada sobre clonagem humana, mas até agora não teve êxito, e com o desgaste do multilateralismo depois de 2016 parece improvável que vá adiante. Enquanto isso, Francis Fukuyama afirmou que o transumanismo é a "ideia mais perigosa do mundo".

Para Fukuyama, a grande questão é que, ao criar desigualdades biológicas, seja através de braços biônicos, seja de edição genética, estamos enfraquecendo a universalidade da nossa essência humana e, portanto, da nossa demanda por direitos universais e iguais. Fukuyama parte da posição humanista clássica, liberal: "A natureza humana é a soma dos comportamentos e características que são típicos da espécie humana, resultantes da genética, e não de fatores ambientais".[7] Se acreditarmos que a natureza humana não é modificada por nossa história, nossa economia e nosso ambiente, então faz sentido acreditar que os direitos humanos são "naturais", e não socialmente construídos.

No entanto, se adotarmos o conceito de Marx de que a natureza humana é social e tecnologicamente determinada e se altera ao longo do tempo, o ponto da argumentação muda. Para humanistas radicais, a objeção ao transumanismo está em seu conceito deficiente de liberdade. O nosso projeto prevê o uso social da tecnologia para fortalecer o poder coletivo dos seres humanos sobre a natureza e — ao abolir a necessidade de trabalhar — desacorrentar a liberdade individual. Graças à edição genética posso ser a mais bela sexagenária da *promenade* de Cannes, mas a humanidade ainda não estará livre.

Embora a maioria dos defensores do transumanismo rejeite a eugenia, praticada por governos racistas e coloniais no século xx, poucos deles se interessam em construir garantias sociais e políticas absolutas contra o seu retorno. O próprio Huxley apoiava uma versão esquerdista da eugenia — elevar a inteligência de toda a população através de programas seletivos de reprodução.

Já o humanismo radical, diferentemente, garante a toda a nossa espécie — aprimorada ou não — igual participação no uso das máquinas, das ferramentas e das tecnologias para melhorar a vida à nossa volta. Ele nos diz que a liberdade é possível ainda que algumas formas de progresso tecnológico tenham que ser retardadas ou descontinuadas por não poderem ser empregadas de maneira ética ou com segurança. Para o humanista radical, a liberdade é conquistada transformando-se a tecnologia e a sociedade, e não se fazendo reparos e aprimoramentos na biologia do *Homo sapiens*.

Hoje, apesar de ter se tornado uma frase feita da ficção científica, um bicho-papão para muitas religiões e o caminho do estrelato acadêmico para seus defensores, o transumanismo continua sendo um movimento bastante efêmero: existem talvez 20 mil pessoas inscritas em grupos do Facebook que discutem o assunto.

Mas isso não é verdade no que diz respeito ao pós-humanismo. O pós--humanismo é parte do sistema de pensamento reacionário que emergiu dos ataques esquerdistas à ciência, à razão e à possibilidade de agência humana. Apresenta-se em diversos sabores, todos eles negando a possibilidade de liberdade humana.

A ofensiva anti-humanista 217

O DEBATE SOBRE PÓS-HUMANISMO gira em torno de quatro perguntas. Somos capazes de criar seres pós-humanos? Deveríamos criá-los? Deveriam os seres pós-humanos nos substituir ou ter poder sobre nós? E será que já nos tornamos seres pós-humanos?

A resposta à primeira pergunta é, claramente, sim. Convém assumir um amplo leque de possibilidades: seja através da engenharia genética, seja através da construção de androides ou, ainda, pela criação de uma inteligência artificial capaz de pensar melhor do que nós, a possibilidade de seres pós-humanos está se tornando atingível.

Felizmente, quase todas as questões éticas levantadas foram exploradas em *Blade Runner*. No filme, os androides Nexus-6 são montados com material genético pré-cultivado para que pareçam humanos e pensem como humanos, mas morrem quatro anos depois porque suas células não podem se replicar. "Nascidos" adultos, recebem memórias falsas, implantadas. Os androides, porém, fogem do controle. Um grupo deles escapa de uma colônia extraterrestre numa tentativa de obrigar a corporação que os fez a ampliar seu tempo de vida. Contudo, embora os seres humanos achem os androides subumanos, estes são programados para mostrar empatia e, em consequência disso, agem mais humanamente conosco do que nós com eles.

Blade Runner demonstra a inadequação dos nossos sistemas éticos mais comuns diante de robôs inteligentes e, por extensão, diante de qualquer inteligência artificial que possamos criar. É a inadequação da ética utilitária que faz surgir o problema: em busca do prazer, permitimos que uma corporação construa androides com mais força e mais empatia do que nós; mas isso os torna mais poderosos do que nós. Criamos máquinas para maximizar nosso prazer, mas elas nos infligem dor.

Durante esse processo, e dentro dos limites de sua curta vida, os androides na verdade se tornam os "super-homens" da filosofia nietzschiana. São máquinas, mas superiores aos seres humanos, e por isso começam a atribuir a si mesmos diferentes direitos e recompensas dos humanos.

No entanto, ao programar os androides com respeito pela vida humana — um respeito em tese maior do que o respeito pela vida deles próprios —, seus criadores permitem que eles sintam a virtude, o conceito básico da ética aristotélica. Embora não possa jamais alcançar a "vida boa" prescrita por Aristóteles, o líder dos androides Roy Batty demonstra no fim de *Blade Runner* maior capacidade para a virtude do que os seres humanos que tentam matá-lo.

Significativamente, durante sua revolta os androides passam por um processo análogo ao proposto por Marx: derrotar a alienação. Incapazes, por terem sido criados assim, de saber que são androides — ou seja, alienados do próprio eu —, eles superam esse problema pela ação coletiva, atravessam a ideologia programada e por um breve tempo vivenciam a qualidade humana que Marx descreveu como "ser-espécie".

Os androides de Dick são claramente pós-humanos. Mas são também máquinas: máquinas melhores no exercício da função de seres humanos do que nós. Para falar de maneira ainda mais brutal, eles são ferramentas — as últimas, numa série iniciada com machados de pedra. Depois de ver *Blade Runner*, compreendemos que, se criarmos androides pós-humanos, teremos de tratá-los como uma categoria de máquinas ou ferramentas ou — como Stapledon sugeriu — passar o controle para eles.

Mas androides não são a única forma que um ser pós-humano pode assumir. O romance *A cidade e as estrelas*, de Arthur C. Clarke, de 1956, é povoado por seres humanos produzidos por máquinas, cuja consciência é armazenada num computador e baixada, temporariamente, em suas formas humanas. Para Clarke, não se trata aqui de androides, mas de seres humanos autênticos: a consciência armazenada no computador é cópia física de um cérebro real, com personalidade e história — assegurando, com isso, uma forma de imortalidade.

Clarke compreendeu que o uso final das máquinas inteligentes seria mapear com precisão o cérebro e transferir a consciência nele contida para uma diferente plataforma física. Da consciência copiada e colada de *A cidade e as estrelas*, Clarke partiu para Hal, o computador rebelde de *2001: Uma odisseia no espaço*. Hal é um completo ser pós-humano: uma inteligência artificial que desenvolveu uma consciência rebelde e pode desafiar seus controladores humanos.

A ofensiva anti-humanista

Uma terceira espécie de condição pós-humana imaginada pela ficção científica reside no ciberespaço. No romance *Neuromancer*, de William Gibson, de 1984, não só cérebros humanos são transferidos para um computador como interagem ali. A realidade que criam é virtual — e, quando o romance de Gibson foi lançado, o ciberespaço que ele descreve foi reconhecido de imediato pelos primeiros usuários da internet, que começaram a jogar jogos ou a "viver" dentro de comunidades virtuais on-line.

São esses, então, os elementos básicos para a construção de um projeto pós-humano: a edição genética, cujos resultados são passados adiante via seleção natural; a fabricação de corpos humanos melhores usando tecnologia; a transferência da consciência humana para plataformas digitais e de lá para corpos androides; a transferência de interações humanas para um espaço puramente digital; e a criação de inteligência artificial geral que pense melhor do que nós.

Defendi aqui que o emprego de sistemas de inteligência artificial autônomos, não observáveis, deveria ser proibido enquanto não houvesse um sistema de segurança e de ética aceito em escala global. O mesmo se aplica a soltar no mundo androides melhores do que seres humanos. Quanto a desenvolver por engenharia genética uma espécie sucessora do *Homo sapiens*, levando em conta que a evolução é um processo aleatório, operando a despeito da vontade dos melhores cientistas, o bom senso continua recomendando extrema cautela.

Mas o pós-humanismo como movimento político e acadêmico não está preocupado, em primeiro lugar, em saber se podemos, devemos ou vamos inevitavelmente criar seres pós-humanos ou em arranjar os recursos técnicos para isso. Sua afirmação básica é que *já* somos pós-humanos e que — aqui e agora — isso invalida toda política e toda ética centradas no homem, o conceito do eu e qualquer distinção entre seres humanos e máquinas.

A proposta de que já nos tornamos seres pós-humanos em consequência das mudanças tecnológicas se encaixa com perfeição na arquitetura mental reacionária mais ampla da era neoliberal. É uma afirmação bastante conveniente para as empresas e os governos que querem subordinar o comportamento humano ao controle algorítmico e revogar o conceito de direitos universais. É mais conveniente ainda para aqueles que acham que a liberdade econômica das elites é incompatível com a democracia. Mas apesar de sua utilidade para a elite, os pós-humanistas não são drs. Strangeloves da direita conservadora. No uso de sistemas de informação como armas contra seres humanos, foi a teoria social de esquerda que construiu o arsenal.

"O HOMEM É UMA INVENÇÃO RECENTE", escreveu o sociólogo Michel Foucault em 1966, "e talvez uma invenção que se aproxima do fim." Foucault, que se tornaria a figura mais destacada do pós-modernismo, afirmava que o conceito de "humanidade" surgiu junto com o racionalismo e o radicalismo democrático do Iluminismo do fim do século XVIII. Nessa altura, intelectuais de várias disciplinas pararam de tentar descrever a realidade preparando listas de coisas e passaram a buscar sua dinâmica interna. A humanidade não era mais apenas uma espécie sentada à mesa da natureza: era uma espécie capaz de ver os outros objetos sobre a mesa da natureza como sistemas temporários e dinâmicos.

Foucault achava que essa opinião a respeito da humanidade estava socialmente condicionada e era, portanto, reversível. Se alguma coisa viesse a destruir sua base social e econômica, advertiu ele, "você com certeza pode apostar que o homem será apagado, como um rosto desenhado na areia à beira-mar".[8]

Nos cinquenta anos seguintes alguma coisa aconteceu — na verdade, várias coisas: a crise do modelo econômico de capitalismo de Estado, o triunfo do neoliberalismo, a informação transformada em ciência e o surgimento da tecnologia da informação e do comportamento em rede. Ninguém que tenha vivido essas mudanças duvida que elas alteraram alguma coisa na maneira como percebemos a nós mesmos.

Mas a resposta do pós-modernismo foi criar uma ideologia de escravo para o sistema neoliberal. Ela criticava o sexismo, o racismo, o colonialismo e a certeza patriarcal na ciência — porém não mais para derrubar o sistema que os produziu. Em vez disso, racionalizava a nova realidade da fragmentação e do consumismo frenético como inevitável.

A ofensiva anti-humanista

Uma vez que o Iluminismo acabou, dizem os teóricos do pós-modernismo, a época da verdade verificável também acabou. Tudo que percebemos é uma ilusão criada por nossa mente; essa mente está, ela própria, se fragmentando, destruindo a ideia de um só eu humano com direitos ou capacidade de agir. "Grandes narrativas" que se apregoam como capazes de levar a humanidade à libertação só podem levar mesmo às câmaras de gás e aos gulags. Todas as tentativas teóricas de estudar a totalidade do mundo devem ser abandonadas e substituídas por estudos de gênero, estudos pós-coloniais, estudos de mídia — cujas conclusões não precisam se encaixar umas nas outras e das quais muito poucas podem produzir conhecimento operacional.

A premissa do pós-modernismo se fundamentava no desespero de ex-marxistas diante da incapacidade demonstrada pela classe trabalhadora de meados do século xx de abraçar o socialismo. Se a classe trabalhadora não é mais o agente da história, concluíram eles, então não pode haver agência. Sem um ser humano capaz de conhecer e mudar o mundo, este se torna incognoscível: uma mistura de "significantes", que podem ser estudados como uma língua pode ser estudada, por trás dos quais não existe nenhuma ordem a ser descoberta.

O pós-modernismo transformou o relativismo numa religião secular, cujo primeiro mandamento é: nada é verdade. Ele ensinava a impossibilidade da resistência, mesmo da resistência mental. Estimulava grupos oprimidos a verem uns aos outros como inimigos. Menosprezava a ideia de atributos humanos universais e, por conseguinte, de direitos humanos. Se, como insisto, a chave para resistir à ideologia neoliberal é lutar por uma humanidade abrangente, o pós-modernismo ensinava que isso não existe.

Os objetivos iniciais do pós-modernismo eram louváveis: mostrar que simples relatos de opressão baseados em classes eram simplistas, que precisavam ser suplementados por uma compreensão das relações de poder, gênero, raça e sexualidade; e como a doença mental, por exemplo, poderia ser construída pelas relações de opressão que nos cercam.

Mas em seu âmago o pós-modernismo era profundamente anti-humanista. Isso, também, foi um impulso que herdou do marxismo fracassado dos anos 1960. Em 1964, o intelectual francês Louis Althusser, um firme membro pró-soviético do Partido Comunista Francês, lançou um ataque frontal aos ensaios humanistas de Marx escritos em Paris em 1844 e, por implicação, a qualquer tentativa de usá-los para "humanizar" a ideologia soviética oficial.

Althusser afirmava que, depois de escrever os ensaios de Paris, Marx "rompeu radicalmente com qualquer teoria que baseasse a história e a política na essência do homem".[9] Marx, dizia ele, se tornara um "anti-humanista teórico" que abandonou ideias como "sujeito, essência humana e alienação" ao escrever sua obra-prima, *O capital*. Numa frase que influenciaria o pensamento de esquerda por toda uma geração, Althusser afirmou que o Marx da última fase via a história como "um processo sem sujeito".[10]

Se quisermos outra palavra para um processo sem sujeito, "máquina" é um substituto perfeito.

Para Althusser, a história é uma máquina e a classe trabalhadora é a ferramenta da máquina: não existe essa coisa de natureza humana e, portanto, ninguém pode estar "alienado" dela. A história como a interação entre tecnologia, economia, cultura e imaginação humana é reduzida a um conjunto de causas e efeitos, sem agência humana — embora a principal contribuição de Althusser às ciências sociais tenha sido mostrar o modo solto e confuso como esses mecanismos de causa e efeito por vezes funcionam. Existe, disse o filósofo, "relativa autonomia" entre, digamos, as ideias na cabeça de um erudito latino na Paris do século XIV e o modo feudal de produção que ele está aprendendo a administrar. Apesar disso, declarou, qualquer luta contra a opressão de classe é, em última análise, parte dos mecanismos que reforçam a opressão.

Por ser um anticapitalista revolucionário, Althusser construiu para si mesmo uma saída de emergência: a teoria leninista do partido e da revolução, que diz que um pequeno grupo de intelectuais e operários avançados é necessário para tirar as massas de sua passividade. Embora os trabalhadores não possam ser o sujeito do processo histórico, o partido, armado da teoria leninista, pode forçar a porta da história a se abrir, em momentos oportunos, levando à classe trabalhadora novas ideias de fora de sua experiência.

A ofensiva anti-humanista

Quando me deparei pela primeira vez com as ideias de Althusser na universidade no fim dos anos 1970, elas eram tidas como radicais e desafiadoras: uma doutrina de esquerda isenta das máculas do sentimento, da religião ou da preocupação com direitos humanos. Mas, ao reduzir a compreensão de Marx da história a um processo parecido com uma máquina, no qual a vontade de indivíduos quase não tem importância, o pensador francês — como assinalaram seus críticos — transformara o marxismo numa coisa muito próxima da ciência social ortodoxa que dominava as universidades nos anos 1970. Quando ela saísse de moda, previu o economista de esquerda Simon Clarke, muito provavelmente isso destruiria a reputação do marxismo e levaria a uma fuga em massa de todas as formas de teoria social coerentes no mundo acadêmico.[11]

Isso resume, mais ou menos, o que aconteceu de fato.

Uma vez que Althusser tinha removido da história a força de vontade humana, pensadores como Foucault, que estudaram com ele, passaram a remover quase todas as demais dinâmicas que pudessem dar sentido à realidade material: classe, capital, leis de movimento e — em última análise — a cognoscibilidade do mundo. Para o pós-modernista francês Jean Baudrillard, que escreveu nos anos 1980, o corpo humano se tornara supérfluo, porque "hoje tudo está concentrado no cérebro e no código genético, que, por si só, resume a definição operacional de ser".[12]

Aqui é importante distinguir entre pós-modernismo como "lógica cultural", ou forma de arte, e como conjunto de teorias que pretendem descrever a realidade. É óbvio que, nas artes, o modernismo entrou em crise junto com o sistema econômico de capitalismo de Estado que lhe dera suporte. Novas formas de expressão artística surgiram para refletir a forma de capitalismo fragmentária, mercurial, obsessiva por marcas e egocêntrica que emergiu nos anos 1980 e 1990. Está claro também que, devido à guinada idealista da teoria da informação, à ascensão da neurociência e à derrota do trabalho organizado, a religião popular do fatalismo teria surgido de qualquer maneira, mesmo sem a ajuda de uns poucos professores franceses.

Mas tudo que o pós-modernismo acabou produzindo foi uma antiteoria acerca dos seres humanos: seu eu está despedaçado, sua agência desapareceu, seu pensamento científico na verdade é uma ideologia. Se o "homem" for abolido pela ascensão do capitalismo neoliberal, precisaremos de uma teoria sobre o que toma o lugar dele.

Nos anos 1990, escreve a feminista ítalo-australiana Rosi Braidotti, o mundo acadêmico pós-modernista tinha entrado "numa paisagem zumbificada de repetição sem diferença e de persistente melancolia" que esgotara seu repertório de novas ideias.[13] Uma nova teoria começando com "pós" se fazia necessária para justificar a utilidade dos departamentos de humanidades e pagar o aluguel. O resultado foi o pós-humanismo.

Sua tese central foi esboçada por Katherine Hayles, crítica literária americana: o eu humano é basicamente informação, por isso tanto faz se ele reside num computador ou num corpo. A consciência é, de qualquer maneira, uma "coisa menor", porque consta que o experimento de Libet em neurociência provou que tomamos quase todas as nossas decisões inconscientemente. Por conseguinte, o ser humano pode ser "articulado a uma máquina sem descontinuidade".

A tecnologia já nos transformou em seres sem agência, portanto não há justificativa para resistirmos ao controle das máquinas.

SE EXISTE UM DOCUMENTO FUNDADOR do pós-humanismo, é o Manifesto Ciborgue, de Donna Haraway, publicado em 1984. Ele foi escrito num jargão que parece projetado para obscurecer seu significado, mas pode ser resumido assim: a tecnologia confundiu os limites entre seres humanos e máquinas, enquanto avanços em biologia sugerem que não há diferenças importantes entre homens e animais. Por conseguinte, somos todos "híbridos de máquina e organismo; em suma, somos ciborgues".[14]

Antes que a inteligência artificial se tornasse possível, um filósofo idealista poderia dizer que os seres humanos são únicos, porque têm uma mente racional incorpórea; já um materialista, como Marx, poderia alegar que eles são únicos por causa da sua habilidade de "fazer história". Agora, dizia Haraway, na melhor das hipóteses o que há é uma ambiguidade sobre se os seres humanos são naturais ou artificiais — e com isso o mundo se

A ofensiva anti-humanista   225

funde numa única realidade, da qual o ciborgue, e não o ser humano, é o habitante original. Ao contrário dos seres humanos, insistia Haraway, os ciborgues pertencem ao gênero neutro.

Até certo ponto, Haraway usava o ciborgue como metáfora para ajudar o feminismo a pensar um pouco além da perigosa situação de fragmentação em que caíra ao descobrir que raça, classe e sexualidade tornavam algumas mulheres participantes da opressão de outras mulheres e de alguns homens. Para evitar essa fragmentação, Haraway quis pôr de lado todos os dualismos que serviam de base às revoltas contra a opressão: mente em oposição a corpo, natureza em oposição a máquina, homem em oposição a mulher.

A Nova Esquerda tinha abandonado a ideia de que a classe trabalhadora seria a força que fez a revolução nos anos 1960. Mas alguns ainda sonhavam que seu lugar seria tomado pelas mulheres, pelos pobres da periferia, pelos negros ou pelas lutas de libertação do Terceiro Mundo. Se aceitarmos que não existem diferenças significativas entre seres humanos e máquinas, dizia Haraway, podemos acabar com essa conversa de procurar "sujeitos revolucionários". "Eu preferiria ser um ciborgue", concluiu ela, "a ser uma deusa."

Como metáfora, o ciborgue era um jeito de Haraway perguntar: Como escapar do beco sem saída onde socialismo, feminismo e nacionalismo negro se meteram quando começaram a avaliar todas as forças que lutam pela justiça social de acordo com a quantidade de opressão que infligiam umas às outras?

Mas, para os pós-humanistas, o ciborgue é mais do que uma metáfora: é uma declaração sobre a realidade. Se na verdade nos tornamos ciborgues, então o lado bom, para Haraway, é que todos os problemas de alienação desaparecem — seja a ideia marxista da autoalienação, sejam as diversas definições feministas de opressão.

Quando Haraway disse que preferiria ser um ciborgue a ser uma deusa, tinha em mente um ciborgue muito claro: o personagem Rachael — a bela Nexus-6 em *Blade Runner* que Deckard se recusa a matar e por quem se apaixona. Rachael representa, segundo Haraway, "a imagem do medo, do amor e da confusão numa cultura ciborgue". Aqui se percebe o que ela quer dizer. Tendo que comparecer a reuniões da esquerda em 1984, para ser repreendida por trotskistas, feministas radicais e nacionalistas negros, cada qual se dizendo oprimido pelos outros, quem não preferiria ser Rachael — linda, não livre e em harmonia com o universo, por ser incapaz de se sentir alienada?

Mas se você deseja que o ciborgue seja mais que uma metáfora e quer respaldar a ideia de que seres humanos e máquinas se tornaram indistintos, vai precisar de uma teoria da realidade totalmente diferente. Essa teoria seria fornecida pela ascensão do pensamento mágico dentro da ciência.

DESDE O SÉCULO XVIII filósofos materialistas vinham afirmando que a mente é produto de um sistema físico: o cérebro. Depois da Segunda Guerra Mundial cientistas começaram a provar que isso era verdade. Mas em vez de provocar um suspiro de alívio, a descoberta desencadeou algo parecido com um derretimento nuclear do pensamento racional, sobretudo onde a biologia se sobrepunha à cibernética.

Em 1959, o biólogo chileno Humberto Maturana registrou as atividades cerebrais de uma rã para entender como as imagens que ela vê são processadas. Maturana concluiu que a rã vê um mundo bem diferente do que o ser humano vê, e que a realidade da rã é construída dentro do seu cérebro, não fora.[15] Desse e de outros experimentos, tirou uma série de conclusões gerais sobre a realidade, que, apesar de não muito influentes na biologia, têm sido bastante influentes na teoria dos sistemas.

Maturana definiu todas as coisas vivas como "sistemas que se produzem a si mesmos". Esses sistemas contêm sua própria realidade, separada da realidade do observador. Nós, os cientistas humanos que observamos a rã, estamos sendo observados pela rã e por todas as demais coisas vivas, portanto o problema geral da mente em oposição ao cérebro é resolvido num novo modelo circular: "Tudo que é dito é dito por um observador para outro observador, que também pode ser observado", disse Maturana. Como resultado, "a descrição de uma realidade absoluta é impossível".[16]

A ofensiva anti-humanista

Essa não é uma simples declaração sobre a nossa incapacidade de conhecer as coisas além dos nossos sentidos, como argumentava Kant. Maturana redefiniu a ideia de "sistema" como uma coisa imune a causa e efeito. A rã, o ser humano, o sistema nervoso e a ameba unicelular são todos, segundo ele, sistemas estáveis. Qualquer mudança que lhes aconteça é resultado de forças internas, e não de sua interação.

Não existe cadeia de causa e efeito no modelo de realidade de Maturana, apenas uma coleção de sistemas estáveis e — como dizia ele — "perfeitos" interagindo uns com os outros de maneira circular. "A matéria é a criação do espírito", disse, "e o espírito é a criação da matéria que ele cria." Isso acabou por levá-lo a achar que descobertas científicas reais eram falsas: em 1980, afirmou que o DNA não determina a hereditariedade e os resultados genéticos.

A obra de Maturana desencadeou toda uma nova maneira de pensar em teoria da informação. Os cibernéticos já vinham observando as similaridades entre uma célula e uma máquina que controla a si mesma. Seguindo o raciocínio de Maturana, era possível descrever organismos e máquinas segundo as mesmas regras. Se os seres humanos são organismos para os quais viver e conhecer são o mesmo processo, isso também se aplica a máquinas ou a sistemas de máquinas. Máquinas, em resumo, podem "conhecer" pelo simples fato de existirem; e o que elas conhecem pode ser tão válido quanto o que os seres humanos pensam que conhecem através dos sentidos.

Extravasando para a cibernética, e depois para a economia e para a ciência social, a teoria de que "viver e conhecer são a mesma coisa" foi codificada numa nova filosofia alternativa da ciência. Diz ela que não há causa e efeito; que as mudanças são acidentais; que nossa mente produz o mundo. Nesse sentido, a coisa que conhece não são os seres humanos, nem as rãs, mas "o mundo" — ou, dito de outra forma, a matéria.

Se você acredita nisso, o problema de "Como sei o que é real?" deixa de existir. A humanidade não é mais o centro do mundo. Um ser humano, uma rã, uma rede elétrica, uma lata de lixo e uma peça de Lego são todos igualmente capazes de conhecer e saber coisas. A pergunta "Como sei coisas?" precisa ser substituída por "O que existe?".

Para um número cada vez maior de teóricos, a resposta era "Natureza, e não seres humanos". A epistemologia, o estudo do conhecimento, seria substituída pela ontologia, o estudo do que existe. O resultado foi o surgimento da teoria dos Novos Materialismos, e os filósofos que a seguem começaram a afirmar — para resumir — que a matéria inerte tem mente própria.

Isso não é novidade. No começo do século xx, o filósofo Henri Bergson sustentou que a matéria era possuída por um "impulso vital", que a ciência não conseguia medir. O "vitalismo" de Bergson enfeitiçou muitos pensadores críticos, entre os quais anarquistas e fascistas, porque — como a filosofia da vida de Spengler — falava ao desejo das pessoas de se libertarem da tirania de uma sociedade burocrática ou de manterem sua espiritualidade. Para ser claro, Bergson e outros vitalistas afirmavam que a "força" que atravessa a realidade material, animando-a e provocando mudanças, era não material. Também afirmava — como os teóricos do "computando o universo" — que ela preexistia ao mundo.

Para os vitalistas do século xxi, toda matéria exibe essa qualidade misteriosa. "Defendo um realismo estranho", escreve Graham Harman, que deu a essa espécie de materialismo o rótulo de Ontologia Orientada ao Objeto (ooo), "um mundo superlotado de objetos reais fantasmagóricos fazendo sinais uns para os outros de profundezas inescrutáveis, incapazes de tocar plenamente uns nos outros."[17] Seguindo esse raciocínio, não só os seres humanos e, por exemplo, as peças de Lego são igualmente capazes de conhecer o mundo, mas também toda a realidade é, do ponto de vista científico, imprevisível.

Para Harman e Maturana, a rigor as coisas do mundo real não podem ser "tocadas" nem influenciar umas às outras de maneira efetiva. Se estou num porto e vejo um pássaro mergulhar em meio a um cardume de peixes e um bando de golfinhos que também os está caçando, não posso presumir que exista uma relação causal entre o mar, os pássaros, os golfinhos e os peixes. São apenas sistemas coexistentes.

Isso tem enormes implicações não apenas para a ciência, mas para teorias de mudança social. Se você é capaz de ver a matéria como "animada ou agência que se exibe",[18] não é necessário que o agente de mudança na

A ofensiva anti-humanista

história seja humano. Ele pode ser uma máquina, ou mesmo a "história" atuando de maneira tão automática como uma máquina, ou o acaso, ou uma peça de Lego. Assim como, de acordo com Harman, não é possível combater um político como Trump exigindo a verdade.

Na realidade, como Harman esboça com implacável clareza, a forma de política que os Novos Materialismos mais odeiam é a política radical, porque ela "se baseia na reivindicação de um conhecimento radical que justifica o rápido desmantelamento da nossa herança histórica". Tampouco essa visão da realidade pode ser "solidária a qualquer forma de política centrada no homem". Para teóricos da 000, uma peça de Lego pode ser tão agente político quanto um jovem nativo da Nova Caledônia que luta pela independência.[19] Assim como acontece com Spengler e Bergson, a reinvenção do pensamento sistematicamente irracional está destinada a alimentar políticas de direita.

Essa bizarra teoria está agora sendo amplamente ensinada nas universidades — se bem que não em departamentos de ciência e tecnologia. Ela chama a si mesma de Novos Materialismos porque, como sempre é o caso no pensamento antirracionalista, o plural sugere que se você não gostar de uma versão da teoria, outra logo virá. Em 2014-5, o departamento de arte da Universidade de Edimburgo dedicou todo um curso de duzentas horas de aula a essa ideologia: seu objetivo era "examinar a agência e porosidade de coisas e objetos".[20] Enquanto isso, o prestigioso nome da universidade dedica toda uma série de livros a essa e outras questões relacionadas, cobrando oitenta libras por volume, com títulos como *E se cultura sempre foi natureza o tempo todo?*.[21]

Os Novos Materialismos são o oposto do materialismo que Marx tentou delinear: uma teoria propondo que as interações humanas com a natureza mudam a natureza; e se opõem a todas as versões de ciência que possam produzir conhecimento operacional. São, como graceja o filósofo Slavoj Žižek, materialistas do mesmo modo como a Terra Média de Tolkien é materialista. No mundo de Tolkien, de início todas as árvores são apenas plantas; contudo, no capítulo 4 do livro 3 do volume II de *O senhor dos anéis* descobrimos que umas poucas árvores, chamadas Ents, são semi-humanas e capazes de fazer reuniões. Podem destruir toda a fortaleza de um mago chamado Saruman, cuja magia é forte o suficiente para criar guerreiros Uruk-hai, mas não para derrotar as Ents. O universo de Tolkien fervilha de acontecimentos inesperados, e não há como prevê-los.[22] Há magia, mas não há Deus.

Se fosse promovida apenas por alguns autores não ortodoxos de livros de ciência, e mais alguns sobreviventes do pós-modernismo que tentam manter vivos seus despovoados cursos universitários, essa visão alternativa do mundo despertaria pouco interesse. Mas ela é parte de um ataque aberto à ciência, mortalmente sério, inspirado pelo pós-modernismo.

EM 1979, O SOCIÓLOGO francês Bruno Latour estudou a interação entre membros de uma equipe de bioquímicos na Califórnia como se eles fossem uma tribo. Como ele mesmo admitiu mais tarde, seu conhecimento de ciência era "inexistente; seu domínio do inglês era pífio; e ele nem sequer sabia da existência dos estudos sociais da ciência". Mas tudo isso, do ponto de vista de Latour, eram vantagens. Observando os rituais e os sistemas de recompensas em jogo no laboratório, ele concluiu que os fatos científicos eram "socialmente construídos".[23]

Nenhum materialista rejeitaria uma afirmação dessas sem parar para pensar. A ciência é exercida por pessoas reais, complexas, cujas ideias são construídas num mundo de hierarquias e ignorância, que inclui opressão de classe, raça e gênero. Na verdade, uma das razões que levaram os cientistas do século XVIII a desenvolver o método científico foi a necessidade de superar problemas de falha de percepção nascidos de preconceitos sociais. Se não houvesse equívocos na ciência não poderia haver progresso científico. E o exame mais superficial da história da ciência mostraria cientistas se utilizando de estruturas mentais baseadas na sociedade à sua volta: exemplo disso é a proposta do século XIX de que o fígado funciona como uma fábrica.

Mas a crítica da ciência feita por Latour ia bem mais longe. Ele sugeriu que as publicações de pesquisa dos bioquímicos por ele estudados eram uma "ficção", cuja aceitação final dependeria de quantas equipes científicas eles conseguissem convencer. A afirmação desencadeou a migração de esforços pós-modernistas de pesquisa dos estudos literários e da antropologia para os "estudos de ciência e tecnologia". Analisar o subtexto de um romance de Jane Austen não conquista muitos elogios para o seu departamento universitário. Já ministrar um curso mostrando que a produção de grandes corporações, sistemas de assistência médica e ganhadores do Nobel é toda baseada em ficção coloca você diretamente no primeiro time. Numa era de avanço tecnológico, quem não preferiria "estudos de ciência e tecnologia" a Jane Austen?

Até meados dos anos 1980, havia sido desenvolvida uma significativa crítica esquerdista da ciência, que punha em dúvida a "existência, a natureza e os poderes da razão" e a possibilidade de uma ciência objetiva.[24] Para uma feminista radical como Sandra Harding, a ciência se tornara "politicamente regressiva", seus métodos de pesquisa e sua linguagem, "sexistas, racistas, classistas e culturalmente coercitivos".[25] Toda uma escola de pesquisadores da Universidade de Edimburgo afirmava que não bastava submeter falsas teorias científicas como a frenologia à crítica sociológica: era preciso tratar verdade e falsidade "de maneira simétrica", explicando que ambas eram igualmente construtivas do ponto de vista social.

Para Latour, entretanto, nem isso era radical o suficiente. Acreditar que seres humanos, trabalhando como cientistas, pudessem se iludir com sexismo ou estratégias competitivas de carreira no laboratório, ou importando uma ilusão baseada na vida na Califórnia para o mundo dos micróbios, ainda era admitir a possibilidade de uma verdade cognoscível.

Dessa maneira, na segunda edição do seu livro *A vida de laboratório*, Latour propôs uma nova solução: parar de se preocupar sobre como conhecemos as coisas. "A epistemologia", disse ele, "é uma área cuja extinção total já deveria ter acontecido há muito tempo."[26] O subtítulo da edição original do livro era "A produção social de fatos científicos". Na segunda edição, ele apagou a palavra "social", dizendo que ela era redundante. A sociedade é apenas parte da natureza, afirmava, e portanto a "ficção" que chamamos ciência não é de forma alguma socialmente construída. Na verdade, está sendo moldada pelos objetos inanimados que cercam o cientista — embora não por causação, porque, na teoria de Latour, nada causa nada.

Façamos aqui uma pausa para examinar como a argumentação de Latour chegou a esse ponto (porque sua viagem ainda não tinha acabado). De uma tentativa de estudar como estruturas sociais e ideologias distorcem a ciência, ela se transformou numa teoria para explicar por que a natureza conhece coisas e os homens, não. E não se tratava de um mero debate abstrato. Latour disse que se os seres humanos vivenciam história da mesma maneira que, por exemplo, o fermento vivencia história. Para ele, objetos inanimados têm uma história da mesma maneira que nós. E como esse "nós" é apenas um subconjunto da categoria mais ampla de "tudo na natureza", não há nada que privilegie os seres humanos como mais lógicos, mais racionais ou mais valiosos do que qualquer outra substância.

Seguindo essa lógica, Latour afirmou que Louis Pasteur não "descobriu" o ácido lático em 1858: ele ao mesmo tempo o inventou e construiu como conceito. "Pasteur pode ser compreendido como um acontecimento que ocorreu ao fermento lático", disse.[27] Uma vez que passamos a ver objetos inanimados como vivos e históricos, da mesma maneira que nós, seres humanos, somos vivos e históricos, podemos lhes atribuir um papel na criação de mudança no mundo humano.

A essa altura Latour já não estava sozinho. No fim dos anos 1980, numerosos críticos pós-modernistas da ciência afirmavam várias coisas: que as descrições científicas da realidade são sempre distorcidas por sexismo ou racismo; que a realidade descrita pela ciência e a realidade descrita por mitologias tribais devem receber o mesmo status; que toda afirmação científica deveria ser julgada levando-se em conta quem se beneficia dela.[28]

Então, em 1994, o físico Alan Sokal preparou seu famoso trote contra essa fraternidade estudantil de materialistas mágicos. Produziu uma paródia de dissertação acadêmica, repleta de erros que um estudante universitário poderia ter detectado, além de longos trechos de disparates copiados e colados de textos de pensadores pós-modernistas, entre os quais Latour. O documento foi publicado como um trabalho genuíno pela revista *Social Text*, provocando muita gozação entre cientistas e uma notória "Guerra Científica" na mídia e no mundo acadêmico dos

A ofensiva anti-humanista

233

Estados Unidos, seguida por um claro arrefecimento no tom dos ataques do pós-modernismo à ciência.

Por fim, na virada do milênio, progressistas como Latour começaram a perceber que a direita americana também gostava de ridicularizar a ciência, em especial a ciência climática, cuja aceitação pela ONU levou ao Protocolo de Kyoto, de 1992. Dessa maneira, em 2004 Latour deu uma terceira guinada — distanciando-se da crítica à ciência e aproximando-se provisoriamente de sua defesa.

Estamos lutando contra o inimigo errado e fazendo amizade com as pessoas erradas, advertiu Latour a seus seguidores, porque tentamos nos distanciar dos fatos, quando deveríamos ter nos aproximado deles: "Não combatendo o empirismo, mas, pelo contrário, renovando-o".

"O erro que cometi", declarou, "foi acreditar que não existe maneira eficiente de criticar questões de fato a não ser distanciando-nos delas e voltando nossa atenção para as condições que as possibilitam."[29]

Levando em conta que havia, àquela altura, cursos inteiros de graduação baseados nesse "erro", foi um reconhecimento colossal — e bem-vindo. O mesmo se deu com o compromisso explícito de Latour com uma forma aperfeiçoada de empirismo: pois essa não é uma simples palavra jogada com displicência de um lado para outro nas faculdades de ciências. Significa, precisamente, uma tentativa de fundamentar a ciência a partir da observação de fenômenos da realidade.

Se significasse uma reversão completa da guerra contra o pensamento racional nas ciências sociais, a guinada de Latour teria sido um marco divisório. Em vez disso, como sugere Braidotti, ajudou a produzir uma espécie de morte térmica do universo pós-modernista. Como um exército derrotado, os pós-modernistas tiveram que se reagrupar em algum lugar defensável. O pós-humanismo foi esse lugar.

Ainda em 1966, Michel Foucault tinha declarado que o "homem" poderia ser apagado. Quarenta anos depois, ao fim de um período de mudanças tecnológicas extremamente rápidas, a influente crítica literária Katherine Hayles estava preparada para afirmar que o homem de fato fora substituído: "Uma construção historicamente específica chamada ser humano está cedendo lugar a uma construção diferente chamada ser pós-humano".[30]

Sendo completamente metafísica, a afirmação é incontestável pelo pensamento racional, pela matemática, pelo experimento ou pelo argumento. Mas, à diferença do pós-modernismo, é uma metanarrativa: uma nova teoria de tudo, que — apesar de suas pretensões a ideologia de resistência — é bastante útil quando se pretende justificar a exigência de que as máquinas controlem os seres humanos.

Seria uma surpresa se a chegada das redes digitais não alterasse nossa visão da humanidade. Mas o surgimento repentino do pós-humanismo, do "vitalismo" e do materialismo Terra Média requer uma análise materialista. No interesse de quem, e em apoio de que tipo de estrutura de poder, eles estão sendo promovidos? Qual seria o efeito se um grande número de pessoas os adotasse como visão de mundo?

Na verdade, o pós-humanismo se encaixa num padrão observado pela primeira vez pelo marxista húngaro Georg Lukács: quando o pensamento racional leva à revolução social, a elite recorre ao tarô e a sessões de espiritismo. O ataque da elite capitalista ao racionalismo começou, segundo Lukács, no momento em que a Revolução Francesa passou a influenciar o pensamento de filósofos como Hegel e Kant. O racionalismo era bacana se produzisse máquinas, ciências e princípios de contabilidade, mas não se criasse repúblicas e a guilhotina.

Uma vez que a classe trabalhadora surgiu como força revolucionária em meados do século XIX e passou a utilizar a economia política e as ciências naturais para justificar suas reivindicações, o irracionalismo da elite voltou a ajustar o foco contra os trabalhadores, sobretudo através da obra de Nietzsche. O gênio de Nietzsche, disse Lukács, foi desenvolver um pessimismo reacionário, romântico, eterno — de tal maneira que futuras gerações de rebeldes "espirituais" que odiassem a classe trabalhadora, e quisessem celebrar a grandeza biológica de uns poucos homens de elite, pudessem sempre voltar a seus aforismos como se fossem novidade.

A ofensiva anti-humanista 235

Nos anos 1920, o "vitalismo", a oposição à causalidade e a celebração da "intuição" — exemplificados em *A decadência do Ocidente*, de Spengler — se tornaram a ideologia automática da classe média alemã, que se via diante de uma aguda polarização política e do fracasso econômico. A essa altura, em toda esquina e em todo pátio de fábrica havia operários social- -democratas e comunistas fazendo declarações sobre o caráter científico do socialismo. Os violentos ataques de Hitler a eles foram simplesmente, disse Lukács, a transferência de "tudo que tinha sido dito sobre pessimismo irracional [...] para as ruas".[31]

O pós-modernismo, também, foi uma reação à derrota: em seus ataques à verdade, à racionalidade e à política centrada no ser humano, ele desarmou uma geração de indivíduos progressistas nos anos 1990. Mas por que tanta gente aderiu? Mesmo nos anos 1920 e 1930, quando Mussolini usava a "força vital" de Bergson para justificar o fascismo e Hitler transformava o irracionalismo de Spengler numa religião popular nazista, havia liberais, democratas, socialistas e comunistas que compreendiam que tudo aquilo era uma grande bobagem e resistiam.

É certo que a ascensão do pós-modernismo coincidiu com a derrota global do trabalho organizado — mas por que o pensamento mágico sobre processos autônomos de repente vingou entre tantas pessoas de uma vez? A resposta materialista é muito simples.

Na ideologia neoliberal, o mercado é apresentado como uma máquina autônoma além do controle humano, que produz o melhor de todos os resultados para os seres humanos. Só quando as pessoas mexem nela ou tentam lhe impor decisões conscientes as coisas dão errado. Depois que milhões de pessoas adaptaram seus processos mentais, seu comportamento e suas concepções de si mesmas a essa proposta, ficou fácil aceitar o antirracionalismo e o anti-humanismo que descrevemos.

Os gigantes do pensamento renascentista viam o mundo como um território virgem a ser descoberto com experimentos, lutas e aventuras. Os empresários que criaram o sistema fabril eram indivíduos preparados para mexer experimentalmente com máquinas e processos até que fracassassem. Viam na resistência e negatividade do mundo um desafio. Não é preciso aceitar por completo a ideia de Marx de que só podemos conhecer o mundo tentando mudá-lo para entender que o processo de aprendizagem é uma pressão que se exerce contra a resistência.

Mas os fatos diários da vida sob o neoliberalismo suprimem esse impulso: a receita para preparar um Big Mac não está sujeita a sugestões experimentais de empregados do McDonald's, nem os procedimentos sequenciais de um fluxo de trabalho específico. O mais conhecido espaço público privatizado — o shopping center policiado por seguranças particulares — não é projetado para a exploração ou para a aventura. A favela do século XXI não está destinada a ser eliminada ou reconstruída, mas apenas tornada habitável por meio de subsídios alimentares e sistemas eletrônicos interconectados. Na cabeça das pessoas obrigadas a aguentá-los, o trabalho não qualificado, o espaço público controlado e a favela parecem realidades imunes à mudança.

Se acrescentarmos a isso tudo o empenho em transformar sistemas públicos de educação em máquinas para produzir obediência e habilidades quantificáveis, e não mentes inquisitivas e rebeldes, não é de surpreender que muita gente comece a acreditar em efeitos sem causa, mudança sem esforço e progresso sem negatividade.

Tendo rejeitado tanto o marxismo como o humanismo liberal, a esquerda acadêmica desempenhou um papel fundamental na promoção desses modos de pensar — ainda que no último minuto figuras individuais como Latour rejeitassem os resultados. Mas hoje todo o ímpeto está com a direita nacionalista autoritária. Eles estão satisfeitíssimos de poderem aumentar ao máximo o volume da trilha sonora do desespero irracional.

O caminho a ser tomado por quem estiver disposto a resistir é claro. Precisamos, em oposição direta ao pós-humanismo, de uma defesa radical do ser humano. Precisamos defender a ideia de uma realidade que possa ser conhecida pela ciência, embora por uma ciência que esteja submetida, ela própria, à observação crítica. Precisamos impor à inteligência artificial, à robótica e a projetos de aperfeiçoamento biológico humano um sistema ético que privilegie todos os seres humanos e seja desenvolvido a partir de suas características universais.

A ofensiva anti-humanista

Mas o pós-humanismo é um projeto inquieto, decidido a colonizar todas as demais disciplinas. Começou a produzir sua própria forma de ética. Leia um texto básico, por exemplo *Posthuman Ethics* [Ética pós-humana], de Patricia MacCormack, e você entrará num mundo em que não só animais e seres humanos têm os mesmos direitos, como animais têm o direito de *não serem pensados* por seres humanos — porque nosso pensamento sobre os animais é baseado em nossa suposta superioridade. Trata-se de uma ética na qual o ato de curar uma doença ou atenuar uma incapacidade é visto como forma de opressão; e para a qual em última análise seria uma ótima ideia a humanidade desaparecer do mapa.

Embora o pós-humanismo se apresente como uma forma de rebelião, sua consequência ética é a sujeição à lógica da máquina e ao poder dos algoritmos.

Na sua fase final, Erich Fromm começou a compreender que a subserviência tecnológica levaria os seres humanos a começar a pensar em si mesmos como ciborgues e que isso poderia induzir alguns a adotarem um projeto de extinção voluntária. Ele escreveu, em 1973:

> O mundo se torna a soma de artefatos sem vida; do alimento sintético aos órgãos sintéticos, todo o homem se torna parte de uma maquinaria total que ele controla e pela qual é ao mesmo tempo controlado. Não tem planos, não tem objetivo na vida, a não ser fazer o que a lógica da técnica lhe manda fazer. Aspira a fazer robôs, como uma das maiores façanhas da sua mente técnica, e há especialistas que nos asseguram que praticamente não haverá diferença entre o robô e os homens vivos. Essa conquista não parecerá tão surpreendente quando for praticamente impossível distinguir o homem de um robô.[32]

Desse ponto em diante, disse Fromm, é pequena a distância a percorrer até o grito de guerra dos falangistas espanhóis em 1936: "Viva a Morte!". Olhando para a brigada ética pós-humanista, o projeto é explícito: "A ética pós-humana busca de modo consistente silenciar o que é visto como discurso humano emergindo através da lógica, do poder e da significação", escreve MacCormack, acrescentando que "a ausência do ser humano é o modo de vida mais vital a ser alcançado".[33]

QUERO DEFENDER OS SERES HUMANOS contra algoritmos que prevejam e ditem o que devemos comprar, como devemos votar e quais são nossas preferências sexuais; contra governos repressivos que lancem mão de controle algorítmico para nos converter nos semiautômatos que sua ideologia exige; contra cleptocratas e bilionários que combinem, como fizeram na eleição que produziu Trump, tirar o máximo proveito do poder colossal do controle algorítmico, da desregulamentação e do sigilo empresarial para manipular o sistema eleitoral.

Quero defender a ideia de que cada um de nós — o ativista transgênero em Londres, a operária de fábrica em Guangdong, o adolescente canaca lutando pela independência da Nova Caledônia — tem uma qualidade universal da qual derivam direitos humanos inalienáveis.

Para defender o humanismo precisamos, é claro, resgatar a ideia do eurocentrismo: não quero substituí-la pelo relativismo cultural. Como defendemos os valores do Renascimento, do método científico, do Iluminismo e do humanismo radical de Marx, não estamos defendendo uma coisa especificamente "branca", masculina ou sequer europeia. Estamos defendendo, por exemplo, as conquistas do humanismo islâmico — matemática, algoritmo, jurisprudência e a redescoberta dos escritos de Aristóteles entre os séculos VI e XIII.[34] Estamos defendendo a sabedoria do escravo africano liberto e dramaturgo Terêncio, que escreveu, em 163 a.C.: "Nada do que é humano me é estranho".[35]

Como o teórico da libertação negra Frantz Fanon, quero que o humanismo se expanda para que possa reconhecer e indenizar os crimes cometidos pelos europeus no mundo em desenvolvimento, e não ignorá-los.[36] Quero uma forma de humanismo que não seja centrada no "homem", mas nos homens e nas mulheres. Porque a diferença biológica entre mulheres e homens foi durante milhares de anos a justificativa para a escravidão e para a opressão doméstica, e porque escravidão e opressão sobrevivem ao

A ofensiva anti-humanista

lado da participação da mulher na força de trabalho, o humanismo precisa incorporar a ideia feminina de liberdade, que em certo sentido diverge da ideia masculina.

Diante da pergunta "Será que já somos seres pós-humanos?", quero que todos que leiam este livro façam uma escolha consciente: respondam "Não".

Na verdade, depois que se responde "Não", abre-se um vasto leque de questões mais interessantes sobre como a natureza humana está mudando sob o impacto das redes digitais: questões que os psicólogos sociais exploram há duas décadas.

12. A insurreição *snowflake*

"EM, OU MAIS OU MENOS, dezembro de 1910", escreveu a romancista Virginia Woolf, "o caráter humano mudou."[1] Aquele foi o mês em que houve a primeira grande exposição de pintura modernista em Londres e o Partido Liberal venceu uma eleição geral antecipada para aprovar um "orçamento do povo" e cobrar impostos dos ricos. Foi também um mês obscurecido pela Sexta-Feira Negra — a violenta repressão a um protesto de sufragistas em Westminster que deixou duzentas manifestantes feridas.

Dezembro de 1910, portanto, foi o momento em que feminismo, classe, radicalismo político e modernidade artística penetraram ao mesmo tempo na consciência política britânica. Foi o momento em que as pessoas se deram conta de que a revolução tecnológica tinha gerado, em vez de harmonia social, um desejo insaciável de justiça. Logo um despertar semelhante se propagou por todo o mundo desenvolvido. Entre 1911 e 1913 greves gerais de trabalhadores não qualificados e imigrantes se espalharam pela Europa, pelas Américas e pelo Pacífico. As pessoas se conscientizaram de que, com as novas tecnologias — o automóvel, o cinema, o disco de 78 rotações —, era possível começar a dar forma ao tipo de indivíduo que queriam ser.

Woolf percebeu que um novo tipo humano se formava — e não apenas na classe alta. Em 1911, os primeiros personagens operários tridimensionais apareceram no palco britânico, falando no dialeto da geração do meu avô, em peças como *Lonesome-Like*, de Harold Brighouse, e, no ano seguinte, *The Daughter-in-Law*, de D. H. Lawrence.

Lançando um olhar retrospectivo para esse período, conhecido como a "Grande Inquietação", Woolf escreveu: "Todas as relações humanas mudaram — entre amos e criados, maridos e mulheres, pais e filhos. E quando as relações humanas mudam ocorre ao mesmo tempo uma mudança em religião, comportamento, política e literatura".[2]

Quase exatos cem anos depois, uma onda de levantes globais sinalizou que uma sublevação semelhante estava em curso. O ano de 2011 trouxe uma coisa muito mais revolucionária do que a derrubada de uns poucos ditadores e a ocupação de umas poucas praças. Esses acontecimentos foram uma resposta à crise do eu neoliberal: o primeiro sinal de que, apesar de todos os hábitos de egoísmo e competitividade que aprendemos, pessoas cuja subjetividade tinha sido formada durante a era neoliberal eram capazes de enxergar além dela.

Vi isso acontecer na minha frente, nas ruas de Londres. No fim de 2010 estudantes universitários, descartados pela velha esquerda como um bando de individualistas apolíticos, realizaram uma série de manifestações pacíficas e marchas espontâneas de protesto que sacudiram o governo encabeçado por conservadores. Todas as tecnologias que em tese os haviam escravizado — Twitter, Facebook, seus smartphones e sistemas de mensagens instantâneas (que naquela época incluíam o Blackberry) — viraram ferramentas de resistência. O futuro que lhes prometeram tinha sido cancelado. Mas todo o sistema educacional e a ortodoxia anti-humanista ensinada nas artes e nas ciências lhes ensinaram também que um sistema melhor era impossível.

Em vez de aplicar a essas relações humanas transformadas algumas categorias abrangentes — como o inforg, o ciborgue ou o ser pós-humano —, deveríamos nos perguntar como essa experiência concreta de interação com a tecnologia pode estar mudando a natureza humana e modificando nosso conceito de nós próprios.

WOOLF ESCREVEU QUE "uma biografia é considerada completa se apenas cuida de seis ou sete eus, embora cada indivíduo possa ter muitos milhares deles".[3] Mas para a geração dela, no começo do século XX, "um indivíduo" significava alguém da classe média alta. E ainda que uma mulher privilegiada como Woolf pudesse possuir múltiplas personalidades a portas fechadas — por exemplo, em suas relações homossexuais com a romancista Vita Sackville-West —, em público ainda precisava escondê-las.

Para efeito de comparação, hoje os pensamentos e identidades que cruzam a mente de milhões de pessoas existem dentro de um vasto espaço público on-line: a rede. Quase no mesmo instante em que pudemos usar as redes para fazer experimentos com nosso eu — via os *bulletin boards* dos anos 1980 —, fizemos isso de uma forma tão espetacular que a socióloga Sherry Turkle descreveu a internet como um "laboratório social do eu".

Para qualquer um que tenha nascido depois de 1990, a vida na rede passou a ser não uma escolha, mas um direito de nascença. Os jovens que saíram às ruas em 2011 concluíram — como lhes dissera a teoria do "fim da história" — que tecnologia e liberdade andavam juntas. Mas durante a primeira onda de protestos, que engoliu cidades de Québec a São Paulo, do Cairo a Hong Kong, para grupos inteiros o "eu" moldado pela tecnologia começou a se separar do "eu" moldado pela economia neoliberal. Até então supunha-se que liberdade de pensamento, de protesto, de estilo de vida e de sexualidade dependiam da economia de mercado. Ficou claro, no entanto, que todos os valores pessoais dessa geração estavam em conflito com o sistema econômico que lhes dera forma.

Hoje estamos lidando com o fracasso desse primeiro espasmo de rebelião: com o resultado de sua imaturidade política; com o longo período de anomia que se estabeleceu depois que os protestos foram esmagados; e, sobrepostos a tudo isso, com o medo, a paralisia e a desorientação que tomaram conta das pessoas quando elas compreenderam a extensão da maldade que reside na cabeça de autocratas como Trump, Putin e seus imitadores.

Para retomar o progresso iniciado em 2011, precisamos entender como, sem ceder um milímetro ao preconceito, a maioria progressista em democracias desenvolvidas pode deter pessoas que se precipitam em busca de soluções racistas, nacionalistas e misóginas.

Se perguntarmos a indivíduos mais engajados politicamente como isso pode ser feito, eles irão sugerir novas políticas para ressuscitar cidades pós-industriais decadentes ou a democratização da mídia para tirar o poder de homens como Rupert Murdoch. Podem sugerir também que comecemos

A insurreição snowflake

a construir alternativas em nível local: criar a sociedade e a economia que queremos "de baixo para cima".

Exploro essas ideias na parte v deste livro. Mas na raiz de uma estratégia de resistência é preciso que ocorra uma mudança no nível do nosso eu. Precisamos que o "indivíduo conectado" mude: que passe de uma identidade produzida espontaneamente pela tecnologia e pela liberdade social para uma identidade elaborada de maneira consciente pela ação coletiva. A classe trabalhadora do século xix partiu da identificação de um interesse comum para a preparação de um projeto comum. É o que nós também devemos fazer.

QUANDO, NOS ANOS 1990, sociólogos começaram a estudar as consequências das redes de informação, o impacto mais óbvio que identificaram foi o que ocorria no comportamento humano. As redes eliminavam os limites entre grupos; possibilitavam a interação com pessoas mais diversificadas; ajudavam a trocar de projetos e objetivos com mais agilidade do que estávamos acostumados; e hierarquias começaram a se achatar: a distância da decisão política para a ação se encurtava. Em vez de se adaptarem a uma comunidade preexistente — o subúrbio, a academia de squash, a igreja, o local de trabalho —, as pessoas passaram a criar comunidades centradas em si mesmas.[4]

Estudar como a tecnologia interconectada constitui o "eu" é mais difícil do que simplesmente especificar comportamentos, porque durante o século xx não havia uma convergência de opiniões entre os psicólogos sobre como o eu era constituído. Quando examinavam a ideia de que as pessoas possuíam "múltiplas" personalidades, eles costumavam vê-las como transtornadas (como no caso da esquizofrenia) ou em camadas (como no caso do consciente e do subconsciente de Freud). Na melhor das hipóteses, diziam os livros de psicologia ainda no fim dos anos 1990, o eu múltiplo era uma metáfora para o jeito de a pessoa lidar com diferentes aspectos de sua vida.[5]

Mas os primeiros sintomas de comportamento interconectado obrigaram pesquisadores nas disciplinas de psiquiatria, sociologia e neurociência a considerar a possibilidade de que um eu "múltiplo" muito mais tangível está emergindo. Se você pega seu smartphone, abre um aplicativo depois do outro e descreve a pessoa cuja imagem cada um deles projeta, talvez fique surpreso ao constatar o quanto sua própria autoimagem é "múltipla": alguns indivíduos conseguem levar duas ou três vidas paralelas dentro de um único aplicativo de mensagens.

O fenômeno que anda junto com isso é o que a autora de obras científicas Margaret Wertheim chama de "eu gotejante".[6] Quando estamos on-line, diz ela, nosso eu "se torna parecido com um fluido, gotejando o tempo todo à nossa volta e unindo cada um de nós a um vasto oceano, ou rede, de relações com outros eus gotejantes".[7] Dessa maneira, quando compartilhamos uma piada no Facebook, ou curtimos as fotos do casamento de um amigo no Instagram, ou fazemos um comentário sobre nossa vida sexual num grupo de WhatsApp, a precondição é que outras pessoas estejam preparadas para compartilhar conosco partes do seu eu on-line.

Além disso, há o "eu rotulado" oficial. Muita gente com menos de quarenta anos mantém uma versão escrupulosamente construída de sua autoimagem destinada aos dois grandes objetivos da vida: encontrar um parceiro e conseguir um emprego. Cria, de maneira deliberada, essa persona pública — embora nem sempre acredite muito nela — a partir de estereótipos e padrões de comportamento, tomando de empréstimo estados de espírito e obsessões de outras pessoas.

Wertheim sustenta que, depois que passamos a externar nossos pensamentos e interações através de máquinas interconectadas, começamos a experimentar mais concretamente do que em qualquer outra época desde a Idade Média um espaço interior separado do corpo. Se meu corpo está sentado diante de um computador, mas minha mente espreita um castelo com mais duzentos eus desencarnados no jogo The Elder Scrolls Online, qual dos dois me dá a sensação de ser mais real, presente, vivo?

Hoje o eu múltiplo, o eu gotejante, o eu rotulado e o eu desencarnado são "estados" que quem vive mergulhado nas redes reconhece. Mas em que isso difere da maneira como nossos avós viviam?

Nas três últimas décadas a teoria social cognitiva começou a fornecer um modelo que podemos usar como referência para compreender como as redes mudaram as ideias que fazemos de nós mesmos.

A insurreição snowflake 245

Partidários da teoria social cognitiva acreditam que nosso eu é uma coleção de lembranças associadas a ambientes específicos, que tendem a deflagrar comportamentos específicos. Se vou à academia, minha mente se lembra do comportamento que se espera de quem vai à academia; então adoto o comportamento de academia. No trabalho apresento um eu diferente, um diferente conjunto de lembranças, um diferente conjunto de hábitos e assim por diante. Com o tempo, enquanto troco de ambiente entre o trabalho, a academia, o jogo de futebol e o cinema, esses diferentes aspectos da minha personalidade continuam "ativos" lado a lado, criando o que Allen McConnell, professor de psicologia da Universidade de Miami, chama de "eu estável, mas variável".[8]

Embora essa teoria se aplique a todos os seres humanos em todas as áreas, sua ênfase no modo como nosso ambiente físico dispara diferentes conjuntos de lembranças é muito relevante para o homem de hoje. Depois que passamos a usar dispositivos de informação múltiplos, altamente fascinantes, que estão sempre ligados, eles nos permitem acesso instantâneo a intensos e diferentes conjuntos de lembranças. Se observarmos uma pessoa que anda pela rua tão imersa em seu smartphone que corre o risco de esbarrar nas outras, o que estamos vendo não é apenas uma mudança de comportamento, mas um novo nível de estímulo na moldagem da personalidade individual.

Estudando a internet em seu início, quando ainda era concentrada em computadores de mesa, psicólogos notaram que ela criava uma nova dinâmica: o anonimato era fácil; a aparência física não tinha importância; dava menos trabalho encontrar pessoas que pensavam do mesmo jeito; e podia-se controlar o ritmo da interação sem grandes dificuldades.[9] Com esses fatores, era moleza inventar e administrar múltiplas personalidades. Mas o surgimento da internet móvel com certeza alterou essa dinâmica. Num smartphone continuamos anônimos on-line — podendo, muitas vezes, projetar duas, três ou mais personalidades separadas através da nossa tela. Contudo, para os que nos cercam no mundo real, é óbvio que nossa mente está longe. Essa característica, de absorver-se em múltiplos projetos particulares enquanto participamos de uma situação social, era vista como antissocial quando começou a se consolidar nos anos 2000. Mas agora é aceita como norma em muitas culturas.

Enquanto isso, o ritmo da nossa comunicação também mudou e o nível de recompensa e absorção que tiramos do que está na tela dos nossos aparelhos se intensificou.

Imagens, por exemplo, talvez tenham se tornado mais importantes do que em qualquer época desde a invenção do mundo impresso: existem agora mais fotos tiradas a cada ano do que em todas as câmeras analógicas entre 1826 e 2000. Em consequência disso, a aparência física se tornou moeda corrente da amizade: das selfies a instantâneos escolhidos a dedo do nosso café da manhã. E memes — imagens estáticas ou animadas — substituíram os ditos populares que as pessoas costumavam trocar em culturas basicamente orais.

Embora a intensidade da interação seja elevada, nosso fácil acesso a informações comprovadas significa que nossa necessidade de lembrar as coisas é mínima. É comum sair de carro para uma viagem sem saber o endereço do nosso destino ou a estrada que devemos seguir para chegar lá. Por sua vez, os artifícios quase místicos usados para prever o clima vinte anos atrás foram substituídos por imagens de satélite em tempo real das nuvens de chuva que se avizinham.

Como resultado, as comunicações móveis interconectadas criam mais "realidades" separadas do que o mundo analógico jamais criou, com inputs mais fortes e mais emocionais. Promovem uma comunicação "semialfabetizada", preferindo imagens a palavras e conceitos e exigindo um envolvimento consciente com subtextos e inferências, e nos estimulam a depender mais do conhecimento armazenado remotamente do que da memória e da expertise.

Isso não quer dizer que o eu essencial esteja estilhaçado numa infinidade de fragmentos, como Foucault de início acreditava. Nem significa, como afirma Floridi, que tenhamos nos tornado apenas um conjunto semiautomático de reações a estímulos externos. Significa que o mecanismo regulador de todos esses eus — o "estável, mas variável" — precisa ser preservado e utilizado de maneira mais consciente, e que

A insurreição snowflake

isso pode se tornar difícil de fazer, deixando-nos mais vulneráveis ao controle algorítmico.

Se aceitarmos as visões da teoria social cognitiva sobre autocriação, ela nos permitirá compreender todos os fenômenos que o pós-humanismo tenta descrever — o eu fragmentário, o poder de estímulos externos — sem abandonar o conceito essencial de natureza humana. Mas é bem verdade que é uma natureza humana modificada.

Para a geração do meu pai, era obrigatório ser a mesma pessoa no trabalho, no pub, nas arquibancadas do estádio de futebol. Se resolvesse quebrar essa regra — como muitos gays precisavam —, você tinha que fazer isso no mais absoluto sigilo e seria marginalizado caso fosse descoberto. No dialeto de Lancashire, a palavra "fauce" (que rima com "horse", cavalo) significava que você era não apenas "falso", mas inteligente e astuto. Se remontarmos à sua origem anglo-saxônica, "fauce" é o radical de termos que designam todo tipo de transgressão social: mentir, roubar e até cochichar.[10] Em minha infância, eu a ouvi sendo usada para descrever políticos, gays, celebridades e ladrões: qualquer um que costumasse apresentar duas (ou mais) personalidades para o mundo.

Contudo, no período de talvez vinte anos, temos usado a tecnologia interconectada para demolir o tabu da falsidade. Existe, porém, uma desvantagem. Para o psiquiatra Carl Jung, o eu "verdadeiro" era o self inconsciente: só depois de horas de penosa terapia o paciente conseguia entrar em contato com ele. Se aceitarmos a proposta da teoria social cognitiva de que existe um eu nuclear — "estável, mas variável" —, a nova realidade é que, mesmo antes de nos conectarmos conscientemente com nosso eu nuclear, e de o moldarmos, as empresas e redes com as quais interagimos já sabiam tudo que precisavam saber a respeito dele, e de como controlá-lo.

Despejamos coisas nossas nas redes sociais e coisas ainda mais pessoais em serviços de mensagem fechados. Usamos sistemas de e-mail que permitem a patrões e gigantes da tecnologia armazenar e analisar cada palavra que escrevemos, e relógios esportivos que traçam cada movimento nosso, cada batida do coração. E 1,6 bilhão de pessoas no planeta usam o Facebook, o que as transforma em alvo de anúncios calibrados precisamente ou conteúdos produzidos por qualquer um que se disponha a pagar uma taxa minúscula.

O "eu" que ativamos ao tomar grandes decisões, ou ao nos indignar, ou ao votar pode ser — num grau muito maior do que na geração passada — manipulado por empresas e analisado por Estados.

Num mundo tranquilo, poderíamos dizer: e daí? Mas o eu interconectado existe dentro de um sistema econômico e geopolítico real, que está em crise. Na primeira oportunidade que apareceu, as empresas que são donas desses "dados de eu" os venderam para o governo russo, que se utilizou deles para manipular todas as grandes eleições dos últimos cinco anos. Empresas como a Cambridge Analytica, criada por Robert Mercer, milionário que apoia Trump, dispõem de mais dados pontuais sobre os eleitores americanos do que são capazes de usar.

Como resultado disso, a persona de cada pessoa interconectada se tornou campo de batalha social. Isso, por sua vez, explica a extrema atenção que governos autoritários e movimentos de direita prestam à batalha de informações dentro da cabeça dos indivíduos conectados.

A PARTIR DE MEADOS DE 2013, as elites desenvolveram três respostas estratégicas a movimentos de protesto nas redes: a censura, a criação de bolhas de informação controladas pelas elites e, por fim, o dilúvio de fake news. Só esta última de fato funcionou, e por um motivo óbvio: era a única estratégia que usava com a máxima vantagem o poder da rede contra ela mesma.

Em maio e junho de 2013, durante os protestos em massa para impedir que o parque Gezi, em Istambul, fosse derrubado para dar lugar a prédios, vi a metade secular da sociedade turca criar uma sociedade alternativa nos espaços abertos que ocupou. Houve participação em massa nas barricadas contra a polícia mobilizadas pelo governo conservador, contínuas reuniões envolvendo milhares de pessoas e até uma troca simbólica de camisas de time de futebol entre torcedores fanáticos que costumam ser hostis uns aos outros. Mas o verdadeiro caráter de massa de Gezi estava em seus momentos de passividade. Milhares de estudantes apareciam no fim da tarde e se

A insurreição snowflake

sentavam juntos para fazer os deveres de casa; simpatizantes contribuíam com grandes quantidades de alimentos, água, remédios e cigarros, e os jovens saíam pelo parque distribuindo tudo de graça.

Foi na Turquia que vi pela primeira vez a nova e complexa forma de censura que acabou se tornando normal em outros países. A TV estatal se recusou a mostrar as manifestações, transmitindo, em vez disso, um documentário de duas horas sobre pinguins no horário nobre; ao mesmo tempo, tabloides governistas contavam aos seus leitores que as manifestações eram encabeçadas por terroristas ou que os participantes tinham levado cerveja para dentro de uma mesquita. Era a velha bobajada autoritária de sempre, que podia até arrancar risadas num bar em Istambul, mas que soava plausível nas cidadezinhas rígidas, patriarcais e patrulhadas por imãs no interior da Anatólia, onde ficam os redutos do Partido AK, que governa o país. Contra os jornalistas estrangeiros, levantou-se um exército de trolls no Twitter, que respondia a cada reportagem nossa com ameaças e calúnias.

Depois que a rebelião do parque Gezi foi sufocada, os métodos de censura de Erdoğan ficaram mais agressivos. Em 2014, depois que vazou no Twitter a notícia de seu envolvimento num escândalo de corrupção, ele bloqueou essa rede social por duas semanas. Seguiram-se bloqueios arbitrários do Twitter, do Facebook e do YouTube, e de mais de 40 mil páginas da web, além de uma nova lei concedendo à política poderes ilimitados de vigilância sobre usuários da internet. Uma lista de 138 palavras proibidas tornou sites com as palavras "quente", "confidencial" ou mesmo "livre" em seus títulos ilegais.

Então Erdoğan passou a usar, reiteradas vezes, bloqueios totais da internet em certas regiões, prática formalizada pela introdução de uma lei do tipo *kill switch*, que permite ao governo tirar toda a rede do ar em tempos de guerra ou de agitação social.

Depois de uma tentativa de golpe por um movimento islâmico rival em 2016, Erdoğan mandou prender centenas de jornalistas. O acesso à Wikipédia foi proibido, jornais de oposição foram fechados ou tomados pelo governo. A Turquia também proibiu o funcionamento de redes virtuais privadas, as ferramentas que militantes da internet utilizam para se comunicar com segurança, e no ano seguinte prendeu seis ativistas de direitos humanos pelo crime de participarem de um seminário sobre codificação e segurança de informação.[11]

A aplicação de duras medidas contra a liberdade na internet não acabou com os protestos nem silenciou a oposição na Turquia. Mas forneceu a outros países aparentemente democráticos um molde para endurecer a censura. Na próxima década, enquanto resistimos à direita nacionalista autoritária, podemos ter certeza de que medidas como essas serão utilizadas com regularidade.

A segunda arma psicológica usada pelas elites e suas bases de direita é a criação on-line de uma bolha de ódio e nocividade que se reforçam a si mesmos. A experiência de Israel durante o conflito na Palestina em 2014 é um exemplo clássico. Ali, mais uma vez, o papel dos veículos de comunicação de massa foi essencial: ignorando os fatos negativos e criando deslavadamente contextos tendenciosos do que noticiava, a mídia israelense pró-governo forneceu a matéria-prima para o pensamento fechado da direita racista.

Mas agora o efeito foi amplificado de maneira colossal nas redes sociais. Gráficos mostrando o fluxo de informações criado por acontecimentos individuais — como o bombardeio pelo exército de Israel de uma escola da Agência das Nações Unidas de Assistência aos Refugiados da Palestina em Jabalia, cujas consequências noticiei — apontam a existência de infosferas quase completamente separadas. Israelenses recebiam uma versão da realidade uns dos outros; palestinos e boa parte da mídia global recebiam uma versão totalmente diferente. As mais influentes contas do Twitter associadas à divulgação do que de fato acontecia eram as da BBC, do Channel 4 (para o qual eu trabalhava) e de jornalistas militantes como Glenn Greenwald e da mídia alternativa pró-palestina.[12]

Entrar na bolha das redes sociais da jovem direita israelense era experimentar um mundo de racismo tosco e pensamento genocida. Centenas de pessoas posavam anonimamente com slogans racistas rabiscados em cartazes ou no próprio corpo, clamando por vingança contra os árabes. Soldados postavam fotos em que apareciam com fuzis, junto com claras ameaças racistas de matar civis. Mulheres jovens postavam selfies

A insurreição snowflake

trazendo comentários como: "Do fundo do meu coração, quero que os árabes sejam queimados" ou "Matem as crianças árabes para que não haja uma próxima geração".[13]

Apesar de estimulado por políticos e líderes religiosos, aquilo era um movimento em massa on-line de baixo para cima em apoio da limpeza étnica — que logo se transferiu para as ruas, com manifestações pedindo "morte aos árabes", um aumento de incêndios criminosos em casas árabes e ataques a manifestantes de esquerda que se opunham à guerra.

O racismo de extrema direita, claro, não é nenhuma novidade, mas as redes sociais lhe dão uma fisionomia distinta. Em primeiro lugar, criam um espaço mental separado, que se reforça a si mesmo, no qual o ódio e a nocividade são normalizados por milhões de pessoas. Em segundo lugar, a bolha protege os pensamentos irracionais e as incitações à ilegalidade de serem contestados por adversários políticos, fontes da mídia independente e grupos de direitos humanos.

Embora o caso israelense seja um exemplo extremo, o fato é que ocorreu num país que — como os Estados Unidos — é nominalmente democrático. Mas há limites para o que a bolha de informação pode conseguir para a direita política. Apesar de proteger pessoas de ideias contrárias, não é capaz de erradicá-las. Não pode, sozinha, ganhar uma eleição, assim como também não costuma obrigar o pensamento progressista e de esquerda a recuar para dentro de uma bolha paralela.

Por isso, para conquistar poder, a aliança moderna de "elite e ralé" precisava de algo maior: um método que multiplicasse o poder da rede inteira. Durante a campanha eleitoral de Trump, Facebook, Google e Twitter lhe forneceram os meios necessários: os dados dos usuários e os algoritmos projetados para lhes enviar conteúdo direcionado. O conteúdo era fornecido pela alt-right real e por numerosos grupos e indivíduos falsos controlados pela inteligência russa. A metodologia de direcionamento ficou a cargo da Cambridge Analytica, a empresa de processamento de dados apoiada por Mercer. "Fizemos toda a pesquisa, todos os dados, todas as análises, todo o direcionamento — dirigimos toda a campanha digital e a campanha de televisão, e nossos dados orientaram toda a estratégia", disse o chefe da CA, Alexander Nix, explicando o papel de sua empresa a repórteres disfarçados em 2018.[14]

Não é preciso que haja conluio, menos ainda conspiração, para que as redes sobrepostas que controlam o pensamento da direita utilizem os recursos umas das outras. Assim a Cambridge Analytica descreveu sua operação: "Coletamos cerca de 5 mil pontos de dados sobre mais de 220 milhões de americanos e usamos mais de cem variáveis para formar grupos de público-alvo e prever o comportamento de pessoas com gostos e ideias afins".[15]

Agências de marketing vinham tentando fazer isso havia décadas, mas a rede sempre ligada lhes deu uma nova e enorme vantagem, tanto para prever como para influenciar comportamentos. Esses 5 mil pontos de dados podem incluir a localização de qualquer um de nós (via GPS ou log on de Wi-Fi), a lista de coisas que costumamos comprar, quem são nossos amigos íntimos, qual é nossa filiação partidária ou o que gostamos de ver em sites pornográficos. Depois que a Cambridge Analytica conseguiu correlacionar esses atributos aos dados dos eleitores, a campanha de Trump pôde usar os algoritmos projetados pelo Facebook, pelo Twitter e pelo Google para direcionar anúncios e influenciar eleitores com precisão.

Qualquer pessoa pode comprar um anúncio direcionado no Facebook: livre mercado é isso. Trump gastou 150 milhões de dólares em publicidade on-line. Em troca a empresa pôs à disposição dele uma equipe de funcionários para ajudar seus ativistas a aprenderem a tecnologia. Como descobriram os especialistas em comunicações Daniel Kreiss e Shannon McGregor num estudo de 2017, Google e Twitter ofereceram serviços semelhantes: "Representantes dessas empresas servem quase como consultores digitais de campanhas, formulando estratégias digitais, conteúdo e execução". Isso definitivamente não é livre mercado: é conluio corporativo com uma campanha baseada na estigmatização de negros, imigrantes, deficientes e da mídia.

Parte disso, tinha como objetivo diminuir o número de eleitores: o Facebook ajudou Trump a colocar no feed de notícias de prováveis apoiadores de Clinton conteúdos destinados a fazê-los ficarem em casa no dia

A insurreição snowflake

da votação. Por exemplo, uma tirinha, ao estilo *South Park*, em que Hillary Clinton repetia sua declaração infeliz de 1996 chamando de "superpredadores" jovens negros e latino-americanos que participavam de gangues. Era um insulto racial e Clinton pedira desculpas, mas agora o pessoal de Trump colocava a tirinha numa mensagem do tipo *dark post* — escondida de todos, menos dos eleitores negros aos quais era direcionada, em cuja linha do tempo ia parar. Dizia o seguinte: "Hillary acha que afro-americanos são superpredadores". Um membro da equipe de Trump disse à Bloomberg: "Sabemos por que fizemos isso. Vai afetar drasticamente a capacidade dela de tirar essas pessoas de casa".[16]

O Facebook, a Cambridge Analytica e outros gigantes das redes sociais estão sendo investigados. A indignação com essas empresas foi provocada não apenas pela maneira como direcionaram sua publicidade, mas por terem conhecimento de que a Rússia estava se utilizando em segredo da publicidade eleitoral do Facebook em sua tentativa de manipular os resultados. Dos 112 grupos de campanha que pagaram ao Facebook para publicar anúncios sobre questões controvertidas em estados decisivos, um em cada seis poderia estar ligado a uma agência de propaganda clandestina do Estado russo.[17]

Essa terceira arma psicológica — usar o algoritmo para prever e influenciar o comportamento de eleitores — completa o repertório de controle e repressão desenvolvido pela direita em resposta às revoltas em rede de 2011. Nada disso teria acontecido sem a displicente cultura de regulamentação e a colossal assimetria de informações que ocorre quando monopólios como o Facebook dominam um setor inteiro.

A pergunta inescapável que a maioria progressista em países avançados tem diante de si, enquanto conflitos sociais se intensificam, é: Podemos ser derrotados não apenas através da censura, de bloqueios e de prisões, mas pela lógica vitoriosa da direita na própria rede?

As respostas iniciais não são animadoras. As três estratégias autoritárias que mencionei se desenvolveram com rapidez e de maneira deliberada. Por sua vez, o comportamento de grupos que protestam contra elas tem se desenvolvido em ritmo muito mais lento.

As operações típicas de um partido ou grupo de protesto de esquerda consistem não em mobilizar apoiadores usando redes, mas em recorrer a instituições velhas e hierarquizadas — como o Comitê Nacional do Partido Democrata nos Estados Unidos, o Partido Trabalhista no Reino Unido ou a Coligação da Esquerda Radical (Synaspismós Rizopastikis Aristerás, ou Syriza) na Grécia — para conquistar poder político à antiga e analógica maneira.

O que precisamos, além disso, é de uma estrutura que nos permita assumir o controle consciente dos nossos "eus" conectados em rede, a fim de impedir que sejam manipulados, e lutar por um sistema comum de informações no qual as reivindicações rivais de forças políticas possam ser julgadas de maneira objetiva e as mentiras classificadas publicamente como mentiras.

NÃO HÁ TERMO QUE expresse de modo mais sucinto o medo que a direita populista tem da liberdade do que a palavra "snowflake", floco de neve. Ela tem uma história longa e diversa como insulto, mas seu significado atual vem de um discurso no filme *Clube da luta*, de 1999. Enquanto um bando de skinheads alienados trabalha num projeto para destruir o capitalismo de consumo explodindo Wall Street, uma voz em off entoa:

> Escutem aqui, vermes. Vocês não são especiais coisa nenhuma. Vocês não são o lindo ou único floco de neve. Vocês são feitos da mesma matéria orgânica em decomposição de que tudo o mais é feito. Somos o mais moderno, o mais avançado lixo do mundo. Todos fazemos parte da mesma pilha de compostagem.[18]

Embora escrito como uma crítica da masculinidade tóxica nos anos em que esse fenômeno parecia em declínio, o filme acabaria se tornando cult para a alt-right.

Em 2016, o termo "snowflake" se tornou popular entre conservadores que apoiavam Trump e o Brexit. Passou a denotar a tendência de jovens

A insurreição snowflake

da geração millennial a se ofenderem com linguagem racista ou sexista e a exigirem "espaços seguros" em universidades e "avisos de gatilho" sobre conteúdo que possa ofendê-los, e a não tolerarem o discurso de ódio de racistas, homofóbicos e misóginos. O subtexto — de que um floco de neve derrete fácil — também era usado para denotar fraqueza.

Mas os flocos de neve de verdade são lindos. Embora seja um mito a afirmação de que são hexágonos perfeitos, eles exibem muitas variações e, em condições estáveis, criam uma simetria de seis pontas. Na verdade, uma das grandes belezas do floco de neve é ser uma refutação do materialismo mágico e do movimento contra a ciência. Sua figura de seis pontas é totalmente explicada pela estrutura interna da molécula de água e pelo que a ciência de séculos nos ensina sobre o fluxo do calor.

Se você não aguenta mais ouvir a ideia de que o mundo físico não existe, ou não pode ser descrito pelo pensamento, ou é apenas "criado pela consciência", ou "diferente se quem o vê é uma rã ou um ser humano", pense que você tem sorte se está nevando lá fora. Nenhuma rã e nenhum filósofo idealista jamais olharam para um floco de neve e viram sete pontas. O floco de neve é matematicamente consistente porque a realidade existe e porque a ciência e o pensamento racional são capazes de descrever suas leis com suficiente competência para tornar irrelevante a inatingível "coisa em si" de Kant.

Se você examinar de novo a citação de *Clube da luta*, outra coisa fica clara: os machos tóxicos do filme são anti-humanistas de carteirinha. Seres humanos, diz o protagonista, são parte de um monturo de matéria orgânica em decomposição. Não há nada que nos distinga, seja como indivíduos, seja como espécie, do lixo. Já no momento em que veio à luz, portanto, o insulto "snowflake" trazia a mesma ampla implicação na qual se baseiam o pós-humanismo e o novo materialismo mágico. Não somos diferentes de plantas, de animais, de pedras ou de fezes.

Outra coisa linda sobre os flocos de neve é que eles dançam. Quando o vento os leva, se o tempo estiver frio e seco o suficiente, eles rodopiam. O compositor Claude Debussy, quando quis escrever uma suíte para piano que expressasse suas lembranças de infância, criou uma paisagem sonora representando a neve dançante.

Por todas essas razões, fico feliz de poder usar a palavra "snowflake" como ativistas gays usam a palavra "queer".

Quero me divertir com minha singularidade e com a singularidade dos outros. Quero comemorar a diferença entre um ser humano como Debussy, que era capaz de compor "A neve dança", e um monte de matéria orgânica, que não tem esse talento.

Que a extrema direita, com seu conformismo, seu anti-humanismo, sua obsessão com hierarquias biológicas, fique com o monte de lixo. Ao toparem com a palavra "snowflake" eles sem querer encontraram um termo muito mais poético do que "indivíduo conectado" para descrever a revolução na nossa identidade própria que a revolução tecnológica traz consigo. Que acenem suas bandeiras do Kekistão, a suástica, as runas nórdicas e outros disparates místicos tomados de empréstimo da "magia do caos".

Se eu pudesse desenhar uma insígnia para o movimento que os derrotará, seria uma bandeira com um floco de neve — cada um deles gerado de maneira aleatória, e único.

Os jovens da geração millennial costumam ser criticados por sua política identitária, pela facilidade com que se sentem ofendidos, pelo distanciamento das grandes narrativas e pela excessiva preocupação em defender e administrar o pequeno espaço pessoal à sua volta. Mas essas qualidades podem ser uma fonte de força. Na verdade, quando a geração conectada decide lutar, essa determinação de partir do eu, de defender o eu, confere à sua resistência uma qualidade dura, granular, irredutível.

O indivíduo conectado pode ser oprimido, assediado, esmagado pelas circunstâncias. Mas a vida que leva — fortalecida e ao mesmo tempo manipulada pela tecnologia — contém a semente de um projeto de liberdade humana baseado em superar essa alienação e esse alheamento. O proletariado dos séculos XIX e XX, apesar do seu heroísmo e do sacrifício de si mesmo, foi sempre visto como um agente cego de mudança. A insurreição *snowflake* será feita por pessoas de olhos bem abertos.

Mas para tanto o indivíduo conectado precisa passar por um processo parecido com o vivido pela classe trabalhadora duzentos anos atrás: a

A insurreição snowflake 257

transição da sobrevivência fragmentada para o reconhecimento de que temos interesses similares e uma missão comum.

No caso da classe trabalhadora, isso foi feito criando-se uma coisa que depois de quarenta anos de neoliberalismo parece espantosamente ultrapassada: uma moralidade. Os operários da festa dos mineiros de Leigh em meados da década de 1960 tinham desenvolvido, ao longo de gerações, um código de ética claro e entendido por todos, radicado na necessidade de fazer escolhas além daquelas que administradores, policiais e políticos lhes ditavam.

Se essa geração quiser defender seu direito a uma vida plenamente humana, à liberdade de expressão e a escapar da vigilância e da manipulação política, precisa se dar conta de que isso já não pode ser feito dentro do mundo privado e pessoal. Porque, no mundo inteiro, forças organizadas participam da marcha destinada a nos tirar essas liberdades.

Derrotar o nacionalismo autoritário significa privá-lo do apoio das massas. Temos, portanto, de organizar um novo jeito. Neutralizar o poder político da elite e perturbar seus jogos psicológicos com novas formas de resistência. Precisamos de um modelo econômico que substitua o neoliberalismo, de uma nova ordem multilateral que estabilize a globalização e de um tratado viável que defenda as liberdades individuais.

Na última parte deste livro sugiro algumas medidas que podemos tomar para chegar lá. Mas antes precisamos acertar as contas com Marx. O projeto de humanismo radical que proponho se baseia em sua teoria biologicamente universalista da natureza humana. Levando em conta, porém, as controvérsias que a cercam, esse projeto precisa ser situado dentro de uma crítica de suas ideias mais gerais.

PARTE IV

Marx

O marxismo é uma teoria de libertação ou não é nada.

RAYA DUNAYEVSKAYA[1]

13. Romper o vidro

Se você quiser resistir à direita autoritária e lutar por direitos humanos básicos, é melhor que se acostume a ser chamado de marxista. Quando a alt-right realizou sua marcha à luz de tochas pelas ruas de Charlottesville em agosto de 2017, seu organizador, Jason Kessler, chamou toda a cidade de marxista: "Esta comunidade é muito de extrema esquerda, que absorveu esses princípios culturais marxistas defendidos em faculdades de todo o país, sobre culpar os brancos por tudo".[1]

O que é marxismo cultural? Mergulhe fundo em qualquer empresa de mídia a favor de Trump — de sites neofascistas como Daily Stormer à Fox News — e você ouvirá uma teoria da conspiração segundo a qual, nos anos 1930, um grupo de acadêmicos europeus de esquerda conhecido como Escola de Frankfurt trouxe o "marxismo cultural" para os Estados Unidos com o objetivo de destruir o estilo de vida americano. Sua suposta arma era o "politicamente correto". Em vez do proletariado, os novos coveiros do capitalismo seriam mulheres, negros e gays, diz essa teoria da conspiração.

Apesar de fazer eco ao termo nazista "bolchevismo cultural", usado para estigmatizar a arte moderna, em sua forma atual o chamado "marxismo cultural" é popularizado pelo pensador conservador americano William Lind. Ele afirmava que o politicamente correto era uma forma de ideologia totalitária destinada a submeter homens brancos aos interesses de gays, negros e mulheres. É o entendimento do termo por Lind — como um plano para acabar com o Ocidente promovendo o liberalismo social — que se tornou um conceito fundamental compartilhado por conservadores de direita, por populistas e pela extrema direita, tanto na Europa como nos Estados Unidos.

Foi para resistir ao "marxismo cultural" que o militante neonazista Anders Breivik assassinou 69 jovens membros do Partido Trabalhista da Noruega em 2011.[2] O manifesto de Breivik contém mais de cem referências a marxismo cultural e 27 páginas são plágios diretos da obra de Lind.[3]

Em agosto de 2017, o ataque ao marxismo cultural chegou à Casa Branca. Rich Higgins, assessor de Trump, submeteu um memorando oficial ao Conselho de Segurança Nacional dos Estados Unidos afirmando que os adversários do presidente estavam operando num "campo de batalha preparado, impregnado e condicionado por agentes marxistas culturais".[4] O memorando era tão bizarro que acusava até a ONU e a União Europeia de promover o marxismo cultural. Apesar de Higgins ter sido demitido no expurgo que mandou embora Steve Bannon e outros mascates da guerra civil, o ataque ao marxismo cultural virou tema recorrente da direita racista e misógina, nos Estados Unidos, na Europa e em outras partes do mundo.

Em determinado nível, é pura paranoia. Mulheres não querem acabar com o assédio sexual porque leram Marx; nem a população negra de Ferguson resiste à ocupação policial em nome de Marx; assim como a juventude secular de Istambul não saiu às ruas em 2013 carregando velhos livros da Escola de Frankfurt. Mas em certo sentido os conservadores lunáticos e os nazistas identificaram qual seria o seu mais perigoso adversário, se é que ele existe: um movimento de esquerda armado de uma crítica coerente do capitalismo, profundamente arraigado na cultura popular, capaz de juntar todas as lutas relacionadas a raça, classe, sexualidade e gênero num só projeto de libertação humana.

Se eu pudesse falar desse projeto sem fazer referência a Marx, bem que o faria. Ninguém que lute por justiça social precisa carregar o estigma que está ligado a Marx por causa dos crimes cometidos em seu nome por regimes autoritários no século XX, menos ainda ao que hoje passa por marxismo na China, que é uma mistura de contabilidade e confucionismo.

Mas é preciso confrontar Marx. Como no caso de seus contemporâneos, de Charles Darwin a Richard Wagner, seu impacto no presente é tão grande que ele não pode ser "desinstalado" do pensamento ocidental. Há muita coisa a criticar na obra de Marx. Mas sua ideia fundamental — de que a humanidade como espécie é biologicamente capaz de se libertar por intermédio da inovação tecnológica, da autotransformação e do trabalho — precisa ser a base do humanismo radical do século XXI.

APÓS CONCLUIR SEU DOUTORADO em Berlim, Marx se atirou no meio do conflito político entre republicanos liberais e a monarquia conservadora prussiana do começo dos anos 1840. Suas ligações com acadêmicos de esquerda que punham em dúvida a divindade de Jesus o impediram de conseguir um emprego de professor, de modo que ele se tornou jornalista e depois editor de um jornal liberal de vida curta em Colônia.

Marx foi um membro da classe média instruída que não conseguiu abrir caminho no mundo; um ateu forçado a se submeter a um Estado obcecado por religião e um jornalista que precisava submeter cada palavra sua à censura de uma monarquia reacionária. Era óbvio que se tornaria um rebelde.

Mas, na realidade, Marx se conformou tanto quanto pôde ao projeto central do Iluminismo alemão, em cuja cultura foi criado: filósofos faziam o trabalho importante da humanidade, lado a lado com a ciência, ao questionar tudo e só confiar na razão. Tendo se aferrado aos debates da filosofia iluminista por tanto tempo, ele por fim os conduziu à era das greves, das fábricas e dos partidos da classe trabalhadora.

Explorando ao máximo a lógica filosófica, Marx fundiu as duas tradições do pensamento iluminista: materialismo e idealismo. Aprendeu com os materialistas que o mundo é real, que existe fora dos nossos sentidos, e que a mente é parte dessa realidade, não uma entidade separada. Aprendeu com Hegel a compreender que a mudança histórica é produto de uma longa acumulação de contradições no interior de sistemas que parecem estáveis, as quais, de repente, explodem em grandes conflitos.

Dos seguidores mais jovens de Hegel, ele adotou o ateísmo radical. A partir do momento em que se nega a existência de Deus, tira-se uma peça desnecessária do quebra-cabeça tanto na filosofia como na ciência. Não há ninguém codificando o grande computador do mundo antes que ele comece a funcionar e ninguém para apertar o botão iniciar — menos ainda para tentar refinar seus resultados em tempo real.

Embora os filósofos à sua volta fossem materialistas de esquerda, Marx percebeu que a tradição idealista que culminava em Hegel era a única que continha um modelo de mudança. A história, disse ele, é o produto da força de vontade e da imaginação humanas. Temos o poder de escolher, mas não sobre as circunstâncias da nossa escolha.

À pergunta "Como sei que o mundo exterior existe?", Hegel respondia: porque você o está mudando; porque a mudança é um mecanismo de retorno do seu trabalho e da sua imaginação, confirmando sua capacidade de alterar a realidade material e de formar em seu cérebro uma imagem precisa dessa realidade.

Mais que tudo, na obra de Hegel, Marx encontrou um conjunto minucioso de conceitos para descrever os mecanismos das mudanças: via conflito e através das contradições internas de uma coisa, explodindo de repente. Hegel afirmava que as aparências por vezes mascaram a dinâmica essencial de uma sociedade sob a superfície, e que estudar parte de um sistema de maneira isolada não fazia sentido: era preciso estudá-lo por inteiro. Essa maneira de pensar, que Hegel chamava de dialética, se mostrou bastante útil como ferramenta de apreensão da complexidade — muito embora, como sustentarei adiante, tenha aprisionado gerações de marxistas numa arapuca mental.

Em algum momento entre maio e setembro de 1843, três novas ideias ocorreram a Marx.

A primeira é que a luta contra a superstição religiosa não basta. É preciso concentrar a atenção em mudar a sociedade que a produz e compreender que o impulso de criar deuses, e adorá-los, é um hábito profundamente arraigado dentro de nós que persistirá enquanto houver lacunas em nosso conhecimento científico.

A segunda é que a única maneira de alcançar a plena liberdade humana é abolir a propriedade privada. Quando produzimos qualquer coisa para vender ou compramos uma coisa produzida por outras pessoas, estamos nos desconectando da coisa mais humana que fazemos, que é trabalhar.

A terceira é que abolir a propriedade privada por si só é apenas acabar com uma coisa: você pode dispor de toda a riqueza em comum e ainda assim ficar preso à ideia de propriedade; ainda estar desconectado do produto; ainda — e isso é crucial — padecer de alheamento de si mesmo e de outras pessoas.

Com essas ideias zumbindo na cabeça, Marx chegou a Paris — a essa altura o domicílio de dezenas de milhares de operários de mentalidade revolucionária, autodidatas, violentamente ateístas, muitos deles mergulhados em experimentos de criação de sociedades comunistas em miniatura. O que ele escreveu durante seus primeiros contatos com a classe operária organizada desencadearia a ideia que até hoje aterroriza os neonazistas, os partidários da supremacia branca e os viciados em catástrofe que rodeiam Trump. Marx disse, simplesmente: comunismo é o projeto de liberdade humana individual.

QUANDO PERGUNTAMOS "Qual é o atributo essencial do ser humano?", Marx propõe que procuremos qualidades que foram constantes em todas as diferentes formas de sociedade criadas pelo *Homo sapiens*. Para Marx, uma dessas qualidades é a capacidade de trabalhar seguindo um plano consciente e de modo necessariamente social.

É claro, diz ele, que formigas, abelhas e castores trabalham socialmente e desenvolvem socializações diferentes. Progressos verificados na biologia depois de Marx nos permitiram compreender que não só os animais como também as plantas operam sistemas de especialização e vivem em ecossistemas complexos que lembram uma divisão de trabalho. Os seres humanos são diferentes porque podem interromper o que estão fazendo e perguntar: "Será que eu deveria estar fazendo outra coisa?". Marx escreve: "O animal está, de imediato, em harmonia com a atividade de sua vida [...]. O homem faz da própria atividade de vida o objeto de sua vontade e da sua consciência. Tem uma atividade de vida consciente".[5]

Mas, pelo fato de a produção humana ser intensamente social, e, tanto quanto sabemos, sempre ter sido, essas habilidades biologicamente dadas —

utilizar a racionalidade, pensar em termos abstratos e imaginar — têm também uma dimensão social intrínseca. Ao contrário de outros pensadores que refletem sobre a natureza humana, Marx coloca o trabalho no centro do ato de ser humano.

Para explorar as implicações disso, quero usar como exemplo o mais antigo objeto cultural que existe: o Homem-leão de Stadel, esculpido há cerca de 40 mil anos, encontrado numa caverna no sul da Alemanha em 1939. Moldado em marfim de mamute, representa um ser humano com cabeça e juba de leão. Em 2009, o estudo de novos fragmentos sugeriu que talvez seja uma fêmea, mas por enquanto a figura é catalogada como macho.[6]

O Homem-leão é, claramente, produto de pensamento abstrato, racional, imaginativo e social.[7] É uma prova de que, desde o início, seres humanos produzem coisas para outros seres humanos. E não apenas coisas essenciais. Escultores modernos calculam que esculpir o Homem-leão com ferramentas de pedra levaria quatrocentas horas — horas essas que poderiam ter sido gastas caçando ou coletando. Partes mais desgastadas do seu corpo, de tanto passar por mãos humanas, indicam que era provavelmente um objeto ritual usado por um grupo na caverna onde foi encontrado.[8]

Essa tendência inata a produzir para outros seres humanos — que talvez jamais venhamos a conhecer ou que podem ainda nem ter nascido — é exclusivamente nossa, diz Marx. Constitui nosso "ser-espécie".* Mas tem uma desvantagem.

Para compreender melhor, examinemos mais de perto o Homem-leão. É uma escultura magnífica: olha para nós direto nos olhos; possui o tipo de energia que se espera que um jogador de futebol ou um bailarino demonstre. Não temos a menor ideia do que o autor achava do Homem-leão — mas o estudo de povos caçadores-coletores ainda existentes sugere vários significados prováveis. Pode ser uma tentativa de representar um leão em forma mítica; ou um ser sobrenatural; ou o espírito do escultor fundido com o

---

*"É só em seu trabalho no mundo objetivo, portanto, que o homem realmente mostra que é um 'ser-espécie'. Essa produção é sua vida ativa de espécie. Através dessa produção, a natureza aparece como *seu* trabalho e *sua* realidade."

espírito do leão; ou um ser humano usando pele de leão — isto é, alguém forte o bastante para matar um leão. Ou pode ser uma figura que ajudava a contar histórias, como um boneco ou um fantoche. Seja como for, o escultor projetou uma qualidade humana sobre o objeto, assim como os usuários.

Marx diz: em tudo que fazemos estamos externando parte da nossa humanidade. E embora isso seja verdade no que se refere a ferramentas comuns, é especialmente verdade quando fazemos alguma coisa de claro uso simbólico ou social, como o Homem-leão.

Marx chama esse processo de alienação. Você já deve ter ouvido o termo "alienação" com o significado de sentir-se deprimido, amedrontado ou ansioso com relação ao trabalho, à sociedade e ao mundo em geral — e Marx também o emprega dessa maneira. Mas, para ele, a causa de toda a angústia é esse processo de fazer coisas para outras pessoas, separar-se delas, impregná-las de um sentido e de um poder imaginário.

O próximo atributo essencial da humanidade é a linguagem. Animais têm linguagem — mas só a linguagem humana é produto de um cérebro autorreferente. Linguagem, diz Marx, é "consciência prática" — a capacidade de apresentar ideias a outras pessoas e de imediato criar uma compreensão compartilhada.

Não temos ideia de que língua falavam os criadores do Homem-leão; podemos ter certeza de que era complexa o bastante para contar histórias sobre as outras estatuetas encontradas junto com ele. Hoje, examinando varreduras cerebrais de pessoas hábeis na fabricação de ferramentas de pedra, neurocientistas mostraram que a linguagem e a fabricação de ferramentas utilizam a mesma parte do cérebro.[9] Ao longo de nossa evolução para *Homo sapiens*, é plausível conjeturar que uma coisa estimulava a outra. O que há de importante sobre a linguagem, para Marx, é o fato de ela ser mais um vínculo entre a nossa biologia e a nossa natureza essencialmente social de tecnólogos.

Marx, como Darwin, dispunha apenas, para seguir em frente, da biologia observacional básica de grandes símios e de esqueletos encontrados sem datação. Hoje temos um conhecimento muito mais profundo da evolução humana, através de objetos datados por carbono, da ciência cognitiva e do estudo neurocientífico dos nossos parentes mais próximos, os grandes símios.

Boa parte disso corresponde ao que Marx previu de maneira especulativa: sabemos que os grandes símios têm parte das habilidades de pensamento dos seres humanos e alguma linguagem básica. Mas eles não cooperam entre si. A certa altura, diz Michael Tomasello, uma das maiores autoridades em evolução humana inicial, mudanças em nosso ambiente promoveram a sobrevivência de grupos que colaboravam entre si e começavam a usar a linguagem de uma forma que hoje chamaríamos de "objetiva" — ou seja, para descrever um mundo com resultados previsíveis. Mais tarde, quando começaram a interagir, os grupos colaborativos normalizaram os papéis necessários para a divisão do trabalho num clã de caçadores-coletores: usando objetos e rituais para incorporar as instruções, criaram a cultura.

Para Tomasello, o que diferencia os seres humanos dos pré-humanos é que eles

> não só compreendem os outros como agentes intencionais, mas também juntam sua cabeça com a cabeça dos outros em atos de intencionalidade compartilhada, incluindo tudo, desde atos concretos de solução colaborativa de problemas até complexas instituições culturais.[10]

Nos últimos quinze anos, graças à observação do cérebro e do comportamento de primatas superiores, diz ele, passamos a ver a cultura entre os primeiros seres humanos menos como uma forma de transmitir conhecimentos do que como uma forma de organização a colaboração. O relato de Tomasello sobre o desenvolvimento inicial de seres humanos nos ajuda a entender que, fosse qual fosse seu significado específico, a função social de um objeto como o Homem-leão era coordenar ações humanas em torno de um objetivo.

Em seus manuscritos parisienses, Marx afirmava que essa característica fundamental, de criar ferramentas para uso social, é o que nos leva a impregnar certos objetos de sentido mitológico. Ele chama isso de fetichismo.

Hoje, é mais provável ouvirmos a palavra "fetiche" em relação a sexo. Na época de Marx, "fetichismo" era um termo usado em antropologia para descrever o costume das religiões africanas de imbuir objetos de "vida espiritual". Com grande satisfação, os amigos ateus de Marx em Berlim lembravam que o próprio cristianismo é uma religião de fetiche: pega todas as características que resumem a virtude e as projeta na escultura de um homem morto pregado numa cruz.[11]

Marx, entretanto, queria não só criticar a religião como entender de que maneira ela — e todas as demais formas de fetichismo — surge de nossas relações com o mundo exterior. Aqui também tudo na moderna psicologia evolucionista sustenta a ideia de que dotar objetos de significado e poderes sobre nós é um traço biológico fundamental dos seres humanos, intrínseco à nossa maneira de desenvolver a linguagem. Tomasello acredita que isso é produto da "perspectiva grupal que imagina coisas do ponto de vista de qualquer um de nós [...] no contexto de um mundo de realidades sociais e institucionais que precedem nossa própria existência e que falam com uma autoridade maior do que nós".[12]

Por serem tanto a cultura como a linguagem produtos da evolução, diz Marx, para compreender a natureza humana é preciso aceitar que ela tem história. É preciso aceitar também que, se pudéssemos ressuscitar o criador do Homem-leão, ela ou ele teria a mesma biologia básica que nós, mas que seu "eu" social, linguístico e comportamental seria muito diferente. Enquanto ainda era marxista, o filósofo Alasdair MacIntyre se divertiu um bocado à custa dos historiadores convencionais nessa questão. Segundo ele, historiadores só seriam capazes de se imaginar interagindo com os criadores do Homem-leão se também estivessem dentro de uma caixa de vidro no museu, mumificados e etiquetados.

Historiadores, escreveu ele, não conseguem ver a conexão entre nosso eu moderno e o eu de pessoas do período neolítico porque "essa conexão só poderia ser estabelecida por um conceito de natureza humana comum. E, para cumprir sua finalidade", acrescentou, "esse conceito teria que ser histórico, um meio de mostrar o passado crescendo para dentro do presente".[13] MacIntyre resumiu o marxismo como uma tentativa de romper o vidro do museu, permitindo-nos compreender que a natureza humana inclui tanto a biologia como a história.

Se Marx pudesse ter visto o Homem-leão, talvez respondesse:

> Seus criadores, assim como nós, tinham que trabalhar para sobreviver. Logo que passaram a dispor de suficiente tempo livre criaram uma coisa para celebrar esse fato — um objeto fisicamente inútil, mas belo, que talvez tenham cultuado, ou, o que é mais provável, usado para projetar e concentrar crenças espirituais ou para ajudá-los a contar histórias. É provável que o poderoso olhar e a poderosa postura do Homem-leão ajudassem a reforçar alguma forma de organização social. O que quero saber é o seguinte: que tipo de estrutura de poder eles adotavam?

Graças ao estudo antropológico posterior de sociedades de caçadores-coletores ainda existentes, podemos responder com segurança: a sociedade deles era igualitária. Embora ainda fossem se passar outros 30 mil anos até a descoberta da agricultura, as pessoas que esculpiram o Homem-leão estavam envolvidas em sua própria e claramente evidenciada revolução tecnológica: o período chamado Paleolítico Superior. A forma dos seus sílex, a combinação de madeira, pedra e osso em complexas ferramentas como atiradores de lanças e arcos; a capacidade de caçar mais de uma espécie de animais e de matá-los em grande número quando migravam; seus novos costumes funerários e sua arte rupestre — tudo indica o surgimento de sociedades mais sofisticadas.[14]

Embora houvesse predomínio masculino na maioria das sociedades pré-agrícolas (e feminino em algumas), antropólogos acreditam que as sociedades do fim da Idade da Pedra eram — enquanto continuavam nômades — em essência igualitárias e altruístas. Grupos sobreviventes de caçadores-coletores são reconhecidos por pregar "com resolução e firmeza" o comportamento altruísta e condenar ao ostracismo os que tentam criar poder hierárquico. Portanto, embora Marx nos alertasse contra a tentação de representar a sociedade humana primordial como edênica, acumularam-se provas nos últimos duzentos anos de que essas sociedades de fato

Romper o vidro 271

adotavam a igualdade e o altruísmo. Acolhiam não parentes e distribuíam bens essenciais de modo igualitário, para sobreviver.[15]

Isso mudou logo que inventamos a agricultura. Cerca de 10 mil anos antes da era cristã, sociedades humanas — apesar de ainda restritas às ferramentas de pedra e osso — começaram a se estabilizar, a domesticar colheitas e animais e a confeccionar objetos de cerâmica no forno. Por volta de 3500 a.C., temos a primeira forma de escrita, as primeiras cidades e a primeira fundição de metais. Hoje sabemos muito mais do que Marx sobre essas civilizações primevas e suas complexidades. Tudo isso confirma o que ele sugeriu: com mais complexidade e mais riqueza, vem a hierarquia social — ou a classe.

Segundo Marx, assim que o homem consegue produzir superávit, começa uma briga de poder para decidir como dividi-lo. Os que vencem não são mais apenas os indivíduos mais fortes: são um grupo específico capaz de se apoderar do produto excedente e produzir todo tipo de justificativa para o seu direito de fazê-lo.

Para visualizar isso, avancemos até 3000 a.C. para tentar "romper o vidro" com outra escultura leonina, muito diferente: a chamada Leoa de Guennol, produzida na primeira cultura urbana do mundo, a Suméria (e hoje nas mãos de um colecionador particular, paradeiro desconhecido).[16] É esculpida em calcário, com um musculoso corpo feminino e cabeça de leão. Teria tido olhos de lápis-lazúli e pernas de ouro ou prata. Como os sumérios só cultuavam deuses que assumiam forma humana, arqueólogos supõem que a criatura leonina represente um demônio ou mesmo o próprio mundo dos mortos.[17] Se for isso mesmo, ela fazia parte de um sistema de crença destinado a justificar o primeiro exemplo registrado de uma sociedade estratificada em classes.

As cidades mesopotâmicas tinham uma nítida estrutura de classes: um rei; uma elite nobre dona de terras no interior e com direito a comandar o trabalho e ficar com os alimentos produzidos pelas pessoas que viviam no campo; uma classe inferior que só tinha direito a possuir pequenos lotes para plantar e que precisava trabalhar em troca de uma cota de produtos fornecida pelo Estado; e, mais abaixo, os escravos.

Essa estrutura de classes, por sua vez, se estabeleceu com a inovação tecnológica na agricultura e na metalurgia, que aumentou a produção da terra. A primeira cidade, em suma, era um sistema social que coletava e distribuía riqueza. E a força magnética que juntava tudo era a religião.

Estudar os milhares de artefatos que agora possuímos da Mesopotâmia antiga é ver provas do que Marx chamou de alienação em grande escala. A classe inferior é obrigada por lei e costume a alienar os alimentos que produz, entregando-os às elites como por direito. A sociedade inteira então conspira para justificar esse arranjo através da religião: a ficção de que todo o esquema foi ordenado pelos deuses. Qualquer que seja a intenção por trás de sua forma, a Leoa de Guennol é claramente um objeto de fetiche — que permitiu a um grupo de seres humanos projetar seus medos, suas emoções ou quem sabe apenas um vínculo de lealdade numa coisa física.

Marx diz não apenas que os seres humanos são únicos porque fazem coisas, mas que eles projetam aspectos de si mesmos nessas coisas, alienando sua verdadeira humanidade, enganando-se de propósito. Nós, ao fazermos história, nos modificamos. Porém o processo de alteração não é linear: produz avanços e recuos. O fato de você estar lendo este livro muito provavelmente numa sala com luz elétrica indica que o progresso ultrapassou os retrocessos.

Embora isso agora nos pareça óbvio, o caráter histórico da natureza humana foi um escândalo para os pensadores mais avançados da época de Marx. Hegel achava que a história era o desdobramento da grande ideia de Deus; os materialistas acreditavam que a realidade era uma máquina. Todo o liberalismo do século XIX girava em torno da ideia de uma natureza humana estática e permanente. E isso explica o fato de filósofos, por vários séculos durante a ascensão do capitalismo, caírem na armadilha de um debate sobre "determinismo" versus "livre-arbítrio". A crença-padrão era que tudo na história era determinado por um acontecimento anterior e que, apesar disso, os seres humanos preservavam uma capacidade inata, imutável, de liberdade de escolha.

A teoria da natureza humana de Marx lhe permitiu dizer a todos:

Romper o vidro

A história não faz nada, não é dona de nenhuma riqueza imensa, não trava nenhuma batalha. É o homem real, o homem vivo que faz tudo isso, que possui e que luta; a "história" não é, como se poderia dizer, uma pessoa à parte, que usa o homem como meio para alcançar seus próprios objetivos; a história nada mais é do que a atividade do homem em busca dos seus objetivos.[18]

Como resultado, para Marx, o livre-arbítrio não é uma coisa inata e imutável; é algo que possuímos apenas em parte, em sociedades governadas por classes e escassez. Para ele, o livre-arbítrio é uma coisa que a humanidade pode conseguir mudando as circunstâncias sociais.

Se compreendermos que a natureza humana tem como base o trabalho consciente, imaginativo; se compreendermos que esse trabalho tende a produzir não apenas objetos, mas ideais e emoções falsamente embrulhados nesses objetos; se compreendermos que a estrutura de todas as sociedades se fundamenta em sistemas específicos de trabalho e acumulação de riqueza, veremos então que os avanços em tecnologia, produtividade e complexidade tendem a aumentar a alienação.

Qual é, portanto, a solução para a alienação? Marx viveu na forma de sociedade mais alienada que já se inventou: o capitalismo industrial do começo do século XIX. Operários de fábrica não eram donos de coisa nenhuma; nem das suas ferramentas, nem da terra, nem do seu tempo, nem mesmo do seu corpo — sempre maltratado e violado num código de silêncio. As coisas que produziam não precisavam ser tiradas deles: pertenciam, imediata e intrinsecamente, ao patrão a partir do momento em que ficavam prontas. Do mesmo modo como hoje nas *sweatshops*, as insalubres oficinas que exploram trabalhadores no sul global, operários eram revistados ao sair do trabalho para impedir o furto de coisas que eles próprios tinham acabado de produzir.

No capitalismo, em vez da Leoa de Guennol ou do Cristo crucificado, o objeto de fetiche número um é o dinheiro. Tudo é mediado pelo dinheiro. Ele parece ter vida própria — na verdade, poder próprio. Dinheiro e mercadorias são a nossa obsessão, em grande parte porque a maioria das pessoas não tem em quantidade suficiente nem uma coisa nem outra. É por essa razão que, de Shakespeare a Molière, o grande florescimento da sociedade comercial no século XVII veio acompanhado de espantosas representações dramáticas do poder do dinheiro de dissolver todos os vínculos, privilégios e obrigações existentes.

Marx disse que para acabar com a alienação precisamos abolir a propriedade privada. Para dar aos seres humanos verdadeira liberdade de ação, precisamos abolir as relações de poder que criam lado a lado uma classe operária indigente e uma elite comercial rica. Precisaríamos também abolir o dinheiro e, em última análise, abolir o trabalho.

Uma vez que nada disso poderia ser feito sem uma organização ainda mais complexa do que o capitalismo, e com tecnologia ainda melhor, Marx compreendeu que o puxa e empurra da história — da Suméria antiga à Manchester do século XIX — era o único caminho de acabar com a autoalienação humana.

Era isso que comunismo significava para Marx. Mas quem disser que o comunismo era seu objetivo final está errado. Ele afirmava que abolir a propriedade privada era apenas o começo da libertação humana. Uma vez abolida a propriedade, era preciso continuar lutando para abolir todas as formas de autoalienação, alienação de outras pessoas e da natureza e todas as formas de fetichismo — fosse a religião, a obsessão pelo dinheiro ou o consumismo. Longe de ser o "fim da história", disse Marx, o comunismo representaria o "fim da pré-história da humanidade".[19]

Para Marx, isso não era um ideal ou um projeto sublime. Era apenas o resultado lógico de um processo que estamos descobrindo de maneira muito mais detalhada: nossa evolução para nos tornarmos essa espécie capaz de expressar sua intenção compartilhada através da linguagem e da cooperação usando o progresso tecnológico. Quanto mais sabemos sobre neurociência e sobre os estágios evolutivos que nos separaram de outros primatas, mais a visão teleológica da natureza humana segundo Marx parece científica, e não metafísica.

O QUE TORNA O CONCEITO de Marx de natureza humana relevante hoje? Em primeiro lugar, o fato de o humanismo estar sofrendo ataque político:

o anti-humanismo é essencial para a ideologia da alt-right e ideias anti-humanistas se tornaram populares na esquerda, reduzindo sua capacidade de resistir à direita. Em segundo lugar, o violento movimento em favor de privilégios de machos, brancos, da elite e heterossexuais sendo realizado com o uso da tecnologia numa forma desumana. Em terceiro lugar, a ofensiva à verdade.

A verdade só é possível se houver uma experiência humana verificável. Mas agora há um esforço persistente para nos convencer de que verdade e racionalidade não importam; que somos em parte autômatos; que devemos nos submeter ao controle dos algoritmos; que, como afirma Yuval Noah Harari, "já somos algoritmos"; que o eu é uma ilusão e que deveríamos deixar as máquinas pensar por nós.[20]

A teoria da natureza humana de Marx é a única que nos permite confrontar esses ataques e derrotá-los em termos filosóficos. Como veremos, ele não entendeu direito muitas outras coisas, mas sua determinação de definir seres humanos como algo mais do que fantoches de uma grande mente ou engrenagens na máquina da história é o seu maior legado para a era da inteligência artificial, da computação quântica e da engenharia genética.

Porque, desde o Homem-leão de 40 000 a.C. até hoje, conseguimos manter — apesar de toda a alienação, de todo o fetichismo e de toda a projeção de poder ao longo da história — um controle humano significativo sobre os objetos que fazemos. O progresso tecnológico torna a maioria de nós inconsciente da maneira como nossas ferramentas funcionam: poucas pessoas seriam capazes de descrever o que há dentro de um smartphone, mas sempre há alguém cuja função é saber.

A tecnologia da informação já criou novas formas de controle pelas máquinas que dão vasto poder a seus donos. Ela gera um acesso às informações altamente desnivelado entre a elite e o resto, e permite àqueles que têm poder impor controle algorítmico sobre nossas vidas sem que saibamos ou sequer tenhamos o direito de saber.

Com a chegada da inteligência artificial, estamos prestes a dar um passo além do que tem sido o normal há 40 mil anos: logo teremos condições de criar ferramentas que sabem mais do que nós e que poderão com rapidez desenvolver atributos que não podemos controlar ou sequer observar. Em razão da nossa tendência a fetichizar coisas — atribuir qualidades divinas a marcas e estrelas de cinema —, não é impossível que comecemos a ver a própria inteligência artificial como um objeto de culto, e até a venerá-la como os sumérios faziam com a Deusa-Leoa. Uma geração inteira engoliu o culto do mercado como controlador dos seres humanos; nada indica que não vamos engolir o controle da máquina com a mesma facilidade.

A teoria da alienação de Marx nos permite compreender esse processo e evitá-lo. Também nos permite compreender que, se quisermos um caminho para a sociedade igualitária, para a humanidade completa imaginada por Aristóteles, o progresso tecnológico tem que nos levar para a frente e não para trás. Numa era em que provavelmente veremos uma reação adversa à inteligência artificial e à robótica, a teoria de Marx da natureza humana continua sendo uma das maiores justificativas para a inovação tecnológica até hoje escritas.

No limiar de uma era de automação maciça, substituição do trabalho humano por máquinas e implantação de processos automáticos em larga escala, Marx nos diz para não hesitarmos com medo, mas para assumirmos o controle.

Diante dos mesmos desafios, quase todas as teorias da natureza humana desmoronam. Se somos apenas um "animal trabalhador", não teremos muito trabalho a fazer daqui a cem anos. Se somos apenas uma combinação de corpo e alma, como quase todas as religiões dizem, então, para defender a humanidade da alma, faz sentido retardar o progresso tecnológico.

O individualismo liberal, já enfraquecido por décadas de fetichização do mercado, está mal preparado para responder à pergunta: "Com base em que defenderemos a supremacia humana sobre as máquinas quando elas, também, puderem desenvolver personalidade, emoções e eu?". Dessa forma, não é de surpreender que haja por aí autores de best-sellers afirmando que já perdemos para os computadores o direito de exercer o controle.

Para fazer da teoria da natureza humana de Marx um projeto de libertação pelo uso da tecnologia, teremos que perguntar: "O que Marx entendeu errado?". E a resposta é: muita coisa.

14. O que resta do marxismo?

Assim como as ciências biológicas não acabaram em Darwin, o marxismo não acabou em Marx. Infelizmente, apesar de nos últimos cem anos ter proporcionado valiosos insights na história e na cultura, o marxismo também produziu horrendas justificativas para a repressão política, temerárias loucuras econômicas, tortura, engenharia social desumana e mesmo contrarrevolução. Pior ainda, muitas dessas justificativas começaram a ressurgir em movimentos de esquerda do início do século XXI: entre os trolls pró-Assad, os apologistas de Putin e setores mais antigos da esquerda radical na Europa, que sempre lamentaram em segredo a morte da União Soviética.

Para separar o útil do inútil, comecemos com uma lista das principais propostas de Marx, além da teoria da natureza humana.

Primeira: Marx partiu do princípio de que o mundo é real, material e existe fora dos nossos sentidos. O problema de como sabemos disso não é, no seu entender, resolvido com uma descrição passiva das relações entre mente e matéria, mas com uma descrição ativa. Quando escreveu "Os filósofos se limitaram a interpretar o mundo: o que importa é mudá-lo",[1] ele não quis dizer apenas que os acadêmicos precisavam sair mais do campus. Quis dizer que só no ato de transformar o mundo à nossa volta é que conseguiremos, de fato, compreendê-lo.

Marx nos diz que nosso persistente utopismo — seja na forma de religião, seja na de luta social — é racional. Não estamos "destinados" a alcançar uma sociedade sem classes — não há deuses nos movendo de um lado para outro como peças de xadrez num tabuleiro —, mas, se usarmos a palavra "propósito" no sentido de "função", então o propósito da humanidade é alcançar a própria libertação. Aristóteles dava a isso o nome de télos e, uma vez embasada numa ciência mais avançada do que a disponível na Antiguidade clássica, a teoria marxista da natureza humana é manifestamente teleológica.

Cercado de seitas utopistas que se julgavam capazes de chegar ao comunismo estabelecendo comunas e compartilhando seus bens, Marx insistia em dizer que o caminho para a sociedade futura na verdade passava pelo capitalismo — o primeiro sistema econômico compelido a revolucionar a produtividade e a destruir estruturas hierárquicas fixas. Isso, disse ele, cria as condições para substituir o capitalismo por coisa melhor. Sendo o capitalismo a forma mais aguda e extrema de sociedade de classes, Marx supunha que, quando nos livrássemos dele, todas as formas de hierarquia de classes e de desigualdade desapareceriam também.

A sociedade não é apenas uma massa de indivíduos. A história de todas as sociedades anteriores, diz Marx, é a história da luta de classes. Às vezes a luta conduz à vitória de uma classe contra outra e uma nova forma de exploração começa, como quando a burguesia francesa derrubou a aristocracia em 1789. Às vezes, diz ele, a sociedade simplesmente acaba em ruínas, como ocorreu com o Império Romano, varrido do mapa por invasões de tribos do Oriente e pelas ineficiências do sistema escravista.

Mas Marx compreendeu que as lutas de classes são travadas usando ideologias, tais como as crenças religiosas ou mitológicas, que podem mascarar o fato de os acontecimentos históricos serem impulsionados pela economia e pelo poder. Por exemplo, os conquistadores diziam a si mesmos que estavam indo para o México com o objetivo de converter os habitantes ao cristianismo, em nome do rei divinamente escolhido da Espanha. Na realidade, estavam indo matar os povos indígenas, roubar seu ouro e, durante o processo, alimentar a ascensão do capitalismo mercantil na Europa.

O capitalismo, para Marx, é a última e mais avançada forma de sociedade de classes. Mas deixa a humanidade — sobretudo a classe operária, que é a maioria — no ponto máximo de alienação. Ao contrário de todas as classes subordinadas anteriores, dizia ele, a classe operária não é dona de coisa alguma. Se o interesse material de um proprietário de terra é a renda e o de um dono de fábrica é o lucro, o verdadeiro interesse material de um

O que resta do marxismo?

operário é derrubar os dois: abolir a propriedade privada e substituí-la por um regime de propriedade comum.

Marx chamava os atos iniciais de um governo socialista de "ditadura do proletariado". Com isso queria dizer que, como nas *dictaturas* da Roma antiga, a classe trabalhadora, se conquistasse o poder, teria que impor por algum tempo a lei marcial, para eliminar a resistência dos ricos e dos poderosos.[2] Essa suposição se baseava no fato de que, em sua época, todas as tentativas feitas pelos trabalhadores de conquistar coisas democraticamente ou de transformar revoltas em reformas sociais os haviam levado ao massacre pela burguesia.

Mas como poderia a classe operária se tornar revolucionária? Dos seus primeiros dias em Paris em 1843 até a morte em Londres quarenta anos depois, Marx esteve junto de operários radicalizados, escreveu a respeito de suas condições, ouviu suas ideias e lhes deu conselhos, em geral enquanto entornava grandes quantidades de álcool. Sabia que, muito embora a grande massa de trabalhadores estivesse manietada pela falta de instrução, alguns tinham conseguido romper com as ideologias que lhes foram impostas, tanto conscientemente — por chefes, aristocratas e sacerdotes — como subconscientemente pelas relações de poder dentro das fábricas onde trabalhavam.

Assim como os seres humanos costumam adquirir conhecimento interagindo com o mundo, a classe operária limpa o nevoeiro ideológico que tem na cabeça engajando-se na luta coletiva. Marx chamava isso de "transformação dos homens numa escala maciça" e acreditava que só poderia ocorrer no decorrer de uma revolução.

Em tese, porém, ele achava que a classe operária poderia conquistar sua missão histórica independente do que tinha na cabeça. Escreveu: "A questão não é o que esse ou aquele proletário, ou mesmo todo o proletariado, considera seu objetivo. A questão é o que é o proletariado e o que, de acordo com essa sua condição, ele será compelido historicamente a fazer".[3]

Houve um acontecimento que mudou a compreensão de Marx do processo de revolução: a Comuna de Paris, em 1871. Durante essa revolta extraordinária, depois que o Exército francês abandonou a cidade, a classe trabalhadora passou a exercer o controle em diversos níveis, da comuna oficial, ou câmara municipal, até as assembleias revolucionárias, aos clubes, aos grupos de mulheres, aos sindicatos e às cooperativas. A Comuna foi em muitos sentidos um Semiestado e, depois de testemunhá-la (ele se manteve em contato com ativistas durante toda a revolta), Marx se convenceu de que, quando assumisse o poder, a classe trabalhadora aboliria e dissolveria uma burocracia estatal e instituições parlamentares que estivessem acima do povo, governando, em vez disso "de baixo para cima".

Em *O capital*, Marx mostra como os trabalhadores são explorados pelos patrões, que os coagem e lhes arrancam trabalho extra, acima do valor da mercadoria que estão produzindo. Isso, para ele, é a única fonte do que as empresas hoje chamam de "valor agregado". O capitalismo pode sobreviver e se renovar por muito tempo, diz Marx, porque crescimento e produtividade produzem recompensas tanto para o operário como para o capitalista.

Mas o processo de acumulação — investir, obter lucros, depositá-los num banco ou reinvestir em novas máquinas, habilidades, produtos — cria colapsos espontâneos: na forma de crises comerciais, em que a oferta supera a demanda; na forma de crises bancárias, quando o crédito escasseia; em descompassos entre a economia de consumo e a indústria pesada; e, em última análise, no esgotamento a longo prazo de inovações anteriores, que pressionam a taxa de lucro para baixo.

Como tudo que o capital faz se destina a substituir o trabalho por máquinas, diz Marx, ele precisa o tempo todo criar mais demanda: novos produtos de valor mais alto, com salários maiores para os operários que os produzem, a fim de que a população tenha o poder de compra para manter a demanda.

Num texto conhecido como "Fragmento sobre as máquinas", Marx imaginou como esse choque entre tecnologia e estruturas sociais dentro do capitalismo poderia se desenrolar se chegássemos a um ponto da nossa evolução em que toda a tecnologia dependesse de "conhecimento social" — ou seja, de técnicas, definições, instruções e padrões de fluxo de trabalho entendidos de maneira comum, em vez de pessoas operando simples máquinas. Quando o conhecimento se torna social, dizia Marx,

O que resta do marxismo?

a produção não pode mais ser controlada de maneira privada. Segundo ele, se conseguíssemos um dia transpor o conhecimento social para um armazém geral de informações — um "intelecto geral" —, isso mandaria o capitalismo pelos ares.

Para Marx, portanto, há uma dimensão material e uma dimensão de conhecimento na liberdade. Ele define o comunismo como "homens livres trabalhando com meios de produção de propriedade comum e empregando com plena consciência suas numerosas formas diferentes de força de trabalho como uma só força de trabalho".[4] As forças que desencadeamos com o progresso tecnológico param de operar "nas nossas costas": assumimos o controle.

Isso não é Marx em sua totalidade — mas é a essência do seu pensamento.* O que pretendo agora é examinar essas ideias usando tudo que aprendemos desde que seu autor as formulou. Não estou interessado nos ataques que costumamos ouvir da boca dos que acham que o mercado é a forma definitiva da racionalidade, ou que desigualdades de poder são naturais, ou que Marx era um babaca porque engravidou a empregada. O que me interessa agora é uma crítica marxista de Marx em relação às questões que enfrentamos hoje: opressão das mulheres, mudanças climáticas, como compreender a complexidade, como acabar com a escassez e como impor controle humano sobre máquinas pensantes através de uma estrutura ética global.

A GRANDE OMISSÃO DO MARXISMO clássico diz respeito à descrição da opressão das mulheres e do trabalho doméstico que ajuda a sustentar o capitalismo. Marx compreendeu que a opressão e exploração femininas eram essenciais para as estruturas de poder de todas as sociedades de classes. Mas sua descrição de como a exploração das mulheres escora o sistema inteiro foi inadequada e, portanto, incorreta.

---

*Também não é "Marx e Engels". Friedrich Engels foi colaborador de Marx, mas de início seguiu um caminho diferente para o comunismo, e depois da morte do amigo — é o que especialistas acham agora — incluiu suas próprias ideias iniciais naquilo que se tornaria a versão oficial do marxismo.

Marx disse que o valor do salário de um operário ou operária reflete todos os insumos necessários para que ele ou ela se apresente como trabalhador no portão da fábrica: isso incluía todo o pão e toda a panificação realizados no setor comercial, toda a obra de alfaiataria e toda a escolaridade executadas fora de casa. Mas Marx jamais incluiu no cálculo o total do trabalho de costura, cerzimento, preparação de alimentos, lavagem de roupa e criação dos filhos feito dentro da própria casa pelas mulheres.

Ele considerava a família operária patriarcal — com um operário qualificado do sexo masculino indo para o trabalho e a esposa e a família sobrevivendo do seu salário — uma instituição condenada a desaparecer. Era lógico imaginar que o capitalismo poria todas as mulheres e crianças para trabalhar, porque era o que os capitalistas sempre diziam querer: mão de obra feminina e infantil trabalhando tantas horas a ponto de sobrar pouquíssimo tempo para serviço doméstico.

Marx, portanto, deu pouca atenção à maneira como o trabalho doméstico não remunerado das mulheres e sua função de mães parideiras e criadoras de filhos contribui para a riqueza e para o poder da elite. Em suma, foi incapaz de compreender o trabalho reprodutivo como forma específica de exploração vital para o capitalismo.

Nos anos 1960, em vez de esperar que o comunismo acabasse com a sua opressão, uma geração de mulheres resolveu começar a lutar diretamente pela libertação. Silvia Federici, pensadora fundamental no feminismo marxista, descreve a nova estratégia como uma "recusa em massa a trabalhar". Investigando o desmoronamento dos valores familiares, Federici escreve:

> O colapso da taxa de natalidade e o aumento do número de divórcios podem ser interpretados como exemplos de resistência à disciplina capitalista do trabalho. O pessoal se tornou político, e descobriu-se que o capital e o Estado haviam se apropriado da nossa vida e da nossa reprodução até o quarto.[5]

Em consequência disso, afirma Federici, o neoliberalismo teve que mudar a forma como a mão de obra reprodutiva sustenta o processo de geração de lucro. Depois da Segunda Guerra Mundial, os países que incentivaram as mulheres a entrar na força de trabalho fizeram isso através do fornecimento pelo Estado de cuidados para crianças e idosos, de lavanderias comunitárias e de benefícios sociais para as famílias. O neoliberalismo, a partir do fim dos anos 1970, privatizou e comercializou a mão de obra reprodutiva.

Nos tempos de Doris Day, a família operária tinha sido uma máquina de produzir um arrimo de família masculino através do trabalho doméstico não remunerado. Agora ela seria consumidora de serviços fornecidos comercialmente em larga escala. As mulheres foram atraídas em massa para a força de trabalho assalariada — apesar disso, a tradição e a cultura ainda exigiam que fizessem o trabalho doméstico não pago, sobretudo o de criar os filhos em seus primeiros anos de vida.

Isso intensificou a batalha em torno do suposto "direito" dos homens a salários mais altos, a cargos mais importantes, a dormirem com quem quiserem enquanto falam mal das mulheres que se comportam da mesma forma, a cometerem violência doméstica e a fazerem coisas com o corpo das mulheres sem consentimento.

Mostrei antes como a vida sob o neoliberalismo se tornou "performática": obedeça ao ritual exigido pelas interações de mercado e você sobreviverá. À medida que a encenação do livre mercado perde o sentido, começamos a entender que essa performatividade permitiu que uma misoginia profundamente arraigada sobrevivesse em espaços privados e on-line. Podemos ter certeza de que muitos dos perdedores que destilam bile misógina nos "chans" trabalham para empresas onde são solicitados a reiterar seu apoio à ideia de oportunidades iguais para todos e a condenar o sexismo.

Embora a misoginia do século XXI seja uma nova repetição de um tema antiquíssimo, precisamos estar cientes de sua novidade tecnológica e situacional. É a primeira vez que um modelo de capitalismo desmorona sem que uma elite busque um modelo alternativo; é a primeira vez que um modelo de capitalismo desmorona enquanto dezenas de milhões de mulheres experimentam liberdade econômica, sexual e comportamental. É um momento perigoso — e, para resistir ao ódio contra as mulheres difundido pela direita autoritária, precisamos de muito mais do que a teoria de Marx e as táticas tradicionais que essa teoria inspirou.

Tanto o marxismo como o feminismo fazem reivindicações biológicas. A teoria da natureza humana de Marx não é específica de um gênero: diz que todos nós somos definidos por trabalho imaginativo, concentrado num objetivo e que, uma vez superada a escassez, todas as formas de hierarquia de poder devem desaparecer. O feminismo diz que tanto o poder masculino como a opressão feminina podem ser determinados biologicamente: é preciso que haja uma luta paralela com dinâmica própria, e essa luta terá que ir além da concretização do que Marx chamava comunismo.

Levando em conta que toda forma de capitalismo, todo Estado operário e todo movimento progressista têm reproduzido a opressão das mulheres, as provas estão do lado de pensadores como Federici, e não como Marx.

A SEGUNDA INCONSISTÊNCIA EM Marx diz respeito à classe trabalhadora e a seu papel na história. Às vezes ela está destinada a empreender a derrubada consciente do capitalismo; às vezes é seu coveiro inconsciente.

O erro decisivo que ele cometeu sobre a classe trabalhadora pode ser deduzido da palavra alemã que usava para designar seu papel histórico: *träger*, que significa portador. Para Marx, a classe trabalhadora era ao mesmo tempo a portadora de uma necessidade implícita de atacar a propriedade privada e destruir a dominação de classes e portadora do destino do capitalismo: seus coveiros.

Ao logo de toda a história da classe operária industrial, fica claro que isso é falso. Nos últimos duzentos anos, o movimento operário tem sido a força mais heroica e consistente na luta pela democracia, pelo progresso social, pelo internacionalismo e pelos direitos das mulheres. Mas em nenhum momento a maioria da classe operária apoiou, de maneira consistente e efetiva, um projeto de abolição da propriedade privada.

Em vez de encarnarem (ou "portarem") o antídoto contra a propriedade privada, os operários personificavam seus próprios interesses de classe dentro do capitalismo: exigiam salários mais altos, direitos iguais e renda mínima maior. Quando suas lutas iam além disso — como costumavam ir —, eles com frequência preferiam ficar com mais controle do

O que resta do marxismo? 285

que com mais poder, sobretudo controle no trabalho e o direito de viver uma vida cultural autônoma.

Só quando levados aos limites da tolerância por ditaduras, pelo caos, pela derrota militar ou pelo fascismo — como em Paris em 1871, na Rússia em 1917, na Baviera e na Hungria em 1919 ou na Espanha em 1936 — alguma coisa parecida com a maioria operária optou pela revolução. Mas mesmo então, como classe eles se mostraram incapazes de manter o controle do poder político, rapidamente usurpado por grupos privilegiados de dentro da própria revolução. Tanto na revolução russa como na chinesa, uma vez que a burocracia assumiu o controle, a classe trabalhadora se conformou com uma versão do que havia pedido originariamente — um elemento de controle sobre a produção — e outra que não: uma posição privilegiada em relação ao campesinato.

Hoje, embora mais da metade dos adultos do planeta seja assalariada, a cultura da solidariedade da velha classe operária se esfacelou. Os que sonhavam que ela seria revivida nos centros industriais do interior da China ou da América Latina acertaram apenas pela metade. Como relatei em meu livro *Live Working or Die Fighting* [Viva trabalhando ou morra lutando], a luta de classes e a organização autônoma abundam na nova classe trabalhadora — assim como o eu neoliberal e o individualismo interconectado, em geral combinados com ressacas culturais da vida camponesa, como redes de aldeias, máfias e ilusões nacionalistas. Como resultado disso, a classe trabalhadora moderna, global, já não pensa e age como o proletariado clássico do século xx — e nenhuma dose de exposição à luta de classes dará jeito nisso.[6]

Podemos ver por que Marx entendeu errado. Todos à sua volta eram pessoas da classe operária, que não tinham nada de seu e que viviam profundamente alienadas do capitalismo, da Igreja e até de estruturas familiares tradicionais. Militantes da classe operária achavam que sua única opção era abolir a propriedade privada para se libertarem de suas exigências aprisionadoras. Neles Marx descobriu uma força social perfeitamente adequada à teoria hegeliana da história. Ali estava uma contradição viva do capitalismo, a negatividade feita carne, o portador de uma nova sociedade. Seu objetivo histórico era derrubar 10 mil anos de hierarquia social.

Uma vez que o realismo se estabeleceu, as duas metades da esquerda do século xx foram influenciadas pelo reconhecimento tácito de que as coisas não estavam saindo de acordo com o previsto. O leninismo se fundava na ideia de que sozinha a classe operária só poderia adquirir "consciência sindicalista". Para deflagrar a revolução, uma elite de intelectuais e operários instruídos organizada num partido com hierarquias se tornava necessária. Mao foi ainda mais longe, sugerindo que a experiência da classe operária urbana — que em Xangai e Guangdong tinha realizado levantes revolucionários em massa, mas fadados ao fracasso, nos anos 1920 — significava que a verdadeira classe revolucionária era o campesinato.

Enquanto isso, a ala social-democrata da esquerda concluía que a imaturidade da classe trabalhadora, sua falta de cultura e instrução significavam que um longo período de atividade parlamentar era indispensável — e, numa exata reprodução do leninismo, insistia que isso, também, deveria ser encabeçado por advogados, intelectuais e políticos profissionais da classe média.

Na realidade, os operários com mais consciência política viviam contestando tanto Lênin como os reformistas moderados. O objetivo de sua luta ia muito além de salários e sindicatos, mas não chegava à revolução socialista. O tema recorrente da história da classe operária, que aparece repetidas vezes, é a criação de ilhas de controle e liberdade dentro do capitalismo. Uma coisa sobre a qual leninistas, maoistas e social-democratas moderados estavam de acordo era que essas ilhas de controle autônomo eram um desvio, uma perturbação.

Outra coisa interessante que a classe operária fez, também desafiando o marxismo dos seus líderes, foi criar uma moralidade alternativa.

A crítica da exploração capitalista de Marx está carregada de retórica moralista. Mas ele desprezava a ideia de uma filosofia moral de esquerda. Consta que, sempre que ouvia as palavras "filosofia moral", ele tinha o hábito de rir alto. Da mesma forma, quase todos os socialistas do século xix desprezavam o moralismo, tanto a espécie que vinha da Igreja como a

O que resta do marxismo?   287

dos benfeitores liberais, que o tempo todo pregavam aos trabalhadores que eles deveriam aceitar o que lhes coube, em vez de lutarem por coisa melhor.

O marxismo foi uma revolta filosófica contra a pretensão de pensadores iluministas, como Kant, de terem descoberto uma moralidade eterna que existia independente da evolução social humana. A que moral, pergunta Marx, uma mulher obedece quando, forçada pela pobreza, vende sexo para o dono da fábrica? A que moral os cristãos devotos da escravocracia americana obedeciam quando açoitavam outros seres humanos até matar? Todos os sistemas morais, acreditava Marx, são reflexo das hierarquias sociais que os produzem.[7]

Contudo, a incapacidade do marxismo de produzir um código moral ou ético contrasta agudamente com as ações da classe operária, que se esforçava para fazê-lo. Na verdade, o processo inteiro de se tornar uma classe "em si" — pelo qual, dizia Marx, a classe operária precisava passar para atingir o socialismo — era na prática um projeto moral, fundamentado exatamente no tipo de relação entre fins e meios sugerida por Aristóteles.

Apesar de por vezes hipócrita e sempre patriarcal, a moralidade da classe operária compreendia que tinha que haver algo mais do que "o fim justifica os meios".

Quando as culturas de movimentos operários eram fortes, havia uma tentativa consciente de construir uma comunidade na qual todos os atos que contribuem para a vida boa eram tidos como virtuosos, e na qual levar uma vida exemplar e possuir virtudes — tais como solidariedade, generosidade e capacidade de autossacrifício — eram tão importantes quanto o próprio "fim" (fosse este sair ganhando de uma greve ou derrubar um governo). Como nosso desejo é sobreviver dentro do capitalismo, nos instruirmos e controlar cada vez mais o local de trabalho, operários diziam uns aos outros, é assim que devemos nos comportar.

O romance sentimental mas altamente realista *Como era verde meu vale*, de Richard Llewellyn, cuja história se passa entre mineiros galeses no começo do século xx, capta com perfeição essa moralidade. Há um feroz pregador evangélico, há uma força policial, porém os códigos morais a que os mineiros obedecem são independentes, complexos e não escritos, sempre destinados a mantê-los unidos, como comunidade trabalhadora, e impedir que haja rivalidade entre eles.

Por se recusarem a expressar um sistema moral próprio, queixou-se certa vez Alasdair MacIntyre, os marxistas, sempre que se viam diante de um dilema ético, se tornavam utilitaristas ou kantianos. Ou diziam, como Trótski no ensaio "A moral deles e a nossa", de 1938, "o fim justifica os meios";[8] ou proclamavam "eternos" princípios morais que não passavam de pálidos reflexos dos mandamentos cristãos.

Dessa forma, então os verdadeiros praticantes da ética da virtude eram os membros da classe trabalhadora. Eles é que desenvolveram novas normas e categorias de comportamento certo e errado a partir da compreensão do próprio destino dentro de uma comunidade.

Mas quando, a partir dos anos 1960, os marxistas começaram a enfrentar o problema do declínio e da fragmentação da cultura operária, fizeram isso com expressões de desespero. Herbert Marcuse, um dos "marxistas culturais" com quem hoje a alt-right é obcecada, achava que o proletariado industrial se tornara unidimensional, cooptado pelo consumismo e pela promiscuidade sexual, e que a função de lutar pelo futuro tinha recaído sobre os ombros de grupos oprimidos: mulheres, minorias e habitantes de países colonizados resistindo ao imperialismo.

André Gorz, marxista francês escrevendo nos anos 1980, foi mais longe. Sem "portador" para cumprir um papel histórico inspirado no que Marx leu em Hegel, o comunismo era apenas mais uma utopia. Mas, dizia, deveríamos continuar lutando por ele assim mesmo, sem o manto protetor da inevitabilidade histórica.[9]

Vejo a situação de outra maneira. Tendo destruído e dispersado o proletariado industrial, o capitalismo neoliberal reencarnou seus coveiros numa nova forma: o indivíduo conectado em rede. O indivíduo conectado em rede "porta" as características da futura humanidade libertada com muito mais clareza do que os mineiros da geração do meu avô. Se de fato derrubarem o capitalismo, os indivíduos conectados em rede farão isso de modo consciente e gradual, não como fantoches inconscientes de forças históricas. E eles têm um interesse coletivo em fazê-lo, pelos seguintes motivos.

O que resta do marxismo?

Primeiro: a tecnologia da informação cria a oportunidade de construir ilhas de abundância e controle autônomo dentro do capitalismo, queimando as etapas de escassez, planejamento, racionamento e controle centralizado. No começo do século XXI, numerosos pensadores de esquerda, entre os quais me incluo, tiveram a mesma ideia: a tecnologia da informação, ao fazer o mecanismo de preços entrar em colapso e permitir a automação rápida, torna possível ir direto ao objetivo de uma sociedade sem classes, cooperativa e totalmente automatizada. Dessa forma, o indivíduo conectado em rede tem um objetivo alcançável.

Segundo: ele tem uma razão existencial para resistir. A crise do neoliberalismo só poderá ser resolvida se este começar a impor relações de mercado ainda mais coercitivas na vida de todos fora da elite: usando o controle para invadir nossa existência corpórea, comercializando nossa vida, coletando dados sobre cada movimento nosso, cutucando e controlando nosso comportamento via algoritmo, forçando a competição em áreas nas quais hoje colaboramos uns com os outros. No século XXI, se o capitalismo sobreviver, será obrigando a maioria de nós a exibir as qualidades que Foucault observou: permanecermos "eminentemente governáveis" e competirmos uns com os outros de maneira selvagem como "empresários do eu".

Terceiro: o indivíduo conectado em rede é uma roda na engrenagem do capitalismo de um modo muito mais complexo do que o operário industrial. Indivíduos conectados em rede trocam trabalho por salários à moda antiga. Mas, além disso, o que pegam emprestado e economizam é que sustenta o sistema financeiro. Sem contar que são cada vez mais "prosumidores" — seus atos de consumo criam marcas e seus atos de escolher e compartilhar conhecimento constroem as vastas montanhas de dados sobre as quais se baseiam as avaliações de mercado de empresas como Google, Amazon, Alibaba e outras. O capitalismo se tornou, nas palavras do marxista italiano Mario Tronti, uma fábrica social. Correntes de lucro das nossas atividades, tanto no trabalho como fora dele, fluem para a conta bancária do capitalista.[10]

Portanto, se rejeitássemos as normas, as rotinas e a cultura performática do neoliberalismo, criaríamos um problema imenso. Formas de resistência vistas por marxistas clássicos dos anos 1960 como apenas "culturais" — como o boicote dos consumidores, as campanhas para prejudicar marcas ou a formação de cooperativas — podem hoje ser econômica, material e sistematicamente nocivas ao capitalismo.

Por fim, à medida que o neoliberalismo se desagrega em blocos de poder rivais, desencadeando formas mais extremas de autoritarismo e a ascensão da alt-right, todas as nossas limitadas manifestações atuais de liberdade serão atacadas. Se você quer uma visão do futuro, reformulando a frase de Orwell, imagine um exército de trolls e robôs trabalhando para um presidente cleptocrata, ameaçando sequestrar a jornalista cujo endereço acabam de publicar na internet.

Diante das provas, apegar-se à teoria marxista do proletariado vai contra o espírito do marxismo. Mas, se eu estiver certo, e o indivíduo conectado em rede for o agente da próxima grande mudança na história, então temos que fazer na "fábrica social" o que nossos avós faziam na fábrica industrial: procurar uns aos outros e agir. Fazendo isso, promover o renascimento de uma prática moral plebeia coletiva é um dos mais importantes desafios que enfrentamos hoje.

EM 1859, MARX ESBOÇOU uma teoria geral de como os modos de produção surgem e desaparecem. Enquanto permite o progresso tecnológico, a estrutura econômica sobrevive. Quando se torna um grilhão, fracassa. Esse processo envolve uma ação recíproca entre a estrutura econômica e a superestrutura cultural, jurídica, social e ideológica.

Apesar disso, em parte alguma dos três maciços volumes da obra-prima posterior de Marx, *O capital*, há qualquer previsão concreta de como isso possa ocorrer. Há uma teoria de valor, que subsiste ao teste do tempo e na verdade explica melhor do que a economia dominante os efeitos perturbadores da tecnologia da informação.[11] Há uma teoria da crise, segundo a qual a inovação tecnológica substitui o trabalho pela maquinaria, obrigando a superestrutura do capitalismo a mutações constantes: para criar novas necessidades, para criar trabalhos que exigem mais qualificação, novas maneiras de trabalhar, novas hierarquias no local de trabalho — até mesmo, afirma Marx, forçando países desenvolvidos a colonizarem os mais pobres e para lá exportarem seu superávit populacional.

No entanto, Marx não poderia prever as grandes mutações adaptativas na própria estrutura do capitalismo ocorridas após sua morte. Ele chegou a descrever uma delas: a sobrevivência do capitalismo industrial depois de 1848, celebrando uma trégua estratégica com a classe operária e inventando o sistema de mercado de ações. Mas nunca teorizou sobre isso.

Com base em duzentos anos de provas, pode-se revisar o resumo feito por Marx em 1859 desta maneira: "Quando a estrutura econômica se torna um grilhão para o desenvolvimento da tecnologia, ela costuma passar por uma dramática mutação para que o capitalismo sobreviva". Mas isso nos dá uma teoria sobre a sobrevivência do capitalismo, e não sobre o seu fim.

No entanto, em "Fragmento sobre as máquinas" — documento escrito em 1858, pouco antes do famoso "Prefácio", de 1859, e impregnado pelo mesmo processo de pensamento —, Marx prevê que o choque do capitalismo com o progresso tecnológico poderia acabar destruindo toda a base da economia de mercado.

As precondições para isso são as seguintes: a) que as máquinas expulsem, num grau substancial, a mão de obra do processo de produção; b) que o progresso tecnológico ocorra no nível da informação e não no da atividade física (ou seja, no design das máquinas, em seu funcionamento automático, na reformulação de processos de fluxo de trabalho); e c) que esse progresso implique a socialização do conhecimento. Quando o trabalho e o conhecimento de todos estiverem contribuindo para a produtividade e a eficiência de todos os demais, por intermédio do que Marx chama de "intelecto geral", uma contradição absoluta surge entre tecnologia e propriedade privada: a forma social suprema do capitalismo.

Nessa hipótese o sistema econômico atingiu um estágio em que faz uso da ciência e da tecnologia para tornar a criação de riqueza o menos dependente possível do trabalho. Mas a ciência e a tecnologia contêm seu próprio conhecimento social, o que vai de encontro à estrutura econômica baseada em empresas privadas e propriedade intelectual. Qualquer tecnologia baseada em conhecimento socializado, previu Marx, acabará mandando os alicerces da propriedade privada pelos ares.[12]

Uma enorme guerra teórica tem sido travada por marxistas ortodoxos contra o "Fragmento sobre as máquinas". Ele representa a incômoda intromissão de uma visão humanista da libertação tecnológica numa ideologia de luta de classes.[13] Por mais incompleto que seja, o "Fragmento" contém o que falta a *O capital* — uma concretização específica do infocapitalismo presente na previsão que Marx esboçou no "Prefácio" sobre como os sistemas econômicos fracassam e morrem.

Marx escreveu: "Nenhuma ordem social é destruída sem que antes todas as forças produtivas para as quais ela é suficiente tenham sido desenvolvidas [...]. A humanidade, portanto, só se incumbe de tarefas das quais é capaz de dar conta".[14]

Essa previsão aberta, não específica, é o melhor guia para a dinâmica desencadeada pelo choque entre a tecnologia da informação e as estruturas econômicas de mercados, trabalho assalariado, propriedade intelectual e controle algorítmico. Uma completa teoria materialista sobre o fim do capitalismo talvez só venha a ser escrita depois que isso acontecer.

SE FIZERMOS UMA LISTA de todas as afirmações já ditas sobre causa e efeito desde o início da revolução científica, ela partirá, em termos cronológicos, do simples para o complexo. Em 1611, Kepler, percebendo que todos os flocos de neve têm seis pontas, conjeturou que, quando congela, "a menor unidade natural de um líquido como a água" talvez se cristalize com mais eficiência como um hexágono.[15] No século XIX, quando já entendiam os conceitos de átomos e moléculas, os cientistas apresentaram uma explicação mais complexa do floco de neve. Hoje podemos compreender também um floco de neve como um "fractal". A teoria do caos nos diz para ver uma nevasca como um sistema complexo que se tornou instável. Quando um grão de gelo se forma e começa a atrair a instabilidade do sistema em sua direção, forma os minúsculos ramos que chamamos de flocos de neve.

O que resta do marxismo?

Kepler entendeu um floco de neve como uma coisa; a física moderna o entende como um processo linear, mas recíproco; a teoria do caos o entende como um processo não linear envolvendo um circuito de feedback entre dois sistemas, a molécula de água e a nevasca.

Essa evolução — de simples explicações de mão única a explicações relacionais e a explicações complexas, caóticas e incertas — também ocorreu no estudo da sociedade. O problema para nós é que o método usado por Marx para descrever complexidade não é tão bom quanto deveria. É chamado de "dialética". Era melhor do que as explicações simples, de sentido único, de causa e efeito que veio substituir, e talvez ainda seja um artifício estrutural útil. Mas, usado no lugar de todos os demais métodos de análise e explicação, acabou fazendo o marxismo cair num precipício teórico.

Comecemos descartando a noção de "materialismo dialético". Marx jamais usou essa expressão, mas depois que ele morreu Friedrich Engels tentou transformar a dialética numa teoria de tudo. Fazendo-se passar por uma teoria absolutamente científica da realidade, o "diamat" foi ensinado a milhões na Rússia de Stálin e hoje está sendo ressuscitado por Xi Jinping como um disfarce político para sua tomada do poder.

O erro essencial de Engels está em achar que a lei de Hegel do desenvolvimento por meio da contradição, ou dialética, era uma "lei extremamente geral" que "permanece válida nos reinos animal e vegetal, na geologia, na matemática, na história e na filosofia". É verdade que processos aparentemente dialéticos podem ser observados na natureza. O ar úmido se converte em neve — um exemplo de transformação dialética.

No entanto, se insistirmos, como Marx, que nosso modelo mental do mundo decorre da nossa melhor compreensão científica da realidade, seria ridículo sugerir que a dialética é a forma final desse modelo. É como declarar que a história da música termina em Beethoven.

Podemos dizer, como Engels em *A dialética da natureza*, que "em toda a natureza, desde o menor ao maior, do grão de areia aos sóis, das amebas ao homem, há um eterno vir a ser e desaparecer". Mas isso não quer dizer que um conjunto de formulações lógicas desenvolvidas no fim do século XVIII seja capaz de descrever com precisão esse processo. E a rigor o uso não acidental por Engels da palavra "eterno" — isto é, sua recusa implícita a tolerar a morte térmica do universo — hoje nos parece profundamente não materialista.

O primeiro grande choque entre marxismo e ciência — o ataque de Lênin a Ernst Mach, o homem que descobriu as ondas de choque — incentivou a primeira reavaliação coerente da dialética a partir de dentro do marxismo. Em resposta a Lênin, o médico e militante bolchevique russo Aleksander Bogdanov advertiu que, atendo-se à dialética como se fosse um dogma, os marxistas se arriscavam a permitir que categorias lógicas obscurecessem a dinâmica da realidade.[16] Isso, na verdade, já tinha começado: quase todos os erros cometidos por Lênin e seus seguidores se originaram na tentativa de enfiar a realidade complexa dentro de um esquema simples e da convicção de que o capitalismo não seria capaz de recuperar sua dinâmica porque a dialética declarava sua morte iminente.

Nos manuscritos de Paris de 1844, Marx escreveu que, uma vez que os seres humanos se reconectassem com a natureza e abolissem a propriedade privada e o Estado, "a ciência natural com o tempo se incorporará na ciência do homem, assim como a ciência do homem se incorporará na ciência da natureza: haverá uma única ciência".[17]

Levando em conta que essa era a esperança de Marx, o marxismo como ciência social precisa aprender com a ciência natural: precisa adaptar e utilizar seus modelos mentais de complexidade, caos e incerteza. Assim como a dialética era uma tentativa de aprofundar o racionalismo do século XVIII e "pensar além" dele, uma esquerda do século XXI também precisa estar preparada para pensar além da dialética e se utilizar de estruturas lógicas que surjam da observação científica.

Como se faz isso? Sempre voltando a examinar as provas e continuando a fazer perguntas.

A ÚLTIMA COISA QUE MARX entendeu errado, e em certo sentido a mais importante, diz respeito ao ecossistema da Terra. Em termos teóricos, ele entendia que a humanidade é parte da natureza, mas uma parte diferente

O que resta do marxismo?   295

de todas as outras: podemos transformar o mundo natural para que atenda a objetivos humanos. Insistia em dizer que as sociedades humanas não são "donas da Terra. São apenas possuidoras, beneficiárias, e precisam legá-la em melhor estado para as gerações seguintes". Seu colaborador Engels advertiu que não deveríamos "nos exaltar demais pela conquista humana da natureza. Pois cada uma dessas conquistas acaba se vingando de nós [...]".[18]

Embora nada soubesse de ciência climática, Marx pelo menos teorizou sobre a inevitabilidade de os dois sistemas — a sociedade humana e a natureza — virem a entrar em conflito quando se alcançasse um modo de produção baseado na busca incessante de crescimento e produtividade. A urbanização e a comercialização da agricultura, dizia ele, estavam destruindo as duas fontes de toda a riqueza: o solo (pelo esgotamento de nutrientes) e o ser humano (mediante a queda da expectativa de vida, a pobreza, a ignorância e epidemias).[19]

Apesar disso, em sua resposta a Thomas Malthus, que sustentava que o capitalismo seria destruído pela superpopulação, Marx não via limites ambientais rígidos para o capitalismo. Embora aceitasse vez ou outra a existência desses limites, ele supunha que o progresso tecnológico seria capaz de superar as limitações naturais impostas pela escassez de matéria-prima e pela exaustão da fertilidade da terra. A ideia de que sistemas de energia à base de combustíveis fósseis destruiriam o planeta estava tão ausente do seu pensamento como do de qualquer outra pessoa naquela época.

Mas isso não absolve Marx. Os pressupostos de sua crítica a Malthus eram que não havia limites naturais à expansão do capitalismo — apenas um choque inevitável entre a tecnologia altamente produtiva e as velhas formas sociais de classe e propriedade privada. A opinião que tinha do capitalismo era em essência otimista: o progresso tecnológico sempre consegue resolver os problemas que cria. E isso teve consequências práticas: incentivou a União Soviética a poluir e consumir o meio ambiente sem se preocupar com sua destruição. E até tempos bem recentes, autorizou a burocracia chinesa a fazer o mesmo.

Hoje, como resultado de mais de duzentos anos de desenvolvimento industrial, podemos reformular o problema. A mudança climática provocada pelo homem representa um limite definitivo ao capitalismo. A ciência climática prevê que se a Terra se aquecer mais de dois graus acima de sua média de longo prazo, circuitos caóticos de feedback surgirão dentro da própria natureza, acompanhados de fenômenos naturais socialmente catastróficos.

Ao lidar com esse novo problema, marxistas contemporâneos produziram três abordagens distintas. A primeira foi continuar com o tecno--otimismo do século xix em busca de um reparo técnico que reverta a mudança climática, afirmando, ao mesmo tempo, que o capitalismo precisa ser derrubado para que isso seja possível.

Uma segunda tendência, associada ao economista americano de esquerda James O'Connor, dizia que o marxismo precisava ser ampliado para incluir uma descrição de "duas contradições". A primeira é a bem conhecida entre tecnologia e as estruturas econômicas que a cercam. A segunda, escreveu O'Connor, é entre capitalismo e o meio ambiente comercializado que ele criou: campos lavrados, ar poluído, o sistema globalizado que cultiva legumes no Quênia e os transporta para o Reino Unido num Jumbo Jet — e, por fim, a capacidade da atmosfera de absorver carbono.

A força da tese de O'Connor é que ela repousa num insight do capitalismo que marxistas posteriores tiveram, mas o próprio Marx, não: a necessidade do capitalismo de, como sistema, interagir o tempo todo com, e consumir, outros sistemas. Para o economista, a mudança climática significa o limite da capacidade do capitalismo de continuar transformando a natureza.

No entanto, ecomarxistas acham que mesmo O'Connor subestimou o tamanho do problema: ele estava tentando elaborar uma base lógica "marxista" para limitar o uso do carbono quando na verdade existe um argumento puramente ecológico para essa limitação — e a favor de uma ação radical para abordar outras graves ameaças à ecosfera.

Diante do fato da mudança climática provocada pelo homem e de sofisticadas tentativas feitas por marxistas do século xxi para entender suas implicações sociais, está claro que os escritos do próprio Marx são inadequados. Mas se ouvirmos seu conselho para "analisar a coisa toda", vemos

O que resta do marxismo? 297

que a coisa toda só pode ser a biosfera da Terra, a população humana que a habita e suas atuais tecnologias e estruturas sociais.

Tudo isso tem implicações óbvias sobre qualquer projeto de usar a tecnologia para ir além do capitalismo: significa gerenciar de maneira consciente a interação entre desenvolvimento econômico e o clima. Significa, em termos práticos, deixar de usar carbono e criar uma economia circular que nos permita reduzir a extração em massa de matérias-primas, de uma forma não prevista pelo otimismo unidirecional de Marx com relação a produtividade e crescimento.

O PENSAMENTO DE MARX CONTÉM grandes lacunas, equívocos, non sequiturs e caminhos errados. E não a respeito de questões secundárias, mas de alguns dos maiores problemas que enfrentamos. Dito isso, por que a direita populista tem tanto pavor do marxismo? A resposta não é só porque nas mãos de uns poucos imigrantes alemães ele forneceu a base lógica do politicamente correto. É porque, despido de seus impulsos autoritários, ele ainda pode ser a fonte mais importante de uma estratégia radical de resistência.

Nos anos 1950, paralela aos desesperados comentários sociais dos pensadores agora na mira da alt-right — Marcuse, Adorno e Horkheimer —, desenvolveu-se outra corrente, de maior relevância para nós hoje: o humanismo marxista de pensadores como Raya Dunayevskaya, organizadora sindical que primeiro traduziu os manuscritos de 1844; e o autoproclamado "humanismo radical" de figuras como Erich Fromm.

Uma das grandes figuras do marxismo humanista, o historiador Edward Thompson, declarou depois da revolução húngara de 1956: "Não posso mais falar de uma tradição marxista única e comum. Há duas tradições".[20] Havia uma tradição de marxismo humanista dedicada à liberdade e uma anti-humanista dedicada a justificar a opressão, que reduzia a agência dos seres humanos. A tradição anti-humanista, escreveu ele, precisava ser combatida até a morte. Thompson disse que, se marxismo significasse a submissão do homem a forças históricas e a erradicação do poder de mudar o mundo, ele preferiria se converter ao cristianismo ou até ao puro e simples moralismo liberal.

Para nós hoje, os principais provedores de anti-humanismo e fatalismo em trajes de esquerda não são mais os comunistas de cachimbo da época de Althusser: são os pós-modernistas, seguidores da Ontologia Orientada ao Objeto e pós-humanistas que de bom grado sacrificaram todo o legado marxista. Ninguém, portanto, que queira defender os princípios humanistas de Marx precisa puxar o terço e rezar. Mas precisamos reconhecer — e com orgulho — a conexão de nossas ideias com as religiões centradas no homem da Era Axial e com a tradição judaico-cristã do Iluminismo.

Eis aqui, portanto, como eu responderia à pergunta: "Você é marxista?".

Sou um humanista radical que acredita que estamos prestes a alcançar o que Marx queria: uma sociedade tecnologicamente capacitada, na qual a maior parte das coisas é consumida de graça, e a transformação maciça dos homens para que possam aproveitar essa liberdade. Como Marx, acredito que essa propensão a conquistar a liberdade é produto da nossa evolução, e todos os avanços recentes na genética, na biologia evolutiva e na neurociência reforçam essa convicção. Como Marx, acredito que a socialização do conhecimento através do progresso tecnológico nos levará ao limite de uma sociedade baseada na propriedade privada.

Mas, diferente de Marx, acredito que essa revolução humana será realizada não pelas ações cegas de uma única classe, mas por uma rede difusa de seres humanos agindo de maneira consciente. Diferente de Marx, acredito que o planeta impõe limites à maneira como o homem usa a tecnologia e determina certas prioridades na transição para além do capitalismo. E, diferente de Marx, não rio alto quando ouço as palavras "filosofia moral" — porque a natureza da tecnologia que utilizaremos para conseguir a abundância exige de nós um contexto ético global para mantê-la sob controle.

PARTE V

Alguns reflexos

Numa sociedade dividida em classes as possibilidades humanas nunca são reveladas por completo [...] e por causa disso o desenvolvimento humano se dá em saltos bastante imprevisíveis. Talvez nunca saibamos o quanto estamos perto do próximo passo à frente.

ALASDAIR MACINTYRE[1]

Interlúdio...

SUPONHAMOS QUE HAJA um planeta com milhões de espécies, das quais talvez um pequeno grupo tenha adquirido — por absoluto acaso — a capacidade de pensar de maneira consciente, tomar decisões racionais, utilizar linguagem e desenvolver ferramentas.

Sua história tecnológica talvez avance devagar: durante 3 milhões de anos eles se limitaram a fazer rudimentares ferramentas de pedra. Então, uma das espécies desenvolve uma cultura, uma estrutura social mais complexa e variada e uma linguagem mais rica, que a ajudam a se espalhar geograficamente pelo planeta, enquanto outras espécies pensantes se extinguem. Esse processo leva talvez outros 300 mil anos.

Então as coisas começam a andar mais depressa: do primeiro objeto cultural à primeira forma de agricultura estabelecida se passam talvez 30 mil, 40 mil anos. Da cerâmica ao bronze, do bronze ao ferro, dos chefes tribais a uma teoria explícita da democracia, mais um punhado de religiões prometendo autorrealização dessa espécie no futuro, são outros 10 mil anos. Cerca de 2 mil anos depois, vêm as máquinas a vapor. Cem anos depois do seu emprego generalizado, a produtividade dessa espécie — que permanecera estática desde o surgimento das primeiras cidades e da agricultura — decola num ângulo de 45 graus. Então, quando as máquinas com componentes móveis cedem lugar a máquinas digitais, a produtividade material em alguns setores se torna exponencial.

Qual é a mentalidade mais provável entre os membros dessa espécie que têm a sorte de viver nesse momento incrível da decolagem? Sem dúvida a euforia, a confiança, a convicção de que — apesar de todos os problemas que os atormentam — mais progresso é possível?

Como vimos, não é nada disso. A mentalidade dominante no nosso planeta é o fatalismo. A ideologia política dominante é o culto ao mercado. Depois de terem se regozijado com o "fim da história", muitas pessoas liberais e instruídas pranteiam agora o fato de que a história voltou: no caos atual só conseguem ver a ameaça de que a história retroceda ao fascismo e à ditadura, e que o dano que nossa espécie causou ao planeta vai se agravar e se tornar irreparável.

Agora imaginemos que alguns membros dessa espécie queiram saltar fora desse pensamento fatalista. Para tanto, é preciso que decidam tomar uma série de medidas: adotar um modelo econômico diferente, restaurar formas de democracia mais variadas e resistentes, ratificar a universalidade dos direitos humanos e lançar projetos colaborativos de base para reconstruir a solidariedade entre as pessoas.

Para realizar esses projetos, suponhamos que um grande número de membros instruídos dessa espécie decida fazer o que fez a classe operária do século XIX: procurar uns aos outros e agir. Suponhamos que tentem partir da compreensão dos seus interesses comuns — o que Marx chamava de tornar-se uma "classe em si" — a fim de tornar-se uma classe "para si" e lutar por um objetivo positivo.

Se for esse o caso, eles precisariam fazer mais do que uma lista de políticas e demandas a serem apresentadas a seus governos. Precisariam desenvolver um conjunto de reflexos diferentes e mais combativos. Com base em sua história, é lógico supor que eles incentivariam uns aos outros contando feitos de povos que exibiram esses reflexos no passado. Na parte final deste livro, embora eu liste algumas políticas e princípios importantes para nossos próximos atos de resistência, quero sobretudo delinear um conjunto de reflexos que nós mesmos podemos nos incentivar a adotar.

15. Des-cancelar o futuro

EM 2017, A MARCA DE LUXO Calvin Klein lançou um perfume chamado Obsessed, anunciado pela supermodelo britânica Kate Moss. Quando vi o anúncio pela primeira vez, na contracapa de uma revista, surpreendeu-me o quanto ela parecia jovem. Examinando melhor, percebi que simplesmente tinham reutilizado uma foto sua de 1993.

Fazia sentido porque o novo perfume era simplesmente a "reinvenção" de um perfume famoso lançado havia 25 anos, chamado Obsession. "Ele viveu em nossas cabeças por tantos anos e se tornou um padrão de sensualidade", disse o diretor de marketing do produto. "Pensamos num aroma que pudesse refletir essa ideia de memória e desejo para os dias de hoje."

Em geral, se uma empresa usa uma imagem de 25 anos atrás para promover um produto, chamamos isso de "retrô". Quando profissionais de marketing fizeram isso com fotos de Marilyn Monroe nos anos 1980, a inferência era clara. Da mesma forma, quando assistimos a um filme noir, ou ouvimos uma gravação de Billie Holiday, ou usamos roupas vintage, sabemos estar consumindo uma estética que já passou — que estamos cedendo a uma nostalgia controlada.

Mas no caso da propaganda do Obsessed em 2017, era impossível interpretá-la como retrô. Parecia atual, porque nos 25 anos decorridos desde o anúncio original pouca coisa na cultura popular tinha mudado. Nos bares, nos cafés e nos salões de beleza do mundo todo, a música produzida na década de 1980 ainda é tocada para criar um clima. É como se você tocasse Glenn Miller para as pessoas nos anos 1970 e elas não conseguissem perceber a diferença entre swing e punk.

O filósofo italiano Franco Berardi chama esse fenômeno de "o lento cancelamento do futuro". Uma vez que as pessoas compraram a ideia de que o neoliberalismo era a forma final do capitalismo e que a história "acabou", a cultura popular entrou num circuito de repetição, no qual a ideia de progresso evaporou. Até mais ou menos 1989, era normal ver novas bandas rejeitarem estilos antigos e inventarem outros, e a meninada descolada aparecer de repente com roupas improvisadas, fazendo todo mundo parecer velho. Agora tudo se tornou uma montagem de tudo. O crítico cultural Mark Fisher resumiu bem esse sentimento: "A vida diária ganhou velocidade, mas a cultura perdeu".[1]

Essa ausência de progresso contagiou a política. Olhando imagens da polícia atacando a marcha de Martin Luther King em Selma, Alabama, dá para entender que do mal resultou um bem. As imagens atuais da alt-right marchando armada pelas ruas de Portland, Oregon, ou da tortura de prisioneiros na Síria podem dar a sensação de um espetáculo teatral interminável e grotesco, destituído de significado.

O filósofo Fredric Jameson escreveu que depois da vitória do neoliberalismo as pessoas passaram a achar mais fácil imaginar o fim do mundo do que o fim do capitalismo. Mas que tal imaginarmos o fim do capitalismo? Feche os olhos um pouco e tente. É assustador? O que você vê?

Muito provavelmente você vê a mesma utopia que inspira o pensamento ocidental desde Aristóteles: uma comunidade sem pobreza, na qual a propriedade e a hierarquia não têm importância, todo mundo dispõe de tempo livre para desenvolver seu potencial humano e de recursos materiais suficientes para viver e na qual o trabalho é executado por máquinas. A vida boa.

No começo do século XXI, os meios para nos libertarmos do trabalho estão ao nosso alcance. Quando ouvimos histórias assustadoras de robôs ou de processos automatizados que destroem metade dos empregos existentes no mundo desenvolvido, o que isso significa é que podemos nos livrar de quase todo trabalho físico dentro de um século. Significa que as coisas básicas de que precisamos para viver — alimento, energia, transporte, moradia, assistência médica e educação — podem se tornar tão abundantes que seu fornecimento possa ocorrer fora do mercado, pela colaboração direta uns com os outros. A escassez existiria em bolsões cada vez mais reduzidos, dependentes de expertise ou de recursos naturais.

Em meu livro *Pós-capitalismo*, sustentei que a tecnologia da informação tinha aberto um novo caminho para além do capitalismo. Desde que o livro foi lançado, algumas de suas propostas — como renda básica do cidadão, fornecimento de serviços básicos universais ou cooperativas de plataforma para substituir empresas como a Uber — entraram no debate público.

Ao mesmo tempo, pensadores como o escritor de tecnologia bielorrusso Evgeny Morozov descreveram com precisão um resultado alternativo claro e assustador: o feudalismo digital. Nessa hipótese, a desigualdade tecnologicamente alimentada cresce tanto que, no lugar do mercado, se desenvolve uma nova relação entre as empresas de tecnologia e a grande massa muito parecida com a estrutura de poder suserano-vassalo da Idade Média.

A riqueza é extraída pelos gigantes da tecnologia em aliança com o Estado, através da propriedade e da manipulação dos dados que produzimos. A maioria das pessoas não consegue mais satisfazer suas necessidades por meio do trabalho, porque não há trabalho suficiente; em vez disso, ficam presas aos provedores de tecnologia numa forma de servidão baseada em dados.[2]

Se chegarmos a uma espécie de feudalismo digital, a religião que manterá tudo em pé não será o cristianismo medieval. Será Kate Moss jovem para sempre, anunciando um novo perfume depois do outro, cada um deles uma reinvenção do anterior. A cultura, a moda, a música, toda a arte dos últimos duzentos anos se tornarão "amostras": lembranças de uma época em que a humanidade se importava com o progresso, a libertação e a possibilidade de liberdade, fadadas a serem reutilizadas por pessoas com pouco ou nenhum conhecimento direto desses ideais.

As capitais do feudalismo digital seriam, é claro, Beijing, Nova Délhi e Moscou — porque o imenso poder dos regimes autoritários agora existentes daria a esses países uma vantagem inicial em tudo o que diz respeito à utilização de inteligência artificial, vigilância e controle algorítmico.

O rápido desenvolvimento da inteligência artificial, junto com a ofensiva de Trump contra a ordem global fundamentada em regras e a ascensão da China como potência mundial sob Xi Jinping, faz do feudalismo digital um perigo bem maior do que imaginei a princípio. Para que este venha a se consolidar, uma de suas precondições seria que a robótica, a IA e as empresas de redes sociais cedessem sua propriedade intelectual a novos Estados oligárquicos. Nesse sentido, não se trataria a rigor de uma forma de feudalismo, mas de uma espécie de "segunda vinda" do pesadelo burocrático coletivista que inspirou *1984*, de Orwell.

Mas a escolha ainda é nossa. Se quisermos assumir o controle das possibilidades tecnológicas que se apresentam diante de nós, precisamos saber muito bem a situação final que estamos buscando e tomar medidas para eliminar nossos obstáculos. Para des-cancelar o futuro, precisamos reviver nossos reflexos para o pensamento utópico.

PRIMEIRO PRECISAMOS ENTENDER que o capitalismo é um sistema complexo, adaptativo, que está perdendo a capacidade de se adaptar. Por mais de duzentos anos, enquanto o progresso tecnológico barateava as coisas e tornava desnecessárias certas habilidades, o sistema se adaptou criando novas necessidades e novos mercados nas sociedades desenvolvidas.

Ao mesmo tempo, o capitalismo sobrevivia usando nosso planeta como torneira e como cano de esgoto: partia da premissa de que a Terra tinha uma capacidade ilimitada de fornecer matéria-prima e energia e de absorver tanto lixo como carbono. Mas o cano de esgoto está entupindo e a torneira, secando. A mudança climática, a poluição, a exaustão de recursos, o envelhecimento demográfico e a migração em massa parecem, todos, sérios choques "externos" para o sistema, quando na verdade são subprodutos de longo prazo do próprio capitalismo. E uma coisa começou a devorar a outra.

Além do mais, a tecnologia da informação está impondo ao capitalismo limites para fazer quatro coisas das quais sempre dependeu.

Primeira: por causa da natureza específica da tecnologia da informação, ficou difícil fixar preços num livre mercado e obter lucros.

Segunda: as tecnologias que já estão aí têm potencial para automatizar com rapidez metade de todas as tarefas rotineiras que existem hoje e —

Des-cancelar o futuro

com novos avanços em robótica e inteligência artificial — muitas outras no longo prazo. Se o capitalismo depende da exploração dos trabalhadores, a perspectiva de um mundo em que o trabalho é cada vez mais facultativo atrapalha sua principal dinâmica.

Terceira: a tecnologia da informação cria efeitos de rede — novas fontes de utilidade, por exemplo, dados de um usuário agregados a um hospital ou ao sistema de transporte urbano — que não aparecem espontaneamente como propriedade privada e que não são de propriedade prévia nem do capitalista, nem do trabalhador, nem do consumidor, mas se tornam objeto de disputa.

Por fim, as tecnologias digitais permitem que a informação seja democratizada — acabando com o monopólio natural da distribuição de conhecimento que existia quando ela precisava ser feita via papel impresso ou através das escassas ondas de rádio dos sistemas de radiodifusão e das racionadas máquinas de escrever do Estado totalitário. Isso foi uma característica sólida da vida humana durante quinhentos anos e agora desapareceu.

Em resposta a esses quatro efeitos únicos da tecnologia da informação — sobre preços, automação, redes e disponibilidade —, o sistema de mercado se metamorfoseou com rapidez, criando novas organizações, leis e mecanismos de defesa. Isso inclui vastos monopólios cujo principal objetivo é acabar com a definição livre e competitiva de preços e erradicar a concorrência em setores inteiros do mercado. Sucessivamente, eles adotaram estratégias pioneiras para ampliar formas artificiais de propriedade da informação: extensões de copyright, complexas obrigações legais, leis de propriedade intelectual e "acordos de não concorrência" que seriam inúteis na época das fábricas analógicas e das minas de carvão.

Longe de automatizar a produção, economias de mercado avançadas estão criando milhões de empregos que não precisavam existir — "empregos de merda", como o antropólogo David Graeber os chama. No Reino Unido há, no momento em que escrevo, 20 mil empresas de lavagem manual de carros, cujos empregados são na maioria imigrantes: vinte anos atrás eles praticamente nem existiam, e nesse mesmo período o mercado de lavagem automática de carros entrou em colapso.

Diante dos efeitos de rede, os monopólios tecnológicos projetaram seus modelos de negócios para capturar esses transbordamentos positivos na forma de rendas econômicas. Quando você entra no Facebook, está se ligando numa máquina que captura o valor produzido por suas interações de todo dia. A mesma coisa quando compra um smartphone. Um subproduto disso é que os dados mais úteis do mundo — de saúde a transporte e aos modelos comportamentais que o Facebook vendeu para a inteligência russa — estão em mãos privadas, não fiscalizadas pelo Estado ou pelo público e não disponíveis para uso social.

Por fim, para neutralizar a democratização do conhecimento, as empresas adotaram a estratégia de assimetria maciça, captura de propriedade intelectual e controle algorítmico. Como usuário do Facebook, não tenho permissão sequer para entender o que ele sabe a meu respeito, menos ainda o que sabe sobre todo mundo. Nem me deixam saber quais são os algoritmos que guiam conteúdos ou anúncios na minha direção — nem que uso estão fazendo dos meus dados agregados (na forma de "populações sintéticas"). Tomando de empréstimo a frase de Fredric Jameson, ficou mais fácil imaginar o fim do mundo do que imaginar Mark Zuckerberg me dizendo exatamente a que se destinam seus algoritmos.

Como resultado da ascensão da tecnologia da informação, travamos agora uma luta de três lados entre os monopólios técnicos, os cidadãos e o Estado. Esse conflito é paralelo, e se sobrepõe, a todos os conflitos que surgem endemicamente do fracasso econômico do capitalismo neoliberal.

Enquanto crescem em poder, os monopólios aceleram a transformação do capitalismo de um sistema baseado na produção em um sistema baseado na busca de renda. Apesar de algumas inovações terem o objetivo de automatizar o trabalho para acabar com empregos que não precisam existir, boa parte da inovação comercial visa apenas a criar novas oportunidades de monopólio; novos mecanismos para subverter a democratização do conhecimento; novas assimetrias de informação; novas maneiras de destruir velhas estruturas sociais, como o ecossistema de negócios da indústria taxista ou de escritórios comerciais.

Nenhuma parcela séria da elite corporativa ocidental pretende contestar os modelos de busca de renda que estrangulam a economia. A elite dos mercados emergentes depende deles — assim como, cada vez mais, uma casta de advogados, banqueiros, políticos e indústrias de serviços para os super-ricos. Isso, por si, é um sintoma do beco sem saída para onde se dirige o modo capitalista de produção.

No entanto, partes da direita libertária têm uma solução: acabar com o Estado e todos os sistemas de proteção social, transformando a economia digital num mercado gigantesco e fragmentado, no qual não existem bancos centrais, só bitcoins; nem Estados, apenas contratos de *blockchain*; e, por conseguinte, nem direitos humanos. Os reflexos utópicos da ultradireita são fortes e conduzem a uma sociedade de total controle algorítmico.

A combinação de monopólio, trabalho precário, escassez artificial e sigilo da informação com ressacas econômicas de longo prazo provocadas pelo fracasso do neoliberalismo torna provável que o atual modelo de capitalismo venha a sofrer repetidos colapsos. No entanto, a liberdade humana está mais perto de nós do que em qualquer outro momento da história, porque máquinas pensantes são únicas. Elas criam novas utilidades de graça e em larga escala.

A solução é projetarmos um novo sistema social global que utilize as aptidões potenciais da automação, reduza a quantidade de trabalho necessária para nos manter vivos no planeta e, ao mesmo tempo, estabilize o ecossistema planetário. São essenciais para esse projeto a regulamentação da inteligência artificial, a proteção dos direitos sobre dados e a resistência ao controle de seres humanos por algoritmos.

A SITUAÇÃO QUE DEVEMOS buscar é a abundância tecnológica: um mundo onde as máquinas realizem a maior parte do trabalho, e mesmo a maior parte das inovações; onde nosso tempo de lazer agora tão aumentado nos permita ter uma vida cultural rica; e onde nossa atividade econômica esteja em harmonia com o que a Terra é capaz de suportar.

Para chegar lá, proponho quatro projetos estratégicos, cada um deles correspondendo a um dos efeitos que a tecnologia da informação criou dentro do capitalismo.

1. Combater monopólios e fixação de preços: acabar com os monopólios de informação e promover a socialização da infraestrutura digital básica, na forma de empresas sem fins lucrativos ou de empresas estatais de serviços públicos semelhantes à de rede elétrica.

2. Combater o trabalho precário e os salários estagnados: acelerar a automação desvinculando o trabalho dos salários. Isso envolve pagar a cada um, com dinheiro vindo de impostos, uma renda básica de cidadão, somada à oferta universal de quatro serviços essenciais — assistência médica, transporte, educação e moradia — muito baratos ou gratuitos. Essas medidas devem funcionar como um subsídio transicional para compensar o impacto da rápida automação do mundo.

3. Combater a busca de renda: legislar para transformar dados em um bem público, dando, ao mesmo tempo, o controle sobre o uso dos dados de cada pessoa ao indivíduo e não ao Estado. Suprimir todos os modelos de negócios baseados na busca de renda; a rigor, tornar socialmente inaceitável a busca da renda econômica.

4. Lutar contra o encarceramento de informações: tornar ilegal todo modelo de negócios baseado no acesso assimétrico à informação. Devo ter o direito de saber, e ver, o que cada Estado, cada banco ou cada empresa de rede social sabe a meu respeito. Devo ter o direito de apagar as informações, corrigi-las e limitar seu uso. Devo ter o direito de saber se um algoritmo está sendo usado para controlar, monitorar ou prever o meu comportamento. Devo ter o direito de saber se uma inteligência artificial está sendo usada do outro lado de uma transação, de um jogo ou de uma conversa.

Essas quatro estratégias se destinam a libertar do poder econômico as novas tecnologias da informação sendo desenvolvidas neste momento, cujos esperados impactos na medicina, na robótica e na vida urbana costumam ser rotulados de Quarta Revolução Industrial. Elas são projetadas

Des-cancelar o futuro   311

explicitamente para impedir que o infocapitalismo se transforme em feudalismo digital e nos prevenir contra o surgimento da anarquia digital; e para lançar as bases de uma transição para um modelo econômico de não mercado, diverso, colaborativo, de propriedade coletiva.

A transição será lenta; as forças do pós-capitalismo terão que se reunir dentro do que restou do capitalismo. Uma vez que nenhum sistema desaparece antes de botar para fora todas as tecnologias, todas as técnicas e todas as formas sociais latentes dentro de si, não devemos tentar nenhum tipo de "marcha forçada" para a abundância e a cooperação, mas nutrir com cuidado suas formas iniciais, nos espaços disponíveis dentro do presente: organizações sem fins lucrativos, produção colaborativa, economia P2P e softwares de código aberto e padrões abertos.

De acordo com esse princípio, um dos objetivos mais importantes seria dar espaço para o empreendedorismo real (em oposição à atividade de sonegação de impostos, de busca de renda e movida por escravos que se faz passar por isso no neoliberalismo), para inovações determinadas por necessidades e desejos dos consumidores e para parcerias inovadoras entre os setores público e privado nas quais o Estado conscientemente cede oportunidades de criar valor para o setor privado.

Pelo mesmo princípio, o planejamento terá que assumir uma forma muito diferente da do stalinismo e do capitalismo de Estado do século XX. Deverá ir além do projeto de urbanização e infraestrutura e das estratégias de "política industrial" usados nas sociedades dominadas pelo mercado. A ferramenta mais importante do planejador deve ser um complexo modelo digital da economia, da sociedade e da ecosfera, em níveis local, nacional e global.

O modelo precisa fazer o que o plano jamais faria: prever as complexidades, os circuitos de feedback, os impactos sociais e ambientais de decisões do governo ou de estratégias industriais ao longo de décadas — e apresentar os resultados de maneira simples o bastante para que os eleitores façam uma escolha bem informada e consciente. Modelos deveriam ser ferramentas para que o eleitorado, não apenas os tecnocratas, pudesse realizar experimentos; explorar e imaginar possibilidades e testá-las, aumentando de modo espetacular a participação democrática e o acesso a conhecimento social.

Da renda básica à economia circular, da criação de cooperativas de plataforma à informação como bem público, o fato é que a maioria dessas ideias já está em andamento. Algumas estão sendo adotadas com entusiasmo por governos municipais ou em nichos de grandes corporações. Mas como seus oponentes admitiram, os veículos mais prováveis para uma solução pós-capitalista da crise atual emergiram na forma da esquerda radical e de partidos verdes ou de tendências radicais de esquerda dentro de partidos liberais e social-democratas.

A primeira medida concreta que você pode tomar se estiver de acordo com a análise feita neste livro é começar a embutir essa abordagem de quatro partes como um reflexo — dentro de partidos, sindicatos, comunidades e organizações sociais: para produzir coisas baratas ou gratuitas, desvincular o trabalho dos salários, promover dados como um bem público e acabar com o direito das corporações de monopolizarem informação.

MAS, TENDO DEFINIDO o objetivo, precisamos dar passos concretos para atingi-lo. No Reino Unido, por exemplo, depois de dez anos de austeridade e trinta anos de devastação de mercado, acertar as coisas exigiria algumas ações emprestadas do velho programa da esquerda.

Talvez seja preciso tornar de propriedade pública serviços públicos que estão desapontando e fraudando os consumidores; aumentar salários, tornando ilegal o trabalho precário e fortalecendo os sindicatos; criar impostos, pegar emprestado e gastar para criar novos e vibrantes serviços públicos, espaços públicos e uma infraestrutura moderna centrados no homem.

Mas não podemos permitir que isso seja confundido com um retorno ao projeto de capitalismo de Estado, ou, pior ainda, ao socialismo stalinista a ele associado. Ao construir milhares de novas moradias sociais, devemos pensar em controle comunitário; métodos e materiais de construção carbono neutros; controles permanentes de aluguel; e a criação

Des-cancelar o futuro

de comunidades sustentáveis, mistas, com espaço público suficiente para suportar uma cultura democrática florescente.

Pela mesma razão, se acreditarmos que só uma comunidade com uma vigorosa vida institucional e ética pode resistir ao controle das novas tecnologias que inventamos, toda ação — seja do governo, seja de um ativista político progressista — tem que construir essa capacidade, ou pelo menos não diminuí-la.

Mas a arte da política radical hoje não consiste apenas em elaborar uma visão do futuro e uma rota de transição que leve a ele. Ela também envolve uma luta política contra a direita autoritária — e como a ascensão da alt-right sugere, isso também requer um conjunto de reflexos diferente do que temos usado.

16. Reagir ao perigo

"Você NÃO ACHA", perguntou o poeta Stephen Spender a George Orwell, "que em qualquer momento nos últimos dez anos foi capaz de prever acontecimentos melhor do que, digamos, o Gabinete?"

Era junho de 1940, as estações ferroviárias de Londres estavam lotadas de soldados evacuados de Dunquerque. A política externa da elite britânica estava arruinada, com metade do Gabinete tentada a fazer um acordo com Hitler e o Reino Unido substancialmente indefeso.

Orwell, que previra a guerra com a Alemanha desde 1936, respondeu: "Onde acho que gente como nós entende a situação melhor do que os chamados especialistas não é na capacidade de prever acontecimentos específicos, mas na capacidade de compreender *em que tipo de mundo* vivemos".[1]

É uma capacidade que em nossa época tem driblado o centro liberal. Enquanto a economia de livre mercado fracassa, enquanto figuras como Trump dão xeque-mate em seus mais importantes rivais, os intelectuais e políticos do establishment parecem tão perdidos como na época de Orwell. Acham que vivem num sistema que se estabilizou. A verdade é que o próprio sistema se desestabilizou.

Mas as palavras de Orwell propõem uma profunda reflexão humana: compreender *em que tipo de mundo* vivemos. Aplicada ao mundo atual, significa termos que aceitar que a tensão que se acumula dentro do sistema resultará numa explosão, mesmo que não sejamos capazes de prever de que forma. As elites que governam tudo há quatro décadas são covardes, sempre prontas a fazer concessões à direita autoritária e afastadas com muita facilidade dos seus princípios democráticos. Isso, por si só, é um conhecimento poderoso, desde que não nos paralise.

Reagir ao perigo 315

A dinâmica que impulsionou o Brexit, levou Trump ao poder e permitiu que partidos abertamente racistas liderassem as eleições na Itália, na Suécia, na Hungria e na Holanda não vai enfraquecer em silêncio. O clamor da alt-right pela Guerra Civil Americana 2.0 não vai evaporar. As imagens de prisioneiros torturados e de cidades destruídas não vão ficar ultrapassadas.

Hans Mommsen, historiador alemão de esquerda que estudou a ascensão de Hitler ao poder, descreveu a interação entre o partido nazista, a classe empresarial alemã e a administração pública como "radicalização cumulativa". Os resultados são conhecidos. Hoje, apesar de a dinâmica da nossa crise ser diferente da dos anos 1930, "saber em que tipo de mundo vivemos" significa entender que as elites, os fascistas e os burocratas estão passando por uma radicalização cumulativa no racismo, na xenofobia e redução dos direitos democráticos.

Isso, por sua vez, significa que precisamos formular uma estratégia para deter essa radicalização, ainda que seja necessário suspender por algum tempo partes do nosso próprio projeto. Para ser franco, é uma questão de escolher entre o urgente e o importante: para muitos progressistas, o que foi importante no passado não é o que é urgente agora.

APESAR DE PIOR DO QUE A NOSSA, a barbárie dos anos 1930 foi ocultada da maioria das pessoas pelas elites que detinham o monopólio das informações. Mesmo durante a Segunda Guerra Mundial havia um distanciamento popular quase completo e uma ignorância dos grandes acontecimentos até que atingissem as pessoas. No auge da crise de Dunquerque, o diário de Orwell registra o seguinte:

> As pessoas falam um pouco mais sobre a guerra, mas muito pouco. Como sempre até agora, é impossível ouvir por acaso quaisquer comentários a esse respeito em pubs etc. Ontem à noite, Eileen e eu fomos ao pub para ouvir o noticiário das nove. A garçonete não teria ligado se não pedíssemos, e, ao que parece, ninguém prestou atenção.[2]

Foi esse o dia em que Churchill fez seu discurso para o Gabinete, comprometendo-se a lutar "até que cada um de nós esteja estendido no chão, sufocando no próprio sangue",[3] mas os bêbados do pub de Orwell não sabiam quase nada dos acontecimentos que influenciavam sua vida.

Já nós, ao contrário, recebemos cada pensamento impertinente de Donald Trump pelo Twitter. Acompanhamos ataques aéreos e atentados terroristas em tempo real. Vimos, e não podemos apagar da memória visual, o que torturadores fazem, e como é uma decapitação. Por conseguinte, nossos níveis de medo e ansiedade talvez sejam mais altos do que às vésperas da Segunda Guerra Mundial, e nossos reflexos de enfrentamento ou fuga, altamente afinados.

Escritores da geração que sobreviveu ao fascismo — Arendt, Fromm e o próprio Orwell — eram fascinados com a psicologia das massas do fascismo. Hoje, impedir que a psicologia se torne um fenômeno de massa é uma das missões mais importantes para progressistas e democratas. Em muitos países avançados estamos diante de uma coisa nova — um projeto fascista ao mesmo tempo mais bem informado e mais conscientemente envolvido naquilo que deseja alcançar e equipado com a habilidade de falar em subtextos, piadas, memes e conceitos como o Kekistão.

Nos anos 1930, ressaltou Mommsen, foram os ataques da elite alemã ao governo constitucional que criaram as condições para Hitler prosperar. Hoje, em todo o G20, restrições à democracia e ao Estado de direito proliferam: decretos de Trump proibindo muçulmanos de entrar nos Estados Unidos ou perdoando vigaristas; a violenta repressão do Estado espanhol à luta catalã pela independência; a suspensão de garantias constitucionais na Polônia para o seu Judiciário; a fraude e a manipulação do referendo britânico sobre o Brexit usando dinheiro russo; o truque retórico generalizado entre políticos e jornais nacionalistas autoritários de atacar o Judiciário chamando-o de "inimigo do povo".

O perigo mais óbvio hoje não é que movimentos fascistas cresçam o suficiente para ganhar eleições ou tomar o poder; é que criem um espaço mental compartilhado com conservadores tradicionais que venha a enfraquecer a disposição da centro-direita de resistir às suas demandas e que ofereça um pretexto para debilitar a democracia constitucional.

Reagir ao perigo 317

Um exemplo específico de como isso acontece foi a candidatura de Roy Moore ao Senado americano no Alabama em 2017, na chapa republicana. Moore tinha sido destituído duas vezes do cargo de presidente da suprema corte estadual por se recusar a respeitar a separação constitucional entre Igreja e Estado e a legalização de casamento entre pessoas do mesmo sexo. Quando lançou sua campanha para o Senado, nove mulheres o acusaram de assédio sexual, duas delas quando ainda eram menores de idade. Moore repudiou as alegações.

Trump apoiou Moore publicamente. Steve Bannon discursou em seus comícios, mas seus principais defensores vieram de duas redes: a Liga do Sul, um grupo branco nacionalista que quer restaurar a Confederação, e militantes radicais contra o aborto, que acham justo matar médicos que trabalham em clínicas de aborto.[4] Apesar do imenso golpe contra a reputação do partido, o Comitê Nacional Republicano endossou Moore. O fato de ele ter perdido por uma pequena margem não tira a seriedade do problema: o partido conservador mais influente do mundo se deixou envolver no jogo da guerra racial e da misoginia violenta.

A campanha eleitoral de Moore no Alabama mostrou não apenas que um movimento de supremacia branca, de misoginia agressiva e anticonstitucional está prestes a triunfar nos Estados Unidos, mas também que essa possibilidade está dentro do programa, que ele alimenta as fantasias das pessoas, que as defesas do conservadorismo tradicional contra ele são fracas e que o espaço mental compartilhado por conservadores e fascistas está empurrando a política para os extremos.

As semelhanças com os anos 1930 trazem importantes lições sobre como combater isso. A primeira delas é que tanto quanto possível a esquerda radical e o centro liberal deveriam parar de brigar entre si.

Na França, onde em 6 de fevereiro de 1934 centenas de milhares de pessoas participaram de uma manifestação de extrema direita em Paris, tentando derrubar o governo, militantes de esquerda obrigaram os comunistas e os socialistas mais moderados a se unirem por motivos práticos simplesmente construindo essa união a partir das bases.[5] Na Espanha, dois anos depois, quando o fascista general Francisco Franco tentou tomar o poder de um governo liberal eleito, a ação unida o deteve. Só uma guerra civil de três anos, com intervenção militar tanto da Alemanha nazista como da Itália fascista, permitiu a Franco assumir o controle.

Hoje, diante dessa nova ameaça da direita, o centro liberal está fazendo à esquerda radical, aos partidos verdes e aos sindicatos exatamente as mesmas demandas que fez a operários antifascistas nos anos 1930: esqueçam a luta pela justiça social e cerrem fileiras atrás dos nossos líderes, com nossos valores, em nossos termos e a fim de defender nosso fracassado projeto neoliberal.

O resultado até agora tem sido mais negativo do que positivo. Funcionou por pouco tempo no caso de Emmanuel Macron, mas falhou no de Hillary Clinton, falhou na campanha do "Ficar" no Reino Unido e não conseguiu impedir que o partido conservador austríaco formasse uma coalizão com a extrema direita. Em muitos países com frágeis culturas democráticas — no Leste Europeu, por exemplo —, não tem a menor chance. Além disso, muitos esquerdistas simplesmente não conseguem aceitar a ideia de que o inimigo principal mudou.

Para nos reagruparmos, precisamos desenvolver os reflexos da esquerda e do centro no sentido de buscar um terreno comum. Isso precisa começar pelo reconhecimento de que as diferenças são maiores talvez do que nos anos 1930. Naquela época, o projeto da esquerda era simplesmente uma versão mais dura do projeto do centro liberal: propriedade estatal e controle da indústria, programas de bem-estar social e protecionismo comercial.

Hoje, indivíduos da metade instruída, progressista e secular da população estão com frequência reunidos em torno de uma defesa desesperada do mercado global e da desregulamentação, enquanto uma esquerda mais radical se agrupa em torno de um programa de justiça social, diminuição do impacto ambiental e derrubada do neoliberalismo. No que tem de pior, o centro liberal mais ou menos desistiu de tentar resolver as ansiedades econômicas dos trabalhadores que votam em partidos populistas de direita e pode facilmente ceder à tentação de tratá-los com desprezo.

Reagir ao perigo 319

Mas o que o centro neoliberal e a esquerda radical compartilham é a necessidade de defender a democracia e o Estado de direito. Em qualquer país, eu colocaria isso no centro de qualquer tentativa de formar alianças táticas para derrotar a direita.

Em segundo lugar, precisamos desenvolver estratégias que impeçam a convergência do conservadorismo, do fascismo e da burocracia estatal para um projeto autoritário comum.

Isso significa, sempre que possível, isolar e suprimir o fascismo. Apesar de continuarem minúsculos na maioria dos países, os grupos fascistas representam a ameaça pública de genocídio. Grupos que marcham por cidades americanas portando fuzis de assalto e entoando "Judeus não tomarão nosso lugar" não estão apenas gesticulando: estão se preparando para ataques homicidas contra minorias e para estabelecer o caos em que seus aliados da elite poderão entrar, armados com poderes de emergência, para suspender a democracia constitucional.

Lutar com inteligência contra essa possibilidade exige mais do que as táticas tradicionais de "antifa" enfrentando os pequenos grupos fascistas nas ruas. Exige que a metade progressista da sociedade obrigue o Executivo e o Judiciário a defenderem o Estado de direito e a manterem o monopólio estatal das Forças Armadas.

Infelizmente, de todas as democracias avançadas, a mais fraca a esse respeito é a maior: os Estados Unidos. Seu Judiciário, na era neoliberal, se tornou bastante politizado — não só por meio de nomeações políticas rivais para a Suprema Corte, mas pelo uso politizado de ações federais. O monopólio estatal das Forças Armadas, já enfraquecido pelo abuso da Segunda Emenda, está sendo rapidamente corroído enquanto milícias da alt-right e os "xerifes constitucionais" que as toleram criam grupos armados.

Em seu relato sobre a ascensão do nazismo, Mommsen chamou atenção para o surgimento de milícias legalmente toleradas, compreendendo cerca de 1 milhão de pessoas, financiadas por proprietários e industriais, para criar uma atmosfera de desordem e violência informal. Os camisas pardas de Hitler eram apenas o elemento mais indisciplinado num ecossistema muito maior de grupos armados, alguns dos quais operavam em conjunto com a polícia.

Exceto em países como a Alemanha, que observa severas restrições a grupos neonazistas, uma das grandes fraquezas não reconhecidas das democracias ocidentais hoje em dia é a disposição dos seus sistemas de aplicação da lei a tolerar a violência fascista localizada, os discursos de ódio bastante difundidos e coordenados e a infiltração da extrema direita na polícia e nas Forças Armadas. Mudar essa situação por meio de legislação e ação executiva é urgente. Mas a falta de apetite de governos liberais centristas para fazê-lo também indica *em que tipo de mundo* vivemos.

Quando o secretário do Interior britânico Sajid Javid chama membros de esquerda do Partido Trabalhista de "neofascistas" no mesmo mês em que milhares de fascistas de verdade percorrem o centro de Londres fazendo muito barulho e atirando contra sua polícia, é lógico concluir que — quando chegar o momento da verdade — grandes parcelas do conservadorismo de centro despenderão zero esforço defensivo contra a direita autoritária.

No entanto, onde for possível, no que diz respeito aos recém-fortalecidos partidos populistas de direita — como o Partido da Liberdade na Holanda, a Liga Norte na Itália e Alternativa para a Alemanha —, a tática progressista mais eficaz é mantê-los isolados em termos organizacionais: confinados entre o conservadorismo oficial e a direita neofascista. Por não ter feito isso, o Partido Republicano acabou caindo nas mãos do Tea Party.

Por fim, embora todas as provas sociológicas nos digam que a direita autoritária está sendo incentivada pela insegurança cultural, e não pela estagnação econômica, o passado histórico demonstra que a economia ainda pode nos ajudar a esvaziar o populismo de direita.

Qualquer um que já teve que debater com xenófobos e nacionalistas étnicos bem de perto sabe que eles têm dias bons e dias ruins. Num dia bom, o que mais os enfurece é a falta de emprego ou relatos que afirmam que os imigrantes estão puxando os salários para baixo. Num dia ruim, eles chamam pessoas das minorias étnicas de "cucarachas" e dizem que querem acabar com a imigração "ainda que a economia entre em colapso". Da mesma forma, num dia bom nacionalistas como os do Lei e Justiça, partido que governa a Polônia no momento em que escrevo, se sentem

Reagir ao perigo 321

constrangidos com o fato de 8% dos seus eleitores virem de fascistas antis-semitas declarados; num dia ruim, veem nisso motivo de alegria.

A resposta é um programa afirmativo de expansão econômica, com os efeitos positivos distribuídos primeiro nas comunidades onde o nacionalismo autoritário esteja prosperando. Se quisermos deter a ofensiva de direita, a esquerda e o centro liberal precisam declarar sua ruptura com o fracassado modelo do neoliberalismo. Como o manifesto radical de Jeremy Corbyn, do Partido Trabalhista, mostrou na eleição antecipada de junho de 2017 do Reino Unido, mesmo uma ruptura retórica pode ser suficiente para levar apoiadores de partidos populistas de direita, como o Ukip, a votarem de novo na esquerda.

Em cidades operárias, eu e outros que faziam campanha comigo ouvimos operários brancos do sexo masculino dizerem: "Estamos voltando; só precisávamos que alguém nos mostrasse que se preocupa conosco". Isso não absolve, ou resolve, seu insano bandeamento para a política de direita. Mas todo parlamentar de direita que seja dissuadido de se candidatar, todo grupo local que seja dispersado, todo racista que saia das ruas e volte a apenas escrever cartas prolixas e excêntricas para seu jornal local já são uma conquista.

A esquerda e o centro liberal não podem dar aquilo que os eleitores populistas de direita mais querem: uma volta ao conservadorismo social, um renascimento de privilégios dos brancos e de políticas de imigração draconianas. Mas, exatamente por essa razão, precisamos nos empenhar mais naquilo que podemos oferecer: empregos, investimentos, capacitação, infraestrutura e uma narrativa de esperança.

Embora não haja acordo sobre um nome e nenhuma instituição no controle, depois de 2014 uma clara alternativa progressista ao neoliberalismo começou a surgir. Na Grécia, o Syriza lançou uma resistência de seis meses à austeridade europeia antes de se render, em julho de 2015; o partido Podemos, na Espanha, e suas alianças em nível municipal, como a Barcelona en Comú, passaram a alcançar consistentemente 20% nas urnas. O governo de coalizão em Portugal, incluindo socialistas e a extrema esquerda; a facção de Bernie Sanders dentro do Partido Democrata americano; e o movimento em torno de Jeremy Corbyn que assumiu o controle do Partido Trabalhista britânico — tudo isso atesta a cristalização de uma nova movimentação de esquerda para conquistar poder político.

Em quase todos os casos o fator decisivo para arrancar esses partidos e movimentos de esquerda do seu gueto de purismo político e levá-los ao poder foi a migração de dezenas de milhares de ativistas conectados em rede dos episódios de 2011 para a política partidária. Eles trazem visão, energia, capacidade organizacional — e uma aptidão para conectar velhos partidos a uma geração millennial que em muitos países tinha deixado de ligar para a política.

Se olharmos para os lugares onde um movimento desses poderia ter surgido, mas não surgiu — Irlanda, França ou Islândia, por exemplo —, os fatores comuns a todos eles são: a) a absoluta falta de resposta dos partidos social-democratas tradicionais; e b) importantes divisões locais na esquerda, significando que as partes que a constituem não se unem em torno de um projeto claro e único.

No movimento de apoio a Corbyn, outro fator importante foi que centenas de ativistas engajados em questões específicas, com imenso volume de capital social investido em obsessões perenes — como a Palestina, a mudança climática ou mesmo a teoria crítica acadêmica —, concordaram em deixar de lado essas questões e colaborar num objetivo de longo prazo: transformar o Partido Trabalhista numa ferramenta para acabar com o neoliberalismo.

Em cada um dos novos partidos de esquerda, da prática de dar pequenos passos para resistir e ao mesmo tempo defender e enriquecer a democracia surgiu uma ideologia simples, mas eficiente. É tão difundida, apesar de suas partes constituintes serem tão diversas, que deve ser vista como uma característica essencial do mundo em que vivemos. Tentemos expressá-la como uma fórmula: ativismo conectado em rede, somado a um foco na política partidária para alcançar poder nacional, mais uma

Reagir ao perigo 323

atenção implacável às questões, à linguagem e às preocupações das pessoas comuns que são os ingredientes básicos do novo projeto da esquerda.

Em relação ao preceito de Orwell de que pessoas politicamente ativas precisam entender "em que tipo de mundo vivemos", a resposta é: um mundo em que ou a esquerda se reinventa como um movimento social popular para a mudança radical ou a democracia morre.

17. Recusar o controle da máquina

IMAGINEMOS ISTO: numa poeirenta cidade da costa do Mediterrâneo, um homem entra na sede local da polícia levando o livro sagrado de uma religião fanática e falando apaixonadamente da sua mensagem proibida. As autoridades lhe dizem o seguinte: obedeça à lei, observe a religião oficial, entregue seus livros proibidos e deixaremos você seguir suas crenças malucas em segredo. Mas ele não quer segredo, ele quer martírio. É preso, torturado e, por fim, executado.

Essa não é a história de um jihadista do século XXI, mas de Euplo de Catânia, mártir cristão executado em 304. Euplo foi uma das 3500 pessoas mortas quando o imperador Diocleciano, num esforço para erradicar o cristianismo, obrigou todo mundo no Império Romano a fazer um sacrifício público dedicado aos deuses pagãos. Sua intenção não era impor crenças, mas comportamentos. Sujeite-se às normas sociais, disseram as autoridades, e acredite no que quiser.

Mas os primeiros cristãos não se sujeitaram: preferiram a contestação. E apesar de alguns terem sido mortos, a maioria não foi. A repressão perdeu força. O cristianismo foi legalizado dez anos depois e, em 380, já se tornara — numa notável reviravolta — a religião oficial do Império Romano.

Há apenas duas explicações para a rápida hegemonia espiritual do cristianismo: a milagrosa, difundida pela Igreja, que atribui aos mártires poderes mágicos emanados de Deus; e a materialista, que tenta situar esse grandioso acontecimento entre as lutas pela propriedade, pelo poder e pela terra na fase de declínio do Império Romano. O marxismo sempre se esforçou para impor esse relato, porque seus historiadores viviam buscando as estreitas raízes do cristianismo em disputas econômicas, e não em sua força material como expressão de valores humanos.

Recusar o controle da máquina

A razão de o cristianismo ter tomado conta da Europa e do Oriente Próximo enquanto o Império Romano desmoronava fica mais clara quando se entende o período histórico que ele encerrou. Entre 800 a.C. e 200 a.C. a maioria das grandes religiões antropocêntricas emergiu — foi o que o filósofo Karl Jaspers chamou de Era Axial. Confúcio, Buda, Lao-Tsé, Zoroastro e muitos profetas do judaísmo viveram nessa época. A maioria desempenhava a mesma função social básica: eram pensadores ascetas andarilhos que tentavam influenciar os poderosos governantes de cidades-Estados guerreiras e inculcar valores de moderação baseados em proposições sobre a natureza humana. O que ocorreu naquelas poucas centenas de anos, escreveu Jaspers, "foi que o homem se tornou consciente da existência em sua totalidade, do seu eu e de suas limitações".[1]

Mas essa Era Axial não se encaixa nos relatos estritamente materialistas da história. Ela vem depois das grandes civilizações da Idade do Bronze e antes dos grandes impérios comerciais da Idade do Ferro. Para Marx, a história era classificada em "modos de produção": Antiguidade clássica, despotismo asiático, feudalismo e capitalismo. Como a Era Axial abrange tanto a Grécia clássica como a dinastia Zhou na China, muitos historiadores de esquerda classificaram essa visão de Jaspers como "interessante, mas irrelevante".

No entanto, o antropólogo David Graeber apresentou uma explicação materialista plausível da Era Axial: ela coincide quase cem por cento com a ascensão da cunhagem de moedas. Embora o dinheiro já existisse havia milhares de anos, pequenas peças de metal com a insígnia de um rei ou uma cidade-Estado apareceram quase exatamente na mesma época do confucionismo, do budismo e da filosofia antropocêntrica grega, e nos mesmos lugares: no rio Amarelo, no Ganges e no Mediterrâneo oriental.

Segundo Graeber, o que emergiu depois de 800 a.C. foi um "complexo militar-cunhagem-escravo", que forma a base comum de cidades-Estados bem diferentes (e praticamente não interligadas) na China, na Índia e na Grécia antiga. Moedas eram necessárias para pagar exércitos permanentes muito bem treinados; elas facilitaram a criação de sociedades orientadas para o mercado e de Estados cujo dinamismo estava vinculado a guerras de conquista e à posse de escravos. E isso levou a um novo conceito do mundo, segundo o qual a riqueza material das comunidades era vista como o bem mais alto. Se Graeber estiver certo, o sistema que nasceu com a cunhagem também deve ser visto como um modo de produção, embora de vida mais curta do que os milhares de anos da escravidão que Marx juntou num único sistema.

"Em todo lugar onde vemos emergir o complexo militar-cunhagem--escravo, vemos também o nascimento de filosofias materialistas", escreve Graeber.[2] Temos a alfabetização em massa e novos conceitos humanísticos como a "vida boa" de Aristóteles ou o ideal confucionista de *ren*, cuja melhor tradução é "humanidade cultivada", embora costume ser usado também como "virtude". E em algum momento acabamos tendo movimentos populares de massa que usam o racionalismo para contestar o poder herdado de governantes.

Se assim for, o papel do cristianismo no colapso do Império Romano joga luz em nossa própria época. Historiadores marxistas ortodoxos acreditam que o sistema escravista, cerne da economia romana, desmoronou por ter sido incapaz de aumentar a produtividade da terra. A elite se distanciou de um modelo econômico baseado na prosperidade dos cidadãos, construindo, em vez disso, um Estado que consumia mais e mais superávit e empregava mais e mais escravos. No fim das contas, proprietários de terras passaram a empregar mão de obra em regime de trabalho forçado, os chamados *coloni*, e o mercado de escravos entrou em colapso porque esses trabalhadores se mostraram mais eficientes. Nesse ponto de máxima fraqueza, as tribos germânicas invadiram e, em meio aos destroços, seu próprio sistema de trabalhos forçados se fundiu com o dos agricultores romanos para criar o feudalismo inicial.

Esse relato é economicamente plausível. Mas se entendemos que a Era Axial teve por base a promessa implícita de uma economia centrada no ser humano, entendemos também por que seu ponto de falha provocou a ascensão de uma ideologia que sustentava que escravos e homens livres eram iguais. O cristianismo foi um chamado à formação de uma sociedade centrada no ser humano dentro de um sistema que a prometera, mas já não era capaz de produzi-la. Foi a convocação a uma moralidade mais poderosa do que as leis de um Estado que se tornara cada vez mais bárbaro para com seus cidadãos, os quais constituíam uma minoria cada vez mais reduzida da população; uma elite que extraía um superávit de uma forma que parecia arcaica, ineficiente e desumana.

Ao limitar a história do fim de Roma a uma narrativa de colapso econômico, os marxistas ortodoxos que a estudaram no século xx taparam os olhos para o que pode acontecer quando uma ideia se torna força material. Como ideologia de revolta e de pequenas comunidades humanistas, baseadas na lei, o cristianismo ajudou a criar a economia que substituiria o modo de produção escravista. Com ênfase na igualdade dos indivíduos perante a lei religiosa — uma lei mais alta do que a ditada por qualquer governante local —, o cristianismo contribuiu para formar um novo modelo econômico que substituísse o sistema escravista, ainda que, na prática, às vezes tolerasse a escravidão.

Hoje sabemos que o que substituiu Roma não foi apenas uma "Idade das Trevas" de caos e guerra, mas uma economia próspera, descentralizada, fundamentada no trabalho forçado, que produziu uma rica cultura própria, em torno de artefatos e manuscritos mais do que de grandes edifícios, e de tentativas de reviver o saber clássico.

Entre 300 e 500 d.C., uma revolta mental, moral, ética e comportamental centrada numa religião humanista ajudou a exterminar a economia parasitária da Roma antiga. Embora eu não defenda o martírio ou uma volta à teologia cristã, essa é uma lição interessante para nós. A "revolução" cristã do século iv ocorreu porque um grande número de pessoas se recusou a continuar obedecendo a rituais que não lhes diziam nada.

Os acontecimentos do século iv mostram que, quando um sistema depende muito de as pessoas obedecerem a procedimentos de controle predeterminados pela elite, recusar-se a acatar esses procedimentos pode ter consequências revolucionárias. Conclui-se que uma recusa desse tipo pode ser muito potente em nossa luta para substituir o neoliberalismo, impedir o fascismo e resistir ao controle algorítmico. O reflexo essencial que precisamos cultivar é o poder da recusa.

SE VOCÊ QUISER VER como é fácil controlar seres humanos com algoritmos, pense num aeroporto. O comportamento normal cessa assim que passamos pela porta: depois disso, as regras são rigorosas. O check-in estabelece nossa identidade e o scanner de segurança é ele próprio um minialgoritmo: as pessoas fazem o que mandam, arrancam notebooks das mochilas como se a vida dependesse disso; passam pelo controle de uma revista corporal. Quando nosso passaporte é verificado, todos os fatos relevantes que o Estado sabe a nosso respeito são checados, enquanto o reconhecimento facial confirma que a pessoa em questão é a mesma que fez o check-in minutos antes. No portão, os algoritmos de privilégio econômico começam: ricos embarcam primeiro, pobres por último.

A reação humana natural a esse nível de comportamento dirigido é a tensão. Mas os viajantes frequentes aprendem que a ansiedade não faz sentido. Como jornalista cobrindo assuntos mundiais, aprendi a contar com perturbações arbitrárias e controle severo e impessoal. Aprendi a não ligar se minha bagagem é extraviada, se voos são cancelados ou se funcionários furiosos gritam comigo. Como milhões de outros submetidos ao controle algorítmico, aprendi a seguir o fluxo.

O problema é que a tecnologia da informação transforma cada vez mais nossa vida diária no equivalente de um aeroporto. Como acontece no caso dos aeroportos, as principais forças propulsoras são as necessidades das empresas e Estados. Só que, ao contrário do que se passa nos aeroportos, a maior parte do controle algorítmico exercido sobre nosso cérebro e nosso corpo não é óbvia: não é entendida publicamente, nem está sendo regulamentada, nem suas dimensões éticas estão sendo consideradas de maneira adequada pela sociedade.

Para começar, vamos entender o que é um algoritmo. É o uso da lógica para transformar sistemas complicados numa série de perguntas do tipo sim/não e dar instruções de acordo com as respostas. Os algoritmos em funcionamento nos aeroportos estão todos, cada qual à sua maneira, fazendo a mesma pergunta: "É seguro deixar essa pessoa entrar num avião?". Algoritmo é lógica mais controle.

Para entender a rapidez com que os algoritmos se livraram de inspeção e de responsabilidades, entre no YouTube e procure *"finger family"*.

Recusar o controle da máquina

Você será presenteado com 17 milhões de "diferentes" vídeos destinados a crianças em idade pré-escolar, todos parecendo o mesmo. Um canal do YouTube dedicado a vídeos de uma hora de duração de uma pessoa desembrulhando ovos de chocolate ou tirando brinquedos de caixas tem 3,7 milhões de seguidores e, até 2017, 6 bilhões de visualizações.[3] Os títulos dos vídeos são, literalmente, sem sentido: uma mistura de palavras-chave que não buscam atrair seres humanos, mas a atenção do algoritmo que leva ao próximo vídeo da fila.

Os vídeos são escolhidos através de algoritmos, promovidos através de algoritmos e até criados automaticamente com o uso de softwares que copiam e colam o mesmo lixo hipnótico de um arquivo para o seguinte.

Quando põe uma criança diante de um desses canais do YouTube, você entrega o controle do que ela vê a um algoritmo. Outra máquina — um robô — rasteja pelo YouTube fingindo clicar em certos vídeos a fim de elevar sua classificação. Enquanto isso, outro robô deixa comentários gerados por computadores, também para turbinar a classificação.

A máquina escolhe o que a criança pode assistir e é provável que influencie, de forma permanente, a maneira como ela percebe o mundo. James Bridle, artista britânico que estudou os efeitos da inteligência digital, chama isso de "violência infraestrutural" — uma forma de coerção tão invisível que não temos palavras para falar a respeito — e só a Google e sua subsidiária YouTube têm o conhecimento necessário para nos proteger dela.[4]

Estamos começando a entender os perigos mais óbvios dos algoritmos. Eles reproduzem espontaneamente preconceitos humanos — como o software usado nos Estados Unidos para avaliar candidatos a vagas de emprego, que estava gerando discriminação racial. Quando usados para avaliar o desempenho de professores nos Estados Unidos, os algoritmos produziram resultados tão tendenciosos que os professores concluíram que eles estavam sendo usados apenas para instilar medo e disciplina na força de trabalho. Muitos estados e cidades abandonaram o software.[5]

Nesses primeiros estudos de caso, a resposta comum a um algoritmo ruim é achar que estamos lidando com um defeito tecnológico que pode ser corrigido. Mas o uso anti-humano dos algoritmos é quase sempre motivado pela economia, e não por oportunismo ou negligência tecnológicos.

A proliferação dos controles algorítmicos é uma resposta aos quatro grandes efeitos da tecnologia da informação de que falei no capítulo 15. O colapso dos custos de produção de computadores e bens de informação barateou a produção de vídeos de animação. A criação de monopólios gigantescos como o YouTube permite aos autores de conteúdos infantis ganhar dinheiro com minúsculas fatias de receita publicitária. A dependência massiva da assimetria da informação nos cegou para o que está sendo feito com o cérebro dos nossos filhos.

Tornar obrigatório o uso ético dos algoritmos, com divulgação compulsória e a opção de não participar, não só contestaria a validade dos modelos de negócios das empresas de tecnologia como também a dinâmica atual do capitalismo, e poria em dúvida as bilionárias avaliações de mercado das principais empresas.

Essa resistência já começou. Greves de professores, ações judiciais coletivas e a criação de padrões éticos por organismos como o Instituto de Engenheiros Eletricistas e Eletrônicos do Reino Unido são os equivalentes do século XXI ao que aconteceu nos primeiros cinquenta anos da economia fabril, quando a luta de classes e a regulamentação governamental obrigaram proprietários de fábricas a parar de poluir rios e matar crianças de excesso de trabalho. A pergunta é: "Para onde levará essa resistência?".

Ao resistirmos aos controles algorítmicos é necessário que o façamos não apenas por segurança ou para eliminar preconceitos: devemos fazer isso em nome da nossa característica humana essencial, o ser-espécie.

Temos que resistir a tudo que reduza nosso controle consciente sobre o nosso ambiente de trabalho, sobre nossas escolhas racionais ou sobre a nossa liberdade. Não em nome da tecnofobia, mas em busca de um equipamento melhor; de algoritmos melhores e mais transparentes; de mais controle. Ao resistir ao algoritmo, porém, também precisamos entender os mecanismos de controle econômico de que o capitalismo se tornou dependente.

UM DOS RITUAIS MAIS DEPRIMENTES surgidos nos últimos vinte anos são as palestras TED (Tecnologia, Entretenimento, Design). O palestrante é desconhecido da maioria das pessoas, mas o que ele diz é simples e plausível, e quase sempre ele é filmado de baixo para cima, para parecer digno de confiança. O assunto das palestras também é tristemente constante: como tirar proveito da fraqueza humana.

As 25 palestras TED mais bem cotadas de todos os tempos incluem "Como grandes líderes inspiram ação"; "Como falar de modo que as pessoas queiram ouvir"; um guia sobre as "forças invisíveis que motivam as ações de todo mundo"; "Como identificar um mentiroso"; e um batedor de carteiras profissional mostrando como "furtar uma carteira e deixá-la no ombro do dono sem que ele perceba".[6] Anunciado como uma coleção de "ideias que merecem ser divulgadas", o programa TED Talk, na verdade, se dedica a difundir uma única ideia: o julgamento humano é falível e a economia comportamental pode ajudar algumas pessoas espertas a ganharem muito dinheiro.

Enquanto se empenhavam em destruir o Estado de bem-estar social e substituir políticas centradas no ser humano por metas de inflação, os neoliberais ignoravam a economia comportamental. Sua bíblia era: só os mercados são racionais. Como resultado disso, quem tentava estudar o comportamento real de indivíduos em situações de mercado, em geral alguém vindo da psicologia, era marginalizado.

O ponto de decolagem da economia comportamental costuma ser identificado como um artigo acadêmico de 1980 do economista americano Richard Thaler, intitulado "Towards a Positive Theory of Consumer Choice" [Para uma teoria positiva da escolha do consumidor], baseado na obra de Daniel Kahneman, futuro prêmio Nobel. Mas na prática a nova disciplina só levantou voo bem mais tarde: depois que a bolha das empresas ponto com estourou e empresas e governos começaram a se dar conta de que as pessoas nem sempre acatavam os imperativos de mercado, contrariando as pregações da teoria neoliberal.

Quando monopólios nos ofereciam geladeiras e micro-ondas com péssimas garantias, nós comprávamos, quando deveríamos tê-los recusado pelo que de fato valiam. Quando nos ofereciam hipotecas vinculadas a apólices de seguro, que jamais saldariam a dívida original, nós comprávamos também. Quando fundos de pensão negociados em mercados de ações para lá de instáveis nos ofereciam renda garantida, nós perguntávamos, ingenuamente: "Onde é que eu assino?". No apogeu da era neoliberal, as pessoas faziam escolhas de mercado irracionais em escala gigantesca.

No mercado ideal imaginado pelos puristas neoliberais, essas garantias enganosas, essas hipotecas, esses fundos de pensão arriscados demais deveriam ser erradicados pela concorrência. Mas o capitalismo se tornara um sistema opaco de monopólios alinhados com o poder do Estado, no qual os esforços de lobistas em Bruxelas e Washington conseguem sem dificuldade neutralizar o poder da concorrência.

Nudge: O empurrão para a escolha certa, escrito por Thaler em coautoria com Cass Sunstein e publicado em 2008, deu origem à estratégia de "paternalismo libertário", adotada por muitos governos quando a lógica do livre mercado começou a falhar. O livro serviu de inspiração para numerosos grupos de assessoria política, entre os quais a Casa Branca de Obama e Downing Street, sede do governo britânico, cuja intenção era influenciar o comportamento dos cidadãos para que se adaptassem às condições de mercado em que vivem.

Em 2013, por exemplo, percebendo que estudantes pobres tinham uma tendência a não tentar entrar nas principais universidades do Reino Unido (conhecidas, coletivamente, como Grupo Russell), a Equipe de Insights Comportamentais do governo britânico lançou uma experiência inspirada em *Nudge*. Enviou para 11 mil estudantes que ainda estavam na escola uma carta escrita por um aluno de uma universidade de ponta afirmando que frequentar uma dessas instituições podia acabar sendo mais barato do que se imaginava, porque elas oferecem suporte financeiro aos candidatos que não têm condições de pagar.

Em 2017, a mídia exibiu os resultados positivos. Os que receberam a carta eram mais propensos a se candidatar, obter uma vaga e aceitá-la — embora, como os pesquisadores ressaltaram, não em número suficiente para terem significado estatístico. Pelo custo total de 45 libras por estu-

Recusar o controle da máquina

dante, 222 pessoas haviam sido salvas, ao que parecia, de estudar numa universidade inferior para entrar numa instituição de maior prestígio.[7] A revista *The Economist* afirmou com entusiasmo que "a abordagem foi menos dura do que impor cotas para os estudantes mais pobres, opção que governos anteriores tinham pensado em adotar".[8]

Lendo a pesquisa, porém, vemos que os autores declaram o seguinte: "Vale notar que apesar de nossas intervenções terem tido êxito numa margem, não constatamos qualquer efeito genérico na probabilidade de estudantes se candidatarem à universidade".

E isso porque em 2010 o governo de coalizão conservador liberal tinha aumentado as anuidades de 3 mil para 9 mil libras e privatizado as empresas de empréstimos estudantis, agora com permissão para cobrar dos alunos juros de 6%, quando a taxa básica do banco central era de 0,25%.[9]

Os neoliberais adoram a estratégia *nudge* (empurrão) porque — como era a intenção dos seus autores — ela funciona como um substituto para impostos mais altos, regulamentação e leis mais rigorosas. Além disso, seu aspecto libertário joga a responsabilidade final pelo resultado nos ombros do indivíduo — nesse caso, o rapaz pobre de dezesseis anos que faz pizza para os irmãos num apartamento de um conjunto habitacional enquanto tenta imaginar como seria a vida numa universidade de elite.

Uma estratégia bem mais simples, e uma mensagem mais clara para a sociedade, seria obrigar universidades de elite a adotarem cotas para jovens de famílias pobres (como algumas fizeram por conta própria). Melhor ainda, como o Partido Trabalhista prometeu nas eleições gerais do Reino Unido em 2017, seria tornar a universidade gratuita. A estratégia mais socialmente justa de todas seria atacar a pobreza pela raiz, fornecendo um generoso Estado de bem-estar social.

Como nada disso é aceitável para a elite neoliberal, o que nos resta são os empurrões. Certos dias, pode parecer que nossa vida inteira está sofrendo um empurrão. Acontece nos cafés, onde funcionários pressionados e mal pagos são obrigados a sorrir para os fregueses e sugerir uma rosquinha maior; no trabalho, onde toda a equipe de gerenciamento é mandada para cursos motivacionais e vive repetindo "Vamos pensar positivo", ainda que a empresa esteja falindo.

As estratégias de empurrão existem porque os mercados são injustos — mas elas não curam a injustiça dos mercados. Em vez disso, exigem que participemos da ilusão de que eles funcionam. Exigem que concordemos com o absurdo de que a regulamentação dura é uma coisa ruim e a "arquitetura de escolha" é uma coisa boa. Obrigam-nos, em suma, a reproduzir o neoliberalismo, como se ele "tivesse" que funcionar, porque a teoria de que funciona espontaneamente fracassou. Assim, a economia comportamental se tornou o equivalente, no século XXI, à demanda romana por "fazer um sacrifício aos deuses". Acredite no que quiser na sua intimidade, mas no mundo público, comercial, comporte-se, por favor, de acordo com nossa religião.

Uma das coisas mais poderosas que temos ao nosso alcance, portanto, é recusar os velhos sistemas de controle comportamental no nível do indivíduo. Alguns já fazem isso: só compram café com certificação Fairtrade, que atesta uma produção realizada de maneira justa; usam jeans caros, feitos à mão no País de Gales, em vez das calças baratas produzidas em massa em Bangladesh; saem batendo a porta de táxis dirigidos por racistas. Até agora o neoliberalismo não parece preocupado com isso — sua resposta tem sido cooptar o consumo ético, mais ou menos como o Império Romano tentou cooptar o cristianismo nas décadas que se seguiram ao massacre de Diocleciano.

Para criar um ponto de inflexão comportamental, portanto, precisamos intensificar nossa recusa e impor valores de mercado num novo nível. Vejamos como fazer isso. Fregueses se recusando a usar máquinas para pagar as compras e obrigando supermercados a empregar seres humanos; pessoas fazendo valer de maneira agressiva seus direitos de consumidor; acima de tudo, recusando-se, manifestamente, a ser empurradas.

Contudo, se essa forma de resistência começar a funcionar, duas coisas vão acontecer.

Primeira: começaremos a encontrar uns aos outros. Se você fica numa longa fila esperando a vez de ser atendido pelo único empregado no balcão por se recusar a usar máquinas para pagar suas compras, às vezes encontrará outros fregueses enfurecidos. Então você lhes dirá que estar esperando na fila não é culpa do funcionário, mas da multibilionária cadeia de supermercados. Enquanto isso, uma terceira pessoa pode entrar na conversa: "É justamente o que eu estava pensando". O que teremos então é mais do que um descontentamento isolado.

Segunda: continuando a cometer pequenos atos de rebeldia, pensamos: isso poderia ser resolvido muito mais fácil com uma combinação de tecnologia mais avançada e a aprovação de leis diferentes. Nossa resistência em escala micro nos levará a um processo que abranja toda a sociedade.

Ao traçar um paralelo com os primórdios do cristianismo, sei que incentivo as pessoas a caracterizarem o projeto do humanismo radical como quase religioso. Não é minha intenção. Mas o fato é que o caráter específico da exploração na era neoliberal, que suga nossos valores no local de trabalho, no bar, no café, no estádio de futebol e até no quarto, é invasivo e pode ser repelido se nos recursarmos a satisfazer as demandas do sistema.

Ainda nos anos 1970, minha geração achava que resistir ao capitalismo era uma coisa que se fazia pegando uma grande alavanca para mover uma pedra gigante — o movimento trabalhista. Hoje, a maneira mais eficiente de provocar uma avalanche é ser uma pedra pequena e começar a rolar.

18. Rejeitar as ideias de Xi Jinping

A COISA DE QUE MAIS ME LEMBRO da posse de Xi Jinping em novembro de 2012 são as cadeiras vazias. No Grande Salão do Povo em Beijing, todo o andar térreo tinha sido reservado para 3 mil delegados do XVIII Congresso do Partido Comunista Chinês (PCC). Nós, jornalistas, dispúnhamos de todo o primeiro balcão, deserto a não ser por nós mesmos e por uma grande banda militar. O segundo piso, com 2500 lugares, estava vazio. Era, sem dúvida, o grande salão, mas sem povo.

Jiang Zemin, o homem que supervisionou a mercantilização da China e a criação de uma força de trabalho barata em suas fábricas de exportação, estava sentado, de mau humor, na tribuna. Hu Jintao, o presidente que passava o cargo e que tinha tentado conter os excessos do mercado, fez um discurso pomposo. Xi Jinping passou a sessão inteira se mexendo, impaciente, na cadeira, como um sujeito que estivesse com muita pressa numa barbearia.

A principal resolução foi aprovada sem resistência. Ratificava a decisão de incluir a "teoria do desenvolvimento científico" de Hu Jintao na constituição do partido, de modo que a ideologia oficial do comunismo chinês passaria a ser (é preciso respirar fundo): "Marxismo-Leninismo-
-Pensamento de Mao Tse-tung, Teoria de Deng Xiaoping, a Importante Teoria das Três Representações e a Teoria do Desenvolvimento Científico".

Pensemos nisso como uma camada do bolo da ideologia pró-mercado. Deng abriu a China para o capitalismo global e destruiu o sistema de bem-estar social de que sua tradicional classe trabalhadora dependia; a teoria de Jiang das Três Representações mandou o partido começar a representar a nova burguesia; enquanto a Teoria de Hu de desenvolvimento científico dizia que o partido deveria fazê-lo ao mesmo tempo que tolerava menos a corrupção explícita e reduzia o número de fábricas que matam e aleijam pessoas.

Já quase no fim do congresso, como se anunciando o marasmo e a opacidade dos anos seguintes, a banda começou a execução mais pomposa da "Internacional" que já ouvi. Quando comecei a cantar junto, minha acompanhante oficial, uma jornalista da imprensa do partido, ficou espantada. "Você é marxista!", disse de repente, e não num tom de simpatia.

Não sabíamos àquela altura, enquanto as últimas notas da "Internacional" ecoavam sobre as cadeiras vazias e a madeira polida do balcão deserto acima de nós, mas o marxismo na China estava voltando. Embora o marxismo de um tipo não muito marxista.

É RIDÍCULO ALGUÉM TER que aprender sobre, ou, o que é pior, analisar o "pensamento" de um homem que jamais se submeteu a uma entrevista crítica, menos ainda a uma eleição livre. Mas o "pensamento" de Xi Jinping, oficialmente adicionado à constituição do partido em 2017, é importante para todas as pessoas que vivem no planeta. Desde que assumiu o controle, Xi vem respondendo ao enigma sobre o qual sinólogos se debruçavam havia décadas: de que maneira, e em quanto tempo, a China emergirá como superpotência geopolítica para remodelar o mundo, fazendo sua força corresponder ao tamanho da sua economia?

A resposta de Xi é a seguinte: como um tipo de capitalismo controlado com mão de ferro pelo Estado, abertamente comprometido com o marxismo como ideologia e muito mais cedo do que se poderia imaginar.

Em vez de permitir o vale-tudo nas negociações entre as diferentes facções — conhecidas como "liderança coletiva" —, Xi logo submeteu todos os órgãos administrativos do partido ao seu próprio controle. Lançou uma campanha contra a corrupção que já atingiu 1,3 milhão de funcionários, entre os quais 27 membros do Comitê Central e um membro do Politburo. Em meio a boatos não confirmados de uma tentativa de golpe contra Xi, dois destacados membros do comitê militar e sessenta generais foram demitidos e o Exército foi colocado sob seu comando imediato.

Para entender o que Xi está tentando fazer é preciso entender o que é a China: uma economia capitalista de Estado em transição para economia de mercado; uma economia rural em transição para economia urbana; um exportador de produtos baratos que já não pode depender só da mão de obra barata para se tornar uma superpotência tecnologicamente moderna.

Durante a transição para o mercado, o partido governante se tornou um veículo de corrupção e enriquecimento pessoal a tal ponto que desencadeou repetidos protestos existenciais. O mais óbvio foi o levante da praça Tiananmen, em 1989, mas a resistência em massa de trabalhadores no "cinturão chinês da ferrugem" nos anos 1990 também tirou o sono dos líderes.

O maior problema de Xi é contar com a aquiescência da classe operária chinesa, agora ampliada por 250 milhões de trabalhadores imigrantes, num governo comunista de partido único. Isso ocorre porque cada um desses 250 milhões convive todos os dias com o que o especialista em China Minxin Pei chama de "corrupção conivente". É um sistema de propinas, favoritismo judicial, arbitrariedade policial e crime organizado, que todo mundo sabe que existe, envolve muita gente comum em suas atividades e é sustentado por imensas e poderosas redes informais.

Essas redes corroem o apoio do povo porque desviam enormes quantidades de dinheiro do setor público, o que por sua vez prejudica o fornecimento de serviços públicos; já no setor privado, leva à ineficiência e à falta de investimentos. Por isso o ataque de Xi à corrupção se concentra em dois objetivos: destruir essas colossais redes de suborno e, ao mesmo tempo, impedir que bilhões de dólares desapareçam em rendas não declaradas e não sujeitas a impostos, escorregando da China para o mercado financeiro global.

O projeto de Xi é uma resposta à crise do Ocidente. Em 2012, quando ele assumiu o poder, estava claro que o Ocidente se atolava em uma estagnação de longo prazo e que a China precisava criar seu próprio mercado interno mais depressa do que até então se imaginava.

Depois da vitória de Trump, as coisas mudaram de novo. Em maio de 2017, o então conselheiro de segurança nacional de Trump, H. R. McMaster, redigiu, em parceria com o conselheiro econômico Gary Cohn, um esboço da política externa do novo governo. "O mundo", escreveu ele, "não é uma 'comunidade global', mas uma arena onde países, atores não governamentais e empresas lutam e competem por vantagens."[1] Ninguém compreendeu o significado disso melhor do que Xi, que vinha defendendo o conceito de uma "comunidade de destino comum" — ou seja, uma nova ordem multilateral — desde que a Rússia se livrou da ordem unipolar em 2008.

Em janeiro de 2017, quando Xi falou perante o Fórum Econômico Mundial em Davos, as condições existenciais para a estratégia da elite chinesa tinham mudado. Os Estados Unidos não eram mais uma democracia estável: eram governados por um sujeito excêntrico e mal-humorado disposto a travar uma guerra comercial contra Beijing, e sua disposição de garantir uma ordem global baseada em regras parecia incerta.

Numa análise retrospectiva, portanto, o lançamento por Xi da chamada "Iniciativa Um Cinturão, Uma Rota" em 2013 parece coisa de gênio. O "cinturão" é uma série de projetos de infraestrutura terrestre ligando a China à Europa através da Ásia Central; a "rota" é marítima, com portos e uma infraestrutura de comunicações relacionada ligando a economia costeira chinesa a seus Estados clientes Irã e Paquistão e ao canal de Suez.

A iniciativa costuma ser vista como uma tática geopolítica para tornar parceiros comerciais dependentes de Beijing em seu desenvolvimento. Mas é também uma tentativa de capturar o que resta do "crescimento compensatório" esperado no hemisfério Norte. Com sua escassa população e seus imensos recursos naturais, a Ásia Central é a última fronteira da modernidade tecnológica. Convertê-la de deserto econômico num próspero corredor garantiria um mercado para a indústria pesada da China bem depois que seu mercado interno estivesse saciado e reduziria a dependência chinesa de rotas comerciais transpacíficas.

É impossível prever se o projeto de Xi sobreviverá. Está tão fora da zona de conforto das redes mafiosas que colonizam o partido que muitos especialistas em China esperam uma forte reação adversa. No entanto, se sobreviver e der frutos, acrescentará mais um estranho ingrediente ao coquetel ideológico global de meados do século xxi: a forma burocrática e anti-humanista de marxismo que morreu com a União Soviética em 1991 ressuscitará, com tremendo prestígio.

É por essa razão que desenvolver nossas defesas mentais contra o marxismo oficial chinês deve estar, hoje, entre os reflexos de um movimento humanista radical.

MESMO DENTRO DOS LIMITES do estado de vigilância da China, a tecnologia da informação ampliou de modo espetacular a capacidade de as pessoas se comunicarem e se organizarem. Nos anos 1990, o liberalismo ocidental chegou a supor que a classe média chinesa ia simplesmente emergir e democratizar o PCC; de fato, havia indícios disso na época de Hu Jintao, quando "constitucionalismo" e "direitos universais" se tornaram códigos para experimentos com a separação de poderes entre o Executivo, o Judiciário e o Legislativo de fachada da China.

Tudo isso andou para trás com Xi, mas o problema persiste. Uma população moderna em termos tecnológicos vai exigir mais liberdade, e a única maneira de contê-la será impor níveis desumanos de vigilância e controle, exatamente o que Xi está fazendo.

Em 2013, o PCC baixou uma diretriz conhecida como "Documento 9", ordenando que professores e acadêmicos parassem de promover sete ideias: democracia constitucional de estilo ocidental; "valores universais"; sociedade civil — que, diz o documento, é um conceito ocidental usado para atacar a legitimidade do partido; uma política econômica orientada para o mercado (ou seja, o neoliberalismo); liberdade de imprensa; e "niilismo histórico" — ou a ideia de que o impacto geral do partido sobre a China tem sido negativo.

O sétimo e último "não fale sobre isso" se relacionava ao uso de terminologia marxista para criticar Xi dentro do partido. Os membros não têm permissão para dizer que o país se tornou "capitalista de Estado" ou que

Rejeitar as ideias de Xi Jinping

o Estado é uma "nova forma burocrática de capitalismo", nem para pedir reformas políticas mais rápidas.[2]

O verdadeiro perigo dos "não fale sobre isso" só pode ser entendido quando se percebe como Xi pretende usar o marxismo: como uma todo-poderosa doutrina anti-humanista justificando o partido único e o controle algorítmico.

A reação contra o humanismo de Xi é decisiva. Em 2012, o ano em que ele assumiu o poder, pesquisadores que estudam a mídia oficial chinesa encontraram 150 artigos contendo a expressão "valores universais", 78% dos quais viam a ideia positivamente. Em 2013, de quinhentos artigos sobre "valores universais", 84% eram negativos.[3] A mesma marcha a ré orwelliana ocorreu com o termo "constitucionalismo", atacado em nada menos de mil documentos naquele ano.[4]

Ninguém que entenda a história de injustiça perpetrada contra a China pelas antigas potências coloniais pode ser contra sua determinação de se tornar forte e independente em termos geopolíticos. Depois do movimento de pivô de Obama em 2012 e da eleição de Trump, era inevitável que a posição diplomática chinesa começasse a refletir a multipolaridade e a desordem. Xi proclamou a necessidade de o país liderar as tecnologias essenciais de semicondutores, inteligência artificial e biotecnologia, o que significa competição aberta com os Estados Unidos e o Japão. Quando se combina isso com a Iniciativa Um Cinturão, Uma Rota, fica claro o caminho a ser trilhado pela China para se tornar superpotência hemisférica em torno de 2030 e líder global em inovação tecnológica.

O problema é que ao mesmo tempo o país se tornará um grande provedor global de ideias anti-humanistas. Xi pretende fundir marxismo, nacionalismo chinês e uma forma paternalista de confucionismo numa ideologia de Estado que sustentará a China durante toda a sua jornada para o status de superpotência.

O marxismo será usado para justificar o expurgo contínuo de redes mafiosas; a eliminação de facções rivais dentro do partido; e a ausência total de qualquer forma de participação democrática ou ampliação dos direitos humanos. Foi isso que Xi quis dizer quando falou aos líderes do partido em 2017:

> Se nos desviarmos do marxismo ou o abandonarmos, nosso partido perderá sua alma e sua direção. Na questão fundamental de preservar o papel orientador do marxismo, precisamos manter uma resolução inflexível, jamais vacilando em momento algum ou em qualquer circunstância.[5]

Mas o marxismo a ser enfiado goela abaixo da nova geração da China é o oposto do verdadeiro.

O VERDADEIRO MARXISMO ENTROU na China através dos escritos de Chen Duxiu, um professor que, em 1915, fundou a revista *Nova Juventude*. A intelligentsia chinesa, ao deparar com o pensamento ocidental nos anos 1890, tentou casá-lo à rígida ideologia patriarcal confucionista da dinastia Qing no lema: "Conhecimento chinês para a substância. Conhecimento ocidental para a prática".

A geração de Chen Duxiu rompeu dramaticamente com isso, insistindo com o povo para abandonar o confucionismo, adotar o pensamento científico, combater o imperialismo, escrever ficção na linguagem do povo e aceitar o humanismo ocidental.

A partir de então, para chegar ao marxismo no sentido pleno foi um pulo. Depois do Movimento Quatro de Maio, uma revolta contra as potências imperialistas em Xangai em 1919, Chen fundou o partido que hoje governa a China. Marginalizado por Stálin e declarado persona non grata por criticar Mao, Chen Duxiu é o fantasma humanista que persegue o marxismo chinês.

Na década que precedeu o levante da praça Tiananmen, intelectuais na China tiveram permissão para restabelecer contato — tardiamente — com a forma humanista de marxismo abordada neste livro. Wang Ruoshui, então editor adjunto do *Diário do Povo*, publicou um artigo intitulado "Seres humanos são o ponto de partida do marxismo", afirmando que a alienação existia até em economias planejadas como a China pós-Mao.[6]

Rejeitar as ideias de Xi Jinping

Não foi, porém, o maoismo linha-dura que matou o humanismo renascente na China. Foi a facção pró-mercado em torno de Deng Xiaoping. Em 1983, Deng fez um discurso condenando as tentativas de humanizar o marxismo, rotulando-as de "poluição mental" — e rejeitando qualquer ideia de que promover direitos humanos ou valores universais fizesse parte do processo de reforma de mercado que ele tinha desencadeado.[7] Wang foi expulso do partido em meados dos anos 1980, enquanto outros humanistas eram taxados de "criminosos do pensamento" por seu apoio ao protesto de Tiananmen. A trajetória chinesa para o mercado foi projetada para produzir uma forma de capitalismo sem respeito ao ser humano individual.

De acordo com Xi, o marxismo é uma doutrina anti-humanista de predestinação, que diz que os sentimentos de alienação, tristeza e frustração experimentados por milhões de chineses são ilusórios. Também serve para justificar o controle estatal tanto do comportamento como do pensamento.

Como seus antecessores, Xi está determinado a fundir esse marxismo monolítico com uma forma de confucionismo respaldada pelo Estado. Confúcio, como Aristóteles, centrou seu conceito de bondade humana numa sociedade ordenada, na qual filhos obedeciam aos pais, mulheres obedeciam aos homens e escravos obedeciam aos senhores. Mas ao longo de milênios a ideologia confucionista e a arte de governar se tornaram justificativas para a desumanidade. No fim, amparavam não apenas o poder absoluto e a brutalidade dos imperadores, que se percebe visitando um lugar como a Cidade Proibida; acabaram servindo também como um salvo-conduto para tratar as mulheres como subumanas e para explicar por que os pobres não podem resistir à opressão.

A modernidade tecnológica aumenta a criatividade e o controle humanos ou é usada para suprimi-los. Mas, à medida que as possibilidades de controle algorítmico, de vigilância e de inteligência artificial vão ficando óbvias, a China de Xi desenvolve o mais abrangente plano diretor do mundo para o anti-humanismo.

O planejado Sistema de Crédito Social, previsto para entrar em vigor na década de 2020, é o resultado lógico disso. O Estado chinês pretende incluir à força todos os cidadãos e todas as empresas num sistema comum de "pontuação", dirigido por ele, no qual tudo, desde a credibilidade financeira à lealdade política, pode ser julgado — não apenas pelo Estado, mas também pelas outras pessoas. "Se a confiança é traída num lugar, restrições são impostas em toda parte", diz um documento publicado em 2016. Pessoas consideradas não confiáveis terão acesso reduzido a tudo, de internet a viagens ao exterior, empréstimos bancários e determinados empregos.[8]

Se acrescentarmos a isso o gigantesco banco de dados sobre os cidadãos que o Estado chinês acumulará, teremos o começo do primeiro totalitarismo tecnologicamente fortalecido do século XXI.

Xi Jinping definiu com a máxima clareza o que o Estado chinês precisa fazer para completar a modernização do país sem liberdade e democracia: acabar com o humanismo em nome de Marx e empregar o controle algorítmico numa escala jamais vista em qualquer outro lugar. Se funcionar, podemos ter certeza de que esse tipo de "marxismo" se tornará bastante popular no Ocidente.

É por isso que rejeitar o "pensamento" de Xi Jinping não é uma questão secundária. A China, tanto quanto o Ocidente, precisa de uma defesa radical do ser humano. É um conforto saber que isso é o que os líderes do PCC mais temem.

19. Jamais ceder

Nada é sinalizado na península de Ducos; ninguém é celebrado. Você passa de carro por uma área industrial, com uma fumaça densa de diesel no ar em meio a palmeiras esfarrapadas. A planta de processamento de níquel, que domina a baía, vomita suas nuvens amarelas no céu do Pacífico. Os caranguejos que vivem na lama ainda lutam, no entanto, exatamente como nas memórias de Louise Michel. Quando o sol cai no oceano, esse afloramento na Nova Caledônia fica tão remoto e desolado como quando ela aqui chegou em 1873.

Michel foi deportada pelo resto da vida para a colônia francesa no Pacífico, 1600 quilômetros a leste da Austrália, pelo crime de insurreição armada. O lugar onde a isolaram, junto com um pequeno grupo de outras revolucionárias, agora se chama Baie des Dames. Ainda é possível ver onde ficavam suas cabanas de barro, amontoadas no pescoço de um istmo entre duas praias. Tudo que resta é um terraço e algumas árvores ornamentais.

O lugar que outrora abrigou a mulher mais perigosa da Europa foi destruído por um depósito de petróleo da Total, cujo segurança me localiza pelo sistema de câmeras e quer saber por que estou tirando fotos. Quando respondo "Louise Michel", ele aponta para o pedaço de chão nivelado e diz: "Ela teve que ser segregada. Suas opiniões eram radicais".

Nisso ele tem razão. Louise Michel era uma defensora radical da liberdade humana e uma adversária radical de toda tentativa de classificar, controlar e limitar o que as pessoas podem fazer.

Professora do bairro pobre de Montmartre, em Paris, Michel foi enviada para a Nova Caledônia por instigar, em 1871, a primeira revolução urbana moderna: a Comuna de Paris. Dezoito meses depois de desembarcar na ilha, ela transcreveu e publicou a primeira coleção de lendas e poemas épicos do povo canaca, a população melanésia da ilha, vista pelos franceses como subumana. Em 1878, quando os canacas lançaram uma revolta armada contra os brancos, Michel foi uma das poucas a lhes dar apoio. Diz ela que deu seu cachecol vermelho, insígnia real que guardara da Comuna, a dois guerreiros que se preparavam para participar da luta:

> Eles entraram no oceano. O mar estava ruim, e talvez nunca tenham chegado ao outro lado da baía, quem sabe foram mortos na luta. Nunca mais os vi e não sei qual das duas mortes os levou, mas eram bravos da bravura que negros e brancos têm.[1]

A maioria dos biógrafos de Michel acredita que essa história não merece crédito. A insurreição dos canacas ocorreu cinquenta quilômetros ao norte; as deportadas viviam isoladas e estavam proibidas de manter contato com os moradores do lugar. Se Louise Michel tivesse conhecido algum canaca, diz um homem que passou a vida coletando objetos relacionados a ela, é muito provável que ele a tivesse matado. Mas toco no assunto porque tenho um palpite de que todos eles estão errados.

De onde estou, vejo que seria possível nadar daqui até o continente, pulando entre as pequenas ilhas e os baixios de pedra que não aparecem nos mapas de hoje, mas estavam assinalados nos mapas daquela época. Remexendo nos arquivos da revolta, descobri que bem ali, na praia oposta, talvez a dois quilômetros de onde estou, um clã de canacas foi massacrado em 29 de junho de 1878 porque um grupo armado de colonos brancos em pânico achou que eles estavam se preparando para participar da insurreição.[2]

Tudo o mais nessa paisagem é como Louise a descreve. As árvores de *naiouli* ainda se contorcem ao vento; as rochas vulcânicas lembram jazigos; o mar lambe a lama da praia e os caranguejos lutam entre si. Por que ela mentiria sobre os canacas e o cachecol? Por que sensatos estudiosos do século XXI duvidam que uma mulher branca que se opunha ao colonialismo apoiasse um levante de negros contra o governo do seu próprio país?

Jamais ceder 347

A resposta é totalmente relevante para a nossa situação: se você nunca viu uma revolução, não sabe o que ela é capaz de fazer com os seres humanos. É como ir parar de repente numa praia coberta de destroços, árvores arrancadas pela raiz e aves marinhas mortas, sem ter visto o ciclone que provocou tudo aquilo.

A CRISE DA GLOBALIZAÇÃO SIGNIFICA que nós, também, veremos revoluções — a não ser que o século XXI conteste todos os padrões observáveis ao longo da história. A disparidade entre as tecnologias hoje disponíveis e as formas econômicas nas quais elas estão presas se tornou grande demais para não produzir convulsões. Se você acha que falar em revolução é ir longe demais, terá então que imaginar alguém como Xi Jinping um dia admitindo a democracia multipartidária na China; ou um governo liberal russo substituindo pacificamente o partido de vigaristas e ladrões de Putin; ou Bannon, o Breitbart e o Daily Stormer simplesmente fechando as portas por falta de interesse depois que Trump sofrer um impeachment ou for indiciado.

Caso contrário, teremos que aprender o que significa revolução. Como sugere o local não identificado na Baie des Dames, as histórias de revoluções passadas são sistematicamente vedadas para nós, impenetráveis, apresentadas como tão diferentes de nossa vida que chegam a ser irrelevantes. Hoje, na península vivem imigrantes mal pagos oriundos de outras ilhas do Pacífico; eles moram em cabanas parecidas com a cabana em que Michel vivia e é provável que nunca tenham ouvido falar nela, nem no imenso evento em que tomou parte.

DIFERENTE DA MAIORIA dos prisioneiros políticos, Louise Michel de fato cometeu o crime pelo qual foi condenada. Ela iniciou uma revolução. Antes do amanhecer de 18 de março de 1871, saiu correndo pelas ruas de Montmartre, armada com uma carabina, e convocou uma multidão de mulheres. Quando o sol surgiu, elas já haviam provocado um motim no

Exército francês, ao meio-dia estavam fora de controle, mataram dois generais e (ao melhor estilo parisiense) retalharam seus cavalos para comer. Ao anoitecer, tinham dado início ao primeiro experimento de governo operário autônomo da história.

A Comuna de Paris foi produto de acidentes e erros. Em 1870, o imperador da França acidentalmente começou uma guerra contra a Alemanha. E acidentalmente foi feito prisioneiro, transformando a França numa república acidental. Quando o governo republicano entregou Paris aos alemães e teve a chance de escolher entre dispersar a maior parte do Exército ou a Guarda Nacional, errou ao preferir salvar esta última — que consistia de 100 mil operários armados, encabeçados por um comitê central não oficial de republicanos, comunistas, anarquistas e socialistas. Quando o povo saiu às ruas para impedir que a Guarda Nacional fosse desarmada, os comandantes do Exército cometeram o erro de fugir, deixando a cidade nas mãos dela, que em seguida convocou eleições para uma câmara municipal democrática — a Comuna.

No segundo dia dessa concatenação de erros e acidentes, enquanto militantes debatiam estratégia na prefeitura de Paris ocupada, o artista Daniel Urrabieta Vierge ficou tão empolgado com uma misteriosa mulher de uniforme masculino que montava guarda calada com um fuzil e uma baioneta que a imortalizou num esboço. A mulher é Louise.

De 18 de março a 28 de maio de 1871, Paris foi governada por seu povo. As principais forças políticas dentro da Comuna eram republicanos de ultraesquerda, anarquistas moderados e seguidores de Karl Marx. Louise Michel pertencia ao primeiro grupo. Professora que aprendeu sozinha a manejar um fuzil em parques de diversões, passava o tempo na Comuna organizando mulheres para formar brigadas de ambulância, combatendo nas muralhas de Paris e falando em reuniões noturnas de clubes revolucionários em igrejas ocupadas.

Quando recuperou Paris, o Exército francês matou 30 mil pessoas suspeitas de apoiar a Comuna, na maioria não combatentes. Embora estudantes raramente aprendam isso na escola, os fantasmas desses 30 mil assombram as mais famosas imagens das artes.

Jamais ceder 349

Olhando qualquer pintura impressionista de Paris produzida nos anos 1870, sempre vale a pena perguntar: "Onde está o povo?". Será que o artista quer que a gente entenda que essas ruas calçadas de paralelepípedos foram recentemente destruídas para erguer barricadas? Que os bares e cabarés haviam recepcionado um governo de operários? Numa pintura como *Rua de Paris, dia chuvoso* (1877), de Gustave Caillebotte, mostrando uma rua movimentada cheia de casais abastados debaixo de guarda-chuvas, por que tanta ansiedade nos rostos, e por que os trabalhadores não estão lá? Quando foi exposta pela primeira vez, críticos se entusiasmaram com os paralelepípedos molhados, que, segundo notaram, tinham sido "lavados" pela chuva.[3] Lavados de quê?

Depois que a Comuna foi destruída, as elites da Europa queriam esquecer o que aconteceu. É por isso que mandaram 9 mil prisioneiros políticos da cidade mais civilizada do mundo para uma ilha habitada por 45 mil caçadores-coletores. Mas a classe operária não esqueceu. Porque essa foi a primeira revolução na história em que uma forma de opressão não substituiu outra.

A Guarda Nacional — para todos os efeitos, uma milícia operária com batalhões baseados em pequenos bairros — governava a si mesma. Os clubes revolucionários em que Michel falava, apesar de caóticos e improvisados, tomavam decisões: aprovaram resoluções, despacharam delegações, organizaram distribuições de alimentos, aterrorizaram potenciais traidores. Na escola de Michel e em dezenas de outras, passou-se a ensinar "apenas ideias cientificamente provadas" — ou seja, todas as ideias não ensinadas nas escolas dominadas por católicos da França imperial. O departamento de trabalho da Comuna proibiu multas no serviço, aprovou regulamentações básicas para locais de trabalho e ordenou que todas as fábricas abandonadas pelos donos fossem convertidas em cooperativas dirigidas por operários.

A Comuna de Paris foi, em resumo, o primeiro Semiestado. Marx — que tinha mandado uma russa de 23 anos chamada Elisabeth Dmitrieff a Paris como sua representante para tentar radicalizar as coisas — não defendia esse resultado. Mas logo entendeu. Dois dias antes de a Comuna ser derrotada, ele redigiu um influente relato explicando o que a tornava diferente.

A Comuna demonstrou, segundo Marx, que operários não podiam apenas tomar conta do Estado capitalista; precisavam formar um novo tipo de poder. Seus delegados recebiam salários iguais aos de um operário; podiam ser chamados de volta imediatamente para as localidades que os elegeram; eram, na esmagadora maioria, operários; não havia exército permanente, nem força policial; e os juízes também eram eleitos e revogáveis. Diferente de outras revoluções, a Comuna foi "a forma política, enfim encontrada, sob a qual era possível se realizar a emancipação do trabalho".[4]

A Comuna foi massacrada porque — para a frustração dos defensores da violência revolucionária — não foi violenta o bastante. Suas ofensivas militares contra o Exército francês se dissiparam; quando este invadiu Paris, a resistência só foi forte onde soldados da Guarda Nacional combatendo nas barricadas estavam cercados por esposas, amantes, filhos, pais e vizinhos. Sua força vinha do espírito vivo de um povo de repente libertado da conversa fiada daquela época: da hierarquia, da deferência, do estigma dos uniformes de criados e das patentes militares; da desgraça imposta a prostitutas e da santidade outorgada aos padres.

O que Marx — e os marxistas subsequentes — jamais entendeu direito, porém, foi que a verdadeira revolução se deu na vida das pessoas. Em vez de expor a farsa do Estado, foi mais como expor a farsa da sociedade. E nisso a Comuna é mais parecida com as revoltas breves e acidentais do nosso século do que com as revoluções clássicas do século xx. Na Grécia, entre as tendas dos acampamentos e o gás lacrimogêneo, pude sentir o espírito da Comuna — sobretudo por ter visto uma manifestante com o rosto de Louise tatuado no braço.

Como será, portanto, nossa revolução? Estamos condenados a entrar, como Michel, numa situação revolucionária como se fosse um sonho e mais uma vez emergir derrotados — com a mesma personalidade traumatizada, poética mas abalada, a que ela se agarrou quando a descartaram numa ilha do Pacífico?

Para responder, precisamos entender o acidente que a elite neoliberal mais teme: a eleição de governos democráticos de esquerda seguida pela criação de Estados verdadeiramente democráticos e transparentes.

No neoliberalismo, o Estado se tornou crucial para gerar e distribuir lucros — por meio de contínua privatização, terceirização e imposição coercitiva de valores e parâmetros de mercado na vida comum. Se observarmos a reação das elites a Jeremy Corbyn, Bernie Sanders e Alexandria Ocasio-Cortez nos Estados Unidos, a Jean-Luc Mélenchon na França, ao Podemos na Espanha e ao Syriza na Grécia, o medo é sempre exacerbado, a sabotagem, deslavada, onde quer que a esquerda ameace desligar a grande máquina de privatizações e começar a recolher impostos sobre a riqueza e sobre os lucros das empresas. É por isso que, como punição por resistir à lógica financeira, a União Europeia e o FMI decretaram que a Grécia teria que privatizar 50 bilhões de euros em propriedades públicas.

Igualmente assustadora para os super-ricos e para os banqueiros é a ideia de um Estado que de repente abra mão da vigilância intensa, dos armamentos nucleares e do policiamento militarizado e deixe a democracia comum e o Judiciário não corrompido tentarem fazer as coisas andarem. Essa, longe de ser uma fantasia utópica, foi uma possibilidade levantada por duas recentes lutas progressistas de independência nacional: na Escócia e na Catalunha.

Em 1º de outubro de 2017, assisti ao começo de um levante pacífico numa grande cidade. Foi em Barcelona, no dia em que seus moradores votaram pela independência da Catalunha. Em nossos celulares assistíamos vídeos de tropas de choque da polícia, vindas de regiões hostis à independência, arrastando aposentadas pelos cabelos, esmagando com os pés os dedos de mulheres jovens, golpeando a cassetete o corpo imóvel de idosos, pulando degraus para enfiar as duas botas nas costelas de eleitores que não opunham qualquer resistência.

Ao amanhecer, essas imagens tinham viralizado, enquanto percorríamos os arredores de uma seção eleitoral do subúrbio operário de Sant Andreu. Todos nós naquela multidão, de talvez quinhentas pessoas, esperávamos ser vítimas de extrema violência policial nas próximas horas. Os catalães reagiram ao medo com uma eficiência pragmática. Organizaram filas para votar. Recusaram-se a receber votos enquanto o sinal da rede 4G estivesse fora do ar, porque sem ela as cédulas de papel não poderiam ser conferidas. Deixaram os mais velhos votar primeiro e fizeram os jovens esperar na chuva. Os eleitores idosos — muitos dos quais tinham sobrevivido ao fascismo — vinham cantando: "Já votamos", e a multidão aplaudia educadamente.

Milhares de jovens cercaram outra seção eleitoral, o velho prédio universitário da Escola Industrial, prontos para defendê-la. Vi sucessivos grupos de jovens tentarem erguer uma barricada. Como todos que resistem à ordem neoliberal na Europa, eles sabiam contra o que lutavam. A ameaça de violência econômica é sempre a primeira linha de defesa: empresas ameaçam reduzir investimentos, bancos centrais retiram apoio à moeda. Foram essas, precisamente, as ameaças usadas para destruir a Grécia e sufocar a independência escocesa; as mesmas ameaças foram empregadas contra a Catalunha, caso o povo votasse pela secessão. Mas se a violência econômica não funcionar, sempre resta a violência física. Diga o que disser a Convenção Europeia de Direitos Humanos, a maioria das pessoas que têm um smartphone descobriu isso por conta própria.

O dia inteiro a polícia espanhola obstruiu a rede telefônica e confiscou urnas aleatoriamente. Mas o referendo foi adiante assim mesmo. Entre golpes de cassetete e balas de borracha, 2 milhões de pessoas conseguiram dar um voto válido, com 90% votando "Sim" pela independência.

No distrito de El Clot, um subúrbio operário cujo denso desenho das ruas ecoa suas origens medievais, as seções eleitorais ficavam tão próximas umas das outras que, enquanto uma fila de mil pessoas serpenteava em volta do quarteirão esperando para votar, outra se formava do lado oposto da rua para uma segunda seção eleitoral. E a democracia não era exercida apenas nas cabines de votação; ela também acontecia nos poucos metros entre as duas filas.

Todos ficavam na chuva e conversavam, em pequenos grupos — em voz baixa, de maneira civilizada —, sobre o que fazer. Esse espaço público, com sua fumaça de tabaco e ocasionalmente de maconha, seus cães molhados e aposentados irritadiços, se enchia de vida com discussões democráticas. Para economizar banda larga, funcionários agitados percorriam as filas de eleitores pedindo que todos pusessem seus celulares no modo avião — e quase todos obedeciam.

Jamais ceder 353

Apesar de 2 milhões votarem "Sim", a maioria dos que se opunham simplesmente ficou em casa na esperança de enfraquecer a legitimidade da votação. Contudo, é preciso contrapor a quantidade de democracia à sua qualidade.

Alex, estudante de direito de dezoito anos que encontrei tentando erguer a barricada na Escola Industrial, me disse que para ele a independência não era uma questão apenas de bandeiras ou mesmo de língua. O que ele via era um Estado catalão livre do controle da elite financeira espanhola como a melhor maneira de proteger e ampliar seus direitos humanos. *"Drets humans, drets humans"* foi uma expressão que entreouvi em incontáveis conversas naquele dia. Ao sair pacificamente de casa para ficar horas nas ruas e criar em seus próprios distritos uma verdadeira democracia de coexistência, tolerância e pacifismo, os catalães mostraram que a qualidade da sua cultura democrática era uma ordem de magnitude maior do que a dos fascistas enrustidos e reacionários católicos que tomavam decisões em Madri.

A revolta catalã e a campanha pela independência escocesa de 2014 levantaram uma possibilidade muito mais radical do que a simples secessão. Nos dois países, os partidários da independência compreenderam que, se começamos a construir um novo Estado da estaca zero — mesmo mantendo a economia capitalista de antes —, nos encontraremos de repente num lugar onde a elite perdeu o poder de mentir para nós, de acobertar a corrupção, de nos bombardear com vigilância e nos sujeitar à opressão arbitrária.

Isso revela um fato interessante sobre o Estado moderno. Se ele tivesse que ser fundado de novo, em conformidade com conceitos modernos de direitos humanos e responsabilização, perderia grande parte do seu aparelho repressivo. Por isso, revoltas que tomam a forma de secessão — de uma cidade ou região — são mais assustadoras para os autoritários do que tentativas diretas de tomar logo o Estado inteiro.

As realidades do controle exercido pela elite são sempre baseadas em coisas decrépitas: no caso da Espanha, a monarquia, o Estado paralelo, as redes de corrupção empresarial e a polícia de choque militarizada. Portanto, em certo nível, todas as revoltas contra o neoliberalismo apenas o obrigam a abrir o jogo. Elas perguntam — uma vez que o mercado e a escolha individual estão supostamente em primeiro lugar — por que precisamos de um Estado repressivo para ditar, limitar e controlar nossas escolhas. De maneira análoga, a forma básica das contrarrevoluções neoliberais é a imposição de policiamento militarizado, justiça arbitrária e controle da mídia.

É por isso que, como castigo pelo simples fato de organizar um referendo em desafio à Constituição, o Estado espanhol usou sua Suprema Corte para denunciar e deter os principais líderes políticos catalães e colocá-los em confinamento solitário, mobilizando grupos fascistas para intimidar seus seguidores, enquanto a polícia de choque de Madri assistia passivamente.

Não existe uma forma ideal de governo revolucionário, mas uma que sabemos que as elites mais temem é a democracia das ruas — contínuas discussões e debates frente a frente — somada a grupos não hierárquicos de formulação política em sessão permanente. Foi isso que a Comuna de Paris conseguiu. E é isso que está ao nosso alcance onde quer que a população de uma grande cidade decida que não aguenta mais ser controlada pela elite.

A ESTA ALTURA, deve estar claro o que é uma revolução: a conquista temporária do verdadeiro status humano, um vislumbre do que Marx chamava de "ser-espécie". Quando comprimimos anos de mudanças nuns poucos dias ou semanas, também aceleramos o que Marx chamava de "transformação dos homens numa escala maciça". Começamos a viver uns para os outros.

Pela mesma lógica, dá para entender o que é uma contrarrevolução. É a reimposição do egoísmo e da rotina desumana. O objetivo das contrarrevoluções é erradicar a memória da nossa experiência de autotransformação humana no momento de revolta. É por isso que historiadores tradicionais têm feito um esforço extra para demonstrar que os destacamentos de mulheres combatentes que Louise Michel organizou não passam de uma lenda.[5]

Jamais ceder

Quem quiser saber até onde as contrarrevoluções podem ir deve visitar La Foa, a cidade interiorana da Nova Caledônia onde, em 1878, o povo indígena canaca começou sua rebelião contra a França. No Hotel Banu, um velho e sonolento café francês, as paredes estão cobertas de suvenires de caça ao veado e de antigas fotografias de colonos brancos que ali se estabeleceram. É uma tocante relíquia de história e tradição — mas falta alguma coisa. Não há fotos de canacas nas paredes. Nem, hoje em dia, há muita gente local à beira da estrada ou trabalhando nos campos, como seria comum na maioria dos países em desenvolvimento. Na verdade, não há muita gente de modo geral. Uma ilha do tamanho de Portugal tem apenas 279 mil habitantes.

Yvan Kona, historiador canaca, me contou como a história do seu povo foi apagada. Depois da revolta de 1878, a região foi sistematicamente despovoada pelos franceses. No fim do século XIX, uma população de 45 mil pessoas tinha sido reduzida a 16 mil. Mesmo hoje existem apenas 100 mil canacas na Nova Caledônia — suplantados em termos numéricos por colonos, funcionários públicos franceses e trabalhadores imigrantes de outras ilhas. Mas depois que o povo canaca realizou sua terceira grande revolta em meados dos anos 1980, o Estado francês afinal passou a tratá-lo com respeito, destinando dinheiro para empregos e educação e criando um conselho governante canaca paralelo na ilha.

No entanto, apesar da extrema sensibilidade à questão canaca — com a independência sempre no debate —, há, segundo Kona, uma total insensibilidade à preservação de sua história:

> Se você olhar a terra, no topo dos morros e no fundo dos vales vai ver pinheiros e coqueiros isolados. Essas plantas eram símbolos tribais mostrando que uma tribo viveu ali, que aquelas terras eram antigas. Os colonialistas começaram destruindo esses símbolos. Primeiro, destruíram esses símbolos. Depois nos destruíram.

Embora seu trabalho envolva coletar registros orais dos clãs sobreviventes e mapear a localização de jardins e aldeias tribais, diz Kona, ele costuma ter o acesso à terra negado por proprietários brancos. Nesse sentido, a história dos canacas continua sendo apagada.

Apesar da sua ingenuidade, do seu eurocentrismo, dos seus erros, Louise Michel compreendeu o que significa jamais ceder. Transferida do seu elemento urbano para a selva, quis saber qual era a disputa de poder nesse lugar e nela mergulhou. Compreendeu a importância revolucionária de preservar e contar histórias do ponto de vista dos vencidos, o que nós também devemos fazer.

20. Viver a vida antifascista

EM 1977, O SOCIÓLOGO Michel Foucault redigiu, meio a sério, uma tentativa de escrever um código de ética para a era pós-moderna. Satirizando um famoso manual católico de moral, ele o chamou de "Uma introdução à vida não fascista". O fascismo ao qual precisamos resistir, escreveu Foucault, não é só o fascismo da extrema direita. É "o fascismo que está em todos nós, que assombra nossos espíritos e nossas condutas cotidianas, o fascismo que nos faz amar o poder, desejar esta coisa mesma que nos domina e nos explora".[1]

Como no caso das sete virtudes cristãs, Foucault propôs sete regras. Não busque o poder. Não adote um objetivo político totalizante. Rejeite hierarquias. Rejeite a ideia de que negatividade é politicamente eficaz. Você não precisa ser infeliz para ser um ativista. Não tente estruturar a ação política em afirmações sobre a verdade. E não baseie a política em direitos humanos ou em seres humanos individuais. "O grupo", escreveu Foucault, "não precisa ser o laço orgânico que une indivíduos hierarquizados, mas um gerador constante de desindividualização."

Embora pouca gente tenha lido o texto propriamente dito, pode-se dizer que os mandamentos de Foucault têm sido bastante adotados pelos que tentam resistir à globalização, à mudança climática e a Estados repressivos que usam métodos de horizontalismo. Toda uma geração de ativistas tenta dissolver o poder através do ativismo de rede, da transmutação de um tipo de luta na luta seguinte e da estratégia de "um Não, muitos Sins".

O problema lógico, para Foucault, era: por que escrever um sistema ético para indivíduos quando você propõe que eles se dissolvam e despedacem seus eus separados? Se o "ser humano" é uma invenção recente e prestes a desaparecer, por que se dar ao trabalho de preparar um conjunto de regras para ele seguir?

No entanto, esse problema não impediu que o pensador francês fosse atraído mais vigorosamente ainda por uma forma de ética da virtude em seus últimos anos de vida. Numa entrevista em 1984, Foucault explicou que a prática ética de proprietários de escravos gregos e romanos se concentrou de tal maneira no "cuidar de si" que eles transformaram a própria vida numa obra de arte e, coibindo seus desejos, pararam de oprimir outras pessoas (livres).[2] Quando lhe perguntaram se essa prática de cuidar de si poderia vir a ser a base de uma nova filosofia para o presente ou uma alternativa política, Foucault respondeu que não tinha "investigado a questão".

Mas é óbvio que, num exame retrospectivo, "cuidar de si" e "transformar a própria vida numa obra de arte" acabaram se tornando uma nova religião para a classe média do mundo desenvolvido. Da academia ao tapete de ioga e à mesa de operações do cirurgião plástico, indústrias inteiras surgiram em torno do "cuidar de si".

O problema é que, como no caso dos gregos, isso não erradicou a desigualdade e a injustiça. Mais precisamente, não impediu a ascensão do neofascismo moderno. Se quisermos estudar os equivalentes de hoje aos aristocratas gregos muito hábeis em "cuidar de si", o ideólogo milionário de extrema direita Milo Yiannopoulos seria um bom ponto de partida. Ou Marine Le Pen. Ou os imaculados e descolados membros do Movimento Identitário que patrulham a fronteira austríaca, portando bandeiras para indicar que, como os espartanos, estão prontos para repelir invasores de pele escura. Ou o próprio Trump.

Foucault tinha razão ao declarar que, quando a onda revolucionária de 1968 perdia força, seu fracasso era o fracasso de uma política hierárquica baseada no poder: sindicalismo masculino, stalinismo, os malfadados movimentos de guerrilha urbana dos Panteras Negras e das Brigadas Vermelhas. Tinha razão também ao sugerir que o totalitarismo de esquerda no século XX havia tirado muito da sua força do velho ensinamento cristão sobre sermos "não egoístas".

Viver a vida antifascista

Mas essas técnicas para viver uma "vida não fascista" não resolvem os problemas que enfrentamos hoje. Precisamos, pelas razões que explorei neste livro, arriscar-nos a conquistar o poder político convencional. Precisamos nos envolver com o Estado — por mais militarizado e opressivo que seja — e com o sistema eleitoral, porque se não fizermos isso as forças do centrismo liberal entrarão em colapso e serão substituídas pelo nacionalismo autoritário.

A geração que absorveu os princípios éticos de Foucault precisa ir além deles. É possível, claro, viver uma "vida não fascista" — mesmo num lugar como o Arizona, onde os policiais atacam imigrantes nas ruas, onde condições desumanas nas prisões são promovidas como meio de intimidação e onde supremacistas brancos impõem a ordem do dia republicana. Pode-se navegar de uma bolha para outra: da academia de pilates para o psiquiatra, comparecendo a protestos anti-Trump em Washington e fazendo doações para os democratas. Mas esse comportamento não conquista poder.

Em vez disso, vamos precisar aprender de novo o que significa viver uma vida *anti*fascista.

DURANTE A GUERRA CIVIL ESPANHOLA, George Orwell conheceu um anarquista italiano que combatia na milícia do Partido Operário de Unificação Marxista (Poum), de extrema esquerda. Orwell escreveria muitas vezes sobre esse encontro — em seu livro *Homenagem à Catalunha*, num poema chamado "The Italian Soldier" [O soldado italiano] e num amargo ensaio escrito nos dias mais sombrios da Segunda Guerra Mundial.

Ele descreveu o soldado italiano como um camponês semianalfabeto, que não sabia ver um mapa, mas era capaz de saber de que lado da história estava. Logo gostaram um do outro. Orwell julgava-o um homem pronto tanto para "cometer um assassinato como para abrir mão da própria vida por um amigo".[3] Em meados da Segunda Guerra Mundial, escreveu Orwell, como adversário de extrema esquerda tanto do fascismo como do stalinismo, o soldado decerto estava morto: "Ele simboliza para mim a flor da classe operária europeia, atormentada pela polícia de todos os países, as pessoas que enchem as valas comuns dos campos de batalha espanhóis e agora, aos milhões, apodrecem em campos de trabalhos forçados".[4]

Mas a história é feita de pessoas de carne e osso. Supondo que ele não seja um personagem criado, romanceado, saído da imaginação de Orwell, o que mais podemos saber do soldado italiano?

Orwell ingressou na milícia do Poum em Barcelona em dezembro de 1936. Nessa altura, a maioria dos anarquistas e comunistas italianos que se alistaram para combater naquele verão havia desistido por causa da disciplina militar imposta pela milícia. Dos que permaneceram — no máximo 25 —, só Cristofano Salvini tinha o "cabelo loiro-avermelhado e ombros fortes" que Orwell menciona em *Homenagem à Catalunha*. Salvini, portanto, é o principal candidato a soldado italiano.[5] Vou contar sua história.

Cristofano Salvini nasceu em 1895 em Casole d'Elsa, velha cidade interiorana a sudoeste de Florença, onde trabalhava como pedreiro. Em 1920, um ano depois que o Partido Socialista Italiano se tornou o maior partido do Parlamento, ele foi eleito seu vereador. No ano seguinte fez parte do racha dos socialistas que formou o Partido Comunista Italiano. Em 1923, fugindo do governo fascista de Mussolini, foi para a França e ingressou num dos muitos grupos trotskistas ali existentes. Em agosto de 1936, na primeira convocação de combatentes voluntários, Salvini foi para a Espanha como parte de um grupo de cinquenta pessoas chamado Coluna Internacional Lênin e de imediato despachado para o front de combate em Huesca.

Acontece que, fossem quais fossem suas deficiências para entender mapas, Salvini era altamente alfabetizado. Nos dezoito meses seguintes ele protagonizou duas grandes polêmicas em jornais franceses denunciando a tomada pelos stalinistas do lado republicano da Guerra Civil Espanhola. Os debates políticos internos da unidade em que combatia foram meticulosamente documentados no semanário do Poum. Quando, em maio de 1937, os comunistas espanhóis resolveram suprimir anarquistas e grupos de extrema esquerda em Barcelona, Salvini desapareceu e foi dado como morto. Na realidade, tinha ingressado numa milícia comandada por anarquistas num outro front.

Depois da guerra civil, fugiu para a França e foi aprisionado num campo de trabalhos forçados. Em 1940, foi capturado pelos alemães em Dunquerque, repatriado para a Itália e condenado a cinco anos de prisão. Solto quando guerrilheiros de esquerda libertaram a Toscana em 1943, voltou a seu velho ofício de pedreiro em Casole d'Elsa e morreu em 1953.[6]

Ele havia feito tudo o que Foucault nos manda evitar. Acreditara na verdade, lutara por um projeto totalizante e cuidara muito pouco de "si". Apesar disso, tinha vivido uma vida antifascista.

"Mas a coisa que vi em seu rosto nenhum poder é capaz de deserdar", escreveu Orwell, celebrando pessoas como Salvini. "Nenhuma bomba que explode despedaça o espírito de cristal."[7] Mas como criar o espírito de cristal? O que fez um pedreiro de uma cidade formada em torno de uma rua medieval passar a vida inteira enredado em política organizacional e teoria marxista, num esforço para derrubar o capitalismo?

Eis a resposta: para isso foram necessárias duas gerações. Em 1892, as diferentes correntes do movimento dos operários italianos se juntaram para formar um partido socialista. Esse partido sobreviveu a tentativas iniciais de repressão e nos primeiros quinze anos do século XX aumentou sua base eleitoral para 34%. Depois da Primeira Guerra Mundial, época em que a Itália passou por uma rápida industrialização, os operários italianos tomaram as fábricas e tentaram submetê-las ao controle operário. Em 1921, a classe dominante abandonou seu apego ao liberalismo e apoiou o movimento fascista encabeçado pelo ex-socialista Benito Mussolini. Um relato do modo de agir dos fascistas em lugares como Casole d'Elsa diz o seguinte:

> Em pequenas cidades, onde todo mundo conhece todo mundo, os fascistas submetiam os inimigos a humilhações rituais, uma poderosa estratégia de terror que todos compreendiam. Camisas negras faziam seus oponentes beberem óleo de rícino e outros purgantes, e os mandavam de volta para casa, contorcendo-se de dor e lambuzados das próprias fezes [...]. Também abordavam os adversários em público, tiravam-lhes as roupas, surravam-nos e os algemavam a postes em *piazzas* e à beira das estradas.[8]

Os alvos da violência não eram membros de um grupo ilegal, nem terroristas, mas simplesmente vereadores como Salvini, um pedreiro, em torno dos quais funcionava toda uma rede de clubes, partidos, sindicatos e centros culturais de esquerda. Essas instituições foram fechadas e o movimento trabalhista italiano, arrancado pela raiz. Essa é a realidade do fascismo.

Por que uma elite modernista, tecnologicamente esclarecida e originariamente liberal como a classe dominante italiana de repente precisou agir dessa maneira? Porque, no período de três décadas, a classe operária italiana tinha evoluído da identificação de si mesma como uma força social e da defesa de si para a elaboração daquilo que desejava alcançar — substituir o capitalismo pelo socialismo. Os operários encontraram uns aos outros, agiram e então identificaram uma etapa final para suas ações.

Pessoas como Salvini viveram todo esse processo no período de uma vida — partindo do ofício de pedreiro para a política local, em seguida para discussões estratégicas nacionais sobre política, depois para o exílio e por fim para o conflito armado numa unidade de milícia cujo nome era uma homenagem a Lênin. Essa experiência foi partilhada em diferentes formas não por um punhado, mas por centenas de milhares de pessoas. É um processo que Marx previu, descrevendo-o memoravelmente como a classe operária tornando-se "para si mesma".

É improvável, mesmo nas lutas que virão em países como China, Bangladesh e Brasil, que a classe trabalhadora industrial volte a atingir o nível de densidade social que alcançou entre 1900 e o fim dos anos 1970. A força que precisará resistir ao fascismo desta vez é apenas a massa fragmentada de pessoas ao redor de cada um de nós.

Isso inclui todo mundo que tenha interesse em reverter a comercialização da vida diária, todo mundo que esteja farto de ser pressionado e "empurrado" para adotar um comportamento artificialmente competitivo, todo mundo que tenha interesse material em salvar o planeta da mudança climática, toda mulher que não queira se tornar um alvo de violência misógina, todo membro de minoria étnica que não deseje ser descrito como uma ameaça estrangeira nos tabloides da mídia.

Vimos antes que, para Marx, o proletariado precisava ir além das lutas comuns para se tornar uma classe "para si mesma". Por analogia, a próxima fase para a massa demográfica mais amorfa, menos rigidamente definida, de amantes da liberdade conectados em rede é descobrir o que significa se tornarem coletivamente "para si mesmos", como fez a geração de Cristofano Salvini.

Não estou dizendo que indivíduos conectados em rede, juntos, formam uma "nova classe" no sentido marxista. Mas não precisam fazer isso. Como assinalou Edward Thompson em seu estudo da Inglaterra do século xviii, a luta de classes pode ocorrer até sem classes sociais claras e rígidas. As classes, disse Thompson, são formadas na luta. As pessoas se veem numa sociedade estruturada em torno de poder e desigualdade, vivenciam a exploração e a opressão, identificam pontos de interesse comum e começam a lutar. A classe operária do século xix e, por extensão, a classe operária do século xx foram talvez, sugere Thompson, um caso especial na clareza de suas definições.[9]

De certa forma, a evolução do ativismo horizontal em pequena escala para os partidos políticos nacionais, como o Partido Trabalhista do Reino Unido ou o Partido Democrata dos Estados Unidos, é parte da evolução do individualismo conectado para um projeto comum de emancipação. Mas o próximo nível precisa ir além de uma mera mudança nas formas de organização — sair do protesto para assumir o controle de partidos. Ele precisa conectar nossa recusa e nossa resistência individual a um projeto político: acabar com a lógica do mercado e em seu lugar promover a lógica humana e ambiental.

Nos anos 1920, o trabalhador que quisesse melhorar sua situação se filiava a um sindicato, aguardava com paciência até que todos estivessem prontos para agir e executava ações visando a um objetivo, como uma greve ou uma campanha eleitoral. É por isso que pessoas como Salvini se preocupavam tanto em convencer grandes organizações a mudarem de tática — e foi provavelmente por isso que ele não saiu da milícia do Poum quando, depois das primeiras semanas tentando lutar sem hierarquia, ela nomeou oficiais e permitiu que eles dessem ordens.

Já o capitalismo do século XXI é tão complexo que, mesmo executando ações individuais ou em pequena escala, podemos produzir grandes efeitos. O escritor de esquerda John Holloway sustenta que o jeito de alcançar o que precisamos é "criar rachaduras na dominação capitalista, espaços ou momentos nos quais possamos viver o sonho de sermos humanos".[10] Espaços onde possamos agir como se valores humanos, e não valores de mercado, predominassem.

Essa estratégia não era alheia à geração de Cristofano Salvini, mas eles foram além dela, compreendendo que só formações de operários muito bem organizadas podem derrotar um capitalismo muito bem organizado do tipo que enfrentaram na Itália depois de 1922 e na Espanha em 1936 e alcançar o que Orwell chamava de "vida decente e plenamente humana".

Hoje, porém, vivemos um impasse. Os últimos trinta anos assistiram ao triunfo ideológico do individualismo e em seguida ao seu fracasso. Ainda não reunimos coragem para parar de oferecer sacrifícios ao equivalente moderno dos deuses romanos, mesmo sem acreditarmos neles. E tememos, com razão, repetir a crueldade e a injustiça que resultaram da dedicação das pessoas a causas únicas no século XX.

Em Bondi Beach, Austrália, onde escrevo, há milhares de jovens comuns tomando sol. Na praia os rituais competitivos a que eles se entregam na cidade desaparecem. Você é musculoso? Cinquenta pessoas a cem metros de você também são. Sabe surfar? Alguém deitado ali naquela toalha é capaz de executar um perfeito *handstand*. Você tem um iPhone último modelo? Quase todo mundo tem. Você é especial e único, mas a maioria das pessoas também é — e a cultura popular moderna, de maneira implícita, reconhece isso.

Nas praias, nas praças da cidade à noite e em festivais de dança no verão, a geração conectada em rede exibe uma humanidade profunda e uma empatia que poderiam muito bem servir de alicerce para uma nova estrutura social. Mas basta sair da areia de Bondi e você volta ao mundo em que "cuidar de si" é mais importante do que a solidariedade. A rua principal de Bondi é um desfile de Lamborghinis e roupas de grife, as mesas de seus restaurantes, disponíveis apenas por duas horas. Não se trata

Viver a vida antifascista

aqui de divisão de classes (embora classes ainda existam); é uma divisão entre capitalismo performático e vida humana autêntica. Ou, com sorte, entre passado e futuro.

Quando ainda era marxista, o filósofo Alasdair MacIntyre escreveu que, como a sociedade de classes suprime de maneira tão completa o potencial humano, "o desenvolvimento da humanidade ocorre em saltos imprevisíveis. Nunca sabemos, talvez, como estamos perto do próximo passo para a frente".[11] Para mim, toda a angústia que emana dos misóginos, dos nacionalistas étnicos e dos autoritários de qualquer lugar é prova de que eles também sentem como estamos perto desse próximo passo para a frente.

Viver uma vida antifascista envolve colocar o seu corpo em um lugar onde ele consiga de fato deter o fascismo e, ao fazer isso, preservar um minúsculo pedaço de espaço livre por tempo suficiente para que outras pessoas o encontrem, o povoem e nele vivam. A defesa radical do ser humano começa com você.

Agradecimentos

Ao escrever este livro fui ajudado pelas pessoas a seguir. Joana Ramiro merece destaque especial como minha pesquisadora. Tom Penn, meu editor, investiu imensas quantidades de tempo e confiança em mim; meu agente Matthew Hamilton e a equipe de Aitken Alexander me deram forças para prosseguir. O Instituto DeGrowth, da Universidade de Jena, realizou em outubro de 2017 um seminário em torno dos desafios à minha tese pós-capitalista. A dra. Emma Dowling, pesquisadora em Jena, me conduziu a textos importantes. Um seminário de pós-graduação organizado pelo professor Adam Morton no departamento de Economia Política da Universidade de Sydney discutiu a "Teoria geral sobre Trump" em fevereiro de 2017. Jamie Dobson, CEO da Container Solutions, me ajudou a entender as dificuldades de engenharia da inteligência artificial, ao passo que a equipe da DeepMind tornou mais fácil minha compreensão do funcionamento das redes neurais. Elena Massa me deu apoio e atuou como intérprete durante o levante pela independência catalã, enquanto Eoin Ó Broin, membro da Câmara Baixa pelo Sinn Féin, me ajudou a entender o que se passava. A discussão do capítulo 5 foi influenciada por minha participação na peça teatral *Why It's Kicking Off Everywhere*, elaborada em parceria com David Lan, o diretor artístico do Young Vic Theatre, o produtor Ben Cooper e os atores Khaled Abdallah, Sirine Saba e Lara Sawalha em abril de 2017. Hall Greenland e Sue Burrows tornaram possível minha viagem de pesquisa a Sydney. Calum Walton e Jane Bruton me deram feedback em tempo real sobre o primeiro rascunho. A dra. Karin Speedy atuou como intérprete e me deu apoio em minha viagem à Nova Caledônia. A produtora teatral Samantha Jayne Williams trabalhou comigo num jogo interativo que utilizei para melhor compreender o fracasso da globalização. O processo de pesquisa me levou a vários países europeus, com a ajuda da Biennale Warszawa, do Volksbühne em Berlim, da Fundação Rosa Luxemburgo, da Friedrich Ebert Stiftung, do Das Progressive Zentrum, do Instituto Ferdinand Lassalle, do Centro Cultural de Belém, do Museu Reina Sofia em Madri, e do Instituto Karl Renner. A revista sul-coreana *SISA-IN* tornou possível minha viagem a Seul para discutir os desafios éticos da inteligência artificial com profissionais daquela cidade. Evgeny Morozov, Francesca Bria, Srećko Horvat, Nadia Idle, Paul Greengrass, Paul Hilder, Matthew Cobb, Ewa Jasiewicz, Aaron Bastani, Theopi Skarlatos e Terry Eagleton me proporcionaram conversas que produziram momentos de súbita revelação. Todos os erros são meus.

Notas

Epígrafe (p. 7)

1. Isaac Deutscher, *The Prophet Outcast: Trotsky, 1929-1940*. Londres: Verso, 2003, p. 399.

Prefácio à edição brasileira (pp. 11-5)

1. Disponível em: <www.correiobraziliense.com.br/app/noticia/politica/2020/03/26/interna_politica,837799/gabinete-do-odio-vira-o-conselho-da-republica-durante-pandemia.shtml>.

Parte I: Os acontecimentos (pp. 21-60)

1. Hannah Arendt, *The Origins of Totalitarianism*. Nova York: Meridian, 1958, p. 435. [Ed. bras.: *Origens do totalitarismo*. São Paulo: Companhia das Letras, 2012.]

1. Dia zero (pp. 23-36)

1. Disponível em: <yougov.co.uk/news/2016/11/16/trump-brexit-front-national-afd-branches-same-tree/>.
2. Disponível em: Human Rights Watch, <www.hrw.org/world-report/2017/country-chapters/syria>.
3. Disponível em: <www.bbc.co.uk/news/world-asia-china-34592186>.
4. Peter Dendle, *The Zombie Movie Encyclopedia*. Jefferson, NC: McFarland, 2001.
5. Hermann Weyl, *Philosophy of Mathematics and Natural Science*. Princeton: Princeton University Press, 1950, pp. 65-6.
6. Jean Baudrillard, *The Illusion of the End*. Stanford: Stanford University Press, 1994.
7. Disponível em: <www.lemonde.fr/disparitions/article/2009/11/04/1979-on-m-a--souvent-reproche-d-etre-antihumaniste_1262644_3382.html>.
8. Disponível em: <vhemt.org>.

Notas　　　　　369

2. Uma teoria geral sobre Trump (pp. 37-60)

1. Disponível em: <www.thegardian.com/commentisfree/2016/nov/09/globalisation-dead-white-supremacy-trump-neoliberal>.
2. Disponível em: <www.ft.com/content/adfaf156-39cb-11e5-8613-07d16aad2152?mhq5j=e1>.
3. Disponível em: <time.com/3923128/donald-trump-announcement-speech/>.
4. Disponível em: <poll.qu.edu/national/release-detail?ReleaseID=2264>.
5. Disponível em: <www.democracycorps.com/In-the-News/a-new-formula-for-a-real-democratic-majority/>.
6. David Cay Johnston, "Just What Were Trump's Ties to the Mob". *Politico*, 22 maio 2016. Disponível em: <www.politico.com/magazine/story/2016/05/donald-trump-2016-mob-organized-crime-213910>.
7. Disponível em: </www.nytimes.com/2015/07/19/us/politics/trump-belittles-mccains-war-record.html>.
8. Erich Fromm, *Escape from Freedom*. Nova York: Farrar & Rinehart, 1941. [Ed. bras.: *O medo à liberdade*. Rio de Janeiro: Zahar, 1978.]
9. Disponível em: <www.cato-unbound.org/2009/04/13/peter-thiel/education-libertarian>.
10. Disponível em: <www.theguardian.com/books/2017/jun/10/naomi-klein-now-fight-back-against-politics-fear-shock-doctrine-trump>.
11. Karl Marx, "Letter to Engels in Manchester", 30 abr. 1868. *Marx & Engels Collected Works*. Nova York: International Publishers, 1988. v. 43: Marx & Engels: 1868-1870, p. 20.
12. John Bellamy Foster, "The Financialization of Capital and the Crisis". *Monthly Review*, v. 59, n. 11, 2008.
13. Disponível em: <www.cbpp.org/research/economy/chart-book-the-legacy-of-the-great-recession>.
14. Jane Mayer, "The Reclusive Hedge-Fund Tycoon behind the Trump Presidency: How Robert Mercer Exploited America's Populist Insurgency". *The New Yorker*, 27 mar. 2017.
15. Disponível em: <www.bloomberg.com/news/articles/2016-11-21/how-renaissances-medallion-fund-became-finance-s-blackest-box>.
16. Disponível em: <www.thedailybeast.com/libertarianism-30-koch-and-a-smile>.
17. Neil Howe, "Where Did Steve Bannon Get His Worldview? From My Book". *The Washington Post*, 24 fev. 2017.
18. Disponível em: <www.wired.com/story/what-did-cambridge-analytica-really-do-for-trumps-campaign/>.
19. Disponível em: <www.theguardian.com/commentisfree/2016/nov/09/globalisation-dead-white-supremacy-trump-neoliberal>.
20. Daniel Cox, Rachel Lienesch e Robert P. Jones, "Beyond Economics: Fears of Cultural Displacement Pushed the White Working Class to Trump". *PRRI/The Atlantic Report*, 9 maio 2017.
21. Jonathan Rothwell e Pablo Diego-Rosell, "Explaining Nationalist Political Views: The Case of Donald Trump". Draft Working Paper, nov. 2016. Disponível em: <papers.ssrn.com/sol3/papers.cfm?abstract_id=2822059>.

22. Brian F. Schaffner et al., "Explaining White Polarization in the 2016 Vote for President: The Sobering Role of Racism and Sexism". Conference on the U. S. Presidential Election of 2016: Domestic and International Aspects, campus do IDC Herzliya, 8-9 jan. 2017. Disponível em: <people.umass.edu/schaffne/schaffner_et_al_IDC_conference.pdf>.

23. Disponível em: <www.washingtonpost.com/news/monkey-cage/wp/2017/12/15/racial-resentment-is-why-41-percent-of-white-millennials-voted-for-trump-in-2016/?utm_term=.860ab7e418ba>.

24. Disponível em: <www.foxnews.com/politics/2017/10/31/how-paul-manafort-is-connected-to-trump-russia-investigation.html>.

25. Disponível em: <www.nbcnews.com/news/us-news/flynn-never-told-dia-russians-paid-him-say-officials-n756421>.

26. Disponível em: <www.motherjones.com/politics/2017/09/whos-telling-the-truth-about-the-russia-meeting-kushner-or-trump-jr/#>.

27. Frank Hoffman, *Conflict in the 21st Century: The Rise of Hybrid War*. Arlington: Potomac Institute for Policy Studies, 2007.

28. Disponível em: <www.theatlantic.com/international/archive/2014/02/the-syrian--opposition-is-disappearing-from-facebook/283562/>.

Parte II: O eu (pp. 61-150)

1. Disponível em: <www.blaetter.de/archiv/jahrgaenge/2011/februar/kooperieren-oder-scheitern>.

3. A criação do eu neoliberal (pp. 63-84)

1. A versão de Davies diz: "A elevação de princípios e técnicas de avaliação baseadas no mercado ao nível de normas endossadas pelo Estado". William Davies, *The Limits of Neoliberalism: Authority, Sovereignty and the Logic of Competition*, ed. Kindle. Los Angeles: Sage, 2016, p. xiv.

2. Disponível em: <www.marxists.org/reference/subject/economics/keynes/general-theory/ch24.htm>.

3. Para um relato completo ver Paul Mason, *Postcapitalism: A Guide to Our Future* (Londres: Penguin, 2015). [Ed. bras.: *Pós-capitalismo: Um guia para o nosso futuro*. São Paulo: Companhia das Letras, 2017.]

4. Jeffrey Sachs e Charles Wsyplosz, "The Economic Consequences of President Mitterrand". *Economic Policy*, 1986. Disponível em: <https://academic.oup.com/economicpolicy/article-abstract/1/2/261/2392222?redirectedFrom=fulltext>.

5. Ibid., p. 290.

Notas

6. W. Rand Smith, *The Left's Dirty Job: The Politics of Industrial Restructuring in France and Spain*. Pittsburgh: University of Pittsburgh Press, 1998, p. 200.

7. Pablo Arocena, "The Privatisation of the Public Enterprise Sector in Spain: Stuck Between Liberalisation and the Protection of National Interest". CESifo Working Paper, 1187, maio 2004.

8. James M. Boughton, *Silent Revolution: The International Monetary Fund 1979-1989*. Washington: International Monetary Fund, 2001, p. 320.

9. Ibid., p. 237.

10. Gopal Ganesh, *Privatisation Experience around the World*. Nova Déli: Mittal, 1998, p. 203.

11. Kwan S. Kim, "Mexico: The Debt Crisis and Options for Development Strategy". Kellogg Institute Working Paper 82, set. 1986.

12. Jacques Attali, *Verbatim I*. Paris: Fayard, 1993, p. 399.

13. Janice Perlman, *Favela: Four Decades of Living on the Edge in Rio de Janeiro*. Oxford: Oxford University Press, 2010, p. xxi.

14. Ver, por exemplo, Make Davis, *Planet of Slums* (Londres: Verso, 2006).

15. Janice Perlman, op. cit., p. 107.

16. Carl J. Dahlman, "The Rise of China: Implications for Global Growth and Sustainability", em Xiaolan Fu (Org.), *China's Role in Global Economic Recovery*. Abingdon: Routledge, 2012, p. 108.

17. Richard Freeman, "The Great Doubling: The Challenge of the New Global Labor Market", em John Edwards et al. (Orgs.), *Ending Poverty in America: How to Restore the American Dream*. Nova York: New Press, 2007.

18. Disponível em: <tass.com/economy/916534>.

19. Disponível em: <wikileaks.org/gifiles/attach/144/144365_RussianoligarchPDF. pdf>, p. 3.

20. Tanya Frisby, "The Rise of Organised Crime in Russia: Its Roots and Social Significance". *Europe-Asia Studies*, v. 50, n. 1, p. 31, 1998.

21. Ibid.

22. Victor Pelevin, *Babylon*. Trad. de Andrew Blomfield. Londres: Faber, 2000, p. 9.

23. Luc Boltanski e Eve Chiapello, *The New Spirit of Capitalism*. Londres: Verso, 2005.

24. Richard Sennett, *The Corrosion of Character: The Personal Consequences of Work in the New Capitalism*. Nova York: Norton, 1998.

25. Disponível em: <data.oecd.org/money/broad-money-m3.htm#indicator-chart>.

26. Disponível em: <www.goldcore.com/us/gold-blog/global-debt-now-200-trillion/>.

27. Disponível em: <fraser.stlouisfed.org/files/docs/publications/frbnyreview/pages/1990-1994/67192_1990-1994.pdf>.

28. Disponível em: <ritholtz.com/wp-content/uploads/2011/03/nipa0328111_big.gif>.

29. World Bank Evaluation Brief 6, dez. 2008.

30. Per Walter e Pär Krause, "Hedge Funds: Trouble-Makers?". *Sviergesbank Quarterly Review*, n. 1, 1999.

31. Mark Ravenhill, *Ravenhill Plays: 1: Shopping and F***ing; Faust is Dead; Handbag; Some Explicit Polaroids*, ed. Kindle. Londres: Methuen Drama, 2013.

32. Disponível em: <www.mirror.co.uk/money/you-used-store-card-1990s-7114139>.

33. Costas Lapavitsas, "Financialised Capitalism: Crisis and Financial Expropriation". RMF Paper 1, fev. 2009.

34. Mark Ravenhill, op. cit.

35. Disponível em: <https://www.federalreserve.gov/monetarypolicy/files/FOMC 19950201 meeting.pdf>.

36. Disponível em: <www.theguardian.com/business/2003/apr/29/8>.

4. Telegramas e raiva (pp. 85-98)

1. Disponível em: <www.marxists.org/reference/archive/hegel/works/1818/inaugural.htm>.

2. Disponível em: <www.marxists.org/reference/archive/hegel/works/letters/1806-10-13.htm>.

3. Disponível em: <www.marxists.org/reference/archive/hegel/works/pr/prstate.htm#PRa258>.

4. Georg W. F. Hegel, *The Philosophy of History*. Trad. de John Sibree. Kitchener: Batoche, 2001, p. 121.

5. Thomas Curson Hansard, *The Parliamentary Debates from the Year 1803 to the Present Time*, v. 32, pp. 71-113, 1 fev.-6 mar. 1816.

6. Francis Fukuyama, "The End of History?". *The National Interest*, verão 1989.

7. Ibid.

8. Ibid.

9. Disponível em: <www.foreignaffairs.com/articles/1990-01-01/unipolar-moment>.

10. Alan Greenspan, *The Age of Turbulence: Adventures in a New World*. Nova York: Penguin, 2007.

11. Disponível em: <www.nytimes.com/2004/10/17/magazine/faith-certainty-and-the-presidencyof-george-w-bush.html>.

12. Disponível em: <www.nytimes.com/2003/06/04/opinion/because-we-could.html?mcubz=0>.

13. Disponível em: <researchbriefings.parliament.uk/ResearchBriefing/Summary/CBP-7877#fullreport> e <www.globalsecurity.org/military/world/china/budget-table.htm>.

14. Bruce Little, "Global Imbalances: Just How Dangerous?". *Bank of Canada Quarterly Review*, p. 3, primavera 2006.

15. Anton Brender e Florence Pisani, *Global Imbalances and the Collapse of Globalised Finance*. Bruxelas: Centre for European Policy Studies, 2010, p. 2.

16. Disponível em: <www.nber.org/chapters/c3625.pdf>.

17. Michel Foucault, *The Birth of Biopolitics*. Basingstoke: Palgrave Macmillan, 2008, p. 207.

18. Wendy Brown, *Undoing the Demos: Neoliberalism's Stealth Revolution*. Nova York: Zone, 2015.

Notas

5. O colapso (pp. 99-112)

1. Piergiorgio Alessandri e Andrew Haldane, "Banking on the State". Discurso, Bank of England, nov. 2009.
2. Andrew Haldane, "Rethinking the Financial Network". Discurso, 28 abr. 2009. Disponível em: <www.bis.org/review/r090505e.pdf>.
3. Disponível em: <www.economist.com/node/16741043>.
4. Ibid.
5. William Davies, *The Limits of Neoliberalism: Authority, Sovereignty and the Logic of Competition*, ed. Kindle. Los Angeles: Sage, 2016.
6. Disponível em: <www.bankofengland.co.uk/speech/2016/redeeming-an-unforgiving-world>.
7. Disponível em: <www.bl.uk/20th-century-literature/articles/howards-end-and-the-condition-of-england>.
8. Ver Paul Mason, *Why It's Kicking off Everywhere: The New Global Revolutions* (Londres: Verso, 2012).
9. Manuel Castells, "Materials for an Exploratory Theory of the Network Society". *British Journal of Sociology*, v. 51, n. 1, pp. 5-24, jan./mar. 2000.
10. Id., *Networks of Outrage and Hope: Social Movements in the Internet Age*. Cambridge: Polity, 2012. [Ed. bras.: *Redes de indignação e esperança: Movimentos sociais na era da internet*. Rio de Janeiro: Zahar, 2013.]
11. Molly Crabapple e Laurie Penny, *Discordia*. Londres: Vintage, 2013.

6. A estrada para o Kekistão (pp. 113-37)

1. Disponível em: <www.nbc29.com/story/38204693/settlements-from-unite-the-right-05-16-2018>.
2. Disponível em: <www.axios.com/what-steve-bannon-thinks-about-charlottesville-1513304895-7ee2c933-e6d5-4692-bc20-c1db88afe970.html>.
3. Vasiliki Georgiadoua et al., "Mapping the European Far Right in the 21st Century: A Meso-Level Analysis". *Electoral Studies*, v. 54, pp. 103-15, ago. 2018.
4. Disponível em: <www.cato-unbound.org/2009/04/13/peter-thiel/education-libertarian>.
5. Disponível em: <www.thedarkenlightenment.com/the-dark-enlightenment-by-nick-land/>.
6. Disponível em: <www.bbc.co.uk/blogs/newsnight/paulmason/2009/09/g20_americas_struggle_to_adapt.html>.
7. Disponível em: <crooksandliars.com/david-neiwert/beck-goes-nuts-over-hcr-concludes-ev>.
8. Disponível em: <arstechnica.com/gaming/2014/09/new-chat-logs-show-how-4chan-users-pushed-gamergate-into-the-national-spotlight/>.

9. Disponível em: <expandedramblings.com/index.php/4chan-statistics-facts/>.

10. Disponível em: <www.forbes.com/sites/curtissilver/2018/01/09/pornhub-2017-year-in-review-insights-report-reveals-statistical-proof-we-love-porn/#345e1ae224f5>.

11. Disponível em: <knowyourmeme.com/memes/red-pill>.

12. Disponível em: <www.thedarkenlightenment.com/the-dark-enlightenment-by--nick-land/>.

13. Disponível em: <www.independent.co.uk/news/world/europe/a-day-in-the-life--of-vladimir-putin-the-dictator-in-his-labyrinth-9629796.html>.

14. Disponível em: <www.newsweek.com/dmitry-medvedevs-grand-strategic-ambitions-84943>.

15. Disponível em: <foreignpolicy.com/2011/10/11/americas-pacific-century/>.

16. Disponível em: <www.refworld.org/docid/533925b45.html>.

17. Disponível em: <www.amnesty.org/en/latest/news/2016/11/russia-four-years-of-putins-foreign-agents-law-to-shackle-and-silence-ngos/>.

18. Disponível em: <warontherocks.com/2014/07/on-not-so-new-warfare-political--warfare-vs-hybrid-threats/>.

19. Rod Thornton, "The Changing Nature of Modern Warfare". *RUSI Journal*, v. 160, n. 4, pp. 40-8, 2015.

20. Disponível em: <www.theatlantic.com/international/archive/2013/10/russias--online-comment-propaganda-army/280432/>.

21. Disponível em: <globalvoices.org/2015/04/02/analyzing-kremlin-twitter-bots/>.

22. Disponível em: <medium.com/@patrissemariecullorsbrignac/we-didn-t-start--a-movement-we-started-a-network-90f9b5717668>.

23. Joel Olson, "Whiteness and the Polarization of American Politics". *Political Research Quarterly*, v. 61, n. 4, pp. 704-18, 2008.

24. Disponível em: <rollingout.com/2018/07/04/ranking-the-most-racist-acts-of-white-people-calling-the-police-on-black-folks/>.

25. Disponível em: <en.wikipedia.org/wiki/Leigh_(UK_Parliament_constituency)#Elections_in_the_2010s>.

26. Erich Fromm, *The Working Class in Weimar Germany: A Psychological and Social Study*. Leamington Spa: Berg, 1983, p. 43.

27. Patrick S. Forscher e Nour Kteily, "A Psychological Profile of the Alt-right". *PsyArXiv*, jan. 2018.

7. Não basta ler Arendt (pp. 138-50)

1. Hannah Arendt, *The Origins of Totalitarianism*. Nova York: Meridian, 1958. [Ed. bras.: *Origens do totalitarismo*. São Paulo: Companhia das Letras, 2012, p. 526.]

2. Ibid.

3. Ibid.

Notas

4. Id., *Eichmann in Jerusalem: A Report on the Banality of Evil.* Londres: Penguin, 2006. [Ed. bras.: *Eichmann em Jerusalém: Um relato sobre a banalidade do mal.* São Paulo: Companhia das Letras, 1999, p. 62.]

5. Tzvetan Todorov, *Hope and Memory: Lessons from the 20th Century.* Princeton: Princeton University Press, 2003, pp. 6, 314.

6. Disponível em: <www.timetableimages.com/ttimages/dlh4001i.htm>.

7. Disponível em: <www.orwellfoundation.com/the-orwell-foundation/orwell/poetry/the-italian-soldier-shook-my-hand/>.

8. Disponível em: Hannah Arendt, *Essays in Understanding: 1930-1954 — Formation, Exile and Totalitarianism.* Nova York: Harcourt Brace, 1994, p. 224. [Ed. bras.: *Compreender: Formação, exílio e totalitarismo — Ensaios (1930-1954).* São Paulo: Companhia das Letras, 2008.]

9. Em Marcel van der Linden, *Western Marxism and the Soviet Union: A Survey of Critical Theories and Debates Since 1917* (Leiden: Brill, 2007), p. 73.

10. Disponível em: <sovietinfo.tripod.com/ELM-Repression_Statistics.pdf>.

11. Disponível em: <www.marxists.org/archive/rizzi/bureaucratisation/index.htm>.

12. Hannah Arendt, *The Origins of Totalitarianism*, op. cit., p. 159.

13. Ibid., p. 435.

14. Id., "Some Questions of Moral Philosophy". *Social Research*, v. 61, n. 4, inverno 1994.

15. Friedrich Nietzsche, *Complete Works.* Londres: T. N. Foulis, 1909, v. 2, p. 325.

16. Ibid., v. 16, p. 184.

17. Ibid., v. 16, p. 336.

18. Ibid., v. 7, p. 321.

19. Alasdair MacIntyre, *After Virtue: A Study in Moral Theory.* Londres: Duckworth, 1981, p. 133.

Parte III: As máquinas (pp. 151-257)

1. Søren Kierkegaard, citado em Merold Westphal, *Kierkegaard's Critique of Reason and Society* (State College, PA: Pennsylvania State University Press, 1991), p. 117.

8. A desmistificação da máquina (pp. 153-71)

1. Disponível em: <echo.mpiwg-berlin.mpg.de/ECHOdocuView?url=/mpiwg/online/permanent/archimedes/galil_mecha_070_en_1665>.

2. Drake Stillman e Israel Edward Drabkin (Orgs.), *Mechanics in Sixteenth-Century Italy: Selections from Tartaglia, Benedetti, Guido Ubaldo, and Galileo.* Madison: University of Wisconsin Press, 1969, p. 241.

3. Adam Smith, *An Enquiry into the Nature and Causes of the Wealth of Nations.* Londres: Routledge, 1776, p. 352. [Ed. bras.: *A riqueza das nações.* São Paulo: Martins Fontes, 2003.]

4. Disponível em: <www.genome.gov/27565109/the-cost-of-sequencing-a-human-genome/>.

5. Disponível em: <www.kuka.com/en-gb/industries/metal-industry>.

6. Disponível em: <www.ft.com/content/f809870c-26a1-11e7-8691-d5f7e0cd0a16>.

7. "Measuring the Internet Economy: A Contribution to the Research Agenda". OECD Digital Economy Papers, n. 226, 2013.

8. Disponível em: <www.theatlantic.com/business/archive/2018/01/amazon-mechanical-turk/551192/>.

9. Disponível em: <www.cs.virginia.edu/~robins/Turing_Paper_1936.pdf>.

10. Disponível em: <www.cs.washington.edu/events/colloquia/search/details?id =560>.

11. Alan Turing, "Computing Machinery and Intelligence". *Mind*, v. LIX, n. 236, out. 1950.

12. Matthew Cobb, *Life's Greatest Secret: The Race to Crack the Genetic Code*, ed. Kindle. Londres: Profile, 2016, p. 23.

13. Steven Nadler, *The Philosopher, the Priest, and the Painter: A Portrait of Descartes*. Princeton: Princeton University Press, 2013, p. 26.

14. Disponível em: <www.davidhume.org/texts/dnr.html>.

15. Disponível em: <archive.org/stream/TheMysteriousUniverseSirJamesJeans/The%20mysterious%20universe%20-%20Sir-James%20Jeans_djvu.txt>.

16. Konrad Zuse, *Calculating Space*. Cambridge, MA: Massachusetts Institute of Technology (Project MAC), 1970.

17. Disponível em: <cqi.inf.usi.ch/qic/wheeler.pdf>.

18. Gregory Chaitin, *Proving Darwin: Making Biology Mathematical*. Nova York: Random House, 2012, p. 17.

19. Ver, por exemplo, Cobb, *Life's Greatest Secret*, op. cit.

20. Steven Weinberg, "Is the Universe a Computer?". *The New York Review of Books*, 24 out. 2002.

21. James Gleick, *The Information: A History, a Theory, a Flood*. Londres: Vintage, 2011, p. 10. [Ed. bras.: *A informação: Uma história, uma teoria, uma enxurrada*. São Paulo: Companhia das Letras, 2013.]

22. Euan J. Squires, *The Mystery of the Quantum World*. Boca Raton: CRC, 1994.

23. Paul Forman, "Weimar Culture, Causality, and Quantum Theory: Adaptation by German Physicists and Mathematicians to a Hostile Environment". *Historical Studies in the Physical Sciences*, v. 3, pp. 1-115, 1971.

24. Norbert Wiener, *Cybernetics: Or Control and Communication in the Animal and the Machine*, ed. Kindle. Cambridge, MA: MIT Press, 1948, p. 132.

25. Disponível em: <www.pitt.edu/~jdnorton/lectures/Rotman_Summer_School_2013/thermo_computing_docs/Landauer_1961.pdf>.

26. Rolf Landauer, "The Physical Nature of Information". *Physics Letters A 217*, pp. 188-93, 1996.

Notas   377

27. Disponível em: <spectrum.ieee.org/computing/hardware/landauer-limit-de-monstrated>.

28. Disponível em: <data-economy.com/data-centres-world-will-consume-1-5-earths-power-2025/>.

29. Luciano Floridi, *The Fourth Revolution: How the Infosphere is Reshaping Human Reality*. Oxford: Oxford University Press, 2014, p. 96.

9. Por que precisamos de uma teoria dos seres humanos? (pp. 172-86)

1. Aristóteles, *Politics*, ed. Kindle. Oxford: Oxford University Press, 2009, p. 10. [Ed. bras.: *Política*. São Paulo: Edipro, 2019.]

2. Disponível em: <www.perseus.tufts.edu/hopper/text?doc=Perseus%3Atext%3A1999.01.0058%3Abook%3D1%3Asection%3D1253b>.

3. Disponível em: <www.rivm.nl/bibliotheek/digitaaldepot/20040108nature.pdf>.

4. Disponível em: <www.theguardian.com/environment/2016/aug/29/declare-an-thropocene-epoch-experts-urge-geological-congress-human-impact-earth>.

5. Benjamin Libet et al., "Time of Conscious Intention to Act in Relation to Onset of Cerebral Activities (Readiness-Potential): The Unconscious Initiation of a Freely Voluntary Act". *Brain*, v. 106, pp. 623-42, 1983.

6. Yuval Noah Harari, *Homo Deus: A Brief History of Tomorrow*. Londres: Harvill Secker, 2016, p. 329. [Ed. bras.: *Homo Deus: Uma breve história do amanhã*. São Paulo: Companhia das Letras, 2016.]

7. Andrea Lavazza, "Free Will and Neuroscience: From Explaining Freedom Away to New Ways of Operationalizing and Measuring It". *Frontiers in Human Neuroscience*, v. 10, n. 262, 2016.

8. Aaron Schurger et al., "Neural Antecedents of Spontaneous Voluntary Movement: A New Perspective". *Trends in Cognitive Science*, v. 20, n. 2, pp. 77-9, fev. 2016.

9. Disponível em: <www.psychology.emory.edu/cognition/rochat/Rochat5levels.pdf>.

10. Jean Piaget e Bärbel Inhelder, *The Growth of Logical Thinking from Childhood to Adolescence: An Essay on the Construction of Formal Operational Structures*. Nova York: Basic, 1958.

11. Richard G. Klein, "Archeology and the Evolution of Human Behavior". *Evolutionary Anthropology*, v. 9, n. 1, 2000.

12. Disponível em: <www.marxists.org/archive/marx/works/1844/manuscripts/labour.htm>.

13. Disponível em: <www.marxists.org/archive/marx/works/1844/manuscripts/comm.htm>.

14. Raya Dunayevskaya, *Marxism and Freedom: From 1776 to Today*. Londres: Pluto, 1971.

10. A máquina pensante (pp. 187-211)

1. Disponível em: <https://web.archive.org/web/20140623034804/http://classicgaming.gamespy.com/View.php?view=Articles.Detail&id=395>.
2. Disponível em: <arxiv.org/pdf/1312.5602v1.pdf>.
3. Disponível em: <www.andreykurenkov.com/writing/a-brief-history-of-neural-nets-and-deep-learning-part-4/>.
4. Disponível em: <blog.citizennet.com/blog/2012/11/10/random-forests-ensembles-and-performance-metrics>.
5. Disponível em: <www.wired.com/2016/03/two-moves-alphago-lee-sedol-redefined-future/>.
6. Disponível em: <www.newscientist.com/article/2080927-how-victory-for-googles-go-ai-is-stoking-fear-in-south-korea/>.
7. Philip K. Dick, *Do Androids Dream of Electric Sheep?* Nova York: Doubleday, 1968, p. 29. [Ed. bras.: *O caçador de androides*. Rio de Janeiro: Francisco Alves, 1989.]
8. Disponível em: <deepmind.com/blog/alphago-zero-learning-scratch/>.
9. Disponível em: <standards.ieee.org/develop/project/7000.html>.
10. Disponível em: <www.fao.org/faostat/en/#data/QC>.
11. Friedrich Nietzsche, *The Will to Power*. Nova York: Vintage, 1968, p. 962. [Ed. bras.: *A vontade de poder*. Rio de Janeiro: Contraponto, 2008.]
12. Karl Marx, "The Power of Money". *Karl Marx and Friedrich Engels Collected Works*, v. III. Nova York: International Publishers, 1975, p. 326.
13. Disponível em: <www.youtube.com/watch?v=fJ2T5FsUI6c>.
14. Disponível em: <www.theguardian.com/technology/2017/jul/25/elon-musk-mark-zuckerberg-artificial-intelligence-facebook-tesla>.
15. Disponível em: <chinacopyrightandmedia.wordpress.com/2017/07/20/a-next-generation-artificial-intelligence-development-plan/>.
16. Disponível em: <www.wired.com/story/for-superpowers-artificial-intelligence-fuels-new-global-arms-race/>.
17. Disponível em: <www.ft.com/content/856753d6-8d31-11e7-a352-e46f43c5825d>.
18. Disponível em: <www.nytimes.com/2017/09/01/opinion/artificial-intelligence-regulations-rules.html>.
19. Disponível em: <https://deepmind.com/about/ethics-and-society>.
20. Steve Omohundro, "Autonomous Technology and the Greater Human Good". *Journal of Experimental & Theoretical Artificial Intelligence*, v. 26, n. 3, pp. 303-15, 2014.
21. Eliezer Yudkowsky, "Artificial Intelligence as a Positive and Negative Factor in Global Risk". In: Nick Bostrom e Milan Circovic (Orgs.), *Global Catastrophic Risk*. Oxford: Oxford University Press, 2008, p. 308.
22. Disponível em: <articles.latimes.com/2005/sep/04/nation/na-levee4>.
23. Disponível em: <www.thenation.com/article/undone-neoliberalism/>.
24. Disponível em: <www.theguardian.com/technology/2018/mar/28/uber-arizona-secret-self-driving-program-governor-doug-ducey>.

Notas 379

11. A ofensiva anti-humanista (pp. 212-39)

1. Olaf Stapledon, *Last and First Men*, ed. Kindle. Londres: Penguin, 2011, p. 180.
2. Norbert Wiener, *The Human Use of Human Beings*. Boston: Houghton Mifflin, 1954, p. 46.
3. Julian Huxley, *New Bottles for New Wine*. Londres: Chatto & Windus, 1957, pp. 13-7.
4. Disponível em: <nickbostrom.com/papers/history.pdf>.
5. Disponível em: <www.themaven.net/transhumanistwager/transhumanism/transhumanism-is-under-siege-from-socialism-UzA2xHZiFUaGOiUFpcon5g/>.
6. George Annas et al., "Protecting the Endangered Human: Toward an International Treaty Prohibiting Cloning and Inheritable Alterations". *American Journal of Law and Medicine*, v. 28, n. 2-3, pp. 151-78, 2002.
7. Francis Fukuyama, *Our Posthuman Future: Consequences of the Biotechnology Revolution*. Nova York: Picador, 2002.
8. Michel Foucault, *The Order of Things: An Archaeology of the Human Sciences*. Londres: Routledge, 2005, p. 422.
9. Disponível em: <www.marxists.org/reference/archive/althusser/1964/marxism-humanism.htm>.
10. Disponível em: <www.marxists.org/reference/archive/althusser/1969/lenin-before-hegel.htm>.
11. Simon Clarke et al., *One-Dimensional Marxism: Althusser and the Politics of Culture*. Londres: Allison & Busby, 1980, pp. 5-102.
12. Jean Baudrillard, *The Ecstasy of Communication*. Los Angeles: Semiotext(e), 2012.
13. Rosi Braidotti, *The Posthuman*. Cambridge: Polity, 2013, p. 5.
14. Todas as citações nessa seção: <web.archive.org/web/20120214194015/> e <www.stanford.edu/dept/HPS/Haraway/CyborgManifesto.html>.
15. Disponível em: <https://ieeexplore.ieee.org/document/4065609>.
16. Humberto R. Maturana, "Communication and Representation Functions". Biol. Computer Lab. Report 267, Universidade de Illinois, Urbana, 1975.
17. Graham Harman, "On Vicarious Causation". *Collapse*, v. 2, pp. 187-221, 2007.
18. Diana Coole e Samantha Frost (Orgs.), *New Materialisms: Ontology, Agency, and Politics*. Durham: Duke University Press, 2010, p. 7.
19. Graham Harman, *Object Oriented Ontology: A New Theory of Everything*, ed. Kindle. Londres: Pelican, 2018, p. 144.
20. Disponível em: <www.drps.ed.ac.uk/14-15/dpt/cxartx11039.htm>.
21. Disponível em: <https://edinburghuniversitypress.com/series-new-materialisms.html>.
22. Diana Coole e Samantha Frost, op. cit., p. 7.
23. Bruno Latour e Steve Woolgar, *Laboratory Life: The Social Construction of Scientific Facts*. Beverly Hills: Sage, 1979. Ver também Bruno Latour e Steve Woolgar, *Laboratory Life: The Construction of Scientific Facts*, 2. ed. com pós-escrito (Princeton: Princeton University Press, 1986), p. 273.
24. Ver, por exemplo, Jane Flax, "Postmodernism and Gender Relations in Feminist Theory" (*Signs*, v. 12, n. 4: "Within and Without: Women, Gender, and Theory", pp. 621-43, verão 1987).

25. Sandra Harding, *The Science Question in Feminism*. Ithaca: Cornell University Press, 1986.
26. Bruno Latour e Steve Woolgar, *Laboratory Life: The Construction of Scientific Facts*, op. cit., p. 280.
27. Bruno Latour, "Do Scientific Objects Have a History? Pasteur and Whitehead in a Bath of Lactic Acid". *Common Knowledge*, v. 5, n. 1, primavera 1996.
28. Noretta Koertge, "Scrutinising Science Studies", em Noretta Koertge, *A House Built on Sand: Exposing Postmodernist Myths about Science*. Oxford: Oxford University Press, 1998.
29. Bruno Latour, "Why Has Critique Run Out of Steam? From Matters of Fact to Matters of Concern". *Critical Inquiry*, v. 30, n. 2, pp. 225-48, inverno 2004.
30. Katherine N. Hayles, *How We Became Posthuman: Virtual Bodies in Cybernetics, Literature, and Informatics*, ed. Kindle. Chicago: University of Chicago Press, 2010, p. 2.
31. Georg Lukács, *The Destruction of Reason*. Déli: Aakar, 2016, p. 854.
32. Erich Fromm, *The Anatomy of Human Destructiveness*. Nova York: Fawcett, 1973, p. 389.
33. Patricia MacCormack, *Posthuman Ethics: Embodiment and Cultural Theory*. Londres: Routledge, 2012, p. 144.
34. Renata D. Dossett, "The Historical Influence of Classical Islam on Western Humanistic Education". *International Journal of Social Science and Humanity*, v. 4, n. 2, mar. 2014.
35. Disponível em: <www.perseus.tufts.edu/hopper/text?doc=Perseus%3Atext%3A1 999.02.0115%3Aact%3D1#note2>.
36. Frantz Fanon, *Black Skin, White Masks*. Nova York: Grove, 1967. [Ed. bras.: *Pele negra, máscaras brancas*. Salvador: EDUFBA, 2008.]

12. A insurreição *snowflake* (pp. 240-57)

1. Virginia Woolf, *Mr. Bennett and Mrs. Brown*. Londres: Hogarth, 1924, p. 5.
2. Ibid.
3. Id., *Orlando: A Biography*. Londres: Hogarth, 1928, p. 213. [Ed. bras.: *Orlando*. São Paulo: Companhia das Letras, 2014, p. 270.]
4. Barry Wellman et al., "The Social Affordances of the Internet for Networked Individualism". *Journal of Computer-Mediated Communication*, v. 8, n. 3, 1 abr. 2003.
5. Roy F. Baumeister, "The Self", em Daniel T. Gilbert et al. (Orgs.), *The Handbook of Social Psychology*, v. 1. Boston: McGraw-Hill, 1998, pp. 680-740.
6. Margaret Wertheim, *The Pearly Gates of Cyberspace: A History of Space from Dante to the Internet*. Londres: Virago, 1999. [Ed. bras.: *Uma história do espaço de Dante à internet*. Rio de Janeiro: Zahar, 2001.]
7. Ibid.
8. Allen McConnell et al., "The Self as a Collection of Multiple Self-Aspects: Structure, Development, Operation and Implications". *Social Cognition*, v. 30, n. 4, pp. 380-95, 2012.

Notas

9. Katelyn Y. A. McKenna, Amie S. Green e Marci J. Gleason, "Relationship Formation on the Internet: What's the Big Attraction?". *Journal of Social Issues*, v. 58, pp. 9-32, 2002.
10. Disponível em: <bosworth.ff.cuni.cz/finder/3/false?page=1>.
11. Disponível em: <www.eff.org/deeplinks/2017/07/global-condemnation-turkeys--detention-innocent-digital-security-trainers>.
12. Disponível em: <medium.com/i-data/israel-gaza-war-data-a54969aeb23e>.
13. Disponível em: <mondoweiss.net/2014/07/terrifying-tweets-israeli/>.
14. Disponível em: <www.theguardian.com/uk-news/2018/mar/20/cambridge-analytica-execs-boast-of-role-in-getting-trump-elected>.
15. Disponível em: <www.theguardian.com/politics/2017/mar/04/nigel-oakes-cambridge-analytica-what-role-brexit-trump>.
16. Disponível em: <www.bloomberg.com/news/articles/2016-10-27/inside-the-trump-bunker-with-12-days-to-go>.
17. Disponível em: <www.wired.com/story/russian-facebook-ads-targeted-us-voters-before-2016-election/>.
18. Disponível em: <www.thescriptsource.net/Scripts/FightClub.pdf>.

Parte IV: Marx (pp. 259-98)

1. Raya Dunayevskaya, *Marxism and Freedom: From 1776 to Today*. Londres: Pluto, 1971, p. 22.

13. Romper o vidro (pp. 261-76)

1. Disponível em: <edition.cnn.com/2017/08/11/us/charlottesville-white-nationalists-rally-why/index.html>.
2. Disponível em: <sites.google.com/site/breivikmanifesto/2083/introduction/05>.
3. Jerome Jamin, "Cultural Marxism: A Survey". *Religion Compass*, v. 12, n. 1-2, jan./ fev. 2018.
4. Disponível em: <foreignpolicy.com/2017/08/10/heres-the-memo-that-blew-up--the-nsc/>.
5. Disponível em: <www.marxists.org/archive/marx/works/1844/manuscripts/labour.htm>.
6. Disponível em: <www.spiegel.de/international/zeitgeist/is-the-lion-man-a-woman-solving-the-mystery-of-a-35-000-year-old-statue-a-802415.html>.
7. Disponível em: <www.loewenmensch.de/index.html>.
8. Disponível em: <blog.britishmuseum.org/the-lion-man-an-ice-age-masterpiece/>.
9. Natalie Thaïs Uomini e Georg Friedrich Meyer, "Shared Brain Lateralization Patterns in Language and Acheulean Stone Tool Production: A Functional Transcranial Doppler Ultrasound Study". *PLoS ONE*, v. 8, n. 8, 2013.

10. Michael Tomasello, *A Natural History of Human Thinking*, ed. Kindle. Cambridge, MA: Harvard University Press, 2014.
11. Disponível em: <www.marxists.org/reference/archive/feuerbach/works/essence/ec15.htm>.
12. Michael Tomasello, op. cit., p. 154.
13. Alasdair MacIntyre, "Breaking the Chains of Reason", em Alasdair MacIntyre, *After Virtue: A Study in Moral Theory*. Londres: Duckworth, 1981, p. 143.
14. Antonio Gilman, "Explaining the Upper Paleolithic Revolution", em Matthew Spriggs (Org.), *Marxist Perspectives in Anthropology*. Cambridge: Cambridge University Press, 1984.
15. Christopher Boehm, *Hierarchy in the Forest: The Evolution of Egalitarian Behavior*. Cambridge, MA: Harvard University Press, 1999.
16. Disponível em: <artdaily.com/news/22531/The-Guennol-Lioness-Sells-For-57-2-Million#.W8OSfS-ZNBw>.
17. Edith Porada, "A Leonine Figure of the Protoliterate Period of Mesopotamia". *Journal of the American Oriental Society*, v. 70, n. 4, pp. 223-6, out./dez. 1950.
18. Disponível em: <www.marxists.org/archive/marx/works/1845/holy-family/cho6_2.htm>.
19. Disponível em: <www.marxists.org/archive/marx/works/1844/manuscripts/comm.htm>.
20. Yuval Noah Harari, *Homo Deus: A Brief History of Tomorrow*. Londres: Harvill Secker, 2016, p. 457. [Ed. bras.: *Homo Deus: Uma breve história do amanhã*. São Paulo: Companhia das Letras, 2016.]

14. O que resta do marxismo? (pp. 277-98)

1. Disponível em: <www.marxists.org/archive/marx/works/1845/theses/theses.htm>.
2. Disponível em: <www.marxists.org/subject/marxmyths/hal-draper/article2.htm>.
3. Disponível em: <www.marxists.org/archive/marx/works/1845/holy-family/cho4.htm>.
4. Karl Marx, *Capital*, v. 1. Londres: Lawrence & Wishart, 1974, pp. 171-2. [Ed. bras.: *O capital*, livro 1. São Paulo: Boitempo, 2011.]
5. Disponível em: <endofcapitalism.com/2013/05/29/a-feminist-critique-of-marx-by--silvia-federici/>.
6. Paul Mason, *Live Working or Die Fighting*. Londres: Vintage, 2007.
7. Disponível em: <https://www.marxists.org/archive/marx/works/1877/anti-duhring/cho7.htm>.
8. Disponível em: <www.marxists.org/archive/trotsky/1938/morals/morals.htm>.
9. André Gorz, *Critique of Economic Reason*. Londres: Verso, 1989, p. 8.

Notas 383

10. Disponível em: <operaismoinenglish.files.wordpress.com/2013/06/factory-and-society.pdf>.

11. Ver Paul Mason, *Postcapitalism: A Guide to Our Future* (Londres: Penguin, 2015). [Ed. bras.: *Pós-capitalismo: Um guia para o nosso futuro*. São Paulo: Companhia das Letras, 2017.]

12. Disponível em: <thenewobjectivity.com/pdf/marx.pdf>.

13. Ver, por exemplo, Frederick Harry Pitts, *Critiquing Capitalism Today: New Ways to Read Marx* (Basingstoke: Palgrave Macmillan, 2018).

14. Disponível em: <www.marxists.org/archive/marx/works/1859/critique-pol-economy/preface.htm>.

15. Johannes, Kepler, *On the Six-Cornered Snowflake: A New Year's Gift*. Frankfurt: [s.n.], 1611.

16. Arran Gare, "Aleksandr Bogdanov and Systems Theory". *Democracy and Nature*, v. 6, p. 3, 2000.

17. Disponível em: <www.marxists.org/archive/marx/works/1844/manuscripts/comm.htm>.

18. Disponível em: <www.marxists.org/archive/marx/works/1894-c3/ch46.htm>.

19. Karl Marx, *Capital*, op. cit.

20. Edward Palmer Thompson, *The Poverty of Theory and Other Essays*. Londres: Merlin, 1988, p. 188.

Parte V: Alguns reflexos (pp. 299-365)

1. Alasdair MacIntyre, "The Algebra of the Revolution" (1958), em Paul Blackledge e Neil Davidson (Orgs.), *Alasdair MacIntyre's Engagement with Marxism*. Chicago: Haymarket, 2009, p. 44.

15. Des-cancelar o futuro (pp. 303-13)

1. Mark Fisher, *Ghosts of My Life*. Winchester: Zero, 2013, p. 49.

2. Disponível em: <www.theguardian.com/commentisfree/2016/apr/24/the-new-feudalism-silicon-valley-overlords-advertising-necessary-evil>.

16. Reagir ao perigo (pp. 314-23)

1. George Orwell, *The Orwell Diaries*. Londres: Penguin, 2018.

2. Ibid.

3. John Kelly, *Never Surrender: Winston Churchill and Britain's Decision to Fight Nazi Germany in the Fateful Summer of 1940*. Londres: Simon & Schuster, 2015, p. 251.

4. Disponível em: <www.rightwingwatch.org/post/roy-moore-boasts-of-endorse-ments-from-neo-confederate-secessionist-activist-who-says-its-ok-to-murder-abor-tion-providers/>.

5. Disponível em: <www.liberation.fr/france/2014/02/06/le-6-fevrier-1934-un-my-the-fondateur-de-l-extreme-droite_978118>.

17. Recusar o controle da máquina (pp. 324-35)

1. Karl Jaspers, "The Axial Age of Human History: A Base for the Unity of Mankind". *Commentary*, 1 nov. 1948.

2. David Graeber, *Debt: The First 5,000 Years*. Nova York: Melville House, 2011. [Ed. bras.: *Dívida: Os primeiros 5.000 anos*. São Paulo: Três Estrelas, 2016.]

3. Disponível em: <www.youtube.com/channel/UCOD6iz-vlytlhJDKje5zNPw>.

4. James Bridle, "Something Is Wrong on the Internet". *Medium*, 6 nov. 2017.

5. Disponível em: <tcta.org/node/13251-issues_with_test_based_value_added_ mo-dels_of_teacher_assessment>.

6. Disponível em: <www.ted.com/playlists/171/the_most_popular_talks_of_all>.

7. Disponível em: <moneysavingexpert.com/students/repay-post-2012-student-loan/>.

8. "Policymakers Around the World Are Embracing Behavioural Science". *Economist*, 18 maio 2017.

9. Disponível em: <38r8om2xjhhl25mw24492dir.wpengine.netdna-cdn.com/wp-con-tent/uploads/2017/03/Encouraging_people_into_university.pdf>.

18. Rejeitar as ideias de Xi Jinping (pp. 336-44)

1. Disponível em: <www.wsj.com/articles/america-first-doesnt-mean-america-alone-1496187426>.

2. Disponível em: <rukor.org/seven-deadly-sins-in-todays-china/>.

3. Gang Qian, "Reading Chinese Politics in 2014". China Media Project, 30 dez. 2014.

4. Zhao Suisheng, "The Ideological Campaign in Xi's China Rebuilding Regime Legitimacy". *Asian Survey*, v. 56, n. 6, pp. 1168-93, nov. 2016.

5. Disponível em: <uk.reuters.com/article/uk-china-politics/chinas-xi-says-study-ca-pitalism-but-marxism-remains-top-idUKKCN1C5034>.

6. Disponível em: <publishing.cdlib.org/ucpressebooks/view?docId=ft0489n683& chunk.id=d0e177&toc.depth=1&toc.id=d0e177&brand=ucpress>.

7. Disponível em: <cpcchina.chinadaily.com.cn/2010-10/20/content_13918219.htm>.

8. Disponível em: <www.wired.co.uk/article/chinese-government-social-credit-score--privacy-invasion>.

Notas

19. Jamais ceder (pp. 345-56)

1. Louise Michel, *Red Virgin: Memoirs of Louise Michel*. Tuscaloosa: University of Alabama Press, 2003, p. 112.
2. Alain Saussol, *L'Héritage: Essai sur le problème foncier mélanésien en Nouvelle-Calédonie*. Paris: Société des Océanistes, 1979.
3. Albert Boime, *Art in an Age of Civil Struggle, 1848-1871*. Chicago: University of Chicago Press, 2008.
4. Disponível em: <www.marxists.org/archive/marx/works/1871/civil-war-france/ch05.htm>.
5. Ver, por exemplo, Robert Tombs, "Warriors and Killers: Women and Violence During the Paris Commune 1871", em Robert Aldrich e Martyn Lyons (Orgs.), *The Sphinx in the Tuileries and Other Essays in Modern French History* (Sydney: Department of Economic History/University of Sydney, 1999), pp. 169-82.

20. Viver a vida antifascista (pp. 357-65)

1. Michel Foucault, "Introduction", em Gilles Deleuze e Félix Guattari, *Anti-Oedipus*. Minneapolis: University of Minnesota Press, 1983, p. xiii. [Ed. bras.: "*Anti-Édipo*: Uma introdução à vida não fascista", em Carlos Henrique de Escobar (Org.), *Dossier Deleuze*. Rio de Janeiro: Hólon, 1991.]
2. Michel Foucault, "The Ethics of Care of the Self as Practice of Freedom", em James Bernauer e David Rasmussen (Orgs.), *The Final Foucault*. Cambridge, MA: MIT Press, 1987.
3. George Orwell, *Homage to Catalonia*. Londres: Secker & Warburg, 1938, p. 1.
4. Disponível em: <orwell.ru/library/essays/Spanish_War/english/esw_1>.
5. Disponível em: <eljanoandaluz.blogspot.com/2017/10/voluntarios-internaciona-les-en-las.html>.
6. Disponível em: <www.marxists.org/history/etol/revhist/backiss/vol5/no4/casciola4.html>.
7. Disponível em: <www.orwellfoundation.com/the-orwell-foundation/orwell/poe-try/the-talian-soldier-shook-my-hand/>.
8. Disponível em: <www.slate.com/articles/news_and_politics/fascism/2017/01/how_italian_fascists_succeeded_in_taking_over_italy.html>.
9. Edward Palmer Thompson, "Eighteenth-Century English Society: Class Struggle without Class?". *Social History*, v. 3, n. 2, pp. 133-65, maio 1978.
10. Disponível em: <www.redpepper.org.uk/we-are-the-crisis-of-capital/>.
11. Alasdair MacIntyre, "The Algebra of the Revolution" (1958), em Paul Blackledge e Neil Davidson (Orgs.), *Alasdair MacIntyre's Engagement with Marxism*. Chicago: Haymarket, 2009.

Índice remissivo

2001: Uma odisseia no espaço (Arthur C. Clarke), 218

Acordo de Paris sobre mudanças climáticas, 38
Adelson, Sheldon, 45, 46
Adorno, Theodor, 134, 297
Afeganistão, 89, 90
agência humana: ataques da esquerda à, 34, 216-7, 220-4, 298; crença cada vez maior no destino e não na liberdade, 176-9; dano causado pelo neoliberalismo, 18-9, 28-9, 32-3, 38-9, 59-60, 67-8, 71-4, 81-2, 137; desamparo filosófico, 34, 176; e a metáfora dos zumbis, 30-1, 33, 175, 224; e a nova metafísica da ciência, 169-71; e o relativismo pós-moderno, 220-4, 229-30, 298; *ver também* humanismo; humanidade, conceito de
agricultura, 72, 270-1, 272, 295, 301, 326
Airbnb, 95
al-Assad, Bashar, 28, 277
Alemanha, 26, 72, 103, 263, 320; era nazista, 140-2, 143, 144-5, 146, 148, 149, 235, 315, 318, 319-20; era Weimar, 166, 235; tradição reacionária de Nietzsche, 120-1, 147-50, 198, 199-200, 202, 217, 234
algoritmos, 17, 328-9; ascensão da internet móvel, 247; controle de opinião por, 17, 33, 58, 203, 237-8, 251-2, 289; controle de seres humanos por, 17-8, 29, 202-3, 207-9, 218-9, 237-8, 247-8, 275-6, 289, 292, 308-9, 327, 328-30; e o humanismo islâmico, 238; em aeroportos, 328; em programas estilo basic, 188; falta de inspeção e responsabilização, 29, 308, 310, 328-30; reprodução espontânea de preconceito humano, 329; sigilo dos gigantes da tecnologia sobre, 17, 59, 308, 310; Sistema de Crédito Social na China, 344; submissão pós-humanista a, 237; "violência infraestrutural" de Bridle, 329

Alibaba, 105, 155, 206, 289
AlphaGo, programa, 190, 192-3, 200, 208
Althusser, Louis, 222-3
alt-right: 4chan, 114, 118, 121, 135; anti-humanismo como parte central, 19, 115, 256; ataque à razão e à ciência, 25-7, 32, 33, 123, 233, 275; destruição/caos como objetivo da, 32, 38, 49, 50, 51-2, 53, 146-7; desumanização de adversários, 135-6; direitos de homens e mulheres, 118, 120; e #blm, 131-2; e "ciência racial", 131, 132; e a campanha eleitoral de Trump, 251-2; e as teorias de Nietzsche, 148-50; e Charlottesville, 113-4, 261; estudo com base em provas da, 135-6; evolução para o fascismo, 51-2, 113-5, 134-6; #Gamergate, 118-9; Guerra Civil Americana 2.0, 51, 117, 315; improbabilidade de desaparecer, 60; Kekistão, meme, 114-5, 135, 316; misoginia da, 118, 119-22, 123-4; "rebelião beta", 120-4; RedPill, fórum, 121, 123; teoria da Quarta Virada, 50-1; tese da hierarquia biológica, 19, 55-6, 98, 115-24, 132, 135-6, 149-50, 171, 202, 234-5
Amazon, 105, 155, 156, 206, 289
ambientalismo, 35, 97
American Renaissance, site, 132
analistas quantitativos, 49
androides, 217-8, 219
antissemitismo, 27-8, 98, 122, 124, 143, 319, 321
antropologia, 35, 269, 270, 325
Apple, 105, 187-8
Arábia Saudita, 39, 107
Arendt, Hannah, 35, 122, 138-43, 144-50, 316; acesso à história, 55, 139-41; *Origens do totalitarismo*, 144-5; sobre aliança temporária entre ralé e elite, 41, 54-5, 135, 139-40, 145-7, 251
Argentina, falência, 90

Aristóteles: ética da virtude, 198, 200, 203-4, 210-1, 217-8; homem como "animal político", 172-3, 174, 176; *Política*, 172-3; redescoberta islâmica dos escritos de, 238; sobre tecnologia e distinções de classe, 173, 193, 210, 276, 287, 304; télos (propósito), 172-3, 182, 277-8; "vida boa" imaginada por, 148, 172-3, 198, 200, 217-8, 304, 326, 343
Arthur Andersen, 84
Asimov, Isaac, 205
Astley Green Colliery, 63
astronomia, 160-1
ataques terroristas do Onze de Setembro de 2001, 89-90
ateísmo, 263, 265, 269
ativistas de direitos humanos, 118, 120
Áustria, 28, 115, 133, 318, 358
automação: e Marx, 276, 280-1, 290-2; e o cultivo de maçãs, 195-6, 197, 200-1, 203; efeitos sobre o capitalismo de hoje, 276, 288-9, 304, 306-7; na história, 17-8, 191-2; *ver também* inteligência artificial
autoritarismo de direita: aliança com fascistas tecnologicamente alfabetizados, 33, 51-2, 114-5; ataque à possibilidade da verdade, 32, 33, 38, 43, 52, 275; bolhas de controle da informação pela elite, 248-52; cooperação e apoio global, 28-9, 38-9, 56-60, 127-8, 238; crença em hierarquia biológica, 19, 55-6, 98, 115-24, 132, 135-6, 149-50, 171, 202, 234-5; desejo de controle da máquina, 18-9, 33, 59-60, 150, 184-5, 208-9, 275, 309; e a solidão, 138-9; e o Estado de direito, 33, 37, 112, 185, 316, 319; e o rótulo "classe operária branca", 25, 52-3; empenho em destruir a União Europeia, 51; fake news, 32, 43, 52, 128-9, 138-9, 171, 248; hostilidade à ciência, à lógica e à racionalidade, 25-7, 32, 33, 123, 233, 275; influência russa nos Estados Unidos, 56-8, 205-6, 248, 251, 253; militantes extremistas contra o aborto, 42, 317; na ofensiva em todos os continentes, 26, 28, 115; reordenação do mundo para se encaixar em teorias, 54-5; resistência a *ver* projeto de humanismo radical (insurreição *snowflake*); resposta a movimentos de protesto conectados em rede, 248-54;

rótulo de "populismo autoritário", 27; vínculos Putin-Trump, 28, 38, 56-9, 127

Bahrein, 107
Banco Central Europeu, 111
Banco da Inglaterra, 103, 104
Bangladesh, 362
Bannon, Steve, 45, 48, 50-2, 54, 113, 262, 317, 347
Barcelona, 351-3, 360
BASIC (programa de computador), 188
Baudrillard, Jean, 34, 223
BBC, 90, 250
Beck, Glenn, 117
Becker, Gary, 94
Ben Ali, Zine El Abidine, 107, 110
Berardi, Franco, 304
Bergson, Henri, 228, 229, 235
Berlim, 85-6
Beyoncé, 48
biotecnologia, 31, 194, 212-6, 236, 341
bitcoin, 102, 154, 309
Blackberry, 241
#BlackLivesMatter, movimento, 48, 129-32
Blade Runner (filme, 1982), 191-2, 217-8, 225
Bogdanov, Aleksander, 294
Bohr, Niels, 164
bolha das empresas ponto com (1999-2001), 80-1, 83-4
Bolsonaro, Jair, 12, 14, 26
Boltanski, Luc, 78
Bondi Beach, Austrália, 364
Bostrom, Nick, Declaração Transumanista (1998), 213
Braidotti, Rosi, 224, 233
Brasil, 11, 13, 14, 26, 33, 72-3, 76, 111, 362; favelas do, 72-3, 74, 76-7
Breakout (videogame), 187-8, 189
Breitbart News, 45, 50, 52, 119, 123, 135, 139, 347
Breivik, Anders, 262
Brender, Anton, 93
Brexit, 27, 37, 53, 115, 133, 254-5, 315; e o colapso do neoliberalismo, 64-5, 99, 103; fraude e manipulação do referendo, 127, 316; lixo jornalístico sobre "classe operária branca", 52-3; "neoliberalismo nacional", 103
Bridle, James, 329
Brigadas Vermelhas, 358

Brighouse, Harold, *Lonesome-Like*, 240
Brown, Michael, 129
Brown, Wendy, 96
budismo, 174, 325
Burnham, James, 144-5
busca de renda, 66, 308, 309, 310, 311
Bush, George H. W., 100
Bush, George W., 209
Bush, Jeb, 40

Caillebotte, Gustave, *Rua de Paris, dia chuvoso* (1877), 349
Calvin Klein, 303, 305
Cambridge Analytica, 33, 52, 58, 248, 251-3
campanha pela independência escocesa (2014), 351, 352-3
canaca, povo da Melanésia, 345-6, 355-6
capitalismo: "anarcototalitarismo" de Koch, 49-50; batalha pela sobrevivência do, no século xxi, 289; choque com o progresso tecnológico, 194, 280-1, 290-2, 298, 306-9; 330; classe operária industrial, 153-4, 234-5, 243, 273-4, 278-80, 284-6, 287-9, 361-2, 363; comercialização da cultura, do sexo e do lazer, 95; como sistema adaptativo, 119, 291, 306; dinheiro como fetiche, 273; e a ideologia utilitarista, 197; efeitos únicos da tecnologia da informação, 194, 306-9; 330; fraqueza sistêmica do, nos Estados Unidos, 57-8; imaginar o fim do, 304; indivíduo conectado em rede e a derrubada do, 288-90, 362-3; mercado "retrô", 303, 305; mudança climática como limite absoluto para, 295-7, 306; mudança para busca de renda, 308-9; perda da capacidade de adaptação, 306; visão de Marx do, 278, 280-2, 285-6, 290-2, 295; *ver também* capitalismo financeiro; economia de mercado; neoliberalismo
capitalismo de Estado, era do (1945-79), 73-4, 104-5; destruição neoliberal da, 65-8, 69, 220, 223-4; "estímulo fiscal" durante, 101; modernismo e, 223-4; mulheres na força de trabalho, 282-3; nostalgia da, 63, 73-4; renda desestimulada na, 66
capitalismo financeiro: bolha das empresas ponto com (1999-2001), 80-1, 83-4; colapso do

LTCM, 80; crise do Japão (1990), 79-80; crise financeira asiática (1997), 80, 89; crise russa (1997-8), 80, 89; e a flexibilização quantitativa, 101-2, 109; e o "neoliberalismo nacional", 47; e Robert Mercer, 48-9, 52; imposição global do neoliberalismo, 70-2, 351; mercado de derivativos, 78-9, 80; sigilo sistêmico do, 57-9; suposição de que "complexidade é igual a segurança", 100, 209; vasta expansão do crédito (anos 1990), 78-81, 82-3
Castells, Manuel, 109-10
Catalunha, 316, 351-4
censura, 107, 108, 205, 248-50, 253
Cervantes, Miguel, *Dom Quixote*, 191
Chaitin, Gregory, 163
Channel 4 News, 250
Charlottesville, incidente em (11-12 de agosto de 2017), 32, 113-4, 261
Chen Duxiu, 342
Chiapello, Ève, 78
China: "constitucionalismo"/"direitos universais" de Hu, 340; "corrupção conivente" na, 338; decolagem econômica na, 103, 305-6; dinastia Qing, 342; dinastia Zhou, 325; diretriz "Documento 9" (2013), 340; e a hipótese do feudalismo digital, 305-6; e a política externa americana Onze de Setembro, 92; e o meio ambiente, 295; e o movimento de pivô de Obama em direção à Ásia, 126, 341; escândalo do leite em pó para bebês, 210; estratégia em inteligência artificial, 204-6; guerra comercial de Trump com a, 38; ideologia confucionista, 32, 185, 262, 341-2, 343; "Iniciativa Um Cinturão, Uma Rota" de Xi, 339, 341; levantes nos anos 1920, 286; lutas que virão, 362; "marxismo" na, 32, 183, 262, 285, 286, 293, 336-44; mercantilização da, 74-5, 336, 337-8, 343; Movimento Quatro de Maio (1919), 342; o verdadeiro marxismo de Chen Duxiu, 342; reação contra o humanismo na, 19, 341-4; revolta da praça Tiananmen (1989), 74, 338, 342-3; revolução comunista, 285; Sistema de Crédito Social, 344; vigilância e controle digital, 28, 185, 202, 204, 205, 340-1, 343-4; Xi assume poder total, 28, 293, 336

Churchill, Winston, 316
cibernética, 167-8, 169-70, 213, 226-7
cidadania, 18; na Atenas antiga, 85, 173
ciência cognitiva, 35, 160, 213, 267-8
ciência evolutiva, 161, 219, 267-8, 269, 274, 298
ciências biológicas, 159, 161, 179-82, 226, 265, 298
Cingapura, 116
Clarke, Arthur C., 218
Clarke, Simon, 223
"classe operária branca", 25, 52-3
cleptocratas, 18, 109, 117, 290; ataques ao estado de direito/democracia pelos, 112, 141, 185, 238, 316-7; "banalidade do mal" de Arendt, 139; e a mentira descarada, 43; na ofensiva em todos os continentes, 26, 28-9
Clinton, Hillary, 37, 40, 44-5, 56-7, 253, 318; "America's Pacific Century" (2011), 126
clonagem humana, 215
Clube da luta (filme, 1999), 254-5
Cobb, Matthew, 159
cocaína, 74, 76-7
colonialismo, 145-6, 149, 288, 291, 346-7, 355
Comuna de Paris (1871), 279-80, 345-6, 348-50, 354
comunismo, 183, 265, 274, 281, 283, 284, 286, 288
Confúcio, 32, 185, 262, 325, 326, 341, 342, 343
conservadorismo nos Estados Unidos: "anarcototalitarismo" de Koch, 49-50; caos como estratégia de Trump, 38, 49, 50, 51-2; coalizão de interesses em apoio a Trump, 44-55; e ausência de contato com a modernidade global, 52-3; espaço mental partilhado com o fascismo, 32-3, 43-4, 51-2, 114-5, 134-6, 316-7, 319, 320; fratura do consenso político depois da crise de 2008, 47, 54-6, 115-6; movimento Tea Party, 40, 41-2, 44, 45, 117, 320; neoconservadores do tempo do Iraque, 90-1, 92, 97-8, 148; "neoliberalismo nacional", 47, 55, 103; onda populista de Trump, 40-4, 52-5; Partido Republicano, 39-46, 131-2, 135-6, 317, 320, 359; racialização da política tradicional, 130-2, 317; teoria da Quarta Virada, 50-1; Trump traz pessoas não boas, 42, 52; ver também alt-right

contrarrevoluções, 277, 354-5
Conway, Kellyanne, 45
Corbyn, Jeremy, 321-2, 351
Coreia do Norte, 38
Coreia do Sul, 126
crédito e empréstimo: cultura neoliberal do, 74, 76-7, 78-84, 99-100, 103-4; desequilíbrio global, 93; e socorro do Estado, 79, 80, 99-100; histeria do dinheiro barato do Federal Reserve (2003-8), 83-4, 90, 93-5
criptomoedas, 102, 117, 154, 309
crise financeira asiática (1997), 80, 89
crise financeira global (a partir de 2007-8): apoio estatal a empresas privadas, 100-3; bolha da securitização, 81; consequências para política/economia globais, 27-8, 37, 47, 54-6, 59, 100-12, 115-24, 133-4; desequilíbrio global na preparação para, 93; e a crise do conservadorismo tradicional, 41, 47, 115-24; e a crise do sujeito neoliberal, 97-103, 105; e a fratura do consenso político americano, 47, 54-5; histeria do dinheiro barato do Federal Reserve (2003-8), 80-1, 83-4, 90, 92-3; leva o fascismo para a política eleitoral, 133-4; pessoas comuns pagam pela, 41, 101-3, 105-6, 108-9; políticas de austeridade (a partir de 2010), 101, 105, 108-9, 110-1; raízes da, 58, 84, 93-4, 103-4; recuperação nos Estados Unidos, 48; socorro dos bancos, 41, 99-101, 102-3
cristianismo, 59, 176, 297-8; batalha com a ciência, 160-1, 165-6; e Aristóteles, 173-4, 198; e Marx, 181-2, 263, 264-5, 269; evangélico, 40, 42, 119; "natureza humana" como imutável, 173-4; no Império Romano, 324-7, 334; "revolução" do século IV, 324-7
Cruz, Ted, 44-5, 47
cultivo de maçãs, 195-7, 200-1, 203

Daily Stormer (site neofascista), 261, 347
Darwin, Charles, 161, 267
Davies, William, 103
Debussy, Claude, 255-6
Declaração Transumanista, 213-5
Deep Blue (computador ibm), 190
DeepMind Technologies, 187-8, 190, 192, 194, 206, 208, 211

Del Monte, Guidobaldo, 153

democracia: apoio minguante à, 59-60; Arendt sobre infiltração fascista, 139; cidade-Estado ateniense, 172-4; dano neoliberal à, 39, 67-8, 137; direita autoritária como ameaça à, 25-9, 32-3, 58-9, 115-7, 123, 133-4, 135-7, 316; e a demografia mundial, 31-2; enfraquecida pelas forças de mercado, 18-9, 29, 32, 58; influência das plataformas de tecnologia nos eleitorados, 58-9; manipulação de eleições, 28, 33, 58, 238; monopólio estatal da força armada, 319-20; tolerância com a violência fascista localizada, 319-20, 354; votação pela independência catalã, 316, 351-3; *ver também* política eleitoral

Deng Xiaoping, 336, 343

Descartes, René, 160

DeVos, Betsy, 46

Dick, Philip K., *Androides sonham com ovelhas elétricas?*, 191

dinâmica de classes: Aristóteles sobre tecnologia, 173, 193, 210, 276, 287, 304; ausente na teoria de Arendt, 145-8, 150; classe operária antifascista na Itália, 361-2; classe operária industrial, 153-4, 234-5, 243, 273-4, 278-80, 284-9, 361-3; "ditadura do proletariado", 279; e a Nova Esquerda nos anos 1960, 225; e Nietzsche, 147-9; e o progresso tecnológico, 272-3, 278, 280-1, 290-2; e o relativismo pós-moderno, 221, 223; e superávit nas primeiras civilizações, 271; elites e classes médias de mercados emergentes, 105-6, 309; em novos países industriais, 285; "Grande Inquietação" no período pré-Primeira Guerra Mundial, 240-1; mito da "classe operária branca", 25-6, 52-3; moralidade da classe operária, 257, 286-8; nas cidades da Mesopotâmia, 272; origens do fascismo e do stalinismo, 144-6, 150; teoria de Marx da, 278-80, 284-6, 288

Diocleciano, imperador, 324, 334

direitos das mulheres: emancipação das mulheres (a partir dos anos 1960), 119-20, 282-4; erros de Marx sobre, 281-4; humanismo e os, 238-9; misoginia da direita autoritária, 19, 25-6, 28, 40, 42, 115, 118-24,

283; opressão reproduzida em todas as formas de Estado, 283-4; participação feminina na força de trabalho, 119-20; "rebelião beta" contra, 120-4; trabalho reprodutivo, 282-3; *ver também* misoginia

direitos humanos universais: apoio minguante aos, 59; como "naturais" no liberalismo clássico, 215; como inalienáveis, 29, 238; Conselho de Direitos Humanos da onu, 32; Declaração Universal dos Direitos Humanos (1949), 31; e o relativismo pós-moderno, 221-4; oposição da direita autoritária aos, 19, 26, 29, 32, 40, 123-4, 135-6, 146

Dmitrieff, Elisabeth, 349

Dubai, 116

Dubois, W. E. B., 130

Duke, David, 113

Dunayevskaya, Raya, 183, 259, 297

eBay, 156

economia: como "religião" de forças de mercado, 18, 20, 276; "crescimento compensatório" no hemisfério Norte, 339; e a explosão creditícia neoliberal, 79; efeito "custo marginal zero" da informação, 155-6; era do "complexo militar-cunhagem-escravo" de Graeber, 325-6; *Homo economicus*, 94-5, 97; ilusão de que "complexidade é igual a segurança", 100, 209-10; keynesiana, 101; "paternalismo libertário" do "empurrão", 332-4; política monetária, 68-9; "teoria do valor-trabalho", 153-4, 157, 280-1, 290-1; terra, trabalho e capital, 65-9, 74-5; todos os sistemas são temporários, 66; valor de uso e valor de troca, 157; *ver também* capitalismo financeiro; economia global; economia de mercado; neoliberalismo; capitalismo de Estado, era do (1945-79)

economia comportamental, 331-4

economia de mercado: dominação das finanças, 47; ética de Nietzsche e, 202-3; conceito liberal de "livre-arbítrio" e, 184; "empregos de merda" de Graeber, 307; fatalismo como religião popular, 176-9, 184-5, 223, 302; "fim da história" no começo dos anos 1990, 27, 86-8; fraquezas sistêmicas do capitalismo americano, 57-8; mecanismos de defesa contra a tecnologia da informação, 307-9; mercantilização de antigos países comunistas, 74-5; monocultura política nos Estados Unidos, 40, 56; sigilo financeiro sistêmico, 57-8; sujeição dos seres humanos à, 18, 20, 29, 32, 235-6, 276; *ver também* neoliberalismo

economia global: aumento da força de trabalho global, 74-5, 103-4; "recuperação de crescimento" no sul global (2000-10), 103-4; dominada por monopólios, 105, 253, 307-10, 312, 330-2; estagnação no mundo desenvolvido, 105-6; monopólios tecnológicos, 40, 66-7, 105, 253, 307-8, 330; motores do crescimento (1980-2000), 103; *ver também* crise financeira global (a partir de 2007-8); globalização

efeitos de rede, 307-8

Egito, 107, 108, 111

Eichmann, Adolf, 139

Einstein, Albert, 162, 164, 169

Elder Scrolls Online, The, jogo, 244

elisão e evasão fiscal, 26, 48-9, 50, 57-8, 72

empirismo, 233

empresas de tecnologia, 40, 45, 59, 67, 83, 185, 330; busca de renda por, 308-10; captura de propriedade intelectual, 154, 206, 291-2, 306-8; cultura anti-hierárquica, 78; dependência para com o indivíduo conectado em rede, 289; e a inteligência russa, 57-8, 248, 251; hipótese do feudalismo digital, 305-6; necessidade de destruir monopólios, 310; negócios de inteligência artificial nos Estados Unidos, 205-6; respostas a efeitos de rede, 308-9

Engels, Friedrich, 281, 293-4, 295

Enigma, código, 158

epistemologia, 228, 231

Equitable Life, 84

Era Axial, 298, 325-6

Erdoğan, Recep Tayyip, 43, 59, 249

Escola de Frankfurt, 261-2

Espanha, 70, 108, 146, 353-4; conquistadores, 278; en Comú na, 321-2; partido Podemos, 321-2, 351; violenta supressão do movimento catalão, 316, 351-2, 354

Espinosa, Baruch, 161

Estados Unidos da América: abordagem do contrato social do pós-guerra, 201; Arendt vê como imune ao totalitarismo, 142, 147, 150; Arizona, 41, 210, 359; conspiração do "marxismo cultural", 261-2; crise do Bleeding Kansas (anos 1850), 51; estratégia de inteligência artificial, 205; fratura do consenso político depois da crise de 2008, 47, 54-6, 115-6; Guerra Civil, 60; individualismo protestante utilitário, 142, 147; judiciário politizado, 319; milícias armadas da alt-right, 319; monocultura política na era pré-Trump, 40, 56; movimento comunitarista, 199; onda de ocupações estudantis (2009), 107; ordens executivas de Trump barrando muçulmanos, 316; Phoenix, Arizona, 210; Portland, Oregon, 26, 304; privação generalizada de direitos do eleitor, 129-30; programa tarp, 99-100; protesto Occupy Wall Street, 108; racialização republicana da política tradicional, 130-2, 317; sistema de apartheid Jim Crow, 130; solidão nos, 138-9; supremacistas brancos no Arizona, 359; *ver também* conservadorismo nos Estados Unidos; Trump, Donald

ética e moralidade: alterações técnicas do *Homo sapiens*, 214-6, 219; "cuidar de si" de Foucault, 358; e a classe operária do século xx, 257, 286-8; e Nietzsche, 120-1, 147-50, 198, 199-200, 202, 234; e o desenvolvimento da inteligência artificial, 193-6, 198-211, 217-9, 236; ética da virtude de Aristóteles, 198, 200, 203-4, 210-1, 217-8; ética da virtude de Foucault, 357-9, 361; forma pós-humanista de, 236-8; "justiça social" rawlsiana, 197, 199, 201, 203; marginalização de, na era do livre mercado, 18, 97-8, 121, 147-8, 257; pensamento da elite no período de 2001, 92, 97-8; questões levantadas na ficção científica, 217-9, 225-6; rejeição marxista da filosofia moral, 286-8, 298; significado da palavra "melhor", 195-6; sistemas éticos, 196-203, 217-8; utilitarismo, 197, 199-201, 217

Etzioni, Oren, 205-6

eu neoliberal, 77; consumo como atividade de autoaceitação, 77, 81, 88, 93; crise do, 65, 84, 97-8, 99-103, 105, 106-12, 241-3; dano à psique coletiva humana, 59-60, 68-74, 76-8, 81-4, 94-5, 97-8, 135-6; e a ideologia do livre mercado, 29, 34, 59-60, 64-5, 68, 94, 115, 183-5, 235; e o pós-modernismo, 34, 220-1, 223-4, 235; lição de "pegar emprestado é bom", 78-81-3, 93; nos novos centros industriais, 285; natureza performática do, 38-9, 98, 102-3, 137, 210-1, 283, 289-90, 364-5; o indivíduo desenraizado e egocêntrico, 73, 76-8

eugenia, 216

Euplo de Catânia, 324

ExxonMobil, 92

Facebook: anúncios ou conteúdos direcionados, 247-8, 251-3; conluio com a campanha eleitoral de Trump, 32-3, 58, 138, 205-6, 251-3; e a cultura de extrema direita, 114-6, 138; e a inteligência russa, 32-3, 58, 138, 205-6, 251, 253, 308; e o movimento de protesto global, 107-8, 111, 241, 249; e o reforço de preconceitos dos usuários, 33, 58; Erdoğan fecha, 249; modelo de negócios 66-7, 105, 202, 205-6, 308

fake news, 32, 43, 52, 128-9, 138-9, 171, 248

falência da Enron, 46, 84, 90

Fanon, Frantz, 35, 238

fascismo: aliança temporária entre a elite e a ralé, 41, 54-5, 135, 139-40, 145-7, 251; apoio da elite ao, em meados do século xx, 146; Arendt, "a banalidade do mal", 139; como não necessário aos déspotas modernos, 60; cooperação e apoio global, 127-8; cultura de extrema direita on-line nos Estados Unidos, 114-5, 116-9, 121-2, 134-6, 139; dinâmica de classes da Alemanha nazista, 146; disposição psicológica para se submeter ao, 44; era nazista na Alemanha, 140-2, 143, 144-5, 146, 148, 149, 235, 315, 318, 319-20; espaço mental partilhado com conservadores tradicionais, 32-3, 43-4, 51-2, 114-5, 134-6, 316-7, 319, 320; estudos acadêmicos do, 132-7; exército/polícia infiltrados, 320; governo de Mussolini, 144, 235, 360, 361;

instituições democráticas infiltradas, 139; Lévi-Strauss sobre, 35; neonazistas, 26, 28, 52, 113-6, 121, 317-8; nos Estados Unidos de Trump, 32-3, 38-9, 44, 113-6, 117-9, 121-4, 134-6, 140, 147, 316-7, 319; nova forma de tecnoconservadorismo, 32-3, 42, 52, 115, 117-9, 121-3, 317; origens no colonialismo do século xix, 145-6, 149; paralelos com os anos 1930/1940, 139-42, 146, 314-9; ressentimentos que impulsionam a, 132-3; *ver também* alt-right

fatalismo, 35, 53, 176-9, 184-5, 223, 298, 302

Federici, Silvia, 282-4

feminismo, 118-22, 136, 147, 148, 225-6, 231, 240, 282-4

Ferguson, Missouri, 129, 262

ficção científica, 191-2, 201, 212, 216-9, 225-6

Fields, James Alex, 113

Filipinas, 28

filmes de zumbi, 29-31

filosofia: debate sobre "determinismo" e "livre-arbítrio", 31, 170, 175-9, 272-3; "dialética" de Hegel, 264, 293-4; e a Revolução Francesa, 234; especulação metafísica, 162-6, 169, 234; idealismo kantiano, 165, 227, 255, 287-8; idealismo, 162-5, 167, 169-71, 223-4, 227-34, 255, 263-4, 273; materialista, 160-1, 164-5, 167-9, 170, 224, 226-33, 23-5, 263-4, 272, 324-7; "materialismo mecânico", 160-1; Novos Materialismos, 228-34, 255; o "sujeito" na, 77; obra de Espinosa, 161; relação entre mente e matéria, 159-64, 165, 169-70, 224, 226-30, 263-4; télos (propósito) de Aristóteles, 172-3, 182, 277-8; teoria da história de Hegel, 85-8, 120, 164, 181, 263-4, 272, 285-6, 288; teoria do super-homem de Nietzsche, 148-9, 198, 202, 234-5; tradição reacionária de Nietzsche, 120-1, 147-50, 198, 199-200, 202, 234; "Triunfo da Vontade" de Nietzsche, 120-1, 217; "vitalismo", 228, 234, 235

Fisher, Mark, 304

flexibilização quantitativa, 101-2, 109

fliperamas, 187-8, 189

flocos de neve, 254-6, 292-3

Floridi, Luciano, 170-1, 190, 246

Flynn, Mike, 57

Índice remissivo

Forman, Paul, 166
Forscher, Patrick, 135
Forster, E. M., *Howards End*, 106
Foucault, Michel, 77, 95, 220, 223, 233, 246-7, 289; e a ética da virtude, 357-9, 361; "Uma introdução à vida não fascista" (1972), 357-9, 361
Fox News, 33, 52, 117, 119, 123, 138, 139, 261
França, 100, 107, 317-8, 322; Comuna de Paris (1871), 279-80, 345-6, 348-50, 354; governo Mitterrand, 69-71, 82; povo canaca da Melanésia, 345-6, 355-6; Revolução Francesa, 234, 278
Franco, Francisco, 318
Franklin, Benjamin, 182
Frederico, o Grande, 116
Freeman, Richard, 74-5
Freud, Sigmund, 243
Friedman, Thomas, 91
Fromm, Erich, 44, 134, 135, 237-8, 297, 316
Fukuyama, Francis, 87-9, 215
Fundo Monetário Internacional (FMI), 68, 70-1, 89, 103, 111, 351

G20, reunião de cúpula em Pittsburgh (2009), 117
G20, reunião de cúpula em Xangai, 104
Galileu Galilei, 153, 158, 160-1
Game of Thrones (série de tv), 176-7
Gates, Bill, 215
genética, 31, 35, 159-60, 214-6, 217, 219, 223, 298
Gênova, cúpula de (2001), 89
Geórgia, 124-5
Gibson, William, *Neuromancer* (1984), 219
Gleick, James, *A informação*, 163-4
globalização: colapso da, 19, 26, 28-9, 37-9, 47, 103-6, 136-7; como segunda fase do neoliberalismo, 68, 74-5, 82; crença na permanência da, 88, 91-2, 125-6; e o movimento Tea Party, 40; elites e classes médias de mercados emergentes, 105-6, 309; imposição/modelagem da, pelos Estados Unidos, 47, 126; modelo tecnocrático de, 56; Trump como bola de demolição da, 32, 37-9, 339
Go (jogo), 190, 192-3

Google, 56, 105, 155, 190, 289, 329; conluio com campanha eleitoral de Trump, 58, 251-2
Gorz, André, 288
Graeber, David, 307, 325-6
Grécia: destruição neoliberal da, 101-2, 351-2; era clássica, 325, 358; ocupação e protestos em massa (2011-2), 108, 110-1, 350; referendo de 2015, 37; Syriza na, 321, 351
Greenberg, Stan, 40
Greenspan, Alan, 84, 90-1, 156
Greenwald, Glenn, 250
Grenfell Tower, incêndio na, 210
Grossman, Vasily, 138, 141
Guerra Civil Espanhola, 142, 237, 285, 318, 359-60, 364; milícia do Poum, 141, 359-60, 363; tomada stalinista dos republicanos, 360
Guerra do Vietnã, 167
guerras iugoslavas (anos 1990), 89

Haldane, Andy, 100
Halliburton, 92
Harari, Yuval Noah, 175-7, 185, 275
Haraway, Donna, Manifesto Ciborgue (1984), 224-6
Harding, Sandra, 231
Harman, Graham, 228-9
Hayek, Friedrich, 184-5
Hayles, Katherine, 224, 233-4
Hegel, Georg, 116, 184, 234; "dialética" de, 264, 293-4; "espírito universal", 85, 87, 164, 181, 272, 288; influência em Marx, 263-4, 285-6, 288; teoria da história, 85-8, 120, 164, 181, 263-4, 272, 285-6, 288
Heidegger, Martin, 148
Heyer, Heather, 113
Higgins, Rich, 262
hinduísmo, 174
hipótese do feudalismo digital, 305-6, 311
história, fim da, 27, 242; segundo Fukuyama, 87-8; segundo Hegel, 85-7, 120, 181
Hitler, Adolf, 140-1, 144-5, 148, 235
Holanda, 315, 320
Holloway, John, 364
Homeland (série de tv), 176
Homem-leão de Stadel, 266-70
Homo economicus, 94-5, 97

Homo sapiens: alterações técnicas do, 214-6, 219; atributos biológicos, 179-81, 216, 257, 262-3, 265-70, 284; e a linguagem, 267-9, 274; ideia de espécie sucessora, 219; procura por coisa melhor, 212-3, 217-20, 233-4; sociedades pré-agrícolas como igualitárias, 270-1; transumanismo, 213-6; *ver também* pós-humanismo

homofobia, 25-6, 42, 261

Hong Kong, 116

Horkheimer, Max, 297

Howe, Neil, 50-1

Hu Jintao, 336, 340

humanidade, conceito de: "animal político" de Aristóteles, 172-4, 176; ataque neoliberal ao, 38-9, 59-60, 64-5, 68, 72-4, 81-3, 94-5, 136-7; atributos biológicos do *Homo sapiens*, 179-81, 216, 257, 262-3, 265-70, 284; capacidade imaginativa, 180-2; "Cidade de Deus", de Santo Agostinho, 177; como mudável socialmente ao longo do tempo, 180-3, 269-75; conceito de "capital humano", 88, 94, 98; cultura e colaboração, 265-71, 274; defesa radical do, 19-20, 29, 34-6, 136-7, 150, 171, 236-9, 365; desumanização de adversários pela alt-right, 135-6; e a metáfora zumbi, 29-1, 33, 175, 224; e o livre-arbítrio, 31, 170, 175-9, 183-4, 198, 224, 272-3; e o relativismo pós-moderno, 34, 220-4, 228-30; "justiça social" rawlsiana, 197, 199, 201, 203; oposição da alt-right à universalidade, 132, 135-6, 146-7; primeiras civilizações, 265-72; rejeição da ideia de natureza humana, 174-6, 220-4; sujeição a forças de mercado, 18, 20, 29, 32, 235, 236, 276; teoria da natureza humana de Marx, 181-3, 186, 216, 221-3, 224-5, 229-30, 235-6, 257, 261-76, 277-8, 284, 294-5; teoria reacionária da natureza humana, 55-6; visão liberal da natureza humana, 94, 272-3, 276; visão religiosa do, 173-4; *zombie challenge* na neurociência, 175, 177-8, 223

humanismo: anti-humanismo tecnologicamente fortalecido, 31, 185, 214-6, 224-6, 237, 274-5, 289-90, 316-7, 329-30, 342-3; ataques da esquerda acadêmica ao, 19-20, 34, 216, 220-4, 236-7, 274-5, 298; como essencial às ideias ocidentais de civilização, 31, 136-7; e a Era Axial, 298, 325, 326; e a clonagem humana, 215; e a cultura branca, eurocêntrica, 35, 238; e a demografia mundial, 31-2; e a propagação do cristianismo, 324, 326-7; e o pensamento de Marx, 36, 181-4, 186, 216, 221-3, 229, 238, 257, 261-8, 292, 298; grandes escritores da era antifascista, 35, 138, 141-2, 150, 316; hostilidade da alt-right ao, 19, 115, 256; hostilidade neoliberal ao, 18-20, 29, 32, 94, 97-8, 137, 235-6; islâmico, 238; marxismo de Chen Duxiu na China, 342-3; necessidade de uma teoria dos seres humanos, 19, 171-86; reação adversa ao, na China de Xi, 19, 341-4; teorias explícitas de anti-humanismo, 29, 31-2, 185, 214-6, 220-36, 255, 274-5, 290, 343

Hume, David, 160

Hungria 33, 43, 133, 139, 285, 315

Huxley, Julian, 213, 216

Ianukovich, Viktor, 125

Icahn, Carl, 45

ideologia, 95-8; "imaterialismo", 158, 162-9; na União Soviética, 95-7, 221-2, 293, 294; teoria neorreacionária da, 122-4; teorias de esquerda da, 123

Iêmen, 107, 111

Império Romano, 278-9, 324-5, 326-7, 334

Índia, 26, 32, 305, 325

individualismo, 78, 147, 364

indivíduo conectado em rede, 241-8; ativismo em rede, 106-12, 129-30, 241-3, 248-54, 322, 357; como coveiro do neoliberalismo, 288-90; cunhagem do termo, 109; dependência das empresas de tecnologia para com, 289; e a derrubada do capitalismo, 288-90, 362-3; e o movimento de protesto global, 109-11, 126, 241-2, 248-54; em novos países industriais, 285; entrada de ativistas na política partidária, 322-3, 363; estruturas horizontais de poder, 78, 109-10, 243, 354, 357, 363; missão comum/coletiva do, 256-7, 288-90, 302, 362-3; profunda humanidade do, 364; *ver também* redes de informações; redes sociais

Indonésia, 80

Índice remissivo

indústria de jogos, 118, 244
Instagram, 111
Instituto Allen para Inteligência Artificial, 205
Instituto Cato, 115, 118
Instituto de Engenheiros Eletricistas e Eletrônicos, 330
Instituto Público de Pesquisa sobre Religião, 53
inteligência artificial, 17; AlphaGo derrota campeão de Go, 190, 192-3; ameaça da, na cultura popular, 191, 201, 217-8, 225-6; ameaças de alto nível apresentadas por, 31, 204, 207-9, 210, 275-6; ausência de observabilidade, 207-8; capacidade humana para controlar/entender, 170, 190-1, 193-4, 200, 204, 205-7, 214, 236, 275, 309; Deep-Mind Technologies, 187-8, 190, 192, 194, 206, 208, 211; e a hipótese de feudalismo digital, 305-6; e o cultivo de maçãs, 195-6, 197, 200-1, 203; e o humanismo de Marx, 36; e registros de identificação, 205; estratégias das grandes potências globais, 204-6; fetichização de como perigo, 275-6; "florestas aleatórias", 189; "inteligência artificial lógica", 188; questões éticas no desenvolvimento de, 193-6, 198-2011, 217-9, 236; redes neurais artificiais (RNAS), 188-9, 207; regras de Etzioni, 205-6; respostas lógicas humanas à, 192-3; setor privado nos Estados Unidos, 205; teste de Turing, 191-2; *ver também* pós-humanismo
Irã, 38-9, 107, 125
Iraque, invasão do (2003), 90-2, 97-8, 148
Irlanda, 100-1, 322
islamismo, 173-4, 176, 238
islamofobia, 26-8, 44, 50, 98, 124
Islândia, 322
Israel, 43, 108, 250-1
Itália, 33, 115, 133, 144, 146, 235, 315; governo de Mussolini, 144, 235, 36-1; Liga Norte na, 320; política de esquerda na, 359-62

Jabalia, escola da UNWRA em, 250
Jameson, Fredric, 304, 308
Japão, 79, 126, 341
Jaspers, Karl, 325
Javid, Sajid, 320

Jeans, James, 162, 169
Jiang Zemin, 336
Jobs, Steve, 187
jogo, 176
Johnston, David Cay, 43
judaísmo, 174, 176, 298, 325
Jung, Carl, 247

Kadafi, Saif, 109
Kahneman, Daniel, 331
Kalanick, Travis, 46
Kant, Immanuel, 165, 227, 234, 255, 287-8
Kasparov, Garry, 190
Katrina, furacão, 209
Kepler, Johannes, 292-3
Kessler, Jason, 261
Keynes, John Maynard, 66, 101, 104
King, Martin Luther, 304
Klein, Naomi, 46
Koch, Charles e David, 40, 45, 48-50, 52, 54, 115, 117
Koestler, Arthur, 138, 141
Kona, Yvan, 355
Krauthammer, Charles, 89
Kreiss, Daniel, 252
Kteily, Nour, 135
Ku Klux Klan, 113
Kushner, Jared, 46, 57

Landauer, Rolf, 167-8
Lao-Tsé, 325
Lapavitsas, Costas, 83
Laplace, Pierre-Simon, 161
Latour, Bruno, 230-3, 236
Laurat, Lucien, 144
Lavazza, Andrea, 178
Lawrence, D. H., *The Daughter-in-Law*, 240
Le Pen, Marine, 358
Lee Sedol, 190, 192-3, 195, 200
Lehman Brothers, 27, 67-8, 97, 99, 209; Leigh, 63-5, 133; festa de gala dos mineiros, 63-4, 69, 257
Lênin, V. I., 294
Leoa de Guennol, 271-2, 276
Levi, Primo, 35, 138, 141
Lévi-Strauss, Claude, 35
Líbano, 125

liberalismo: como forma de nostalgia e negação, 185; como incapaz de se defender, 183-5; e a clonagem humana, 215; e a invenção de Trump, 38-9; e o conceito de liberdade de Hayek, 184-5; "fim da história" no começo dos anos 1990, 27, 87-8; ideia de "livre-arbítrio", 184, 272-3; paralisia em face de Trump, 55, 242; resposta bipolar à desordem global, 28; século xix, 94-5, 272; visão da natureza humana, 94, 272-3, 276

libertarismo, 40, 44-5, 50, 52, 117, 215, 309

Libet, Benjamin, 175, 177, 224

Líbia, 107, 111

Liga do Sul, 317

Liga Nacional de Futebol, EUA, 48, 132

Lind, William, 261-2

linguagem, 138, 267-9, 274

Llewellyn, Richard, *Como era verde meu vale*, 287-8

Long Term Capital Management (ltcm), 80

Lukács, Georg, 234-5

Luxemburgo, Rosa, 145

MacCormack, Patricia, *Posthuman Ethics*, 237-8

Mach, Ernst, 294

MacIntyre, Alasdair, 149, 269, 288, 299, 365

Macron, Emmanuel, 318

Malásia, 89

Malthus, Thomas, 295

Manafort, Paul, 57, 125

manifestantes do Patriot Prayer, Portland, 26, 304

Mao Tse-tung, 96, 286, 342

Marcuse, Herbert, 288, 297

Martin, Trayvon, 129

Marx, Karl: Althusser sobre, 222-3; classe operária tornando-se "para si", 287, 302, 362-3; conceito de "fetichismo", 268-9, 272-4, 276; conceito de alienação, 264-5, 267, 272-4, 276, 278-9; crítica de Malthus, 295; "ditadura do proletariado", 279; e "modos de produção", 290, 325-7; e a abolição da propriedade privada, 264-5, 274, 278-9, 284-5, 291-2; e a Comuna de Paris, 279-80, 348, 349-50; e a expressão "materialismo dialético", 293; e a opressão

das mulheres, 281-2; e a religião, 181-2, 263-4, 269, 272; e a revolução, 279-80; e a teoria do valor-trabalho, 157, 280-1, 290-1; e o comunismo, 183, 265, 274, 281, 283-4; e o conhecimento social ("intelecto geral"), 280-1, 291-2, 298; e o ecossistema da Terra, 294-7; e o livre-arbítrio, 272-3; erros em teorias de, 281-6, 293, 294-5, 297; "Fragmento sobre as máquinas", 280-1, 291-2; humanismo radical de, 36, 181-4, 186, 216, 221-3, 229, 238, 257, 261-76, 277-8, 292, 298; ideia do "comunismo capitalista", 46; manuscritos de Paris, 222, 265-9, 294; *O capital*, 222, 280, 290, 292; primeiras obras filosóficas, 181-3, 221-2, 264-70; rejeita a filosofia moral, 286-7, 298; "ser-espécie", 182, 192, 218, 266, 330, 354; sobre ética da utilidade, 200-1; teoria da luta de classes, 278-80, 285-6, 288; teoria da natureza humana, 181-3, 186, 216, 221-3, 224-5, 229-30, 235-6, 257, 261-76, 277-8, 284, 294-5; teoria teleológica da natureza humana, 274-5, 277-8; tradições materialista e idealista, 263-5, 272; uso da dialética, 264, 293-4; visão do capitalismo, 278, 280-2, 285-6, 290-2, 295

marxismo, 221-3, 264, 277, 282, 288-90, 294, 296-8, 327; como justificativa para crimes/repressão, 262, 277; como o mais perigoso adversário da extrema direita, 262, 297, 365; e a propagação do cristianismo, 324, 326-7; ideia de autoalienação, 225, 274; rejeição da filosofia moral, 286-8, 298; tradição humanista radical, 297, 298; versão do, na China, 32, 183, 262, 285, 286, 293, 336-40, 341-4; versão real na China segundo Chen Duxiu, 342-3

Mason, Paul: *Live Working or Die Fighting* (2007), 285; *Pós-capitalismo* (2015), 305

Matrix (filme, 1999), 122-3

Maturana, Humberto, 226-7, 228

McCain, John, 43

McConnell, Allen, 245

McDonald's, 96, 236

McGregor, Shannon, 252

mecânica, 153

mecânica quântica, 162, 164-6

Índice remissivo

Meccano, 101
Medvedev, Dmitri, 125
Mélenchon, Jean-Luc, 351
meme do Kekistão, 114-5, 135, 316
Mercer, Rebekah, 46
Mercer, Robert, 44-6, 48-9, 50, 52, 54, 123, 248, 251
Mesopotâmia antiga, 272
México, 38-9, 71
Michel, Louise, 345-50, 354, 356
mídia tradicional: ataques da alt-right à, 32-3, 123-4; desencadeamento de ódio nos Estados Unidos, 25; e os ditadores dos anos 1930, 141; ecossistema da mídia de direita, 52, 118-9, 123-4, 139, 242-3; fake news, 32, 43, 52, 128-9, 138-9, 171, 248; formas modernas de censura, 205, 248-50, 253; monopólio da elite sobre as informações, 128, 141, 307, 315; narrativa de protesto como fora do controle da, 107-8; *troll houses*/"brigadas [russas] da web", 128; Trump estimula a violência contra, 38
migração: oposição da direita autoritária à, 26, 40, 42, 132-3; e o Movimento Identitário, 114; e Trump, 38-9, 51-4
Mill, John Stuart, 94, 197
mineração de carvão, 25-6, 63-4, 69, 257, 287-8
Minxin Pei, 338
misoginia: apoio eleitoral a Trump e, 25, 42, 44, 53-5, 60; ascensão da direita autoritária e, 19, 25-6, 28, 40, 42, 44, 60, 97, 115, 118-24, 283-4; colapso do neoliberalismo e, 97-8, 283; conspiração do "marxismo cultural" e, 122, 261-2; desencadeada por Trump, 25, 40, 42, 44, 60; desumanização de oponentes pela alt-right, 135-6; fantasias de vitimização masculina, 28, 261; #Gamergate, 118-9; movimento Proud Boys, 121; movimento Tea Party e, 42; nas redes sociais, 27-8, 98, 118-20
Mitterrand, François, 69-71, 82
mobilidade econômica e social, 63-4, 105
modernismo, 223, 240
Modi, Narendra, 26, 32-3
Moldbug, Mencius (Curtis Yarvin), 116, 123
Mommsen, Hans, 315-16, 319

monopólios: alinhados com o poder do Estado, 40, 92, 185, 308, 331-2; e a Guerra do Iraque, 92; empresas de tecnologia, 40, 66-7, 105, 185, 253, 307-8, 310, 312, 330
Moore, Roy, 317
Morozov, Evgeny, 305
Moss, Kate, 303, 305
movimento anticapitalista, 89, 97
movimento da libertação animal, 35
Movimento Identitário, 113-4, 358
Movimento Neorreacionário (nrx), 115-24
movimento sufragista, 240
movimentos de direita: ataques à ciência, 27, 32, 233; atenção nos indivíduos conectados em rede, 248; bioconservadorismo, 215; conspiração do "marxismo cultural", 122, 261-3; crise do conservadorismo tradicional, 115-7; e a "radicalização cumulativa", 315; e o "acesso à história", 55, 140, 147; estimulados basicamente por insegurança cultural, 320-1; estimulando ressentimentos, 132-3; estratégia eleitoral/política, 117-8, 133-4; estudos acadêmicos de, 132-7; libertarismo, 40, 44-5, 50, 52, 117, 215, 309; medo da liberdade, 19, 44, 254; Movimento Neorreacionário (nrx), 115-24; Nietzsche como filósofo multiuso, 148-50; partidos populistas, 26, 33, 63, 99, 115, 117, 132-4, 136, 320-1; reflexos utopistas, 309; "snowflake" como insulto, 254-6; transumanismo libertário, 214-6; uso de poder político pelos, 133-4
movimentos de libertação das mulheres, 42, 54-5
movimentos trabalhistas, 63-5, 69, 82, 95, 223, 335; destruição neoliberal dos, 65-9, 74, 81-2, 223-4, 235, 288-9; nos anos 1920, 363; revoltas do começo do século xx, 146, 240-1; sindicalismo masculino, 358; virtudes e moralidade, 257, 286-8
Mubarak, Gamal, 109
Mubarak, Hosni, 108, 110
mudança climática, 174-5, 295-7, 306; negacionistas, 25, 41, 46, 233; Protocolo de Kyoto (1992), 233
Murdoch, Rupert, 123, 242
Murray, Charles, *A curva normal* (1994), 131-2

música digital, 155, 168

música rap, 73

Musk, Elon, 204

Mussolini, Benito, 144, 235, 360-1

nacionalismo autoritário: alianças anti-UE, 51; ascensão do, no século XXI, 19, 26, 28, 32-3, 37-60, 113-29, 134-6, 236, 248-57, 314-21; evolução para o fascismo, 134-5, 317; "neoliberalismo nacional", 47, 55, 103, 104; narrativa nacionalista econômica de Trump, 40, 48, 50, 59, 103, 135; Putin na Rússia, 32; *ver também* autoritarismo de direita

nacionalismo étnico, 19, 97, 104, 115, 122, 127-8, 320

Nafta, 32

Nagle, Angela, 117

Napoleão, 85-6

Nemtsov, Boris, 128

neoliberalismo: alternativa progressista, 171, 257, 321-2, 350-1; colapso do, 19, 27-9, 65, 87-8, 99-112, 115-24, 128-37, 146, 283, 288-90, 314-5, 318; como "ordem de razão normativa", 96-7; como catástrofe social, 63-5, 72-4, 130; como porta de entrada para o anti-humanismo generalizado, 18-20, 29, 32, 94, 97-8, 137, 235-6; como Reino Unido e Estados Unidos lideraram (1979-82), 68; como transnacional, 67, 69-72, 74; "comunismo capitalista" do, 46; conjunto básico de relações, 66, 67-9; cooptação de consumo ético, 334; crença da elite na própria permanência, 84, 87, 89-90; crítica neorreacionária do, 123; cultura de crédito/empréstimo, 74, 76-84, 99-100, 103-4; culturas *gangsta* e *bling*, 73; destruição da soberania econômica, 70-1; destruição do trabalho organizado, 65-9, 74, 81-2, 223-4, 235, 288-9; e a psicologia comportamental, 210, 331-4; e a tecnologia da informação, 67, 90, 289-90; e as comunidades negras dos Estados Unidos, 129-32; e as escolhas irracionais de mercado, 331; e as ideias de Hayek, 184-5; e o "lento cancelamento do futuro", 303-4, 306; e o Ato Único Europeu (1986), 71; e o pós-humanismo, 219-20; e o trabalho reprodutivo, 282;

egoísmo sistemático, 73-8; erro sistemático ao se calcular riscos, 209-10; Estado como subordinado ao mercado, 66, 70-1, 100-1; falta de sistema geopolítico, 88; governo Mitterrand subjugado, 69-70, 82; ideia de que "não é possível um sistema melhor", 96, 98-9, 241, 303-5; imposição punitiva/coercitiva do, 68-72, 93-4, 351; indivíduo conectado em rede como coveiro do, 288-90; lista de fracassos regulatórios sob, 210; mercados não livres e manipulados, 67; natureza humana como essencialmente econômica, 94-5, 98, 235; "neoliberalismo nacional", 47, 55, 103, 104; Nietzsche como herói do, 120-1, 147-9; "o que deveria ser" e "o que é", 91-3; papel crucial do Estado, 351-4; primeira fase (1979-89), 68-74; quarta fase (2008-16), 68, 97-109; reinvenção da favela urbana pelo, 72-3, 236; resistência a (a partir de meados de 2009), 106-12, 128-9, 241-3, 248-54, 262; segunda fase (1989-2001), 68, 74-84, 87-9; socialismo impossível sob, 69-70, 82; terceira fase (2001-8), 68, 84, 89-94; violência usada pelo, 97, 99, 106-9, 110-2, 316, 351-2, 354; *ver também* crise financeira global (a partir de 2007-8)

Netanyahu, Benjamin, 43

Netscape, 83

Neumann, John von, 158

neurociência, 31, 35, 170, 175, 177-9, 180-1, 223-4, 243-4, 267-8, 298

New York Times, 55, 91

Nietzsche, Friedrich, 120-1, 147-50, 198-200, 202, 217, 234

Nix, Alexander, 251-2

noite dos mortos-vivos, A (filme, 1968), 29-30

Noruega, massacre de Breivik na, 262

Nova Caledônia, 345, 355

Novos Materialismos, 228-34, 255

O'Connor, James, 296

Obama, Barack, 41-2, 54, 57, 126, 130, 332, 341

Obamacare, 39

Obsession (perfume), 303, 305

Ocasio-Cortez, Alexandria, 351

Occupy, movimento, 108, 110, 128

Índice remissivo

Olson, Joel, 131
Omohundro, Steve, 207-8
Ontologia Orientada ao Objeto (OOO), 228-9, 298
ontologia, 228
Orbán, Viktor, 43
Organização das Nações Unidas (ONU), 32, 125, 215, 233, 250, 262
Organização Mundial do Comércio (OMC), 32, 70
Organização para a Cooperação e Desenvolvimento Econômico (OCDE), 156
Organização para a Segurança e Cooperação na Europa (OSCE), 125
Orwell, George, 35, 138, 314-6, 323, 361, 364; *1984*, 145, 306; Guerra Civil Espanhola, 141, 359; *Homenagem à Catalunha*, 360; "O soldado italiano", 142, 359
Otan, 124, 125

Panteras Negras, 358
Papadopoulos, George, 57
Parceria Transatlântica de Comércio e Investimento (TTIP), 48
Parceria Transpacífica (TPP), 48
Partido da Liberdade, Holanda, 320
Partido Democrata, Estados Unidos, 131, 136, 254, 322, 359, 363
Partido Lei e Justiça, Polônia, 320
Partido Nacional Britânico, 133
Partido Republicano, Estados Unidos, 39-46, 131, 136, 317, 320, 359; *ver também* Trump, Donald
Partido Trabalhista britânico, 254, 320-2, 333, 363
Pelevin, Victor, *Generation "Π"*, 76-7
Pence, Mike, 45
Penny, Laurie, 111
pensamento científico: ataque ao, inspirado pelos pós-modernistas, 33-4, 220-1, 224-34; causalidade, 160, 162, 164-7, 222, 227, 231-2, 235-6, 292-3; ciência da evolução, 161, 219, 267-9, 274, 298; como "socialmente construído", 165-6, 230-4, 236; crítica da esquerda ao, 34, 216, 220-1, 231-4, 236; e a obra de Maturana, 226-7, 228; e a teoria da informação, 158-60; e flocos de neve,

255, 292-3; e o anti-humanismo moderno, 26, 32, 34-5, 169-71, 220-36, 255; e o determinismo moderno, 31; embates com o marxismo, 294; Galileu e a mecânica, 153; hostilidade ao, na Alemanha dos anos 1920, 166; hostilidade da extrema direita ao, 25-7, 32, 33, 123, 233, 275; humanismo como essencial para, 31; Interpretação de Copenhague, 162, 164-6; máquina como metáfora, 160-1; movimento anticiência, 97, 166, 220-36, 255; necessidade de a esquerda trabalhar com, 294; relação entre mente e matéria, 159-65, 169-70, 224, 226-30, 263-4; teoria quântica, 162, 164-5, 166; teóricos do "computando o universo", 162-4, 167, 169, 228; volta ao pensamento imaterial na era do computador, 162, 167-70
pensamento de esquerda: alternativa progressista ao neoliberalismo, 171, 257, 321-2, 350, 351; ataques acadêmicos ao humanismo, 19-20, 34, 216, 220-4, 236-7, 274-5, 298; "coletivismo burocrático" de Rizzi, 144-5, 306; crítica da ciência, 32-4, 216, 220-1, 230-4, 235-6; desprezo pelo moralismo no século XIX, 286-7, 298; e a classe operária do século XX, 286-8; e a defesa do Estado de direito, 319; economia como ajuda contra a extrema direita, 320-1; entrada dos ativistas conectados em rede na política partidária, 322-3, 363; fragmentações e dualismo, 220, 222-3, 225; incapacidade de projetar uma alternativa clara, 99; Manifesto radical trabalhista de Corbyn (2017), 321-2, 333; não voltar ao socialismo de Estado, 311, 312; necessidade de trabalhar com a ciência, 294; necessidade de união contra o fascismo, 317-9, 361-2; Nova Esquerda, 225-6; novos partidos de esquerda, 321-3, 351; Partido Trabalhista britânico, 254, 320-2, 333, 363; "pós-capitalismo", 157, 193-4, 210-1, 289-90, 305, 308-13; "saber em que tipo de mundo vivemos", 314-7, 320, 322-3; socialismo impossível sob o neoliberalismo, 69-70, 82; teoria da "personalidade autoritária", 134, 135; teoria leninista do partido e da revolução,

222; teorias sobre ideologia, 123; tradição antibolchevique, 143-5; urgente *versus* importante, 315; *ver também* Marx, Karl; marxismo; pós-modernismo

pensamento iluminista, 32, 36, 220-1, 238, 263, 287, 298

pensamento renascentista, 235, 238

Perlman, Janice, 72

Pew Global Attitudes Survey, 176

Pinker, Steven, 185

pinturas impressionistas, 349

Pisani, Florence, 93

política de identidade, 120, 256

política eleitoral: e a crise de 2008, 133; eleição geral de 2010 no Reino Unido, 133; eleição geral de 2015 no Reino Unido, 133; eleição geral de 2017 no Reino Unido, 64, 133, 321, 333; eleição presidencial de 2016 nos Estados Unidos, 56-8, 138, 238, 248, 251-3; estratégia da extrema direita, 133-4; manipulação por agência privadas, 28, 32-3; manipulação por Trump e pela Rússia, 32-3, 56-8, 205-6, 238, 248, 251-3; *ver também* democracia

política global: ambientes sem regras, 127; ataques de Putin a instituições multilaterais, 125-8; ataques de Trump a instituições multilaterais, 32, 37-9, 339; ausência de progresso na era neoliberal, 304; colapso do Bloco Soviético (1989-91), 74-5, 82; e o colapso do neoliberalismo, 18-9, 27-9, 103-7, 115; era da desglobalização, 19, 28-9, 37-8, 137; era do nacionalismo de direita, 19, 26, 28, 32-3, 37-60, 113-29, 134-6, 236, 248-57, 314-21; Estados Unidos como potência sem rival, 89, 91-2; estratégia de desordem deliberada de Trump, 32, 339; estratégia geopolítica de Putin, 59, 92, 124-9; estratégias de inteligência artificial das grandes potências, 204-6; falta de sistema geopolítico neoliberal, 87-8; interoperação e apoio da direita, 38, 56-60, 127-9, 237, 251-3; isolacionismo moderado de Obama, 57; movimento de pivô de Obama em direção à Ásia, 126, 341; movimento de protesto global (a partir de meados de 2009), 106-12, 128-9, 241-3, 248-

54, 262; política externa americana, 90-2; Putin invade a Geórgia (2008), 124-5; reação da China a Trump, 339, 341; resposta bipolar à desordem, 28; respostas da elite a protestos conectados em rede, 248-54; vínculos Putin-Trump, 28, 38, 56-9, 127

"politicamente correto", 261

políticas de austeridade (a partir de 2010), 101, 105, 108-9, 110-1

políticas progressistas *ver* pensamento de esquerda

Polônia, 74, 133, 139, 144, 320

pornografia, 121-2

Portugal, 322

pós-capitalismo, 157, 193-4, 210-1, 288-90, 304, 308-13

pós-humanismo, 212-3, 216-7, 219; arquitetura do pensamento reacionário do, 216, 219-20; como base lógica para escravidão às máquinas, 34-5, 150, 170, 219-20, 224-6, 234, 237; como metanarrativa, 234, 236-8; e a teoria social da esquerda, 216, 220, 223-6, 298; forma de ética, 237-8; metáfora/conceito do ciborgue, 224-6, 237; origens do, 224-5, 233-4; questões éticas levantadas na ficção científica, 217-9, 225-6

pós-modernismo: anti-humanismo e fatalismo do, 220-4, 229-30, 298; ataques à ciência/racionalidade, 33-4, 220-1, 224-34; código de ética de Foucault para, 357-9, 361; como reação à derrota, 235; pós-humanismo como sucessor, 170-1

Praga, reunião de cúpula de (2000), 89

Primavera Árabe, 107-8, 110-1, 128

Primeira Guerra Mundial, 166

programas de privatização, 70-2, 351

projeto de humanismo radical (insurreição *snowflake*): ações contra busca de renda, 310; como adversário para perigoso da extrema direita, 262, 297, 365; conjunto combativo de reflexos necessários para, 302, 307, 340; defesa radical do ser humano, 19-20, 29, 34-6, 136-7, 150, 171, 236-9, 365; des-cancelar o futuro, 306; e a pergunta "Você é marxista?", 298; e o eu, 242, 256; e o marxismo oficial chinês, 340; empreendedorismo real como objetivo,

Índice remissivo

311; fornecimento universal de quatro serviços essenciais, 310; luta contra o encarceramento de informações, 310; missão comum/coletiva, 256-7, 288-90, 302, 334-5, 362-3; não voltar ao socialismo de Estado, 311-2; necessidade de esperança e memória, 27, 36, 72, 140, 321-3; novo modelo econômico necessário, 257; objetivos críticos do projeto, 308; planejar modelo para, 311-2; poder de recusar, 327, 330, 334-5; proposta de renda básica para os cidadãos, 305, 310, 312; quatro projetos estratégicos, 309-12; rachaduras e espaços na dominação capitalista, 364; teoria da natureza humana de Marx, 181-3, 186, 216, 221-5, 229-30, 235-6, 257, 261-78, 284, 294-5; viver a vida não fascista, 358-9, 362-5

propriedade intelectual, 154, 206, 291-2, 306-8

propriedade pública, 312

Protocolo de Kyoto (1992), 233

Proud Boys, movimento, 121

Prússia, 85-6, 116, 164, 181, 263

psicologia: ciência cognitiva, 35, 160, 213, 267-8; comportamental, 210, 331-4; conceito do "eu", 29, 241-8, 254, 256; dano causado pelo neoliberalismo, 59-60, 65, 68-74, 76-8, 81-4, 94-5, 97-8, 135-6; disposição para se submeter ao fascismo, 44; eu inconsciente, 247; evolucionista, 269; "potencial de prontidão", 178; *ver também* eu neoliberal

Putin, Vladimir, 32, 43, 59, 89, 242, 277, 347; ataques a instituições multilaterais, 125-8; e a inteligência artificial, 19, 204-5; e Obama, 57; e Trump, 28, 38, 56-9, 127; estratégia da "guerra híbrida", 57, 124-9; estratégia geopolítica, 59, 92, 124-9; repressão e violência, 33, 108, 125-6

racionalidade e lógica: ataques à possibilidade da verdade, 32-3, 38, 43, 52, 275; ataques da esquerda a, 34, 216-7, 220-1, 275; dano causado pelo neoliberalismo, 38-9, 60, 67-8, 96-7, 137; e a metáfora dos zumbis, 30-1, 33, 175, 224; e a tradição iluminista, 36; e a verdade comprovável, 34, 220-1,

275; e o humanismo de Marx, 36, 229-30, 238, 274-5, 277; e o pós-humanismo, 34, 150, 170-1, 216, 234; *Homo economicus*, 94-5, 97; hostilidade a, na Alemanha dos anos 1920, 166; hostilidade da extrema direita a, 25-7, 32-3, 123, 233, 275; irracionalismo de Nietzsche, 120-1, 147-50, 234; lógica matemática, 158-9; pensamento antirracionalista, 25-7, 32-3, 123, 220-1, 226-36, 275; rejeição da causação, 162, 164-7; *ver também* pensamento científico

racismo: bolha das redes sociais da jovem direita israelense, 250-1; desencadeado por Trump, 25, 40, 44, 51-2, 59-60; desumanização dos adversários pela alt-right, 135-6; do passado colonial europeu, 35; e "rebelião beta", 120-4; e a ascensão da direita autoritária, 19, 25-6, 39-40, 42, 44, 123-4, 315, 317; e a conspiração do "marxismo cultural", 261-2; e Bannon, 50-1; e o apoio eleitoral a Trump, 25, 44, 52-5, 59; e o colapso do neoliberalismo, 98; fantasias de supremacia branca, 28, 52; incidentes do tipo "Permit Patty", 131; leis Jim Crow, 130; mortes pela polícia de americanos negros desarmados, 129-30; movimento #BlackLivesMatter, 48, 129-32; nos primeiros filmes de zumbi, 29-30; privação de direitos do eleitor negro nos Estados Unidos, 130; racialização republicana da política tradicional, 130-2, 317; "salário público e psicológico" da condição de branco, 130; supremacistas brancos no Arizona, 359

Ravenhill, Mark, *Shopping and Fucking*, 81-4

Rawls, John, 197, 199, 201, 203

Reagan, Ronald, 68, 100

redes de informações: bolhas de informação controladas pela elite, 248, 250-1; censura pela elite, 107-8, 205, 248-50, 253; ciberespaço, 219; como essencial à guerra híbrida russa, 126-8; e a solidão, 139; e eus múltiplos, 242-8; e o conceito do "eu", 29, 241-8, 254, 256; ecossistema da mídia da direita, 52, 118-9, 123-4, 139; extensão/velocidade da cobertura de notícias, 128-9, 315-6; fake news, 32, 43, 52, 128-9, 138-9,

171, 248; impacto no comportamento humano, 243-8; movimento #BlackLives-Matter, 48, 129-32; redes virtuais privadas, 249; robôs controlados por máquinas, 58, 128; tecnoconservadorismo da extrema direita, 32-3, 42, 52, 115, 117-9, 121-3, 317; *troll houses*/"brigadas [russas] da web", 128; *ver também* indivíduo conectado em rede; redes sociais

redes sociais: anúncios ou conteúdos direcionados, 247-8, 251-3; bolha da jovem direita israelense, 250-1; bolhas de informação controlada pela elite, 248, 250-1; e a campanha eleitoral de Trump, 52, 205-6, 248, 251-3; e a resistência (a partir de meados de 2009), 106-12, 241-3, 248-54; influência das, no comportamento humano, 170, 247-8; poluída por lixo da extrema direita, 26-8, 128-9, 134-5, 250-1, 283; relatos de violência neoliberal, 111-2; robôs controlados por máquinas, 58, 128; *ver também* Facebook; Twitter

reguladores, 47, 84, 193, 210, 253

Reino Unido: Equipe de Insights Comportamentais, 332-3; cidades industriais deixadas para trás, 63-5, 68-9, 133, 139; coalizão conservadora-liberal no (2010-5), 101, 333; conservadorismo de centro e direita autoritária, 320; manifesto trabalhista radical de Corbyn (2017), 321-2, 333; passos rumo ao pós-capitalismo, 312; "paternalismo libertário" do "empurrão", 332-4; políticas de austeridade (a partir de 2010), 101, 109; protestos estudantis (2010), 107, 109, 241; socorros bancários (2008-9), 99-100; triplicação das anuidades universitárias, 107, 333

religião: Era Axial, 298, 325, 326; histórias mudando com o tempo, 180; livre-arbítrio e, 176-7; Marx e, 181-2, 263, 264, 269, 272; "natureza humana" como imutável, 173-4; *ver também* cristianismo

RenTec (Renaissance Technologies), 49, 202

República Tcheca, 133

revolta húngara (1956), 297

Revolução Industrial, 153-4

Revolução Russa, 183, 285

revoluções, 279-80, 285, 345-6, 347-54; fracassos de 1968, 358

Ricardo, David, 157

risco: erro de cálculo sistêmico do, no neoliberalismo, 209-10; "eu neoliberal" e, 77-8, 82-3; injeção neoliberal de, 78-83; mercado de créditos hipotecários, 81, 90; privatização neoliberal do, 77; transferido para o Estado por socorros bancários, 99-103

Rizzi, Bruno, *La burocratizzazione del mondo*, 144-5

Romney, Mitt, 42

Ross, Wilbur, 45-6

Rove, Karl, 91

Ruanda, genocídio, 89

Rumsfeld, Donald, 91

Rússia: anexação da Crimeia, 57, 126-7; crise financeira (1997-8), 80, 89; "dados de eu" vendidos pelas empresas de tecnologia, 248; doutrina das "Grandes Potências", 125-6; e a desinformação em rede, 127-8; e a guerra civil ucraniana, 126-7; e a hipótese do feudalismo digital, 305; e a manipulação do referendo do Brexit, 127, 316; expulsão dos oligarcas liberais (1998), 89; governo fantoche em Kiev, 57, 126; homofobia na, 26; índices de criminalidade nas alturas (1991-3), 76-7; influência nos Estados Unidos de Trump, 28, 38, 56-9, 127, 205, 248, 251, 253; invasão da Geórgia (2008), 124-5; "oligarcas" tomam, 75-7; revolta na (2011-2), 108, 126; Síria como fantoche da, 125, 126; tropas na Síria, 57, 126-7; *ver também* Putin, Vladimir

Ryan, Paul, 42

Sackville-West, Vita, 242

Salvini, Cristofano, 360-4

Salvini, Matteo, 59, 115

Sanders, Bernie, 322, 351

Santo Agostinho, 177

Sarkeesian, Anita, 118

Schurger, Aaron, 178

Seat, fabricante de automóveis, 70

Seattle, reunião de cúpula (1999), 89

Segunda Guerra Mundial, 314, 315, 359

Selma, Alabama, 304

Índice remissivo

Sennett, Richard, 78
Shannon, Claude, 158
Sierra, Kathy, 118
Síria: como fantoche russo, 125-6; guerra na, 28, 34, 57-8, 107, 111, 304; protesto democrático, 28, 58, 107, 111, 126; tropas russas (2012), 57, 126-7
sistemas educacionais, 236, 241, 332-3
Slaughter, Jessi, 118
Smith, Adam, *A riqueza das nações* (1776), 153-4, 157
sociedades de caçadores-coletores, 266-71
Sokal, Alan, 232
Spender, Stephen, 314
Spengler, Oswald, *A decadência do Ocidente*, 166, 228-9, 235
Stadel, Homem-leão de, 266-70
Stálin, Ióssif, 140-2, 143-5
Stapledon, Olaf, *Last and First Men* (1930), 212, 218
Strauss, William, 50-1
Suécia, 115, 315
Suméria, 271, 276
Sunstein, Cass, *Nudge* (com Richard Thaler, 2008), 332
Superbowl, 48

Tailândia, 80, 89
Taleb, Nassim Nicholas, 175, 185
Tea Party, movimento, 40-2, 44-5, 117, 320
tecnologia da informação: ascensão da internet móvel, 245-8; assimetrias de conhecimento e poder, 17, 252, 275, 307-10, 329-30; Big Data, 190, 202, 289; como ameaça estratégica ao humanismo, 31, 136-7; como rota "pós-capitalista", 157, 193-4, 210-1, 289-90, 305, 308-13; comunidades virtuais on-line, 219; custos de reprodução perto de zero, 155-6; democratização das informações, 307-8; e a direita libertária, 309; e nova forma de idealismo, 167, 170-1, 223; e o neoliberalismo, 67, 90, 289-90; e o pós-humanismo, 35, 150, 170, 212-3; e o retorno ao pensamento imaterial, 162, 167-70; efeito "custo marginal zero" da informação, 156; efeito sobre a formação de preços, 289, 306-7; efeitos de rede, 307-8; efeitos únicos

no capitalismo, 194, 306-7, 330; hipótese do feudalismo digital, 305-6, 310-1; ideologia do "imaterialismo", 158, 162-9; imagens e aparência física, 245-6; mito sobre imaterialidade da informação, 154-5, 158, 162, 167-9; proteção dos direitos aos dados, 309-10; "Quarta Revolução Industrial", 29, 185, 310-1; redução dos custos de produção, 155; revolução da informação, 83, 155-8, 162-3; softwares, 155, 162-3, 169, 188; teorias de Turing, 158-9, 170; *non-market transactions*, 156; uso pela alt-right, 114-9, 121-4, 316; valor de uso e valor de troca, 157; vigilância e controle, 28, 185, 202, 204-5, 340-1, 343-4; *ver também* algoritmos
TED, palestras, 331
Tencent, 105
teoria da informação, 158-9, 162-3, 167-71, 223; e a obra de Maturana, 226-7, 228; e o determinismo moderno, 31; "inforgs" de Floridi, 170-1, 190; teóricos do "computando o universo", 162-4, 167, 169, 228; transumanismo, 213-6
teoria da Quarta Virada, 50-1
teoria de administração, 78
teoria do caos, 292-3
teoria dos sistemas, 226-30
teoria social cognitiva, 244-5, 247
Terêncio (dramaturgo romano), 238
Thaler, Richard, 331; *Nudge* (com Cass Sunstein, 2008), 332
Thatcher, Margaret, 68, 71-2, 148
Thiel, Peter, 45, 116
Thompson, Edward, 297, 363
Tillerson, Rex, 46
Todorov, Tzvetan, 27, 140
Tolkien, J. R. R., *O senhor dos anéis*, 229-30
Tomasello, Michael, 268-9
totalitarismo: Arendt vê os Estados Unidos imunes ao, 142, 147, 150; burocracias desumanizantes, 139-40, 143-5, 306; características comuns ao nazismo e ao stalinismo, 140-5; e "acesso à história", 55, 139-41; Foucault sobre, 358; Pacto Nazi-Soviético, 144-5; propagação do, em democracias, 139; súdito ideal do, segundo Arendt, 138-9; volta do, 140-1

trabalho: aumento da força de trabalho global, 74-5, 103-4; capitalismo industrial do século xix, 234-5, 273, 278-9, 280; classe e produto excedente, 271, 273, 280; "empregos de merda" de Graeber, 307; declínio no "peso dos salários" das economias desenvolvidas, 102; e história da automação, 17-8, 290-2; participação feminina na força de trabalho, 119-20; "teoria do valor-trabalho", 153-4, 157, 280-1, 290-1; teorias de Marx, 157, 181-3, 265-8, 271-4, 276, 280-2, 290-2; trabalho doméstico, 281-3
transumanismo, 213-6
trolls na internet, 34, 114, 118, 128-9, 198, 249, 277, 290
Tronti, Mario, 289
Trótski, Liev, 7, 29, 288
Trump, Donald: aliança temporária entre a elite e a ralé, 41, 45-6, 54-5, 135, 140, 251; apoio a, entre ricos e poderosos, 40, 44-52; ataque à possibilidade da verdade, 32-3, 38, 43, 52, 275; ataques à globalização, 32, 37-9, 339; campanha eleitoral (2015-6), 39-41, 43-5, 251-3; caos como estratégia, 38, 49, 50-2; como testa de ferro ocasional, 47; criação liberal de, 38; decretos executivos barrando muçulmanos, 316; e a conspiração do "marxismo cultural", 262; e fake news, 32, 43, 51-2, 138-9; e instituições multilaterais, 32, 37-9, 339; e o "cuidar de si", 358; e o fatalismo, 53, 185; e os Novos Materialismos, 228-9; estratégia "América em primeiro lugar", 38; intolerância em comícios, 44, 138; legitimação da violência de extrema direita, 32, 38, 113; natureza do apoio da elite empresarial a, 44-2; "neoliberalismo nacional" de, 103; paralisia liberal em face de, 55, 242; racismo e misoginia como fatores fundamentais do apoio a, 25-6, 44, 52-5, 59; reação da China a, 339, 341; subtextos da campanha, 42-3; traz pessoas não tão boas, 42, 52; tumultos no dia da posse, 23-4, 29-30; vínculos russos, 28, 38, 56-9, 127, 205-6, 248, 251, 253; vitória como divisor de águas, 32, 35, 37-8, 56, 59-60, 138
Tunísia, 107, 111

Turing, Alan, 158-9, 170, 190, 191-2
Turkle, Sherry, 242
Turquia, 28, 43; Partido ak, 26, 249-50; Protestos do parque Gezi (2013), 111, 248-9
Twitter, 98, 107, 115, 123, 241, 250; conluio com campanha eleitoral de Trump, 58, 251, 252; Erdoğan fecha, 249; robôs controlados por máquinas, 58, 128; trolls, 249; tuítes de Trump, 38, 316

Uber, 95, 210, 305
Ucrânia, 57, 111, 125, 127
Ukip, 65, 133
União Europeia, 32, 100, 125, 262, 351; aliança etnonacionalista contra, 51; Ato Único Europeu (1986), 71; e a crise financeira (de 2007-8), 99-101; ver também Brexit
União Soviética: colapso da, 39, 74-7, 82, 88-9, 140; dinâmica de classes na, 146, 285; e a tradição antibolchevique da esquerda, 143-5; e o meio ambiente, 295; estrutura de poder no Kremlin, 124-5; expurgos e julgamentos midiáticos (anos 1930), 144; ideologia na, 95-7, 221-2, 293, 294; leninismo, 286, 294; mergulho neoliberal pelos "oligarcas", 75-7; monopólio da informação na, 141; Segunda Guerra Mundial e a, 141-2, 144-5
Universidade de Edimburgo, 229, 231
universidades: ataques da alt-right a, 32, 123-4; e estratégias de "empurrão" neoliberal, 332-3; triplicação de anuidades universitárias no Reino Unido, 107, 333
utilitarismo, 197, 199-201, 217

Vale do Silício, 19, 45, 198, 211
Vanguard America, 113
Viena, Congresso de (1815), 86
Vierge, Daniel Urrabieta, 348
Volkswagen, 70, 210

Wall Street, escândalo dos analistas, 46-7
Wang Ruoshui, 342-3
Weinberg, Steven, 163
Wellman, Barry, 109
Wertheim, Margaret, 244

Índice remissivo

Weyl, Hermann, 34
Wheeler, John Archibald, 162, 165, 167
Wiener, Norbert, 158-9, 167-8, 169-71, 213
Wikipédia, 249
Wilks, dinastia de faturamento hidráulico, 44-5
Wire, The (série de tv), 176
Woolf, Virginia, 240-2
Wozniak, Steve, 187-9

xadrez, 188, 190
Xi Jinping, 19, 28, 240-2, 293, 306, 336-9, 343-4

Yarvin, Curtis (Mencius Moldbug), 116-7, 123
Yellen, Janet, 54
Yiannopoulos, Milo, 119, 358
YouTube, 114, 249, 328-30
Yudkowsky, Eliezer, 208-9

Zimmerman, George, 129
Žižek, Slavoj, 229
Zona do Euro, 100-1
Zoroastro, 325
Zuckerberg, Mark, 308
Zuse, Konrad, 162, 167

ESTA OBRA FOI COMPOSTA POR MARI TABOADA EM DANTE PRO E
IMPRESSA EM OFSETE PELA GRÁFICA SANTA MARTA SOBRE PAPEL PÓLEN SOFT
DA SUZANO S.A. PARA A EDITORA SCHWARCZ EM SETEMBRO DE 2020

A marca FSC® é a garantia de que a madeira utilizada na fabricação do papel deste livro provém de florestas que foram gerenciadas de maneira ambientalmente correta, socialmente justa e economicamente viável, além de outras fontes de origem controlada.